LEBEN IST MEHR

Dieses Buch wurde Ihnen überreicht von:

CV clv

**Jesus spricht zu ihm:
Ich bin der Weg
und die Wahrheit
und das Leben.
Niemand kommt zum Vater
als nur durch mich.**

Johannes 14,6

**Ich bin gekommen,
damit sie Leben haben
und es in Überfluss haben.**

Johannes 10,10

2017

LEBEN IST MEHR

Impulse für jeden Tag

Leben ist mehr ist auch als digitaler Kalender (Windows) erhältlich.

Schauen Sie mal rein:
www.lebenistmehr.de

Umschlag: Lucian Binder, Marienheide
Piktogramme: Eberhard Platte, Wuppertal
Satz: EDV- und Typoservice Dörwald, Steinhagen
Lektorat: Hermann Grabe, Peter Lüling, Joachim Pletsch, Elisabeth Weise
Druck: CPI – Ebner & Spiegel, Ulm
Anschrift der Redaktion:
»Leben ist mehr« · Moltkestr. 1 · 35683 Dillenburg
www.lebenistmehr.de · E-Mail: info@lebenistmehr.de

ISBN 978-3-86699-277-1	Best.-Nr.: 256277	(CLV-Paperback)
ISBN 978-3-86353-336-6	Best.-Nr. 272.706.017	(CV-Paperback)
ISBN 978-3-86699-346-4	Best.-Nr.: 256346	(CLV-Hardcover)
ISBN 978-3-86353-337-3	Best.-Nr. 272.707.017	(CV-Hardcover)
ISBN 978-3-86699-350-1	Best.-Nr. 256350	(CLV-Abreißkalender)
ISBN 978-3-86353-335-9	Best.-Nr. 272.713.017	(CV-Abreißkalender)

Zum Gebrauch

Zum Gebrauch des Kalenders sind einige Hinweise zu beachten. Auf jedem Tagesblatt befinden sich insgesamt fünf Symbole, die folgende Bedeutung haben:

Der tägliche Leitvers aus der Bibel, der in der Regel durch den Begleittext erklärt wird. Eine Übersicht sämtlicher Verse befindet sich am Ende des Buches. Sie enthält auch jeweils ein Kürzel, das auf die verwendete Bibel-Übersetzung hinweist.

Dem Haupttext ist immer ein Symbol vorangestellt. Es stellt einen Themenbereich dar, dem der jeweilige Text zugeordnet ist. Am Ende des Buches sind alle Tage nach Themen und Symbolen geordnet aufgelistet. Das ermöglicht das gezielte Heraussuchen von Beiträgen zu einem bestimmten Themenbereich. Der Haupttext schließt jeweils mit einem Namenskürzel, das auf den Schreiber des Beitrags verweist. Sämtliche Mitarbeiter und ihre Namenskürzel sind am Ende des Buches aufgelistet.

Die Frage zum Nachdenken

Der Tipp fürs Leben

Die tägliche Bibellese

Im Anhang finden Sie außerdem: *Fünf Schritte zu einem Leben mit Gott* und eine *Bibellese*, nach der Sie in einem Jahr das komplette Neue Testament lesen können.

Vorgehensweise:
Es empfiehlt sich, zuerst den Tagesvers aus der Bibel zu lesen und anschließend den Haupttext. Frage und Tipp dienen zur Anregung, über das Gelesene weiter nachzudenken, müssen aber nicht unbedingt mitgelesen werden (zum Beispiel beim Vorlesen).

Vorwort

Für 2016 hatten wir im Vorwort das damals vor uns liegende Jahr als Wundertüte beschrieben, deren Inhalt uns vielleicht erfreuen oder erschrecken wird. Damals wussten wir noch nicht, was uns diese Wundertüte bringen würde, dass Deutschland von Millionen Flüchtlingen überschwemmt werden sollte. Das nämlich ist uns widerfahren, und wir danken Gott, dass es nicht zu ganz großen Komplikationen geführt hat, auch wenn manche Orte viel damit zu tun bekommen haben.

Dass es uns oft schwer fällt, von unserem Wohlstand, von unserer gemütlichen Ruhe und auch von unserer Sicherheit Abstriche zu machen, ist kein Wunder. Und weil wir zwar gern von Solidarität mit den Ärmsten reden, aber oft zögerlich sind, wenn sie tatsächlich gefordert ist, darum müssen wir uns auch nicht wundern, wenn am rechten und linken Rand des politischen Denkens mehr oder weniger geschimpft und gemault wird.

Wir glauben aber, dass nach christlichen Maßstäben unsere Regierung das einzig Mögliche tat, indem sie die Grenzen öffnete und damit den Flüchtlingen wie auch den europäischen Mittelmeer-Anrainern half.

In der Bibel steht, dass wir nicht Besitzer unserer Güter, sondern nur deren Verwalter sind, die einmal Rechenschaft darüber abgeben müssen, wie wir mit den ausgeliehenen Mitteln umgegangen sind. Das gilt natürlich nicht nur für Gläubige, sondern für alle Menschen, nur haben Gläubige den Riesenvorteil, um ihre Abhängigkeit von Gott zu wissen und sich dementsprechend verhalten zu können, während Menschen, die Gott leugnen, einmal vor demselben Gott stehen werden, der dieselben Forderungen an sie stellt.

Christen werden das hohe Ziel wahrer Nächstenliebe auch nicht erreichen, selbst wenn sie wirklich aus Mitleid handeln; aber sie wissen, dass Christus gekommen ist, all unser Versagen durch sein Opfer auszugleichen. Das macht sie nicht gleichgültig und träge, sondern spornt ihren Eifer aus Dankbarkeit an.

Möge Gott die Leser so segnen, dass wir möglichst alle in die Schar derer eingereiht werden, die sich von Gott in dieser Welt zum Wohl anderer gebrauchen lassen!

Die Herausgeber

1. Januar 17

Neujahr **Sonntag**

Kauft die rechte Zeit aus!
Epheser 5,16

Auf Bergtour

Während meines Grundwehrdienstes bei den Gebirgsjägern unternahm unsere Kompanie eine mehrtägige Bergtour. Obwohl die Sonne auf uns herab brannte, hatten wir alle nur unsere Feldflasche mit einem Liter Wasser dabei. Schließlich hatten wir uns in den vergangenen Monaten daran gewöhnt, dass uns die Bundeswehr bei solchen Gelegenheiten mit Proviant versorgt. Diesmal hielten wir jedoch vergebens Ausschau nach dem olivgrünen VW-Bus mit dem Wasserfass. Und auch die Hoffnung, dass hinter der nächsten Kurve eine Quelle käme, wurde immer wieder enttäuscht. Als es sich immer deutlicher abzeichnete, dass es bis zum Abend nichts mehr geben würde, gingen wir mit dem kostbaren Nass plötzlich ganz anders um als vorher. Je länger sich der Tag hinzog, desto kostbarer wurde jeder Tropfen.

Die Lebenszeit eines jeden Menschen gleicht einer Feldflasche. Unsere Tage auf Erden sind gezählt. Es gibt keinen »Tankwagen«, der uns unterwegs – vielleicht mit vierzig oder fünfzig – mit zusätzlichen Lebensjahren versorgen würde. Während wir in unserer Jugend manchmal wünschten, die Zeit würde schneller vergehen – wir wollen endlich unseren Führerschein machen, die Schule abschließen oder eine Familie gründen –, erkennen wir oft zu spät, wie wertvoll jede einzelne Stunde ist.

Wie wollen Sie die Jahre nutzen, die Gott Ihnen vielleicht noch schenken wird? Paulus ermahnt die Epheser: »Kauft die Zeit aus! Füllt sie Aktivitäten, die Gott gefallen!« (vgl. Epheser 5,16-17). Am wichtigsten ist freilich, dass Sie Ihre Beziehung zu Ihrem Schöpfer in Ordnung bringen: »Mach dich bereit, deinem Gott zu begegnen!«, heißt es in Amos 4,12.

Noch haben Sie die Gelegenheit dazu. *pg*

? Womit verplempern Sie die meiste Zeit unnütz?

! Niemand weiß, wie viel noch in der »Flasche« der mir zugeteilten Zeit ist.

Amos 4,6-13

2. Januar 17

Montag

Da er aber nicht zahlen konnte, befahl der Herr, ihn und seine Frau und die Kinder und alles, was er hatte, zu verkaufen und damit zu bezahlen.

Matthäus 18,25

Restschuldversicherung

Wer eine Küche, ein Auto oder sonst etwas finanziert, dem wird häufig eine sogenannte Restschuldversicherung angeboten. Natürlich verlangt der Kreditgeber, dass der Kreditnehmer in der Lage ist, die fälligen Raten selbst zu zahlen. Nur »für alle Fälle«, wenn die eigene Zahlungsfähigkeit z. B. durch Arbeitslosigkeit, Arbeitsunfähigkeit o. Ä. wegfällt, soll dann die Versicherung greifen und die noch offene Restschuld übernehmen, damit alle Beteiligten abgesichert sind. Selbstverständlich muss man für diese Sicherheit ebenfalls bezahlen, denn umsonst gibt es die natürlich nicht.

Wie sieht das nun aus, wenn es nicht um eine finanzielle, sondern um moralische Schuld geht? Können wir die auch – zunächst – aus eigener Kraft abbauen? Und was ist, wenn hier eine »Restschuld« bleibt? Oft begegne ich dazu folgendem Verständnis: Man muss in eigener Leistung moralische Verfehlungen durch gute Taten abarbeiten. Und für den Rest, na ja, da wird Gott es schon nicht so genau nehmen. Dafür gilt dann seine Gnade.

Doch das ist nicht die Botschaft der Bibel: Der Tagesvers stammt aus einem Gleichnis, das zeigt, dass der Mensch gegenüber Gott stets hoffnungslos verschuldet ist. Auch wenn er alles einsetzte, könnte er nichts davon bezahlen. Es bleibt immer eine unermessliche, nicht zu tilgende Lebensschuld – und nicht nur eine kleine Restschuld – übrig. Ich darf mir nicht einbilden, ich könnte Gott gegenüber auch nur einen Fehler wirklich ungeschehen machen. In dieser Beziehung benötigen wir nicht nur eine Restschuldversicherung, sondern echte Erlösung. Doch Gott sei Dank gibt es die: Ich muss nur meine Schuld bekennen und Gott glauben, dass Jesus Christus für alles bereits gezahlt hat. *mm*

? Was wird in der »Bibellese« mit der Zahl 10 000 Talente ausgedrückt?

! Zu Jesu Erdenzeiten betrug das Jahressteueraufkommen von ganz Galiläa 300 Talente!

Matthäus 18,21-35

3. Januar 17

Dienstag

Weiser als meine Feinde macht mich dein Gebot; denn immer ist es bei mir. Verständiger bin ich als alle meine Lehrer; denn deine Zeugnisse sind mein Sinnen.

Psalm 119,98-99

Stroh zu Gold spinnen

Es ist wohl schon eine Weile her, dass man sich sicher war, niemals Gold aus Stroh spinnen zu können. Das überließ man dem Rumpelstilzchen aus dem Märchen. Aber heutzutage gelingt es immer mehr Menschen, strohdumme Sachen so zu vermarkten, dass sie hinterher das Gold nur so scheffeln können. Woran mag das liegen?

Ich denke, das kommt daher, dass man der Mehrzahl der Menschen einreden konnte, Stroh sei das, was sie für Stroh halten, und Gold sei genauso das, was sie für Gold halten. Eine absolute Wahrheit, die uns sagt, was Stroh und was Gold ist, könne es jedenfalls nicht geben, weil wir selbst nur die Produkte des Zufalls seien, die niemals eine sichere Aussage über das machen können, was gut und was böse, was richtig oder was falsch, was Stroh oder was Gold ist. Dann ist es gar nicht mehr schwierig, den Leuten Stroh für Gold zu verkaufen, Stroh abzuliefern und dafür Gold einzukassieren.

Man muss nur das richtige Spinnen verstehen. Man muss nur wissen, was gerade Mode ist im Showgeschäft oder auch im »Mainstream« augenblicklichen Denkens.

Wir sollten nur endlich die Augen aufmachen. Dann würden wir erkennen, dass außer solchen Spinnereien wohl 99% unserer Umwelt ganz festen und berechenbaren Gesetzen folgt, sei es, dass die Radmuttern am Auto immer festgezogen sein müssen oder dass man stirbt, wenn man im zehnten Stock aus dem Fenster fällt.

Gott ist Wahrheit, und auf ihn sollten wir uns verlassen. Er hat uns in der Bibel genau gesagt, was Stroh und was Gold ist. Er wird uns nie enttäuschen und uns wahres Gold geben, solches sogar, das in Ewigkeit nicht vergehen wird. Um dieses Gold sollte es uns allen gehen. *gr*

? Wem vertrauen Sie, dem Gott der Wahrheit oder den Strohspinnern?

! Im wirklichen Leben folgt nahezu alles festen Regeln und Wahrheiten.

Psalm 119,97-106

Ich will aber, dass ihr wisst, …
1. Korinther 11,3

Nützliches Wissen?

Wussten Sie, dass der Mons Huygens der höchste Berg auf dem Mond ist? Sein Gipfel liegt etwa 5,5 km über der Ebene des Mare Imbrium. Oder wussten Sie, dass die mittlerweile verstorbene »Blosom« im September 2014, dank einer Schulterhöhe von 1,93 Metern, zur größten Kuh der Welt gekürt wurde?

Am heutigen 4. Januar wird weltweit der sogenannte Trivia-Tag veranstaltet. Bei Trivia handelt es sich um belanglose Informationen. Dazu zählen auch Kuriositäten und Fakten ohne wissenschaftlichen oder vordergründig praktischen Nutzen.

Was ist wichtig, und mit was beschäftigen wir uns? Was hat den größten Nutzen für uns, und wie kommen wir in unserem Leben wirklich weiter? Zählen Karriere, Besitz und Wohlstand für Sie zu den wichtigsten Dingen? Wie lange können Sie wirklich von den Früchten Ihres Tuns sorgenfrei leben? Welches Wissen ist notwendig, um über unsere irdische Existenz hinaus Bestand zu haben?

Durch die Bibel erfahren wir, wie es um uns Menschen in Wahrheit bestellt ist. Unser Leben ist nur ein Hauch und nach wenigen Generationen ist fast jeder von uns vergessen, weil niemand mehr lebt, der uns noch kennt. Seit Adam und Eva ist uns der Anschluss an das Leben mit Gott verlorenen gegangen, und die ganze Menschheit leidet unter den Folgen – bis heute. Lebensglück finden nur wenige, und das auch oft nur für eine kurze Zeitspanne. Und wenn der Tod kommt, was bleibt uns dann?

Gott hat sich unser erbarmt und uns aus Liebe seinen Sohn gesandt, damit wir wieder mit ihm in Verbindung kommen können. Wenn das geschehen ist, erkennen wir, dass Gott nicht nur unser Leben jetzt ganz neu erfüllen will, sondern uns auch ewiges Leben bei ihm schenken möchte.

schn

? Halten Sie die Informationen der Bibel für belanglos oder wichtig?

! Gott lässt uns nicht im Unklaren, sondern er will, dass wir wissen, worum es ihm geht und wie es uns durch seine Hilfe ergehen kann!

1. Korinther 15,1-11

Siehe, er kommt mit den Wolken, und es werden ihn sehen alle Augen und alle, die ihn durchbohrt haben, und es werden wehklagen um seinetwillen alle Geschlechter der Erde. Offenbarung 1,7

Das unterschätzte Risiko

Niemand würde ein Flugzeug besteigen, das mit 10-prozentiger Wahrscheinlichkeit abstürzt. Das Risiko wäre uns zu groß. Noch viel riskanter ist es jedoch, das größte Ereignis der Weltgeschichte unbeachtet zu lassen. Das ist die Wiederkunft Jesu! Dieser Tag ist der gewisseste der Zeitgeschichte. Worin besteht hier das Risiko?

Die Bibel bezeichnet diesen Tag sowohl als Tag der Freude als auch des größten Leides: »Es werden wehklagen alle Geschlechter der Erde« (Offenbarung 1,7). Im Leben der meisten Menschen nimmt Jesus überhaupt keinen oder nur einen Platz am Rande ein. Gemäß einer Statistik besuchen nur fünf Prozent der Mitglieder der Evangelischen Kirche in Deutschland an Karfreitag und Ostern die Gottesdienste. Die faktische Abschaffung einer Hölle, der man durch Christi Erlösungstat entrissen wird – »Tod, wo ist dein Stachel? Hölle, wo ist dein Sieg?« –, macht die Botschaft vom Kreuz überflüssig. Für heute gängige Jenseitsvorstellungen sind Karfreitag und Ostern nicht mehr nötig. Man fürchtet weder den Todeszustand noch die Hölle noch das Gericht. Diese Glaubensinhalte sind in den Amtskirchen fast völlig verschwunden.

Wie viele Menschen glauben noch »allem, was geschrieben steht« (Apostelgeschichte 24,14)? Das hat bisher keine Statistik erfasst. Hätten wir mit einem oder zwei Prozent wohl schon zu hoch gegriffen? Dann befänden sich 99 oder 98 Prozent im Risiko, auf dem Weg zur Hölle zu sein. Man möchte ihnen allen zurufen: »Ihr Menschen, wacht auf, dass der ewige Tod nicht zu eurem unwiderruflichen Schicksal wird! Warum wollt ihr mit einem so hohen Risiko leben? Es gibt doch einen Ausweg: ›Glaube an den Herrn Jesus, und du wirst gerettet!‹ (Apostelgeschichte 16,31).«

gi

Welche Bedeutung hat die Wiederkunft Jesu für Sie?

Gehen Sie nicht das Risiko ein, ohne Jesus zu leben und von seiner Wiederkunft überrascht zu werden!

Matthäus 24,29-33

Freitag **6. Januar 17**

Der Gott der Hoffnung aber erfülle euch mit aller Freude und allem Frieden im Glauben, damit ihr überreich seiet in der Hoffnung durch die Kraft des Heiligen Geistes.

Römer 15,13

Glauben und Beten: nur was für Frauen und Kinder?

Meine Schwiegermutter lag im Krankenhaus. Wir konnten sie jeden Tag besuchen. Mit ihr lagen noch zwei andere Frauen im Zimmer. Bevor meine Frau und ich wieder gingen, fragte ich, ob ich noch einen Text aus der Bibel lesen durfte. Sie stimmten zu. Als ich den Abschnitt aus Gottes Wort gelesen hatte, durfte ich noch beten. Ich betete um Hilfe für die Kranken, um Genesung und um den Segen Gottes. Mit tiefem Ernst betete ich auch namentlich für die drei Frauen im Krankenzimmer. Es war mir ein großes Anliegen.

Als ich mit meinem Beten am Ende war, fing eine der Frauen herzzerreißend zu weinen an. Das berührte mich, und ich fragte sie, ob es ihr nicht gut gehe und ob ich ihr helfen könne. Sie schluchzte und dann brach es aus ihr heraus: »Ich habe noch nie erlebt, dass ein Mann betet, und dann auch noch für seine Schwiegermutter.« Diese Aussage machte mich betroffen: »Ich habe noch nie erlebt, dass ein Mann betet.«

Ist es wirklich so, dass Glauben und Beten nur etwas für Frauen und Kinder ist? Ist es unmännlich zu beten? Diese Frage bewegt mich seitdem immer wieder. Für mich als Mann ist Beten etwas Wunderbares. Ich darf mit Gott reden. Mit dem lebendigen und wahren Gott. Mit dem Schöpfer des Universums, mit dem, der Himmel und Erde geschaffen hat. Seitdem ich dem Herrn Jesus mein Leben anvertraut habe, bete ich, täglich. Das sind inzwischen über 48 Jahre. Im Gebet darf ich meinem himmlischen Vater alles sagen, was mich bewegt. Alle meine Anliegen darf ich ihm bringen, aber auch alles, was mich erfreut und ermutigt. Es gibt so viel Grund ihm zu danken, auch dann, wenn es einmal nicht so gut läuft. Bei ihm fühle ich mich völlig geborgen. *fr*

Sind Glauben und Beten auch aus Ihrer Sicht nur etwas für Frauen und Kinder?

Ich bin gerne »ein Kind« und kann Sie nur ermutigen, zu Gott zu beten. Er wartet darauf.

Psalm 4

7. Januar 17

Samstag

… er hat aber keine Wurzel in sich, sondern ist nur ein Mensch des Augenblicks …
Matthäus 13,21

Wechselnde Begeisterung

In jedes neue Jahr starte ich – wie wahrscheinlich viele andere Menschen auch – mit guten Vorsätzen. In diesem Jahr habe ich mir vorgenommen, mehr Sport zu machen. Wie immer gibt es im Januar viele sinnvolle Sportartikel zu günstigen Preisen, und ich kaufe mir eine Gymnastikmatte. Über YouTube will ich nun mindestens 2-mal pro Woche Sport machen. Zu Beginn bin ich wirklich hoch motiviert dabei und bemerke auch Fortschritte in meiner Fitness. Doch – wie kann es anders sein – nach einigen Wochen flaut die Begeisterung ab, ich habe weniger Zeit, und bald steht die Matte die meiste Zeit in der Ecke. Wie oft passiert es doch, dass anfängliche Begeisterung Normalität oder sogar Ablehnung Platz macht!

Manchen Menschen geht es auch mit dem Glauben an Gott so. Wenn sie das erste Mal hören, dass Jesus Christus sie liebt, für ihre Schuld am Kreuz gestorben ist und ihr persönlicher Herr sein will, sind sie begeistert. Vielleicht sind sie emotional angesprochen und berührt. Und doch verändert sich ihr Leben nicht, und kurze Zeit später wenden sie sich wieder anderen Dingen zu. Jesus vergleicht das Herz dieser Menschen mit steinigem Boden, auf den das Saatgut fällt. Weil nicht genug Erde da ist, in der sich starke Wurzeln bilden können, geht die Saat ein, sobald etwas Trockenheit kommt. Genauso sind die Menschen, die nur oberflächlich von der christlichen Botschaft angesprochen werden – sie wenden sich dem nächsten Trend zu, wenn der Glaube nicht mehr attraktiv und passend für sie ist.

Doch bei Jesus geht es um so viel mehr als um eine kurzfristige Begeisterung. Er wird das Leben dessen, der ganze Sache mit ihm macht, komplett verändern und ihn durch gute und schwere Zeiten tragen.

frm

Sind Sie nur kurzzeitig von Jesus begeistert, oder wollen Sie ihm Ihr ganzes Leben anvertrauen?

Wenn Sie Jesus als Ihren Retter kennenlernen, werden Sie für immer von ihm begeistert sein.

Matthäus 13,1-23

Und es geschah, als Jesus an einem Ort war und betete, da sprach, als er aufhörte, einer seiner Jünger zu ihm: Herr, lehre uns beten.

Lukas 11,1

Erhört Gott Gebete?

Wir hatten mit unseren Kindern einen Krankenbesuch gemacht und ihnen versprochen, anschließend mit dem Schiff eine Rundfahrt auf dem Rhein zu unternehmen. Doch als wir nach dem Besuch unser Auto bestiegen, um an den nahegelegenen Rhein zu fahren, zog sich der Himmel zu und es begann, in Strömen zu gießen.

Da räusperte sich lautstark unser Jüngster: »Papa«, meinte der Vierjährige mit fester Überzeugung, »wir können doch einfach beten. Dann hört der Regen auf und wir können die Fahrt mit dem Schiff machen. Der Herr Jesus kann das doch, oder!?«

Ich muss gestehen, dass ich versucht war, ihm zu erklären, dass die Bauern sicher gerade für Regen gebetet hätten, und der Herr Jesus nicht gerade auf unseren Wunsch Rücksicht nehmen könnte. Doch in dem Augenblick fing der Knirps schon an zu beten. Mit fest geschlossenen Augen saß er in seinem Kindersitz. Die anderen Kinder hatten ebenfalls ihre Augen geschlossen und waren voller Erwartung. Ich dachte nur: ›Was ist, wenn es jetzt nicht aufhört zu regnen?‹ – »Herr Jesus«, betete der Kleine voller Inbrunst, »du weißt doch, dass wir den Ausflug machen wollen. Mach doch bitte, dass es aufhört zu regnen! Dankeschön, Herr Jesus! Amen!« Alle öffneten erwartungsvoll ihre Augen. »Siehste, Papa! Der Herr Jesus kann das!«

Und tatsächlich, der Regen hatte aufgehört! Unfassbar: Schon sprangen meine Kinder aus dem Auto und liefen zur Schiffsanlegestelle. Was soll ich sagen? Wir haben voller Freude die Schiffstour gemacht. Und natürlich: Als wir anschließend wieder in unser Auto stiegen, regnete es weiter! Gott ist unfassbar groß. Da antwortet er auf das Gebet eines Vierjährigen, damit er diese Lektion nie im Leben vergisst: Ja, Gott hört Gebet!

pt

? Was erwarten Sie, wenn Sie beten? Glauben Sie, dass Gott alles kann?

! Natürlich erfüllt Gott nicht immer unsere Gebetswünsche, aber er hört sie. Und er weiß, was für uns gut ist.

Jakobus 5,13-18

**Und siehe, einer trat herbei und sprach zu ihm:
Lehrer, was soll ich Gutes tun,
damit ich ewiges Leben habe?**

Matthäus 19,16

Unnötige Plastikprothesen

Er flirtete mit dem Jenseits, hieß es. David Bowie, ein Superstar, der als Mensch ein Rätsel blieb. Vor einem Jahr starb er – zwei Tage nach seinem 69. Geburtstag und zwei Tage, nachdem sein 26. Album veröffentlicht wurde: Blackstar.

Blackstar ist ein verstörendes Hadern mit dem Verschwinden. Zu hören sind erschöpfter Atem, stolpernde Beats und die kraftlos gewordene, geisterhafte Stimme eines Sterbenden, der noch einmal große Fragen wälzt; die Frage etwa nach dem, was bleibt.

Seine ganze Karriere sei Bowie das Resultat seiner Unsicherheit gewesen, so gab er es selbst zu. Dann sprach er roboterartig: »Mir geht es gut in dieser Welt – jetzt.« Auch deshalb nerve ihn die Endlichkeit des Lebens. »Gibt es niemanden, mit dem man die Spielregeln noch einmal überarbeiten könnte? Ich würde gern 200 oder 300 Jahre alt werden.« Dem Fotografen Mick Rock sagte Bowie einst: »Ich würde am liebsten alle meine Körperteile durch Plastikprothesen ersetzen, dann würde ich nie alt werden.«

Ob man David Bowie, seine Musik und seine Masken mochte oder nicht, seine Motive bewegen viele von uns. Nicht sterben zu müssen, ist der Menschheitstraum schlechthin. Die unfassbare Botschaft dazu »von ganz oben« ist diese: »So wahr ich lebe, spricht Gott der HERR: Ich habe kein Gefallen am Tode des Gottlosen, sondern dass der Gottlose umkehre von seinem Wege und lebe. So kehrt nun um von euren bösen Wegen« (Hesekiel 33,11). Die Lösung Gottes sind nicht Prothesen, sondern: Wir sollen genesen, heil werden von der Sünde. Dazu hat Gott seinen Sohn als Retter in die Welt gesandt. Seit Jesus gekommen ist, können Menschen nicht nur bescheidene »200 oder 300 Jahre alt werden«, sondern ewig leben. *wä*

? Lässt Sie die Endlichkeit des Lebens manchmal resignieren?

! In Jesus Christus wird der Menschheitstraum Wirklichkeit.

Johannes 11,17-27

Dienstag

10. Januar 17

Denn einst wart ihr Finsternis, jetzt aber seid ihr Licht im Herrn. Wandelt als Kinder des Lichts.

Epheser 5,8

Weltpremiere des Wilden Westens

Ich weiß gar nicht, ob Kindern heute noch etwas einfällt zu dem Namen »Buffalo Bill«, denn das Thema »Wilder Westen« ist ziemlich »out«. Zwar tauchen immer wieder einmal Filme auf, die die alten Zeiten noch einmal beschwören, aber irgendwie lassen sich die Leute darüber nicht mehr aus dem Häuschen locken.

Vor gut hundert Jahren war das alles ganz anders, jedes Kind kannte ihn. Viele lasen die Heftchen über ihn und die Indianer, und wer konnte, besuchte in den Städten die gewaltigen Wildwest-Shows, auf die sich Buffalo Bill in seiner zweiten Lebenshälfte verlegt hatte. Mit ihr gastierte er höchst erfolgreich in Deutschland, verdiente viel Geld und erhielt Ehrenbezeigungen von Kaisern und Königen. Er hatte tatsächlich viel erlebt im Wilden Westen. Weniger bekannt wurde, dass Buffalo Bill auch Weltmeister im Erschießen von Büffeln war. Vom Eisenbahnwagen aus brachte er es auf sechzig Stück pro Tag, war also mitbeteiligt daran, dass das Bison um Haaresbreite ausgerottet wurde. Dabei dürfen wir Europäer uns nicht zu sehr moralisch erheben, denn es war die riesige Nachfrage nach Leder in Europa, die das Niedermachen der Büffel antrieb. Andererseits hat Buffalo Bill sich vielfach und erfolgreich für die Indianer und deren Rechte eingesetzt. Er war offensichtlich ein Mann mit großen Gegensätzen, mit Licht und Schatten. Am 10. Januar 1917 starb er in Denver, Colorado.

Christen sind herausgefordert, als »Kinder des Lichts« im Leben unterwegs zu sein und sich nicht – je nach Lage der Dinge – mal so und mal so zu geben. Das geht natürlich nur »im Herrn«, d. h. in Verbindung mit Jesus Christus, dem Ursprung und der Kraftquelle ihres Glaubens. Nach Geld und Beliebtheit fragt man dann nicht, sondern danach, ob das, was man tut, Gott gefällt und nicht dem »Publikum«. *koh*

? Wen versuchen Sie durch Ihren »Auftritt« zu beeindrucken?

! Fragen Sie sich immer erst, ob Gott dazu Ja sagen kann und es andere zu ihm weist.

Römer 12,1-2.9-21

**Eure Milde soll allen Menschen bekannt werden;
der Herr ist nahe.**
Philipper 4,5

»Wir schaffen das!« (1)

Dieser Ausspruch der deutschen Kanzlerin wurde 2015 fast zum Sprichwort in vieler Munde. Er war vielleicht nicht so gedacht, wurde aber zum Inbegriff der Initiative, die nach Vorstellung der Kanzlerin in Deutschland auf die Herausforderung von Millionen Flüchtlingen nach Europa geschehen sollte.

In der anschließenden monatelangen Debatte mit vielen unliebsamen Begleiterscheinungen, Protesten, aber auch klaren Zustimmungen wurde deutlich, dass gemeinsames Anpacken nicht einfach durch Appelle zu erreichen ist, sondern vielmehr Denkweisen und moralische Qualitäten voraussetzt, die nicht einfach per Knopfdruck abgerufen werden können. So offenbart sich in einer Krise zunächst stets die Einstellung, die im Moment der Konfrontation mit ihr vorhanden ist. Man konnte die »Flüchtlingskrise« daher auch als Prüfstein für Deutschland ansehen, an dem sich zeigte, wie die Bevölkerung in unserem Land eingestellt ist.

Jesus Christus gab für seinen zukünftigen Richterspruch über alle Menschen im Zuge seiner Wiederkunft folgenden »Prüfstein« bekannt, der darüber entscheidet, ob sie in die neue Welt eingehen dürfen: »Denn mich hungerte, und ihr gabt mir zu essen; mich dürstete, und ihr gabt mir zu trinken; ich war Fremdling, und ihr nahmt mich auf; nackt und ihr bekleidetet mich; ich war krank, und ihr besuchtet mich; ich war im Gefängnis, und ihr kamt zu mir« (Matthäus 25,35-36).

Was könnte uns heute dazu bewegen, um Jesu willen barmherzig, hilfsbereit und großzügig zu sein? Wohl nur die Überzeugung, dass er der Retter und Richter der Menschen ist und unseren freiwilligen Verzicht zugunsten anderer so hoch bewerten wird, wie es kein anderer in dieser Welt tun wird. *pj*

Wie sah Ihre spontane Reaktion in der »Flüchtlingskrise« aus?

Wir sollten uns an dem Maßstab orientieren, nach dem der Richter aller Menschen urteilt. Dann liegen wir richtig!

Matthäus 25,31-46

Donnerstag

12. Januar 17

Wacht und betet, damit ihr nicht in Versuchung kommt!
Der Geist zwar ist willig, das Fleisch aber schwach.
Matthäus 26,41

»Wir schaffen das!« (2)

Dieser Ausspruch der Kanzlerin, so positiv er gemeint war, bedarf noch einer genaueren Betrachtung. Einerseits muss man ihr vermutlich Recht geben, denn wenn es ein Land gibt, dem Mittel und Wege zur Umsetzung der Flüchtlingshilfe zur Verfügung stehen, dann wohl in erster Linie eines der reichen Länder der westlichen Welt. So betrachtet, besitzt Deutschland sehr wohl Mittel, um Gewaltiges zuwege zu bringen.

Andererseits geht es aber nicht nur um die Mittel, die zur Verfügung stehen, sondern auch um Vertrauen, beispielsweise, dass Integration langfristig gelingt und nicht zur Verschlechterung der allgemeinen Lage im Land führt. Mit einem Wagnis sind natürlich stets Unwägbarkeiten verbunden, die niemand zu 100% einschätzen kann. Die Überzeugung »Wir schaffen das!« setzt also Vertrauen voraus, dass auch alle sich aus der Flüchtlingshilfe ergebenden Unwägbarkeiten bewältigt werden können, über das persönliche Vermögen des Einzelnen hinaus. Worauf aber gründet sich dieses Vertrauen?

Christen wissen durch Gottes Wort, die Bibel, dass ihr menschliches Vermögen begrenzt ist und dass sie insbesondere in Krisen die Hilfe Gottes benötigen. Unser Tagesvers gibt eine Aufforderung Jesu wieder, die unsere Situation treffend beschreibt: Wir wollen gerne das Beste erreichen, werden dabei aber mit unserem Unvermögen konfrontiert. Wachsamkeit und das Gebet um Kraft »von oben«, um der Erprobung standzuhalten, werden dieser Situation aus christlicher Sicht am ehesten gerecht. Wenn man also bis an die Grenzen seiner Belastbarkeit herausgefordert wird, wie es in der Flüchtlingskrise offenbar viele empfunden haben, sollte man vielleicht einmal diese Möglichkeit des Gebets erwägen – anstatt vorschnell das Handtuch zu werfen. *pj*

Sind Sie in der Lage, diese Kraftquelle »anzuzapfen«?

Im Vertrauen auf Gott lassen sich Krisen bewältigen.

2. Korinther 1,8-11

Denn ich schäme mich des Evangeliums nicht.
Römer 1,16

Zum Gebet in der Moschee beim Einkaufszentrum

Pünktlich um 12:00 Uhr klingelte es zur 5. Stunde. Wie immer hetzten einige Schüler mit leichter Verspätung in den Klassenraum. Drei Plätze meiner muslimischen Schülerinnen aber waren auch deutlich nach Stundenbeginn noch unbesetzt. Der Unterricht war schon in vollem Gange, als sich die Tür zaghaft öffnete und die drei Vermissten leise hereinschlichen. Eines der Mädchen kam nach vorne ans Pult und flüsterte mir zu: »Bitte entschuldigen Sie unsere Verspätung, aber wir waren zum Beten in der Moschee beim Einkaufszentrum und haben vergessen, auf die Uhr zu sehen.« Ich nahm die Entschuldigung an. Als sich die drei hinsetzten, hörte ich, wie die Wortführerin den beiden anderen zuraunte: »Seht ihr, ich habe euch doch gesagt, dass Herr von der Mühlen uns verstehen würde.«

Verstehen vielleicht, bewundern auf jeden Fall. Meine Gedanken wanderten zurück in meine Schulzeit. Hätte ich mich getraut, in der Pause zum Beten zu gehen? Hätte ich den Mut gehabt, beim Zuspätkommen ohne Umschweife zu bekennen: »Ich war in der Kirche beim Einkaufszentrum zum Beten und habe dabei vergessen, auf die Uhr zu sehen?«

Einige Monate später war ich mit den gleichen Schülerinnen zur Abschlussfahrt in Barcelona. Während der langen Busfahrt verrichteten die Teenager zu den entsprechenden Zeiten ihre Gebete. Sie saßen dabei unmittelbar vor mir. Auch ich beugte mein Haupt und betete – betete, dass sie den Weg nach Golgatha finden würden. Zur Abschlussfeier schenkte ich ihnen ein Neues Testament, das sie alle ohne Ausnahme annahmen. Wir brauchen mehr Mut, uns in einem christlichen Land zu Christus zu bekennen und uns seiner nicht zu schämen. *vdm*

Wann und wo haben Sie sich zum letzten Mal als Christ geoutet?

»Für mich ist es Zeit, laut von der Liebe Gottes zu erzählen und von der Vergebung durch Jesus Christus.« (Daniel Böcking, BILD-Redakteur)

2. Timotheus 1,1-14

Samstag

14. Januar 17

Denn das Leben ist für mich Christus
und das Sterben Gewinn.

Philipper 1,21

Gewinnen oder verlieren?

Im Januar 2016 gab es in den USA einen Mega-Jackpot von 1,6 Milliarden Dollar im Lottospielen. Im Fernsehen wurden riesige Menschenschlangen gezeigt, die an den Wettschaltern anstanden. Jede Woche spielen in Deutschland über 20 Millionen Menschen Lotto in der Hoffnung auf einen großen Geldgewinn. Doch obwohl 97% aller ausgefüllten Tippreihen »Nieten« sind, spielen sie Woche für Woche weiter. Sie werden jetzt sagen: »Es haben schon viele Menschen einen großen Lottogewinn gehabt, die nicht damit gerechnet haben. Es kann gut sein, dass es auch mich ganz unerwartet trifft.« Aber: Wenn Menschen durch Verkehrsunfälle ums Leben kommen, rechnen Sie dann auch damit, dass Ihnen demnächst dasselbe passiert? Die »Chancen« stehen auf jeden Fall deutlich besser.

Es ist offenbar in den Menschen gelegt, dass er immer nach mehr strebt und dabei auf das Glück setzt. Die wenigsten lassen sich genügen mit dem, was sie haben. Ohne großen Aufwand reich zu werden, ist ein Traum, der für die meisten auch ein Leben lang einer bleibt. Da verlangt einem der Tagesvers schon einiges ab, denn dass das Sterben Gewinn sein soll, das hält wohl kaum einer von den Glücksjägern für vernünftig. Das klingt schon sehr fromm! Für die meisten Menschen bedeutet es Verlust, Ende und Aus.

Der Apostel Paulus schrieb aber genau das an die Gemeinde in Philippi (Nordgriechenland), weil er dann bei Jesus sein konnte, den er schon zu Lebzeiten bestens kannte. Auf bleibenden ewigen Gewinn kann man auf dieser Erde nicht hoffen. Auch der Reichste muss einmal sterben. Wirklich gewinnen können wir nur für die Ewigkeit. Dafür brauchen wir aber Jesus. Nur er kann uns ewiges Leben in Gottes Herrlichkeit schenken.

schn

Wie denken Sie jetzt über das Sprichwort: »Wie gewonnen, so zerronnen«?

Begeben Sie sich auf die Spuren der Gesinnung des Apostels Paulus.

Philipper 3,7-14

**Jesus spricht zu ihm:
Ich bin der Weg und die Wahrheit und das Leben;
niemand kommt zum Vater als nur durch mich!**
Johannes 14,6

Religionsvermittlung

Für eine Folge der Fernsehserie »Der Tatortreiniger« hat sich die Autorin ein interessantes Geschäftsmodell ausgedacht. Die Folge handelt von einer Dame, die sehr erfolgreich und auf hohem Niveau eine Religionsvermittlung betreibt. Dort werden professionelle Kundenprofile erstellt, um Menschen, die entweder unzufrieden mit ihrer bisherigen Religion sind oder die sich das erste Mal auf die Sinnsuche begeben, ein maßgeschneidertes Angebot mit der für sie passenden Religion machen zu können. Im Angebot enthalten sind Seminare, Klosterbesuche, oder was immer nötig ist, um diese Religion kennenzulernen, und der Kunde zahlt ein Erfolgshonorar, nachdem er sich endgültig, z. B. durch eine Taufe, für einen Anbieter entschieden hat. Und bei Bedarf entwickelt die Vermittlungsagentur sogar eine ganz neue Religion, wenn unter dem Vorhandenen nichts Passendes dabei ist. »Aber«, so wendet Heiko Schotte, der Tatortreiniger, dieser Dame gegenüber ein, »man kann doch nicht einfach irgendwas glauben, nur weil man das schön findet. Wenn man schon an etwas glauben will, dann doch an das, was stimmt.«

Ein guter Einwand! Reicht es denn aus, wenn man sich die individuell passend scheinende Religion raussucht, weil ja am Ende eh keiner beweisen kann, welche recht hat? Oder ist es doch wichtig und lohnenswert, sich auf die Suche nach dem zu machen, »was stimmt«? Ich denke, die Suche lohnt sich. Denn wir alle haben in uns ein tiefes Bedürfnis nach Wahrheit, Transparenz und Klarheit.

Bei Jesus habe ich gefunden, »was stimmt«. Er hat meine Schuld vor Gott am Kreuz bezahlt, und der Glaube daran bringt mich in den Himmel. Und für diese einfache Wahrheit brauchte ich keine »Religionsvermittlung«. Ich habe sie durch das Lesen der Bibel gefunden. *apa*

Suchen Sie auch nach der Wahrheit?

Lesen Sie doch mal die Bibel und prüfen Sie, ob es stimmt, was Jesus Christus sagt.

Kolosser 2,8-10.18-23

Heute, wenn ihr seine Stimme hört, verhärtet euer Herz nicht!
Psalm 95,7

Ein tolles Angebot!

Montag morgen, 7:55 Uhr. Vor den Türen des Supermarktes bildet sich eine Schlange. Einige Leute scheinen etwas ganz Wichtiges nicht verpassen zu wollen. Als sich endlich die Türen öffnen, stürzen sich alle hinein. Da geht es manchmal rau zu. Warum nur? Es geht um die neusten Sonderangebote. Und da heißt es: Zugreifen, zugreifen!

Gott macht uns auch ein tolles Angebot, das wir uns auf keinen Fall entgehen lassen sollten: Er sieht, dass wir Menschen uns sehr weit von ihm entfernt haben. Und wenn wir so weiterlaufen, werden wir in der ewigen Gottesferne landen. Darum macht er uns das Angebot, alle unsere Schulden und Vergehungen auf sich zu nehmen und uns dafür Vergebung und ein ewiges Leben in seinem Himmel zu geben, wenn wir einmal diese Erde verlassen. Da denkt man natürlich, dass alle laufen, um solch ein Angebot keinesfalls zu verpassen. Und man erwartet, dass alle Menschen nichts für wichtiger halten, als dieses Angebot wahrzunehmen, und zwar am liebsten gleich; denn man weiß ja nicht, ob man diese Gelegenheit noch einmal erlebt. Man könnte ja morgen schon tot sein. Obendrein ist dies Angebot nicht nur besonders günstig, sondern sogar gratis!

Doch nun muss man feststellen, dass die meisten Menschen diese göttliche Freundlichkeit nicht nur für überflüssig halten, sondern oft sogar sehr gereizt reagieren, wenn man sie darauf anzusprechen wagt. Wenn uns die Bibel nicht sagte, dass der Teufel den Ungläubigen die Augen zuhält, könnte man solch ein Verhalten überhaupt nicht verstehen, geht es doch um ihr eigenes ewiges Wohlergehen. Gott selbst aber will unsere Augen öffnen, wenn wir ihn darum bitten. Aus eigener Erfahrung kann ich sagen: Es ist das beste Angebot aller Zeiten. *frm*

? Haben Sie Gottes Angebot schon angenommen?

! Heute wäre ein guter Tag dafür!

Apostelgeschichte 2,22-41

Wir wissen aber, dass denen, die Gott lieben, alle Dinge zum Guten mitwirken.
Römer 8,28

Wer sitzt am Steuer?

Ein Flugkapitän wollte seinen beiden Söhnen vor dem Flug einmal zeigen, wie es im Cockpit aussieht. Der eine erschrak über all die Lämpchen und Lichtzeichen, über all die Knöpfe zum Drücken und Drehen und über all die Hebel rings um den Pilotensitz. Wie konnte man damit die Maschine starten? Und das Landen war ja noch ungleich schwieriger! Der andere staunte nur und freute sich, dass sein Vater das alles im Griff hatte. Dann setzten sie sich auf ihre Plätze und schnallten sich an. Wer von den beiden war nun während der Reise sicherer, der Ängstliche oder der Mutige?

Na klar, beide waren gleich sicher, weil ja nicht sie das Flugzeug steuerten, sondern der Vater. Aber während der eine die Reise genoss, erwartete der andere immer eine Warnmeldung. Darum probierte er auch schon mal die Schwimmweste an, und aus dem Fenster mochte er überhaupt nicht blicken. Stattdessen versuchte er, sich mit aufregenden Computerspielen abzulenken.

So wie den beiden kann es uns auf unserer Lebensreise ebenfalls gehen. Der eine lebt in ständiger Angst vor der Zukunft, und weil das niemand dauernd aushalten kann, stürzt er sich in alle möglichen Ablenkungen, die heute auch in unzählbarer Vielfalt angeboten werden. Der andere lebt in dem sicheren Vertrauen, der himmlische Vater werde schon dafür sorgen, dass alles zu seinem Besten ausschlagen wird, wie es im Tagesvers heißt.

In einem Lied, das Paul Gerhardt vor sage und schreibe rund 360 Jahren geschrieben hat, heißt es: »Befiehl du deine Wege / und was dein Herze kränkt / der allertreusten Pflege, / des, der den Himmel lenkt. / Der Wolken, Luft und Winden / gibt Wege, Lauf und Bahn, / der wird auch Wege finden, / da dein Fuß gehen kann.« *gr*

? Worauf verlassen Sie sich?

! Gott hat den ganz großen Überblick.

Psalm 84

Der Mietling aber flieht.
Johannes 10,12

Capitano Schettino

Kein Witz: Im Juli 2014 wurde der Katastrophen-Kapitän der *Costa Concordia* als Referent vor die medizinische Fakultät in Rom geladen. Francesco Schettino sollte als Experte für Panik-Management erläutern, was zu tun sei, wenn Panik ausbricht! »Ich bin hier als Fachmann eingeladen. Ich weiß, wie man sich in solchen Fällen verhält!« Immerhin war Schettino einer der Schnellsten, der trotz Panik ein Boot und den Weg zum rettenden Ufer fand. Währenddessen wurde das Traumschiff für 3200 Passagiere zum Albtraum.

Ein Granitfelsen vor der Insel Giglio hatte im Januar 2012 das riesige Kreuzfahrtschiff zum Kentern gebracht. 32 Menschen starben. Und der Kapitän? Der hatte das Schiff noch während der Rettungsaktion im Stich gelassen und unter den Ersten ein Beiboot bestiegen. »Ich bin aus Versehen in ein Rettungsboot gerutscht ...«, gab er vor Gericht zur Aussage.

»Rette sich, wer kann!«, sagte sich Capitano Schettino – und rettete nur sich. Dabei gingen das leichtsinnige Manöver und die dilettantische Evakuierung auf seine Kappe! Er trug dafür die Schuld, aber nicht die Konsequenzen!

»Rette Dich, wer kann!«, sagt Jesus Christus – und erwies sich als der Retter vor Gottes ewigem Gericht. Lesen Sie bitte nach, was Jesus Christus vor Gericht aussagte, wie er sich im Gegensatz zu Kapitän Schettino verhielt:

- Er trug freiwillig die Konsequenzen unserer Schuld!
- Er opferte sich selbst, damit wir gerettet werden könnten.
- Er tat das nicht aus Versehen, sondern war sich der Konsequenzen bewusst.

fe

? Hätten Sie das gedacht? Die *Costa Concordia* ragte 62 m in die Höhe, aber nur 8 m in die Tiefe!

! Geben Sie dem heutigen Tag mehr »Tiefgang« – z. B. durch die letzten Kapitel aus dem Johannes-Evangelium.

Johannes 18–21

**Wie oft habe ich deine Kinder sammeln wollen,
wie eine Henne ihre Küken unter die Flügel sammelt,
aber ihr habt nicht gewollt!**

Matthäus 23,37

Die ungelesenen Briefe

Elizabeth Barrett Browning war eine der bekanntesten Dichterinnen des Viktorianischen Zeitalters und der große Stolz ihres Vaters. Er ließ das begabte junge Mädchen zu Hause unterrichten und förderte Elizabeths Liebe zu Sprache und Literatur. Als Jugendliche wurde sie krank und hütete viele Jahre lang das Bett. Aus Angst um ihre Gesundheit wurde sie von ihrem Vater weitgehend von der Außenwelt abgeschirmt. Als Elizabeth 39 Jahre alt war, verliebte sie sich in den sechs Jahre jüngeren Dichter Robert Browning. Doch der Vater war so strikt gegen die Beziehung, dass die beiden heimlich heirateten und nach Italien flohen. Hier lebte Elizabeth auf. Sie verfasste ihre bekanntesten Gedichte, wurde nach zwei Fehlgeburten endlich Mutter. Von allen Erlebnissen schrieb sie ihrem Vater nach Hause, denn noch immer fühlte sie sich ihm verbunden. Sie tröstete sich, dass er durch die Briefe weiter Anteil an ihrem Leben nehmen konnte – auch wenn sein Stolz ihm eine Antwort unmöglich machte. Einige Jahre später dann der große Schlag: Alle Briefe, die sie an ihren Vater geschrieben hatte, erhielt sie ungeöffnet zurück! Keinen einzigen hatte er gelesen.

Wie weh tut es, wenn Liebe nicht erwidert wird! Wenn man sich Mühe gibt, etwas von seinen Empfindungen zu schreiben, und dann erfährt, dass der andere gar nichts davon wissen möchte. Als ich von dieser Geschichte hörte, fragte ich mich, ob es Gott nicht ähnlich mit uns Menschen geht. Trotz unserer Fehler liebt er uns und möchte sich uns mitteilen. Er hat ein ganzes Buch geschrieben, in dem er seine Absichten, seinen Charakter und seine Liebe offenbart: die Bibel. Doch viele Menschen kümmern sich nicht darum und öffnen dieses Buch nicht einmal. Ob Gott das nicht auch wehtut? *eli*

Wie gehen Sie mit Gottes Brief, der Bibel, um?

Ignoranz schmerzt genauso wie offene Ablehnung.

Hosea 11,1-11

Und der HERR sprach zu mir:
... Höre, was ich zu dir rede!
Hesekiel 2,1.8

Erst hören, dann reden

Einmal in der Woche, in der letzten Stunde am Freitag, haben alle Klassen unserer Schule eine sogenannte Tutorenstunde. In dieser Stunde ist der Klassenlehrer oder Tutor mit seiner Gruppe zusammen. Zunächst lässt der Klassenleiter die vergangene Woche Revue passieren, danach wird die kommende Woche geplant, und die dafür notwendigen Arbeiten und Aufträge werden angesagt und vergeben.

Im Zeitalter der begrenzten Aufmerksamkeitsspanne gelingt es selten, mehr als maximal zwei Sätze zusammenhängend zu sprechen, bevor nicht schon drei Hände in der Luft sind, um das Minimale der beiden ersten Sätze erst einmal zu kommentieren oder Fragen dazu zu stellen. Der vierte Schüler hat zu diesem Zeitpunkt bereits ganz auf die Meldung verzichtet und das, was ihm gerade zum Thema durch den Kopf schoss, einfach unaufgefordert in den Raum abgefeuert. In den meisten Fällen würden sich nahezu alle spontanen Zwischenfragen und voreiligen Kommentare erledigt haben, wenn man nur dem Lehrer – wie es sich für eine geordnete Gesprächskultur gehört – bis zum Ende der Einleitungsansprache mit Respekt und Geduld zuhören würde.

Bevor Hesekiel überhaupt seinen Mund öffnet, redet Gott vier Kapitel lang zu ihm. Erst nachdem es achtmal hieß: »Und er sprach zu mir«, hört man zum ersten Mal die Stimme Hesekiels mit den Worten »Ach, Herr!« (Hesekiel 4,14). Vor allem eigenen Reden und Handeln stehen zuerst die Mitteilungen Gottes an uns, damit wir wissen, was zu sagen und was zu tun ist. Wie damals bei Hesekiel empfiehlt es sich auch heute, jeden Tageslauf zu beginnen, indem man das von Gott kommende »Höre, was ich zu dir rede!« beachtet. *vdm*

Warum fällt uns das Zuhören so schwer?

»Zuhören ist letztlich eine Form von Empathie und damit emotionale Intelligenz.« (Jochen Mai)

1. Samuel 3,1-21

21. Januar 17

Samstag

Wo dein Schatz ist, da wird auch dein Herz sein.
Matthäus 6,21

Schätze sammeln

Martin Luther fragte einmal, warum die Menschen so wenig für die wunderbaren und unvergänglichen Schätze des Himmels tun, während sie für den Gewinn irdischen Reichtums alle ihre geistigen und physischen Kräfte einsetzen. Er antwortete selbst mit einer Geschichte: Wenn an einem Elbufer viele Leute stehen und sehen, dass am anderen Ufer ein Mann eine Kiste mit Goldstücken ausschüttet und sagt, wer herüberschwimmen wolle, der könne sie sich holen, dann würden sich alle gleich ins Wasser stürzen. Warum? Sie können die Dukaten sehen, wie sie in der Sonne funkeln.

Die ewigen Schätze sind dagegen dem natürlichen Auge unsichtbar, und darum verlangt kaum einer danach, obwohl sie doch ungleich wertvoller sind. Denn aller irdische Reichtum findet mit dem Tod sein absolutes Ende, während die himmlischen Reichtümer dann erst richtig zur Geltung kommen und ewig bestehen bleiben und uns auch ewig gehören werden. Darum forderte Luther die Menschen auf, in der Bibel zu lesen, um sich von der Ernsthaftigkeit von Gottes Angebot überzeugen zu lassen, er werde allen wahrhaft Suchenden gnädig die »Augen des Herzens« öffnen, damit sie die Schätze des Himmels sehen können und Verlangen danach bekommen.

Welch ein Unterschied besteht doch zwischen dem völlig unbewiesenen und auch unbeweisbaren Glauben, dass die menschliche Existenz mit dem leiblichen Tod aufhört, und dem Glauben an eine Auferstehung, sei es für die Glaubenden zu ewiger Glückseligkeit in Gottes unmittelbarer Nähe oder zur Auferstehung zum Gericht für alle Verächter des gnädigen Angebots, das bis heute immer noch gemacht wird. Eigentlich sollte man meinen, der Auferstehungsglaube sei wesentlich verlockender!

gr

? Welcher von den beiden Glaubensvarianten hängen Sie an?

! Jesus Christus ist auferstanden und von vielen Zeitgenossen gesehen worden.

1. Korinther 15,1-20

Der Sohn des Menschen wird seine Engel aussenden und sie werden ... alle Ärgernisse zusammenlesen und die, die Gesetzloses tun; und sie werden sie in den Feuerofen werfen: da wird das Weinen und das Zähneknirschen sein. Matthäus 13,41-42

»Angeklagter weint vor Gericht«

So oder ähnlich lauten die Schlagzeilen, wenn ein Angeklagter vor Gericht von seiner Schuld überwältigt wird. Und so habe ich es selbst als Richter schon oft erlebt: Anfänglich werden die Vorwürfe bestritten. Dann werden die Beweise erhoben, also Dokumente gesichtet, Zeugen verhört, etc. Nicht selten ist unter diesen das eigentliche Opfer der Tat. Wenn die Wahrheit dann offenbar ist, gilt keine Ausrede mehr. Natürlich gibt es solche, die allen gegen sie sprechenden Beweisen zum Trotz auch nach dem Urteil noch beharrlich jede Verantwortung von sich weisen, weil ihr Stolz kein Einsehen ermöglicht. Allerdings gibt es eben auch die, die – unausweichlich mit der Realität konfrontiert – ihr Scheitern einsehen. In Ansehung ihrer Tat brechen die letzten inneren Widerstände, und die Tränen beginnen zu laufen.

Die Bibel kennt diese Trauer über das eigene Versagen sehr gut. Und sie ist aus Gottes Sicht genau die angemessene Reaktion auf die Erkenntnis der eigenen Schuld gegenüber dem Mitmenschen und gegenüber Gott. Doch die gute Nachricht ist: Mit dieser Erkenntnis ist nicht alles zu Ende. Wer von seiner Schuld überführt wird, sie bekennt und sich damit an Gott wendet, der darf wissen, dass Gott auch die größte Lebensschuld vergibt. Dann ist diese Trauer, so schmerzhaft sie sein mag, wie die Geburtswehen zu einem neuen, versöhnten Leben mit Gott. Allerdings macht der Tagesvers deutlich, dass man mit all seinen Tränen und seiner Trauer über sein Versagen auch zu spät kommen kann: Wer sich seiner Verantwortung vor Gott in diesem Leben immer wieder verschließt, der hat in der Ewigkeit unendliche Gelegenheit, seine Lebensschuld zu betrauern, allerdings ohne Chance auf ein Happy End.

mm

? Warum hat man den Stolz die gefährlichste Sünde genannt?

! Gott kennt uns besser als wir selbst, darum hilft bei ihm kein Versteckspielen mehr.

Lukas 23,32-43

23. Januar 17

Montag

**Kommt her zu mir, alle ihr Mühseligen und Beladenen!
Und ich werde euch Ruhe geben.**
Matthäus 11,28

Die Sorgenfresser

Neulich beim Einkaufen habe ich sie zum ersten Mal gesehen: Die »Sorgenfresser«. Das sind Stofffiguren für Kinder mit einem großen Reißverschlussmund. Dazu gibt es Sorgenzettel, auf denen man seine Nöte und Sorgen notieren und damit den Sorgenfresser füttern kann. »Die Sorgen-Spezialisten kümmern sich um alles, was Sorgen macht! Sie sind immer zur Stelle, wenn Sorgen oder Ängste so richtig zwicken. Die Sorgenfresser halten nachts am Bett Ihre Albträume in Schach und drücken Ihnen im Schulranzen die Daumen. Selbst um schmerzvollen Teenager-Liebeskummer oder Stress im Büro kümmern sich die Sorgen-Spezialisten«, so steht es auf der Packung.

Schade, wenn man seinem Kind keinen anderen Weg zeigen kann, wie es mit seinen Sorgen und Ängsten umgehen kann! Jeder Mensch, ob Kind oder Erwachsener, wünscht sich in schwierigen Situationen jemanden, mit dem er reden kann und bei dem er Verständnis findet. Doch nicht immer ist ein solcher da. Manchmal fühlen wir uns vielleicht auch von unseren Mitmenschen unverstanden und ziehen uns noch mehr zurück.

Die gute Nachricht aber ist, dass wir in Jesus Christus ein reales Gegenüber haben, dem wir unsere Ängste und Nöte anvertrauen können. Ihm dürfen wir alles bringen, was uns bedrückt. Er begegnet uns mit bedingungsloser Liebe und kann unseren aufgewühlten Herzen Ruhe schenken. Wenn wir ihn darum bitten, wird er uns helfen, mit unseren Problemen fertigzuwerden. Diese werden zwar nicht von jetzt auf gleich verschwinden, aber wir müssen diese schwierigen Zeiten nicht alleine durchleben. Wir dürfen uns darauf verlassen, dass Jesus Christus nur ein Gebet weit entfernt ist. Ist das nicht besser als jeder Sorgenfresser?

weu

? Haben Sie Ihre Sorgen schon bei Jesus Christus abgegeben?

! Nehmen Sie Gottes Angebot aus unserem Tagesvers an!

Matthäus 7,7-11

Dienstag

24. Januar 17

Was ist denn euer Leben?
Es ist nur ein Dampf, der kurze Zeit sichtbar ist
und dann verschwindet.
Jakobus 4,1

Ein Guthaben von 86 400 Euro

In meinen Gedanken stelle ich mir vor: Jeden Morgen bucht mir die Bank 86 400 Euro Guthaben auf mein Konto.

Über den Betrag kann ich frei verfügen und das Geld nach meinem Belieben ausgeben. Nur eins kann ich nicht: von dem Geld etwas für die Zukunft, z. B. für das Alter, zurücklegen. Was nicht an dem Tag ausgegeben wird, verfällt. Die Bank stellt mir allerdings jeden Tag neu die Summe von 86 400 Euro zur Verfügung. Bedingung ist wieder, dass ich das Geld an demselben Tag einsetze, sonst verfällt es. Was mache ich mit dem Geld, das mir jeden Tag zur Verfügung steht? Die Bank kann mein Konto jederzeit auflösen, ohne mich als Konteninhaber vorher zu informieren.

›Träumer‹, wird jetzt der eine oder andere Leser denken, ›so etwas gibt es in der Lebenswirklichkeit nicht.‹ Das stimmt. Und doch gibt es in der Realität etwas Vergleichbares. An jedem Tag bekommen wir 86 400 Sekunden Leben geschenkt. Was wir an diesem Tag nicht gelebt haben, ist verloren, und zwar für immer. Das Zeitkonto wird jeden Tag neu aufgefüllt. Auch hier gilt: Das Konto kann ohne Vorwarnung geschlossen werden.

Gott ist es, der uns das Leben gab (1. Mose 2,7) und unser Zeitkonto täglich füllt und es auch schließt. Er wünscht sich, dass wir unser Leben/unsere Zeit in seiner Nähe leben, das heißt, die Stunden/Minuten mit ihm im Gespräch sind. Er hat viele Tipps für uns, wie wir mit der Zeit sinnvoll umgehen sollten. So leben wir nicht nur vom Brot, sondern von jedem Wort, das aus Gottes Mund kommt (Matthäus 4,4). Das Wort Gottes, die Bibel, will unser täglicher Begleiter sein und uns den Weg für unser Leben weisen, damit wir die Zeit sinnvoll nutzen. *kr*

Wie gehen wir mit unserem täglichen Zeitguthaben von 86 400 Sekunden um?

Gott hat uns geschaffen, dass wir gute Werke tun, gute Taten, die er für uns vorbereitet hat, damit wir sie in unserem Leben ausführen (Epheser 2,10).

Psalm 90

25. Januar 17

Mittwoch

**Denn wir wissen,
dass die ganze Schöpfung bis zu diesem Augenblick
mit uns seufzt und sich ängstet.**

Römer 8,22

Ganz natürlich?

Ich habe mir eine DVD ausgeliehen. Eine Naturdokumentation. Der Einsatz einer speziellen, um 360° drehbaren Kamera verspricht außergewöhnliche Bilder. Erwartungsvoll lehne ich mich zurück. Und tatsächlich: Die Aufnahmen sind beeindruckend; begleitet von stimmungsgeladener Musik ziehen weite Landschaften vor meinen Augen vorüber.

15 Minuten später. In der kargen Tundra hat es ein Wolf auf eines der Karibu-Kälber abgesehen; das Jungtier läuft um sein Leben. Immer geringer wird der Abstand zwischen den beiden. Ich drücke den Schnellvorlauf. Die Tragödie wiederholt sich eine halbe Stunde später, mit Gepard und Antilope als neuen Protagonisten. In Zeitlupe laufen die letzten Sekunden des Beutetieres ab. Ich drücke lieber wieder den Schnellvorlauf. Bei der nächsten Jagdszene, wo ein Löwenrudel einen Elefanten umkreist und sich ihre Pranken tief in das Fleisch des Dickhäuters eingraben, gebe ich auf und stoppe den Film. »Das ist nun einmal die Natur«, sagt meine Freundin. ›Schreckliche Natur!‹, denke ich.

Dass das Gesetz des Fressens und Gefressen-Werdens nicht immer herrschte, zeigt die Bibel in ihren ersten Versen. Die Schöpfung bekam das Prädikat »sehr gut«. Erst mit der Auflehnung des Menschen gegen Gott, dem Sündenfall, wurden aus friedlichen Kreaturen Jäger und Gejagte. Und obwohl sich die meisten Menschen daran als etwas »ganz Natürliches« gewöhnt haben, zeigt es doch, wie sehr die Welt in allen Dingen durcheinandergeraten ist.

Gut zu wissen, dass dieses traurige Schauspiel nicht ewig so weitergehen wird. Gott hat denen, die ihn lieben, einen neuen Himmel und eine neue Erde verheißen. Gehören Sie dazu? *sna*

Wie steht es Ihrem Empfinden nach um diesen Planeten?

Eine »heile Welt« nach Gottes Plan ist besser als jede menschliche Vorstellung davon.

2. Petrus 3,1-13

26. Januar 17

Donnerstag

**Fragt nach dem HERRN und seiner Stärke,
sucht sein Angesicht beständig!**
Psalm 105,4

Das Notrad

Ich war auf dem Weg zum Dienst im Westerwald. Die Fahrt verlief ruhig, die Straßen waren frei von Schnee. Die Januarsonne machte den Tag hell und freundlich. Ich kam gut voran. Nach gut 150 Kilometern sah ich auf der Standspur ein Fahrzeug stehen, das offenbar eine Panne hatte. Eine junge Frau stand neben ihrem Auto. Im Wagen saßen zwei Kinder, vielleicht 6 und 8 Jahre alt. Der rechte Vorderreifen war vollkommen platt. Nun stand sie da und wusste nicht weiter. Ich hielt an, um ihr zu helfen. Wir suchten den Wagenheber und einen Radschlüssel. Ihr Fahrzeug war mit einem Notrad ausgestattet.

Schnell waren die Radmuttern gelöst und das Fahrzeug mit dem Wagenheber angehoben. Der defekte Reifen war bald demontiert und das Notrad am Fahrzeug festgeschraubt. So ein Reserve-Notrad ist ja wesentlich schmaler als ein echter Reifen. Es dient einfach nur dazu, es bis zur nächsten Werkstatt zu schaffen. Ich schärfte der Frau ein, langsam weiterzufahren und sofort in die nächstgelegene Werkstatt zu fahren. Nachdem das Werkzeug und der defekte Reifen im Auto verstaut waren, fragte sie mich, was sie mir denn schuldig sei. »Natürlich nichts, so eine Hilfe ist doch selbstverständlich«, antwortete ich. Dazu leiste ich als überzeugter Christ auch gerne Hilfe.

Aber ich hatte noch ein Anliegen. In meinem Kofferraum lagen noch ein paar christliche Kalender. Ich gab ihr einen für Erwachsene und für ihre Kinder je einen Kinderkalender. Meine Bitte an die Frau war, dass sie jeden Tag in dem Kalender liest. Mein großer Wunsch ist es, dass sie über Gott nachdenkt und den Herrn Jesus kennenlernt. Gott will nämlich mehr als ein »Notrad« in ihrem Leben sein. *fr*

? Wie sieht es bei Ihnen aus? Ist Gott für Sie nur ein »Notrad«, das Ihnen gelegentlich mal aus der Klemme helfen soll?

! Gott will dauerhaft in unser Leben kommen.

Psalm 105

Heute, wenn ihr seine Stimme hört, so verstockt eure Herzen nicht!
Hebräer 3,15

Die Brücke

Der Leutnant der kleinen Vorhut der 9. US-Panzerdivision war erstaunt, als er mit seinen Leuten an den Rhein kam und die Brücke bei Remagen unzerstört vorfand. Hitler hatte den Befehl gegeben, sie zu sprengen, um den Vormarsch der Amerikaner aufzuhalten. Doch es stand zu wenig Sprengstoff zur Verfügung, sodass die Brücke durch die deutsche Sprengung nur beschädigt, aber nicht zerstört worden war. »Die Brücke ist ihr Gewicht in Gold wert!«, soll General Eisenhower ausgerufen haben, als er hörte, dass die betriebsbereite Brücke unverhofft in amerikanische Hände gefallen war.

Die Amerikaner änderten ihre Pläne, von nun an hatte es oberste Priorität, möglichst viele Soldaten und Gerätschaften über den Rhein zu schaffen. In den ersten 24 Stunden überquerten 8000 GI's die Brücke. In den nächsten Tagen 18 komplette Regimenter. Dann musste die beschädigte Brücke doch noch gesperrt werden. Aber die Amerikaner waren »im Herzen Deutschlands« angekommen.

Jesus Christus sagt von sich, dass er der Weg und die Tür zu Gott ist. Wie eine Brücke ermöglicht er uns Menschen, die wir eigentlich von Gott getrennt sind, den Zugang zu ihm. Doch viele Menschen sind sich der Einzigartigkeit und Dringlichkeit dieses Angebotes nicht bewusst. Gott ruft alle auf, die seine Stimme hören, ihre Herzen nicht hart zu machen, sondern ihm heute eine Antwort zu geben. Die Möglichkeit, durch den Glauben an Jesus Christus zu Gott zu kommen, besteht nicht für immer; es gibt ein »zu spät«. Verschiedenste Umstände können den Schritt zu Gott unmöglich machen.

Die Amerikaner haben die Möglichkeit, die die unzerstörte Brücke ihnen bot, so gut wie möglich genutzt. Was tun wir? *eli*

Warum zögern Menschen, an Jesus Christus zu glauben?

Wer es weiß, die Gunst der Stunde zu nutzen, handelt klug.

Johannes 10,1-10

28. Januar 17

Samstag

Er hat auch die Ewigkeit in ihr Herz gelegt.
Prediger 3,11

… E – w – i – g – k – e – i – t …

Hans Magnus Enzensberger erkennt mit 87 Jahren: »Vorläufig bin ich noch da. Ich harre aus. Einstweilig sind meine Verfügungen. Nirgends ein Heureka. Die Astrophysiker sagen, selbst die Sonne sei nicht so dauerhaft, wie sie scheint. Wer weiß, ob auf die Vergänglichkeit wirklich Verlass ist? Nur der Tod, sagen die Sterblichen, sei definitiv.« Was ihm fehlt, ist Gewissheit, Getrostheit und Ewigkeit.

Bonhoeffers Zwillingsschwester Sabine erinnert sich: »Dietrich und ich schliefen als Acht- bis Zehnjährige im selben Zimmer und hatten abends in unseren Betten ernsthafte Gespräche über den Tod und das ewige Leben … Oft lagen wir lange wach und versuchten, uns das Totsein und das ewige Leben vorzustellen. Wir bemühten uns, der Ewigkeit jeden Abend etwas näher zu kommen, indem wir uns vornahmen, nur an das Wort Ewigkeit zu denken und keinen anderen Gedanken einzulassen. Sie schien uns sehr lang und unheimlich. Uns wurde schwindelig.«

Pastor Jack Arnold (Oviedo, Florida) predigte am 9. Januar 2005 über Philipper 1,21: »Christus ist mein Leben und Sterben ist mein Gewinn.« Kurz vor dem Ende seiner leidenschaftlichen Ansprache schärfte er seinen 240 Zuhörern ein: »John Wesley sagte: ›Solange mein Dienst auf dieser Erde noch nicht erledigt ist, bin ich unsterblich. Aber wenn mein Dienst für Christus getan ist, werde ich bei Jesus sein.‹ Wir haben nur ein Leben. Wir wollen es für Christus und sein Reich geben, für ewige Werte und zum Ruhm Gottes. Dieses Leben ist bald vorbei. Nur, was wir für Jesus tun, bleibt. Und wenn ich in den Himmel komme …«, dann stockte er und brach auf der Kanzel tot zusammen. Er wurde 69 – sagen wir. Gott sagt: Er bleibt in Ewigkeit (1. Johannes 2,17)! *fe*

?
Haben Sie manchmal eine Ahnung von Ewigkeit?

!
Der Unendliche, Unbegrenzte will Sie an seinem ewigen Leben teilhaben lassen.

2. Korinther 5,1-10

29. Januar 17

Sonntag

Denn es ist kein Unterschied,
denn alle haben gesündigt
und erlangen nicht die Herrlichkeit Gottes.
Römer 3,22-23

Im Stuhlkreis

Haben Sie auch schon in einem »Stuhlkreis« gesessen? Häufig geschieht das bei Elternabenden in Kindergärten. Dann sitzen die Eltern – wie sonst ihre Kinder – in großer Runde. Oft wird diese Sitzordnung auch bei Workshops eingesetzt, damit man offen reden kann.

Der bemerkenswerteste Stuhlkreis, in dem ich jemals Platz genommen habe, fand allerdings nicht in einer Kita statt, sondern in einer Justizvollzugsanstalt. Während ich als Richter dort hospitierte, nahm mich der Anstaltspsychologe eines Tages mit zu einer Gesprächssitzung mit Menschen, die eine ganze Menge auf dem Kerbholz hatten.

Und nun saß ich da, als Richter zwischen Schwerverbrechern. Manche meiner Sitznachbarn empfanden das als seltsam und befremdlich. Mir ging es genauso. Irgendwie, so dachte ich spontan, gehöre ich ja gar nicht hierher. Normalerweise ist es doch meine Aufgabe, Straftäter zu verurteilen.

In Gerichtssälen herrscht eine klare Trennung zwischen Angeklagten und Richtern. Doch diese klare Trennung war hier aufgehoben. Und tatsächlich musste ich daran denken, dass aus Gottes Sicht der Unterschied zwischen mir und den um mich sitzenden, offiziell verurteilten Insassen gar nicht so groß war. Im Lichte von Gottes Gerechtigkeit bin ich nämlich genauso verurteilenswert wie diejenigen, die sich nach irdischer Justiz strafbar gemacht haben. Denn Gott sieht auf das Herz – nicht nur auf die äußeren Taten. Und was verbirgt sich auch in meinem Herzen an Aggression, Gewalt, Fantasien, Wünschen und Begierden, die er nicht entschuldigt! Für ihn ist die innere Rebellion das Gleiche wie die äußere. Daher besteht auch für mich, genauso wie für jeden »normalen« Bürger, ein Schuldproblem, das gelöst werden muss. *mm*

Wie würden Sie sich in einem solchen Stuhlkreis fühlen?

Jesus Christus hat auch Ihr Schuldproblem gelöst.

Römer 8,1-11

30. Januar 17

Montag

Als nun Judas, der ihn verraten hatte, sah, dass er verurteilt war, reute es ihn; und er brachte die 30 Silberlinge den obersten Priestern und den Ältesten zurück.

Matthäus 27,3

Ein fataler Irrtum

Meine 3-jährige Tochter kann schwimmen! Nun ja, das dachte sie zumindest. Mit Schwimmflügeln hält sie sich auch wirklich prima über Wasser. Letztens sprang sie dann aber einfach mal ohne die orangenen Kissen ins Wasser und ging unter wie ein Stein. Glücklicherweise konnte ich sie direkt wieder an die Oberfläche holen. Sie war sich der Gefahr gar nicht bewusst gewesen und wusste nicht, dass eben nicht sie selbst, sondern die Schwimmflügel bisher dafür sorgten, dass sie nicht unterging. Ein großer Irrtum, der aber einen glimpflichen Ausgang nahm.

Weniger glimpflich ging der Irrtum von Judas Iskariot aus, einem vermeintlichen Freund von Jesus Christus. Nach drei Jahren, in denen er als Jünger Jesu mit seinem Freund und Lehrer unterwegs gewesen war, entschied er sich dafür, ihn für ein hübsches Sümmchen an die religiösen Führer zu verraten. Unsere heutige Bibellese enthält die Begebenheit, in der Judas seinen Freund mit einem Kuss überliefert. Drei Jahre, in denen er zu den Anhängern Jesu gezählt wurde, seine Wunder sah, seine Reden anhörte. Drei Jahre, in denen er immer dabei war, ganz nah dran! Aber innerlich anscheinend doch so weit weg. Als Judas nach seinem Verrat merkte, dass er seine Tat nicht mehr rückgängig machen konnte, erhängte er sich.

Auch wir können uns in Bezug auf die Person Jesu ganz fatal täuschen. Vielleicht bewundern wir ihn für seine Reden und Taten, gehen in die Kirche und tragen ein goldenes Kreuz am Halskettchen. Ganz nah dran! Wirklich? Jesus wollte nie als großer Prophet, Sozialrevolutionär oder berühmter Heiler gelten. Sein Anspruch war eindeutig: Er war der Sohn Gottes, der versprochene Messias. Das hat Judas nicht geglaubt. Seine Nähe war nicht nah genug. *tcb*

? Wer war Jesus Ihrer Meinung nach?

! Lernen Sie ihn z. B. im Markus-Evangelium kennen!

Lukas 22,47-53

Er hat uns selig gemacht und berufen mit einem heiligen Ruf.
2. Timotheus 1,9

Da hob ich meine Hand im Auto …

Nach einer evangelistischen Veranstaltung schloss sich in einem Nebenraum die Seelsorge an. Menschen, die von der Botschaft angesprochen waren, blieben zum Gespräch zurück. Ein Mann war von weit her gekommen und blieb im hinteren Teil des Raumes beharrlich sitzen, bis ich mit allen Gesprächen fertig war. ›Was wird wohl sein Anliegen sein?‹, dachte ich.

Er wollte mir unbedingt seine außergewöhnliche Bekehrungsgeschichte erzählen. Vor einiger Zeit hatte ihm jemand einige meiner Vortrags-CDs geschenkt, die er bei einer längeren Autofahrt anhörte. Er bezeugte mir: »Am Ende des Vortrags sagten Sie, wer heute Christus annehmen möchte, solle dies doch an dem Platz, wo er gerade sitzt, durch Anheben der Hand signalisieren. Ich fühlte mich durch das Gehörte so angesprochen, dass ich während der Autofahrt spontan die Hand hob. Das war für mich der Augenblick meiner Hinwendung zu Christus. Inzwischen habe ich auch eine biblisch orientierte Gemeinde gefunden, die mir zur geistlichen Heimat geworden ist.«

Eine ähnliche Bekehrungsgeschichte erzählte mir ein Schweizer nach einem Vortrag bei den Gideons. Er hatte eine lange Autofahrt von der Schweiz bis zur Ukraine vor sich. Für diese Fahrt hatte er sich mehrere meiner Vortrags-CDs mitgenommen, die er unterwegs nach und nach hörte. Er berichtete mir: »Alle Vorträge hatten am Ende einen Ruf zu Christus hin. Bei der dritten CD konnte ich nicht mehr anders – ich hielt mit meinem Auto am Straßenrand und übergab mein Leben in die Hände Jesu.«

Da kann man Gott nur danken, wie er auf verschiedenste Weise Menschen für sich gewinnt.

gi

Haben Sie dem Herrn Jesus schon signalisiert, dass Sie zu ihm gehören wollen?

Er nimmt jeden an, der sich zu ihm wendet, ob man nun die Hand dazu hebt oder sich einfach hinkniet, um zu beten.

Apostelgeschichte 17,30-31

1. Februar 17

Mittwoch

**»Wo ist, o Tod, dein Sieg?
Wo ist, o Tod, dein Stachel?«**
1. Korinther 15,55

Es ist kalt!

Ich fror, obwohl die Sonne schien. Ihr fehlte im Februar die Kraft, zu wärmen. Wir standen am offenen Grab meines Vaters. Meine Gedanken gingen zurück. Samstag hatte er, wie wir annahmen, gesund das Haus verlassen. Nur noch 100 Meter trennten den 53-Jährigen von seinem Zuhause, als ihn ein tödlich verlaufender Herzinfarkt traf.

Da spürte ich den festen Händedruck meiner Mutter. Ihr Blick ging weit über das Grab hinaus, als ich sie mit lauter Stimme rufen hörte: »Wo ist, o Tod, dein Sieg? Wo ist, o Tod, dein Stachel?«

Dieser Ausruf hat mich als 13-Jährigen tief bewegt. Hatte nicht der Tod gerade gesiegt? Saß der Stachel des Todes nicht ganz tief in unseren Herzen und verursachte einen grenzenlosen Schmerz? Ich fragte meine Mutter: »Wie kommst du zu solch einem Ausruf?« Sie versuchte mir zu erklären, warum sie am offenen Grab bezeugte, dass der Tod seinen Stachel verloren und nicht den Sieg davongetragen hat: »Der Giftstachel des Todes ist die Sünde. Sie hat den Tod zur Folge. Der Tod trennt zweifach. Einmal den Geist und die Seele vom Körper. Darüber hinaus trennt die Sünde uns Menschen aber auch von Gott, unserem Schöpfer. Dieser Tod ist durch den Herrn Jesus am Kreuz besiegt worden. Jeder Mensch, der das glaubt, dass Jesus Christus am Kreuz auch für seine Sünden gestorben ist, geht nicht verloren, sondern hat ewiges Leben.«

Dann erzählte mir meine Mutter: »Dein Vater hat schon als junger Mann erkannt, dass er vor Gott nicht bestehen konnte, und hat den Herrn Jesus gebeten, ihm die Sünden zu vergeben. Seine Seele und sein Geist – das, was seine Persönlichkeit ausmacht – sind jetzt in der Gegenwart des Sohnes Gottes. Wir werden deinen Vater wiedersehen!«

kr

? Wissen Sie um die Hoffnung des ewigen Lebens in Gemeinschaft mit Gott?

! Gott sei Dank! Durch Jesus Christus gibt er uns den Sieg, wenn wir ihm glauben!

Johannes 11,1-44

2. Februar 17

Donnerstag

Und das Haus fiel nicht,
denn es war auf den Felsen gegründet.
Matthäus 7,25

Auf das Fundament kommt es an!

Der Architekt blickte zufrieden seine Kunden an. Vier Ehepaare hatten soeben den Vorvertrag zum Kauf einer Doppelhaushälfte unterschrieben. Es wurde vereinbart: Die Häuser werden schlüsselfertig zu dem vereinbarten Festpreis übergeben. Drei Wochen später platzte die Bombe. Der Architekt hatte vor Vertragsabschluss versäumt, den Grund und Boden des Grundstücks untersuchen zu lassen. Erst jetzt wurde bei Bodenproben festgestellt, dass die Häuser auf abgelagerter Schlacke gebaut werden sollten. Das Gelände gehörte früher einer Firma, die ihre Schlacke dort entsorgt hatte. Auf diesem losen Fundament durften die Häuser nicht gebaut werden, wenn die neuen Besitzer Freude daran haben sollten.

Jesus, der Sohn Gottes, hat seinen Zuhörern erklärt, wie wichtig ein festes Fundament auch für unser Leben über den Tod hinaus ist. Das Bild des Hausbaues hat er dazu verwendet. Wer auf Jesus hört und danach handelt, ist klug und handelt wie ein Mann, der ein Haus auf massiven Fels baut. Wenn der Regen in Sturzbächen vom Himmel rauscht, das Wasser über die Ufer tritt und die Stürme an diesem Haus rütteln, wird es nicht einstürzen, weil es auf Fels gebaut ist. Wer Jesu Worte hört und sich nicht danach richtet, gleicht einem unvernünftigen Mann, der sein Haus einfach auf Sand baut. Wenn dann ein Wolkenbruch niedergeht und die Wassermassen heranfluten, wenn der Sturm tobt und an dem Haus rüttelt, bricht es zusammen und wird völlig zerstört.

Mit dem beschriebenen Zusammenbruch sind keine tragischen irdischen Schicksale gemeint, sondern die Tatsache, dass man ohne wahren Glauben für ewig verloren ist. Und allein auf das Glaubensfundament kommt es schließlich für einen jeden von uns an. *kr*

Auf welch ein Fundament (Fels oder Sand) bauen wir unser Leben?

Wer auf Jesus baut und seinen Zusagen vertraut, steht auf festem Fundament, das auch Stürme übersteht!

Matthäus 7,24-28

3. Februar 17

Freitag

Von jetzt an, solange die Erde besteht, soll nicht aufhören: Saat und Ernte, Frost und Hitze, Sommer und Winter, Tag und Nacht.

1. Mose 8,22

Wetterkapriolen

Dass die Winter wärmer werden, daran haben wir uns langsam gewöhnt. Der Winter 2015/2016 war allerdings extrem warm. Es wurden einige neue Rekorde in der Wetteraufzeichnung vermerkt. Das Nationale Schnee- und Eisdatenzentrum der USA (NSIDC) berichtete von der kleinsten Ausdehnung der Eisfläche im Nordpolarmeer seit Beginn der Satellitenbeobachtung (1979). Erstaunlich ist jedoch, dass sich die Experten einig waren, dass sich diese Ereignisse nicht mit einer Veränderung des Golfstromes und damit auch nicht mit dem Klimawandel erklären lassen. Auch das Phänomen El Niño, das immer wieder mal erstaunliche Wettererscheinungen auslöst, kann nicht zur Erklärung herangezogen werden. Offensichtlich müssen wir eingestehen, dass nichts so stabil ist wie wir uns das vorstellen und auch gerne wünschen – auch das Wetter nicht.

Bei allen Wetterkapriolen gibt uns Gott aber eine feste Zusage. Der Tagesvers macht es deutlich: Gott selbst verbürgt sich dafür, dass Frost und Hitze, Sommer und Winter nicht aufhören werden. Er selbst sorgt für Stabilität, weil er der Zuverlässige, Beständige, Unwandelbare ist.

Das kann man auch im eigenen, persönlichen Leben erfahren. Gott ist der, auf den ich mich verlassen kann. Wir wissen nur zu gut, wie unzuverlässig Menschen sind. Selbst wenn sie ganz wohlmeinend und in bester Absicht etwas versprechen, kann es schnell anders kommen, weil die Umstände sich geändert haben. Bei Gott ist das nicht so. Er hat das Geschehen fest im Griff. Niemand kann ihm in die Quere kommen. Wenn er etwas verspricht, dann wird es geschehen – auf jeden Fall! Gott ist zuverlässig, und auf ihn kann ich mich stützen. Ihm kann ich getrost mein Leben anvertrauen. *vb*

Welches Rezept haben Sie, um mit den Unwägbarkeiten des irdischen Lebens umgehen zu können?

Gott und sein Wort sind verlässlich, dessen können wir sicher sein.

1. Mose 8,15-22

**Der HERR hat mein Flehen gehört;
mein Gebet nimmt der HERR an.**
Psalm 6,10

Begegnung im Krankenhaus

Eine liebe Bekannte lag schon einige Zeit im Krankenhaus. Endlich hatte es geklappt, sie zu besuchen. Ehe ich wieder ging, durfte ich noch einen tröstenden Abschnitt aus der Bibel lesen und für sie beten. Als ich aus dem Zimmer trat, sah ich schräg gegenüber eine junge Frau im Trainingsanzug. Sie stand bei einer kleinen Sitzgruppe und war offensichtlich sehr erschüttert. Sie machte einen wirklich verzweifelten Eindruck. Mir war, als sagte mir eine innere Stimme: »Geh hin zu ihr.« So ging ich zu ihr, sprach sie an und fragte, ob sie Schmerzen habe. Mit verweinten Augen schaute sie mich an und schüttelte den Kopf. Dann sagte sie: »Ich habe eben eine schlimme Diagnose bekommen. Ich habe einen Hirntumor.«

Ich konnte es kaum fassen. Man hatte ihr die Diagnose mitgeteilt und sie damit einfach alleingelassen. »Darf ich für Sie beten?«, fragte ich spontan. Ungläubig sah sie mich an. Als ich sie fragte, wie sie hieße, sagte sie mir ihren Namen. Dann faltete ich die Hände und betete für sie. Ich bat Gott um Hilfe für diese junge Frau, aber auch um innere Ruhe und neue Kraft. Auch flehte ich zu Gott, den Ärzten die nötige Weisheit zu schenken, sie richtig zu behandeln. Aber genauso wichtig war es mir, dass sie den lebendigen Gott so kennenlernte, wie ich ihn kennen darf. Das alles durfte ich im Gebet sagen. Ehe ich weiterging, schenkte ich der jungen Frau noch mein Neues Testament, aus dem ich vorher im Krankenzimmer vorgelesen hatte. »Hier finden Sie alles, was Sie zum Leben brauchen, auch Kraft und Trost«, gab ich ihr als Tipp mit. Später erfuhr ich, dass sie froh und getröstet zurück in ihr Zimmer gegangen war.

Und auch ich war froh – weil ich dieser Frau zeigen durfte, wie man zu Gott beten kann. *fr*

? Wo finden Sie Trost und Hilfe, wenn Sie am Ende sind?

! Fragen Sie nach Gott, solange es Ihnen noch gut geht, und nicht erst dann, wenn Not und Sorge Sie erreichen.

Jesaja 38

Sorgt euch nicht um Essen und Trinken zum Leben und um die Kleidung für den Körper.
Matthäus 6,25

Sorgt euch nicht ...

Von unserem kleinen Esszimmer aus blicken wir in den Garten und können das Treiben in den Vogelhäusern beobachten. Amseln, so haben wir festgestellt, teilen nicht gerne. Spatzen und Meisen gehen etwas umsichtiger und rücksichtsvoller miteinander um. Während wir die Vögel so beobachten, stellen wir uns gedanklich vor, wie der Sperling von der Meise wissen will:

»Warum sind die Menschen so unruhig und besorgt? Ständig beschäftigen sie sich mit der Frage: Was sollen wir essen, was sollen wir trinken, und was sollen wir anziehen?«

»Vielleicht wissen die Menschen nicht, dass das Leben mehr ist als die Speise und der Körper mehr als die Kleidung«, gibt die Meise nach einigem Nachdenken zur Antwort.

»Kennen die Menschen unseren himmlischen Vater nicht?«, ereifert sich der Spatz. »Sie brauchen doch nur uns anzusehen: Wir säen und ernten nicht, und doch ernährt uns unser himmlischer Vater. Sind die Menschen nicht viel wertvoller als wir?«

Der Sperling kommentiert das Verhalten der Menschen bezüglich der Kleidung mit einem gewissen Unverständnis: »Wenn die Menschen mit offenen Augen durch die Natur gehen würden, dann brauchen sie nur die Lilien des Feldes zu betrachten: Sie mühen sich nicht, auch spinnen sie nicht. Und doch sind sie besser bekleidet als der König in all seiner Herrlichkeit.«

Unsere Gedanken gehen von den Vögeln zu dem Sohn Gottes, der seinen Zuhörern diesen Anschauungsunterricht von den Vögeln und den Lilien gegeben hat. »Denn euer himmlischer Vater weiß, dass ihr dies alles benötigt«, fasst Jesus die Lektion zusammen. *kr*

? Um welche Bereiche des Lebens sind wir besorgt und unruhig?

! Der Sohn Gottes empfiehlt: »Gebt nur Gott und seiner Sache den ersten Platz in eurem Leben, so wird er euch auch alles geben, was ihr nötig habt« (Matthäus 6,33).

Matthäus 6,25-34

6. Februar 17

Montag

Ich komme vielen wie ein Wunder vor,
denn du bist meine starke Zuflucht.
Psalm 71,7

»Wunder gibt es immer wieder«

Paul und Lisa hatten vor einigen Monaten geheiratet. Weil sie danach auf eine längere Hochzeitsreise gegangen waren, wurde erst nach ihrer Rückkehr mit den Freunden eine Feier veranstaltet. Alle Teilnehmer hatten eine Gemeinsamkeit: Sie liebten die alten Schlager von früher. Während des Essens wurde dann das Lied von Katja Ebstein gespielt: »Wunder gibt es immer wieder, / heute oder morgen können sie geschehn. / Wunder gibt es immer wieder, / wenn sie dir begegnen, musst du sie auch sehn.« In meiner Jugendzeit war das ein großer Hit. Der tiefgründige Text dahinter wurde mir erst später bewusst. An was denken Sie, wenn Sie das Wort »Wunder« lesen oder hören?

In der heutigen Bibellese kommt so ein Wunder vor. Über 40 Jahre alt war dieser Mann, als an ihm ein Wunder passierte. Die Menschen kannten den Gelähmten. Jeden Tag sahen sie ihn da sitzen und betteln. An seinen Beinen erkannten sie, dass er nie imstande sein würde zu gehen. Doch dann geschah dieses Wunder im Namen Jesu, als zwei Apostel ihm begegneten. Auf ein Wort dieser beiden hin war er geheilt, sprang herum und lobte Gott. Das war für den ehemals Kranken genauso überraschend wie für seine Mitmenschen, die im Tempel waren. Es gab unter ihnen auch Menschen, die das Ganze nicht einordnen konnten. Sie mussten es aber so stehen lassen.

Heute wird bei einem ungewöhnlichen Ereignis schon mal gerne von einem »Wunder« gesprochen oder – gesungen. Wie in dem Lied von Katja Ebstein. Aber es geht um mehr als nur um eine Laune des Schicksals oder eine glückliche Fügung in unserem Leben! Es geht darum, dass wir aufmerksam werden auf Jesus, der das Wunder unserer Errettung zum ewigen Leben vollbringen kann – wenn wir es von ihm erwarten und glaubend zu ihm aufschauen. *bw*

Ist Ihnen bewusst, dass nur ein Wunder Sie noch retten kann?

Bei Jesus dürfen Sie damit rechnen, dass ein solches Wunder wirklich geschieht.

Apostelgeschichte 3,1-11; 4,5-12.22

Dienstag

7. Februar 17

Und der das gesehen hat, der hat es bezeugt, und sein Zeugnis ist wahr, und er weiß, dass er die Wahrheit sagt, damit ihr glaubt.

Johannes 19,35

(Un)Glaubwürdig

Vor Kurzem las ich in den Medien, dass im Norden Deutschlands ein Flüchtling vor einer Unterkunft für Flüchlinge erfroren sei. Ein freiwilliger Helfer hatte dies auf seinem Facebook-Account gepostet. Im Internet verbreitete sich diese Nachricht rasant. In Windeseile gab es Tausende Reaktionen im Internet. Zuvor habe der Asylbewerber tagelang vor dem Landesamt für Gesundheit und Soziales (Lageso) angestanden und sei krank geworden. Der Helfer habe den stark fiebernden Mann zu sich geholt. Wegen seines schlechten Zustandes sei er von einem Krankenwagen abgeholt worden – und auf dem Weg in eine Klinik gestorben. Das Problem an dieser Nachricht jedoch war, dass sie nicht stimmte. Dies stellte sich heraus, nachdem man dieser Information genau auf den Grund ging. Obwohl diese Geschichte nur frei erfunden war, wurde sie von vielen geglaubt.

Das hat mich zum Nachdenken gebracht. Wie oft schenken wir Informationen (Dingen etc.) Glauben, ohne deren Wahrheitsgehalt und Fakten genau zu untersuchen. Andererseits jedoch lehnen wir Menschen Informationen ab, die absolut vertrauenswürdig und glaubwürdig sind. Damit meine ich die Bibel, Gottes Wort. Viele denken, dass die Bibel ein Märchenbuch ist oder nur etwas für religiöse Menschen. Das stimmt aber nicht. Sie ist Gottes Brief für Sie und mich. Sie hält jedem »Nachhaken« und »Auf-den-Grund-Gehen« statt.

Bei den biblischen Informationen handelt es sich nicht um belanglose Themen und Nachrichten. Es geht um die wichtigsten Fragen des Lebens: Woher komme ich? Wozu lebe ich? Wohin gehe ich? – Haben Sie auf diese Fragen bereits eine Antwort gefunden? Der Tagesvers spricht von einem Augenzeugen, der diese Information verifiziert hat und ihre Zuverlässigkeit bestätigen kann.

za

? Haben Sie schon einmal in der Bibel gelesen?

! Vertrauen Sie dem, der unser Vertrauen mehr als alles andere verdient hat!

1. Johannes 1,1-4

Es ist ein kleiner Junge hier,
der fünf Gerstenbrote und zwei Fische hat.
Aber was ist dies …?
Johannes 6,9

Alles für ein Wunder

›Wau! Wie hat er das nur gemacht?‹, fragte ich mich nach der ersten Gabel, und gemeint waren der Koch und seine Fähigkeit, mich zu verblüffen. Dabei ist die rationale Antwort ganz einfach. Er hatte die nötigen Zutaten, und er wusste, sie richtig einzusetzen.

Die Geschichte um unseren Tagesvers herum gibt uns Aufschluss darüber, was Gott gebrauchte, um ein Wunder zu bewirken. Jesus wollte am See Genezareth, dass die dort versammelte Menschenmenge mit Nahrung versorgt wurde, es meldete sich aber nur ein Junge mit fünf Broten und zwei Fischen, und das ließ die Jünger Jesu zweifeln. Wie sollte dies fünftausend Menschen satt machen? Doch es reichte, weil der Junge selbstlos Jesus all das anvertraute, was er besaß: fünf Brote und zwei Fische. Und Jesus bewirkte das Wunder, alle wurden satt.

Schon damals – und erst recht für uns heute – geht es um mehr als darum, satt zu werden. Gottes will aus verlorenen Sündern seine Kinder machen. Und dazu braucht es wahrlich ein Wunder, nämlich das Wunder der Neugeburt. Wie aber kommt diese zustande? Einem Juden erklärte Jesus das so: »Der Wind weht, wo er will, und du hörst sein Sausen, aber du weißt nicht, woher er kommt und wohin er geht; so ist jeder, der aus dem Geist (Gottes) (neu) geboren ist.« Mit anderen Worten: Es liegt allein in Gottes Hand, aber auf unserer Seite liegt es, an den Sohn Gottes zu glauben (Johannes 3,8.18), den uns Gott zu unserem Heil und zu ewigem Leben gesandt hat (Johannes 3,8.16.18).

Dann geht auch heute noch aus der Bekehrung und Wiedergeburt in Verbindung mit persönlicher Hingabe ein Wunder hervor, das allein Gott aus ganz und gar aussichtslosen Umständen eines menschlichen Lebens heraus schaffen kann. *aqu*

Wollen Sie das Wunder der Neugeburt erleben?

Vertrauen Sie sich völlig Gott und seinem Sohn Jesus Christus an!

Johannes 3,1-21

Donnerstag

9. Februar 17

Im Anfang schuf Gott die Himmel und die Erde.
1. Mose 1,1

Gott hat nicht gewürfelt

Wer schon einmal in einer Tropfsteinhöhle war, der weiß, dass man da in vielen, ganz zufällig entstandenen Gebilden Menschen, Tiere, Säulenhallen und vieles mehr erkennen kann. Natürlich gehören eine geschickte Beleuchtung und eine rege Fantasie dazu. Denn man weiß ja, dass alles nur zufällig irgendwo aus Kalkwasser entstandene Stalaktiten oder Stalagmiten sind. Aber wir Menschen sind auf Sinn angelegt und versuchen, überall Sinn zu erkennen.

Kommt man wieder ans Tageslicht, ist man tatsächlich von einer Unzahl sinnvoller Dinge umgeben. Von den Gestirnen bis zu den kleinsten Bausteinen des Lebendigen, ist alles in milliardenfachen Abhängigkeiten miteinander verbunden. Aber schon die Kinder lernen in der Schule das Gegenteil von dem, was sie in der Tropfsteinhöhle gemacht haben. Ihnen wird erklärt, es sei nichts als Täuschung, in all dem Sichtbaren Sinn und Planung zu erkennen. In Wirklichkeit sei alles das Ergebnis sinnloser Zufälle, die höchstens durch naturgesetzliche Notwendigkeiten zu dem geworden sind, was wir als wunderbares Zusammenspiel alles Lebendigen wahrnehmen.

Christen glauben, dass Gott der große Schöpfer des Universums ist und dass er nicht gewürfelt hat, sondern alles plante und aufeinander abstimmte. So hat er auch in uns Menschen nicht nur die Suche nach dem Schöpfer, sondern auch die Frage nach dem Sinn des Ganzen niedergelegt.

Alles für Unsinn zu erklären, ist nur der verzweifelte Versuch, die Verantwortung vor dem Schöpfer loszuwerden. Aber das ist genauso zwecklos, wie wenn ein Schuldner einen Zahlungsbefehl zerreißt, weil er meint, dadurch die Schuld loszuwerden. *yr*

Was vermitteln Sie Ihren Kindern?

Wer an den Schöpfergott glaubt, hat die weitaus besseren Argumente.

Psalm 147

Denn bei dir ist die Quelle des Lebens!
Psalm 36,10

An welcher Quelle bin ich angeschlossen?

»Noch 7% ... Netzkabel einstecken oder andere Stromquelle suchen!« Höchste Zeit, das Netbook, das ich meistens über den Akku laufen lasse, an eine Stromquelle anzuschließen, bevor es sich selbst ausschaltet. Der Akku ist begrenzt und versorgt mein Netbook nicht ewig mit Strom. An der Steckdose angeschlossen, wird mein Netbook allerdings unaufhörlich mit Energie versorgt und kann unbegrenzt »für mich arbeiten«. Also ist die Energiequelle »Steckdose« auf Dauer die bessere Wahl.

Der Hinweis auf dem Bildschirm lässt mich aber innehalten. Er macht mich nachdenklich: Kommt meine »Lebensenergie« eigentlich auch nur »aus dem Akku«, d. h. aus meiner eigenen Quelle und nach meinem Bedarf, bis die Reserven irgendwann aufgebraucht sind? Oder kommt sie von Gott? Bin ich an der Quelle, die unerschöpflich ist, angeschlossen?

Die Bibel berichtet von einer Frau, die sich an einer Quelle Wasser holte, das ihren Durst nicht dauerhaft löschen konnte. Das traf auch auf ihr sonstiges Leben zu. Sie lebte sozusagen von ihrem eigenen Akku, der bald erschöpft war. Dann begegnet ihr Jesus Christus, und er sprach von einer Quelle zu ihr, die unerschöpflich sei, bei der ihr Lebensdurst völlig gestillt werde.

Für unser aller Leben ist diese Quelle die wichtigste: unser Vertrauen allein auf Christus zu setzen, zu ihm zu kommen und von ihm zu empfangen, was ewig dauernde Qualität besitzt. Jesus sagt: »Wer von dem Wasser trinken wird, das ich ihm geben werde, den wird nicht dürsten in Ewigkeit.« Jeder darf aus dieser einzig wahren und köstlichen Quelle reichlich trinken. Jesus sagt: »Das Wasser, das ich ihm geben werde, wird eine Quelle Wassers sein, die ins ewige Leben quillt.« *ls*

? Aus welcher Quelle zapfen Sie gerade?

! Jesus gibt uns ewiges und erfüllendes Leben aus der Quelle, die niemals versiegt.

Johannes 4,1-42

Samstag

11. Februar 17

Welttag der Kranken

Du sollst den Herrn, deinen Gott, lieben mit deinem ganzen Herzen und mit deiner ganzen Seele und mit deinem ganzen Denken und mit deiner ganzen Kraft! Dies ist das erste Gebot. Markus 12,30

»Womit habe ich das verdient? Warum ich?«

Peter war ein sehr aktiver Familienvater. Kaum war er nach seiner Arbeit zuhause angekommen, setzte er sich helfend in der eigenen Familie ein. Jahrelang ging das so. Eines Tages bemerkte seine Frau, dass er schlecht aussah und es ihm auch sonst nicht gut ging. Eine Stunde später wurde er als Notfall ins Krankenhaus eingeliefert: Verdacht auf Herzinfarkt. Diese Diagnose wurde in der Klinik bestätigt. Peter lag auf der Intensivstation und fragte sich: ›Womit habe ich das verdient und warum ausgerechnet ich?‹

Er begann, über sein Leben nachzudenken. Schon als Kind ließ er sich von anderen Leuten unter Druck setzen. Er gewöhnte sich daran, immer ein bisschen über dem Limit zu leben. Später, im Berufsleben, wurde er von Kollegen, Nachbarn und Freunden bewundert für das, was er alles leisten konnte. Das imponierte ihm, und er fühlte sich gut dabei. Als er dann heiratete und bald darauf die Kinder geboren wurden, nahm er seine Überaktivität mit hinein in die Familie.

Peter hatte einen Freund, der das Verhängnis hatte kommen sehen und ihn behutsam warnte. Doch das wollte Peter nicht hören. Sein Freund hatte ihm damals klargemacht, dass bei ihm an erster Stelle nicht die Aktivitäten stehen sollten, sondern Gott, der diese erste und wichtigste Stelle beansprucht. Diese Gespräche kamen Peter nun wieder in den Sinn. Noch im Krankenhaus entschloss er sich, zu glauben und sein Leben zu ändern.

Heute ist Peter ein Mensch, der nicht nur dem Namen nach Christ ist, sondern eine persönliche Beziehung zu Gott durch Jesus Christus hat. Er weiß, dass der Sohn Gottes mit seinem Tod am Kreuz das Lösegeld für ihn bezahlt hat. Nun ist bei ihm Gott und nicht mehr die Arbeit das Maß aller Dinge.

bw

? Was würde Sie zum Nachdenken über Ihr Leben bringen?

! Nicht nur die Bereiche unseres Lebens müssen rechtzeitig ins richtige Lot kommen, sondern vor allem unsere Beziehung zu Gott.

Markus 12,28-34

Wehe der Erde und dem Meer! Denn der Teufel ist zu euch hinabgekommen und hat große Wut, da er weiß, dass er nur eine kurze Zeit hat.

Offenbarung 12,12

Warum glauben so viele an den Zufall?

Richard Dawkins, ein führender Vertreter der Evolutionstheorie, wurde einmal von Gillian Brown gefragt, ob er ein Beispiel für die Veränderung eines Organismus angeben könne, bei der neue Information hinzugefügt wurde. Er wusste keins.

Dabei sagen Evolutionisten, dass zur Entstehung einer neuen, höheren Tierart etwa tausend Zwischenformen nötig sind, die alle neue Information enthalten müssen. Und zur Entstehung einer Zwischenform sind wiederum rund tausend vorteilhafte Mutationen nötig. Und weil das in den letzten 600 bis 500 Millionen Jahren passiert sein soll, müssten sich weltweit pro Sekunde 10 000 vorteilhafte Mutationen ereignet haben, obwohl man von keiner einzigen weiß und doch schon 50 Jahre lang intensiv danach sucht.

Leute, die an einen allwissenden Schöpfergott glauben, können also ganz getrost an ihrem Glauben festhalten; denn der Glaube der Atheisten steht auf sehr wackligen Beinen. Dass er trotzdem so übermächtig erscheint, liegt nicht an seiner Beweiskraft, sondern allein an dem immer stärker werdenden Wunsch, Gott endlich loszuwerden. Christen glauben, dass diese Weltzeit dem Ende entgegengeht, und der Feind Gottes, der Teufel, weiß das auch, wie der Tagesvers sagt. Darum sammelt er jetzt noch einmal alle Kräfte zusammen, um die Menschen zu verführen. Dabei ist das Mittel der Verführung uralt, so alt wie die Menschheit. Schon Adam und Eva fielen auf den verführerischen Gedanken herein, so mächtig wie Gott selbst zu werden, ihn also nicht mehr nötig zu haben.

Ein allmächtiger Gott ist ein gefährlicher Gedanke für alle seine Feinde und ein sehr trostreicher für alle seine Freunde. *gr*

? Warum ist Information ein so wichtiger Bestandteil des Lebens?

! Nach unserem Tod begegnen wir nicht Richard Dawkins, sondern Gott.

Offenbarung 12,7-12

Denn also hat Gott die Welt geliebt, dass er seinen eingeborenen Sohn gab, damit alle, die an ihn glauben, nicht verloren werden, sondern das ewige Leben haben.

Johannes 3,16

Ein System ohne Fehler

Neu entwickelte Computerhardware und -software testet man mit dem sogenannten DAU, dem »dümmsten anzunehmenden User« (Benutzer). Es handelt sich dabei nicht um die objektiv dümmste Testperson, sondern um Computerbenutzer, die kein Grundlagenwissen haben. Da sie kein Sachverständnis mitbringen, können sie durch grobe Denk- und Anwendungsfehler im Umgang mit der Technik das ganze System zum Absturz bringen. Ein System, das den Härtetest mit dem DAU nicht übersteht, wird deshalb nicht zur Benutzung freigegeben, sondern muss überarbeitet werden.

Bei der Betrachtung der Schöpfungsgeschichte und des bald folgenden Sündenfalls scheint es, als hätte Gott beim System »Erde« nicht an den Härtetest gedacht. Denn schon die ersten »Benutzer« Adam und Eva richteten Gottes Plan einer ungestörten Beziehung zwischen ihm und den Menschen zu Grunde. Das ganze System kam zum Absturz. Allerdings lag das nicht an Gott, sondern am Menschen, der mit der Möglichkeit geschaffen war, sich für oder gegen Gott zu entscheiden. Wir Menschen sind keine programmierten Roboter, die tun müssen, was ihr Erfinder sich vorgestellt hat, sondern Wesen, die sich für oder gegen Gottes Plan entscheiden können.

Schön ist, dass Gott die falsche Entscheidung der Menschen von Anfang an mit eingeplant hat: Bereits vor Grundlegung der Welt erwählte er seinen eigenen Sohn Jesus Christus als Stellvertreter für unsere falschen Entscheidungen und unsere Fehlerhaftigkeit. In Christus hat jeder Mensch die Möglichkeit, in einer wiederhergestellten Beziehung mit Gott zu leben. Gott gibt jedem Einzelnen die Chance, sein Erlösungswerk anzunehmen und somit in einem »vollkommenen System« zu leben – oder ihn abzulehnen. *kts*

Leben Sie schon in einer wiederhergestellten Beziehung zu Gott?

Auch ein menschlicher »DAU« kann Gottes Plan nicht kaputt machen.

Römer 5,18-21

... nicht mehr lebe ich, sondern Christus lebt in mir; was ich aber jetzt lebe, lebe ich im Glauben, ... an den Sohn Gottes, der mich geliebt und sich selbst für mich hingegeben hat.

Galater 2,20

»Ich heiratete meinen Ex-Mann«

So lautet der Titel des 2016 erschienenen Buches von Monica Masi, in dem sie von ihrer hoffungslos verkorksten Beziehung zu ihrem Ehemann berichtet, dann von ihrer Scheidung und wunderbarerweise auch von einer nie für möglich gehaltenen Wende, die dann zur »Wiederheirat« im besten Sinne dieses Wortes führte.

Wie war das alles möglich geworden? Ablehnung, gegenseitige Kritik, endlose Konflikte aufgrund völlig unterschiedlicher Charaktere, schließlich Ehebruch und Scheidung hatten die so hoffnungsvoll begonnene Beziehung zerstört. Im Bücherregal ihrer Eltern fand Monica dann das Buch »Jesus unser Schicksal« von dem Pfarrer Wilhelm Busch (1897–1966). Dort wurde genau die Frage erörtert, die ihr schon immer auf dem Herzen lag: Gott ja, aber warum auch Jesus? Zum ersten Mal im Leben begriff sie, was es mit Jesus wirklich auf sich hat und dass er auch für ihre persönliche Lebensschuld am Kreuz gestorben war. Noch am selben Abend betete sie: »Jesus, bitte komm in mein Leben und führe du es. Du weißt am besten, was gut für mich ist. Sei du mein Herr!«

Innerlich befreit von allen Gewissensbissen und Schuldgefühlen begann sie, bewusst als Christin zu leben. Bei einem Treffen mit ihrem Ex-Mann bat sie diesen um Vergebung und erzählte ihm, was mit ihr geschehen war. Er spürte ihre Veränderung und wurde neugierig. Er bat um das Buch, um es ebenfalls zu lesen. Bereits nach dem 1. Kapitel wurde ihm klar, dass auch er Vergebung brauchte. Er bat Jesus um eine zweite Chance mit Monica. Es kam zu einer Aussprache und zu einem völligen Neuanfang, besiegelt durch die erneute Heirat am 28. Mai 2004. Seitdem sind beide glücklich verheiratet. *pj*

Wie sieht es in Ihren »Beziehungskisten« aus?

Die Hinwendung zu Jesus befähigt zur Versöhnung untereinander.

1. Korinther 13,4-7

15. Februar 17

Mittwoch

Jesus Christus sagt: »Meine Schafe hören meine Stimme und ich kenne sie, und sie folgen mir, und ich gebe ihnen ewiges Leben, und sie gehen nicht verloren in Ewigkeit.«

Johannes 10,27-28

Es gibt noch einen Ausweg

Viktor Frankl (1905–1997), Begründer der Logotherapie und Existenzanalyse, hat einmal gesagt, dass Durst der sichere Beweis dafür sei, dass es Wasser gibt; denn wie könnte ein Mensch durstig werden, wenn es kein Wasser gäbe? Und wie könnte ein Mensch nach dem Sinn des Lebens fragen, wenn es keinen Lebenssinn gäbe? So haben die Menschen seit Jahrtausenden nach dem Sinn ihres Daseins geforscht, und allen war klar, dass dann auch ein Sinngeber dahinterstehen muss. So entstanden die Religionen.

Im fünften Jahrhundert hat Augustinus gesagt, dass die Unruhe in den Menschenherzen nur aufhören würde, wenn das Herz in Gott ruht. Erst in der neueren Zeit hat sich die Meinung durchgesetzt, dass wir nur zufällig in diese Welt geboren wurden und nun zusehen müssen, dass wir dieses ungewollte Dasein so angenehm wie möglich zubringen, um danach genauso sinnlos wieder zu verschwinden, wie wir sinnlos auf die Welt gekommen sind. Weil es demnach keine Instanz gibt, der wir Rechenschaft abgeben müssen, werden sich bei solcher Geisteshaltung immer häufiger solche Leute durchsetzen, die kalt und herzlos ihren Vorteil wahrnehmen. Warum auch nicht?

Die Bibel schildert das Ende dieser Weltzeit als eine Epoche, die von Herzlosigkeit, Raffsucht und Gewalt und Unordnung durch die Starken sowie von Armut, Angst und Tränen der Unterdrückten und Gequälten gekennzeichnet ist. Vieles deutet heute darauf hin. Aber trotzdem gibt es noch Hoffnung. Gott hat seine Erde noch nicht völlig aufgegeben, Noch heute kann jeder, dem die Kälte ringsumher Angst macht, zu Gott kommen, ihm sein Versagen bekennen und sich zu seiner Güte flüchten, die er uns in seinem Sohn vor Augen geführt hat, wie uns der Tagesvers sagt.

gr

Wie gehen Sie mit den beängstigenden Tagesnachrichten um?

Den Fernseher noch lauter zu stellen, ist keine gute Methode der Daseinsbewältigung.

Johannes 10,22-29

Ein jeder sehe nicht auf das Seine,
sondern ein jeder auch auf das der anderen!
Philipper 2,4

Papst in Rage

Wo der Papst auftritt, da drängen sich die Massen. So auch vor einem Jahr in Morelia, wo sich Franziskus während seiner Mexiko-Reise aufhielt. Dort verlor der damals 79-Jährige kurz sowohl das Gleichgewicht als auch die Fassung. Irgendjemand in der Menge war etwas zu stürmisch und zog den Papst so stark nach vorne, dass er ihn damit aus der Balance brachte und er auf einen vor ihm im Rollstuhl sitzenden Jungen fiel. Nachdem sich Franziskus aufgerappelt hatte, fuhr er mit erhobener Hand und wütendem Gesicht den Verursacher seines Sturzes an: »Was ist passiert? Sei nicht so egoistisch! Sei nicht egoistisch!«

Das war eine kurze, aus dem Stegreif gehaltene Predigt mit berechtigtem Inhalt. Wir Menschen nämlich neigen zur Selbstsucht. In der S-Bahn schiebt sich der Egoist mit ausgefahrenen Ellenbogen zum freien Sitzplatz vor. Das Ende der Schlange an der Supermarktkasse ignoriert er. Und selbst den Papst beansprucht er für sich alleine. Alleine. Ein Egoist ist ein Mensch, der sich besser im Singular auskennt als im Plural, so der Publizist Willy Meurer.

Dabei ist Alleinsein gar nicht unsere Bestimmung. Wir sind geschaffen für die Gemeinschaft mit Gott und mit anderen. Beide sollen wir lieben: Gott und den Nächsten (Markus 12,28-31). Wenn unsere Beziehung zu Gott in Ordnung ist, dann drehen sich unsere Gedanken nicht mehr nur um uns selbst. Wenn uns Jesus Christus inneren Frieden schenkt und unser Herz mit seiner Liebe erfüllt, dann können wir überfließen an Freundlichkeit und Zuneigung und können andere Menschen freigiebig daran teilhaben lassen, was in uns ist.

Nach seinem Ausbruch hat Franziskus übrigens schnell seine Fassung zurückgewonnen und wieder gelächelt. *wä*

Achten Sie peinlich darauf, dass Sie nicht zu kurz kommen?

Beten Sie: »Hilf mir, für andere zu leben, damit ich, Herr, für dich leben kann.«

Philipper 2,19-30

17. Februar 17

Freitag

Denn der HERR, dein Gott,
ist ein verzehrendes Feuer, ein eifersüchtiger Gott.
5. Mose 4,24

So ist Gott (1)

Manchmal lese ich im Internet Texte von Menschen, die aus Überzeugung Atheisten sind. Sie meinen, die Bibel wäre voller Widersprüche, und überhaupt könne man nicht an so einen grausamen Gott wie den des Alten Testamentes glauben. Der Tagesvers scheint auf den ersten Blick ja auch genau in diese Argumentation zu passen. Ein Gott, der eifersüchtig ist – das geht nicht! Gott müsste doch eigentlich so cool sein, dass er darübersteht.

Sehen wir uns kurz an, in welchem Zusammenhang der Vers steht. Mose belehrt in diesem Kapitel der Bibel die Israeliten, dass sie sich immer daran erinnern sollen, was Gott ihnen Gutes getan hat. Deshalb sollen sie Gott anbeten und ihm danken und sich nicht selbst Götter schaffen, um diese anzubeten. Ein, wie ich meine, berechtigter Anspruch. Ein Beispiel dazu: In unserer Gemeinde gibt es ein kleines Mädchen, das ich sehr gerne mag. Sie kommt im Gottesdienst oft zu mir und krabbelt auf meinen Schoß. Ihre Mutter hat nichts dagegen. Jetzt stellen Sie sich aber mal vor, das Mädchen würde plötzlich Mama zu mir sagen und ihre eigene Mutter, die eine richtig gute Mutter ist, ablehnen. Da wäre doch dringender Handlungsbedarf! Ihre Mutter wäre zu Recht eifersüchtig, und wir sollten schleunigst dafür sorgen, dass das Kind wieder erkennt, wer seine richtige Mutter ist.

Wie ist das nun bei uns? Wir sehen die Natur an, all die Pflanzen und Tiere, die so wunderbar geschaffen sind. Zu Recht staunen wir darüber. Aber bei vielen hat sich heute der Satz »Wunderbar, wie die Natur das eingerichtet hat« eingebürgert. Und da wird Gott zu Recht eifersüchtig. Denn als Schöpfer aller Dinge sollen wir ihn ehren, indem wir ihm für alles danken. Er möchte als Urheber anerkannt und geehrt werden.

apa

? Wem danken Sie für das, was Sie haben?

! Danken Sie Gott! Er ist es, der alles schenkt.

Jesaja 42,8-17

Denn der HERR, dein Gott, ist ein barmherziger Gott; er wird dich nicht verlassen noch verderben; ...
5. Mose 4,31

So ist Gott (2)

Gestern habe ich darüber geschrieben, dass Gott eifersüchtig ist. Der heutige Tagesvers steht im selben Kapitel der Bibel. Nur sieben Verse, nachdem Mose dem Volk Israel erklärt hat, dass Gott eifersüchtig ist, wenn es sich fremden Göttern zuwendet, zeigt er dem Volk, dass Gott barmherzig ist und seine Kinder nie verlassen wird. Wer barmherzig ist, ist laut Duden mitfühlend und mildtätig und hat ein Herz für Menschen in Not. – Der eifersüchtige Gott warnt seine Kinder davor, sich von ihm abzuwenden. Der barmherzige Gott ist mitfühlend und jederzeit bereit zu vergeben.

Als Mutter muss ich meine Kinder immer wieder ermahnen, auf mich zu hören. Wenn sie dann nicht gehorchen und dafür Konsequenzen spüren müssen, tut mir das in der Seele weh. Aber ich kann ihnen Konsequenzen und Strafen nicht ersparen, nur weil das unangenehm ist. Dabei dürfen meine Kinder eines jedoch ganz sicher immer wissen: Ich werde sie niemals verlassen oder mich ganz von ihnen abwenden.

Ein Beispiel: Eine unserer Töchter bekommt bisweilen furchtbare Wutanfälle. Wenn das geschieht, bleibt mir nichts übrig, als dieses schreiende Kind zu packen und in sein Zimmer zu stecken, bis es sich beruhigt hat. Meine Tochter hasst das und wehrt sich. Ich hasse es auch und wünsche mir jedes Mal, dass sie aufhört, so wütend zu sein. Aber ich weiß auch, dass sie sich in ihrem Zimmer am schnellsten beruhigt. Sobald der Wutanfall vorbei ist, darf sie rauskommen, ich nehme sie in den Arm und freue mich, dass ich meiner Tochter zeigen kann, wie sehr ich sie liebe.

So ist Gott: Ein eifersüchtiger Gott, der Dinge nicht durchgehen lassen kann, und zugleich ein barmherziger Gott, der es kaum erwarten kann, seine Kinder mit Liebe zu überschütten. *apa*

? Kennen Sie den barmherzigen Gott?

! Den barmherzigen Gott und seine Liebe lernt man kennen, wenn man sich ihm ehrlich und offen zuwendet.

Psalm 103

19. Februar 17

Sonntag

So sollst du nun heute erkennen und es dir zu Herzen nehmen, dass der HERR der alleinige Gott ist oben im Himmel und unten auf Erden, und keiner sonst.

5. Mose 4,39

So ist Gott (3)

Die Tagesverse der letzten beiden Tage stammten aus demselben Kapitel der Bibel. Und auch der heutige Vers, der eine weitere Eigenschaft Gottes beschreibt, steht dort. Es fasziniert mich, dass in so einem kurzen Abschnitt der Bibel so viele Facetten Gottes gezeigt werden. Ich möchte Sie gerne ermutigen, sich einmal eine Bibel zu besorgen und dort in 5. Mose 4 beim Lesen mit einem Farbstift alle Eigenschaften Gottes zu markieren, die Sie entdecken. Ich verspreche Ihnen, Sie werden überrascht sein!

Der heutige Tagesvers sagt, dass es nur einen Gott gibt. Warum ist das wichtig? Nun, wenn ich Hilfe brauche, ist es wichtig zu wissen, an wen ich mich wenden muss. Wenn ich Zahnschmerzen habe, ist es unsinnig, den Klempner anzurufen, und wenn das Haus brennt, sollte ich die Feuerwehr rufen, bevor ich die ersten Fotos auf Facebook poste. Wenn ich nicht im richtigen Moment den richtigen Helfer habe, kann das lebensgefährlich sein.

Im Tagesvers macht Gott klar, dass er Gott ist, und sonst niemand. Das heißt, wenn es um die Frage des ewigen Lebens geht oder darum, wo ich Vergebung für meine Schuld bekomme und echte Hilfe in seelischer Not, dann wird nur er auch helfen können. Ich weiß, das ist unpopulär. Da klingt stattdessen das, was ich kürzlich in einem Lifestyle-Blog las, viel attraktiver: »Gehe zum Yoga, entschleunige deine Morgenroutine, praktiziere Ölziehen und fahre in den Entgiftungsurlaub.« Das macht neugierig, aber ich kann Ihnen versichern, dass Ihnen all das bestenfalls nur kurzfristig und symptomatisch hilft. Das eigentliche Problem, unsere Entfremdung von Gott, der uns retten will, bleibt ungelöst.

Wenn ich dagegen zu Gott komme, erfahre ich die entscheidende Hilfe, sogar dann, wenn alles aussichtslos erscheint. *apa*

Kennen Sie den richtigen Helfer für Ihre Notsituation?

Gott ist der erste und einzige Ansprechpartner für unser Lebensglück. Geben Sie um seinetwillen alle anderen Scheinangebote preis!

5. Mose 4,1-40

**Der Sperling hat ein Haus gefunden,
und die Schwalbe ein Nest für sich,
wohin sie ihre Jungen legt.**

Psalm 84,4

Schwalben

Von den Schwalben sind uns die beiden Hausschwalben am meisten vertraut: Die Mehlschwalbe mit dem wenig gegabelten Schwanz und dem hellen Rücken und die Rauchschwalbe, etwas bläulich im Gefieder, mit tief gegabeltem Schwanz und rostroter Kehle. Kaum sind sie aus ihrem Winterquartier bei uns eingetroffen, sammeln sie feuchte Erde, um daraus ihre Nester – offene Mulden bei den Rauchschwalben, Halbkugeln mit Einflugloch bei den Mehlschwalben – zu bauen. Früher sammelten sie das feuchte Material vom Feldrand und aus Straßenpfützen, heute holen sie nun das Baumaterial aus Regenrinnen. Innen ist das Nest mit Gras und Federn ausgepolstert. Die Nester bestehen aus 700 bis 1500 Lehmkügelchen, welche die Mehlschwalben mit ihrem Speichel verkleben.

Ist das Nest endlich fertig, legen sie 2 bis 5 Eier, die Brutdauer beträgt etwa 16 Tage. Die jungen Mehlschwalben werden ca. 22 Tage im Nest mit Nahrung versorgt, bevor sie ausfliegen. Die Versorgung besteht aus Insekten. – Die Eltern leben für ihre Kinder. Tag und Nacht sind sie unterwegs, um es ihrem Nachwuchs so gut wie möglich ergehen zu lassen. Unruhig, unermüdlich und selbstlos sind sie – mit dem einen Ziel: ein sicheres Zuhause und bestes Gedeihen ihrer Zöglinge.

Unsere Kinder sind uns nur vorübergehend anvertraut. Für diese kurze Zeit ist es unsere Verpflichtung, sie zu lebenstauglichen Persönlichkeiten großzuziehen. Kinder brauchen »Nester«, Schutzräume, gute Ernährung, um sie für die raue Wirklichkeit vorzubereiten. Noch wichtiger aber ist, dass sie auch von der Liebe Gottes erfahren, der sie gerne einmal in sein ewiges Zuhause aufnehmen möchte. Den sicheren Weg dorthin finden sie, wenn sie den Retter Jesus Christus kennenlernen und sich ihm anvertrauen. *lü*

Was ist Ihnen wichtig für Ihre Kinder?

Erzählen Sie ihnen von Jesus Christus und schicken Sie sie dorthin, wo sie noch mehr darüber erfahren können, z. B. in eine Sonntagsschule oder in einen Kindergottesdienst.

Matthäus 18,1-14

21. Februar 17

Dienstag

Und seid dankbar!
Kolosser 3,15

Meckermeister!

Es ist ein moderner Mythos, dass Eskimo-Sprachen Dutzende verschiedene Ausdrücke für Schnee hätten, um feinste Nuancen in der Beschaffenheit des weißen Pulvers ausdrücken zu können. Der Irrtum liegt darin begründet, dass in diesen Sprachen Zusammensetzungen wie »gerade frisch gefallener Schnee« als komplexes Wort gebildet werden, während sie in europäischen Sprachen getrennt erscheinen.

Dass es im Deutschen allerdings über ein Dutzend verschiedene Ausdrücke für »meckern« gibt, ist kein Mythos, sondern leicht nachzuprüfen: meckern, mosern, nörgeln, jammern, klagen, motzen, maunzen, quengeln, mäkeln, stänkern, maulen, murren u.v.m. Brauchen wir wirklich diesen Formulierungsreichtum, um selbst feinste Nuancen in einer Haltung der Unzufriedenheit und Beschwerdefreude ausdrücken zu können? Und warum kommen wir mit nur einem Wort für das Gegenteil aus? Denn erstaunlicherweise gibt es zu »danken« keine gleichbedeutenden Begriffe.

Liegt das vielleicht daran, dass wir viel lieber unserer Unzufriedenheit Luft verschaffen (und dabei sehr einfallsreich sind), als unserer Dankbarkeit Ausdruck zu verleihen? Dabei weiß jeder, wie anstrengend dauernde Meckerei und wie wohltuend ein herzliches Dankeschön ist!

Die Bibel fordert mich an vielen Stellen dazu auf, dankbar zu sein. Dankbarkeit ist also eine Haltung, die ich üben kann. Und sie zeigt auch, an welche Adresse ich meinen höchsten Dank richten kann – an Gott, der die Quelle alles Guten ist. Ich will lernen, ihm viel bewusster jeden Tag für das Gute in meinem Leben zu danken. *kaa*

? Wofür haben Sie Gott heute (schon) gedankt?

! Stellen Sie sich vor, Sie wachen morgen nur mit den Dingen auf, für die Sie Gott heute gedankt haben.

Psalm 136

22. Februar 17

Mittwoch

**Denn du, HERR, bist der Höchste über die ganze Erde;
du bist hoch erhaben über alle Götter.**

Psalm 97,9

Aberglaube? Was ist das?

Ich wartete an der Haltestelle einer Straßenbahn. Etwas später kam noch eine Frau dazu. Wir kamen ins Gespräch. Auf einmal spazierte eine schwarze Katze gemütlich auf uns zu. Die Frau bekreuzigte sich, schlug die Hände über dem Kopf zusammen und jammerte, dass das am heutigen Tag Unglück bringen würde. Erst jetzt erinnerte ich mich, dass heute Freitag der 13. war.

Bis dahin hatte ich nicht geglaubt, dass es solche Geschichten überhaupt noch gibt. Was hat das Datum mit der Farbe eines Tieres zu tun? Und warum soll das Unglück bringen? Weder das Tier noch das Datum können etwas dafür! Warum gibt es Menschen, die an so etwas glauben? Sie meinen, dass es eine höhere negative Macht gibt, die sich ihnen in Gestalt eines Tieres nähert, und das noch an einem bestimmten Datum.

Die Bibel kennt sehr wohl das Thema des Aberglaubens, der Götzendienst ist. In jeder Kultur ist dieses Thema vorhanden. Warum? Dieser Platz, den der Aberglaube ausfüllt, gehört eigentlich dem Gott der Bibel. Wenn dieser Platz durch etwas anderes oder jemand anderen besetzt ist, dann muss ich mich nicht wundern, wenn solche Dinge herauskommen. Gott ist es doch, der das Wichtigste im Leben des Menschen sein sollte.

Wenn ich weiß, dass er mich geschaffen hat, dass er mich unendlich liebt, dass er seinen Sohn für mich hat sterben lassen, damit ich durch die Vergebung meiner Sünden mit ihm Gemeinschaft haben darf, dass ich mit ihm durch das Leben gehen kann, dass ich mich daher nicht fürchten muss vor irgendwelchen Schauergeschichten, dass ich mich freuen darf auf die Ewigkeit bei ihm, dann muss ich mir keine Gedanken darüber machen, wenn mir am Freitag dem 13. eine schwarze Katze über den Weg läuft. *bw*

? Welchem Aberglauben hängen Sie an?

! Gott ist größer als alle Götter des Aberglaubens.

Apostelgeschichte 8,4-25

Donnerstag

23. Februar 17

**Und bei einem Mann sollst du nicht liegen,
wie man bei einer Frau liegt: ein Gräuel ist es.**

3. Mose 18,22

Bei Gott gibt es keine zwei Meinungen

In unserem Ort mit etwa 3500 Einwohnern gibt es einen Karnevalsverein. In der Faschingszeit des vergangenen Jahres wurde erstmalig ein homosexuelles Prinzenpaar gekürt. Zur gleichen Zeit, im Januar 2016, gab es einen Fernsehbeitrag, in dem ein evangelischer Pfarrer das Heiraten von homosexuellen Paaren ausdrücklich befürwortete. Seine interessante Begründung war, dass es ja hauptsächlich auf die Liebe zwischen den beiden ankäme, dass Gott Liebe sei und er somit auch Liebe zwischen zwei Menschen in jeder Hinsicht toleriere.

Wenn man sich dagegen wehrt, steht man meist alleine da und wird in eine fundamentalistische Ecke gedrängt. Dabei ist Gottes Wort, die Bibel, unmissverständlich. Homosexualität ist eine Sünde in den Augen Gottes. Da gibt es keine zwei Meinungen in der Bibel. Eine Ehe gibt es ausschließlich zwischen Mann und Frau. Gott liebt jeden Menschen und somit auch den Homosexuellen, aber er verurteilt es, wenn man sich seinem Willen widersetzt.

Der moderne Mensch will zunehmend autonom leben, keiner soll ihm Vorschriften machen, auch kein Gott. Er wird einfach aus dem Leben und dem Alltag verdrängt. Die Bibel wird so ausgelegt, wie es zur eigenen Anschauung am besten passt. Biblische Prinzipien werden vernachlässigt oder ganz ignoriert. Der Scherbenhaufen, den wir nachfolgenden Generationen hinterlassen, wird immer größer.

Lässt sich diese Gegensätzlichkeit auflösen? Aus meiner Sicht nicht. Entweder man erkennt Gottes Sichtweise an oder nicht. Aber Gott zum Befürworter einer Sache »umzukrempeln«, die man selbst gutheißt, hilft gar nicht weiter, denn Gott ist unveränderbar. Nur unsere Sicht von ihm kann sich verändern. Am Ende zählt aber nur seine Sicht der Dinge.

schn

Finden Sie diese Ansicht zu altmodisch und intolerant?

Das mag sie aus »moderner« Sicht vielleicht sein, aber nach allen Fakten, die uns die Bibel nennt, ist sie mehr als vernünftig.

Römer 1,18-32; 3. Mose 20,13

Denn dies ist gut und angenehm vor unserem Heiland-Gott, der will, dass alle Menschen errettet werden und zur Erkenntnis der Wahrheit kommen.

1. Timotheus 2,3-4

Gott will unser Herz

Heinz Schäfer erzählt von einem sterbenden Kunsthistoriker, dem der Seelsorger ein Bild des gekreuzigten Jesus Christus vor die Augen hielt. Der blickte müde darauf und murmelte: »Elfenbein – Würzburger Arbeit – Zopfstil – von mäßigem Wert«, und verschied. Da sollte er so kurz vor den Toren der Ewigkeit auf den einzigen Retter hingewiesen werden, der uns allen – ob wir alt oder noch jung sind – gegeben ist, um Frieden mit Gott zu bekommen; aber er beurteilte das Bild nur nach seinem Verkaufswert.

Sehr wahrscheinlich hat er sich in seinem Leben gründlich mit Bildern beschäftigt, die biblische Geschichten erzählten; aber alle waren nur von seinem Verstand und nicht von seinem Herzen erfasst worden.

Dem armen Mann ist jetzt nicht mehr zu helfen. Aber wie ist es mit uns? Wie oft wurden wir auf die Botschaft der Bibel hingewiesen? Was haben wir vielleicht sogar alles auswendig lernen müssen! Doch was davon ist in unser Herz gedrungen?

Es geht in Deutschland zurzeit leider sehr gottlos zu; aber keiner kann sagen, niemals mit dem freundlichen Angebot Gottes konfrontiert worden zu sein. Vielleicht bei einem feierlichen Weihnachtsgottesdienst oder bei der Trauung oder auch bei einer Beerdigung. Denn noch immer lädt Gott die Menschen ein, die Frage nach dem ewigen Leben ernst zu nehmen und das gnädige Angebot anzunehmen, das Gott uns macht, weil sein Sohn alles für uns gut gemacht hat.

Und wer schon mit Gott ins Reine gekommen ist, der sollte so leben, dass seine noch ungläubigen Bekannten sehen können, dass Gott an seinem Herzen gearbeitet hat und er jetzt viel angenehmer zu ertragen ist im Verleich zu damals, als er Gott noch nicht kannte. *gr*

? Was hat der Kunsthistoriker falsch gemacht?

! Eigentlich müssten wir an Gott doch ein viel größeres Interesse haben als er an uns – oder?

Apostelgeschichte 16,25-34

**Betet ihr nun also:
Unser Vater, der du bist in den Himmeln …**
Matthäus 6,9

(1) Unser Vater in den Himmeln

Versuchen Sie, sich doch einmal wirklich klarzumachen, was da in der Überschrift steht! Der allmächtige Schöpfer aller Himmel und auch unserer Erde wird da als »unser Vater« angeredet. So etwas gedankenlos daherzusagen, könnte nur folgenlos bleiben, wenn es diesen himmlischen Vater in Wirklichkeit gar nicht gibt. Aber das muss man ganz sicher wissen und beweisen können; denn was besagt schon die Ausrede, Sie glaubten nicht an ihn. Ich darf mich doch auch nicht gefahrlos auf blanke Eisenbahngleise setzen, wenn ich vorher behauptet habe, Züge gibt es für mich nicht.

Haben Sie schon einmal von einem hieb- und stichfesten und doch so bitter notwendigen Beweis für die Nichtexistenz Gottes gehört? Ich jedenfalls nicht. Das besagt natürlich nicht viel; aber ich weiß auch von keinem klugen Menschen, der solche Beweise kennt. Sie »beweisen« nur immer wieder, was sie vorher voraussetzten.

Für die Existenz eines weisen und allmächtigen Schöpfers spricht hingegen die gesamte Schöpfung mit ihren milliardenfachen komplizierten Verflechtungen. Selbst erklärte Atheisten geben zu, dass alles nach Plan und Absicht aussieht. Sie müssen alles trotzdem dem Zufall zuschreiben, weil sonst ihr Weltbild zusammenbricht, in dem es nichts Höheres als sie selbst gibt und geben darf.

Unser Tagesvers sagt aber noch mehr: Dieser allmächtige Gott wird uns als Vater vorgestellt. Das gilt allerdings nur für solche, die diesen großen Gott um Frieden gebeten haben, den er sogar seinen ärgsten Feinden gerne gewährt, wenn sie an das Versöhnungswerk seines Sohnes, Jesus Christus, glauben.

Welche Ruhe geht doch von dem Gedanken aus, dass der Herr des Himmels mein Vater ist! *gr*

Wie kam Ihrer Meinung nach die Welt zustande?

Man darf ruhig glauben, dass alles, was nach Plan und Absicht aussieht, auch tatsächlich Plan und Absicht ist.

1. Mose 1

Geheiligt werde dein Name.
Matthäus 6,9

(2) Geheiligt werde dein Name!

In einem königlichen Schloss hängt im Thronsaal genau gegenüber der Eingangstür das riesengroße Bild des Begründers der königlichen Dynastie. Eines Morgens werden wieder Besuchergruppen durch das Schloss geführt, und was sehen sie? In der Nacht haben irgendwelche Feinde des Königs dem berühmten Bild eine lange Nase und Eselsohren angemalt. Alle, die nichts mit der königlichen Familie verbindet, brechen in schallendes Gelächter aus, während alle Freunde des Königs entweder verlegen schweigen oder sehr zornig werden. Ihr Zorn steigert sich noch, wenn der augenblickliche Herrscher den gleichen Namen trägt wie der so sehr geschändete auf dem Bild. Sie wissen, was die Schändung besagen soll.

»Geheiligt werde dein Name!«, ist die erste und wichtigste Bitte des Gebets, das Jesus Christus seine Anhänger lehrte. Darauf kommt es vor allem an, dass der Name des großen Schöpfergottes von seinen Geschöpfen in höchstem Maß geehrt und nicht in den Dreck gezogen und gelästert wird. Wie anders als im Zorn sollte er darauf reagieren?

Was bedeutet es nun genau: »Dein Name werde geheiligt«? Ich denke, wir dürfen den Namen Gottes nicht auf profane, entwürdigende Art missbrauchen, wie man es so oft hört, wenn die Leute zum Beispiel »Oh Gott!« sagen und eigentlich nur meinen: »Oh Schreck!« oder: »Ach, du liebe Zeit!« Gottes Namen heiligen heißt, ihn nicht da zu nennen, wo man in Wirklichkeit gar nicht an ihn denkt. Heiligen heißt, ihn nicht mit dem Alltäglichen zu verbinden.

Dabei will er sehr wohl, dass wir ihn mitten in unserem Alltag anrufen, aber als den, der über allem steht und uns in seiner Heiligkeit aus allen Nöten befreien und erlösen kann. *gr*

?
Was bedeutet Ihnen der Name Gottes?

!
Wer an Gott glaubt, darf mit großer Zuversicht alles vor ihn bringen, weil ihm alle Macht zur Verfügung steht – im Himmel und auf Erden.

Matthäus 14,22-33

27. Februar 17

Montag

**Dein Wille geschehe,
wie im Himmel, so auch auf der Erde.**
Matthäus 6,10

(3) Dein Wille geschehe!

Als um 1250 n. Chr. herum die Zeit der Stauferkaiser zu Ende ging, begann die sogenannte kaiserlose oder schreckliche Zeit. Fürsten und Herzöge versuchten, sich auf Kosten der Nachbarn zu bereichern, und die kleinen Adligen verunsicherten als Raubritter das Land. Erst 1273 kam endlich wieder ein Kaiser, Rudolf von Habsburg, auf den Thron.

Ohne eine starke und gesetzestreue Regierung gilt bald das Recht des Stärkeren oder das Faustrecht. Das kann man an vielen Stellen der Welt auch heute sehen. Deshalb fordert uns die Bibel auf, für die Obrigkeit zu beten, damit wir ein behütetes Leben führen können.

Nun, Gott ist der Herr dieser Welt; aber er hat den Menschen vielfach freie Hand gelassen. Das tut er nicht, weil er zu schwach zum Regieren ist, sondern damit wir sehen können, wohin es führt, wenn wir uns nicht nach seinem Willen richten. Er will uns nämlich deutlich machen, dass in unseren Herzen Egoismus, Herrschsucht und Habgier regieren. Wer das ehrlich wahrnimmt, der wird ihn bald bitten: »Dein Wille geschehe!« Denn mit einem solchen Herzen und ohne Gott landet man am Ende in der Hölle.

Wenn wir aber Gott regieren lassen, werden wir merken, wie seine Gesinnung durch uns zur Geltung kommt. Und wie Gott denkt und wie er ist, kann man am deutlichsten an seinem Sohn Jesus Christus sehen, der auf dieser Erde war, um uns zu zeigen, wie Gott ist. In der Bibel können wir nachlesen, wie er mit den Armen und Kranken und mit den Traurigen und Gequälten umgegangen ist. Und so ist Gott auch heute noch, und darum dürfen wir bei ihm sicher sein, dass er auch uns nur gibt, was für uns gut ist.

Sollten nicht alle anfangen zu bitten: »Dein Wille geschehe!«? *gr*

Wer außer dem Schöpfer weiß, was für uns das Beste ist?

Gott denkt nur Gedanken des Friedens über uns.

Matthäus 14,14-21

Unser nötiges Brot gib uns heute.
Matthäus 6,11

(4) Unser nötiges Brot gib uns heute!

Jesus lehrte seine Jünger in seinem Gebet, dass sie zuerst und dann noch einmal und noch einmal auf Gottes Ehre bedacht sein sollten. Erst dann sollten sie mit ihrer vierten Bitte an sich selbst denken. Wie sehen unsere Gebete gewöhnlich aus? Geht es nicht oft von Anfang bis zum Ende um uns und um unser Wohlergehen und um das unserer Lieben? Dabei hat Jesus selbst bei dieser vierten Bitte sicher auch an unsere geistlichen Nöte gedacht. So hat er einmal gesagt: »Nicht vom Brot allein soll der Mensch leben, sondern von jedem Wort, das durch den Mund Gottes ausgeht« (Matthäus 4,4). Wenn wir nämlich zuerst nach den himmlischen Gütern trachten, hat Gott versprochen, er werde uns die irdischen einfach dazuschenken (Matthäus 6,33).

Aber natürlich ist es wichtig und für viele Menschen auf der Welt sogar eine Frage des Überlebens, ob man täglich satt wird oder nicht. Ich kann mich noch gut erinnern, wir froh ich war, wenn ich in der Zeit nach dem Zweiten Weltkrieg von einem Schulkameraden manchmal ein Butterbrot zu essen bekam.

Dass heutzutage in Deutschland ungefähr die Hälfte aller von Gott geschenkten Nahrungsmittel in den Mülltonnen landet, ist sicher nicht im Sinn dessen, der es uns zurzeit so gut gehen lässt. Wir sollten uns nicht so schlecht benehmen, das kostbare Geschenk eines edlen Gönners geringschätzig in die Ecke zu werfen. Was wäre, wenn er uns in gleicher Weise begegnete und uns den »Brotkorb« ganz hoch nach oben hängen würde? Stattdessen sollten wir uns der großen Freundlichkeit unseres Schöpfers bewusst werden und aus Dankbarkeit vorsichtig mit den guten Gaben umgehen. Und mit dem dadurch gesparten Geld könnten wir dann auch denen helfen, die es so bitter nötig haben.

gr

Womit speisen Sie Ihre Seele?

Das Wichtigste muss immer das Wichtigste bleiben!

Matthäus 16,24-27

1. März 17

Mittwoch

**Und vergib uns unsere Schuld,
wie auch wir unseren Schuldigern vergeben.**
Matthäus 6,12

(5) Vergib uns unsere Schuld(en)!

Weil er so missmutig durchs Dorf ging, fragte ihn ein Freund, was ihm fehle. Nach einigem Zögern antwortete er: »Ich habe eine Kette gestohlen.« – »Dann bring sie doch wieder hin, und alles ist gut.« – In der nächsten Woche trafen sie sich wieder, die Stimmung schien kaum besser. »Na, hast du die Kette immer noch nicht zurückgebracht?« – »Doch, aber an der Kette hing »'ne Kuh.«

So ist das: Wenn jemand Vergebung erleben möchte, muss man alles wieder rausrücken, alles bekennen, was man Schlechtes gemacht hat. Vorher gibt es keinen Frieden in der Seele.

In dem Vaterunser geht es um den Frieden mit Gott. Auch da müssen wir alles Böse in unserem Leben zugeben und uns dazu stellen. Weil wir uns aber nur an den kleinsten Teil unserer Sünden erinnern, ist der gnädige Gott schon zufrieden, wenn wir grundsätzlich zugeben, jahrein, jahraus tausendfach seine Gebote übertreten zu haben. Dann vergibt er alles miteinander, weil sein Sohn alles für uns Sünder bezahlt hat.

Aber, so könnte man denken, dieses Gebet sprechen die Christen doch nicht nur einmal im Leben, ebendann, wenn sie sich zu Gott wenden. Und damit ist doch alles vergeben. Das stimmt; aber leider sündigen auch Gläubige noch sehr oft, und dann ist die Gemeinschaft mit Gott gestört. Sie wird aber wiederhergestellt, sobald wir unsere Schuld eingestehen, einerlei, ob wir »nur« lieblos geredet haben oder ob wir etwa einen Diebstahl begingen. Deswegen, weil das leider so häufig und vielfältig vorkommt, steht das Wort »Schuld« im ursprünglichen Bibeltext auch in der Mehrzahl.

Gott vergibt seinen Leuten gern; aber sie dürfen nicht versuchen, sich nur mit der »Kette« durchzumogeln, wenn's um eine Kuh geht.

gr

Wie steht es um Ihr Verhältnis zu Gott?

Gott weiß sowieso alles, darum ist es Dummheit, ihm nicht alles bekennen zu wollen.

1. Mose 4,8-16

… und führe uns nicht in Versuchung.
Matthäus 6,13

(6) … und führe uns nicht in Versuchung.

Böse Menschen haben oft Spaß daran, schwache Zeitgenossen zu verführen. So verleiten sie etwa Alkoholabhängige zum Trinken, um ihr Opfer hinterher in der Schubkarre nach Hause zu bringen. Dort wollen sie sich an den entsetzten Augen seiner Frau weiden.

So ist Gott ganz und gar nicht. In der Bibel steht sogar, dass er niemanden zum Bösen versucht (Jakobus 1,13). Wie ist dann aber unser Tagesvers zu verstehen?

Gott will uns vor unserer eigenen Bosheit und vor der anderer Leute bewahren. Dazu hat er uns vor allem die Zehn Gebote gegeben. Alle, die an ihn glauben, will er außerdem durch den Heiligen Geist warnen, indem er zu ihrem Gewissen spricht und sie an vieles erinnert, was in der Bibel steht. So leitet Gott aufrichtige Menschen auf Wegen, die ihm wohlgefallen.

Wenn aber jemand gar nicht nach Gott fragt und andererseits viel von seiner moralischen Stärke hält, den bringt Gott oft in Situationen, wo er seine Charakterstärke unter Beweis stellen kann. Aber »Gelegenheit macht Diebe«, sagt der Volksmund. Und ganz schnell kann so ein Mensch zu Fall kommen. Wie gesagt, Gott tut das nicht, um uns hereinzulegen, sondern um uns vor Augen zu führen, wie wenig wir echten Versuchungen entgegenzusetzen haben und wie nötig wir seine Hilfe und seinen Rat brauchen.

Die Bibel sagt uns, dass wir einen großen Feind überall mit uns herumtragen. Das ist unser böses Herz. Dem liegt überhaupt nichts am Gehorchen, sondern einzig und allein an der Befriedigung augenblicklicher Gelegenheiten, einerlei, ob sie Gott gefallen oder nicht. Wer das weiß, bittet Gott immer wieder: »Führe mich nicht in Versuchung, sondern errette mich von dem Bösen!« *gr*

Was sagt die Bibel über unser Herz in Jeremia 17,9 und in Markus 7,21-23?

Das gilt nicht nur für Raubmörder, sondern für uns alle!

Psalm 37

Freitag

3. März 17

Welttag des Artenschutzes

Jesus aber sah sie an und sprach zu ihnen:
Bei den Menschen ist dies unmöglich;
aber bei Gott sind alle Dinge möglich.

Matthäus 19,26

Genialer Schöpfer (1)

Wussten Sie, dass es nach den üblichen Anforderungen moderner Flugtechnik eigentlich unmöglich ist, dass die Hummel fliegen kann? Hummeln sind im Vergleich zu ihrer Flügelgröße einfach viel zu schwer, um zu fliegen. Aber ich bin mir sicher, dass sie schon einmal eine Hummel im Flug beobachtet haben. Hummeln fliegen, und das ziemlich geschickt. Wie gut, dass Hummeln nichts von moderner Flugtechnik verstehen. Denn dann würden sie anfangen nachzudenken und vielleicht das Fliegen besser sein lassen. Dann würden allerdings auch viele Pflanzen aussterben, die auf die Befruchtung durch die Pollen angewiesen sind, die die Hummeln verbreiten.

Ich glaube, Gott will uns mit der Hummel einen Hinweis geben. Uns ist es zwar möglich, eine Flugtechnik zu entwickeln, die bestimmten Anforderungen genügt, aber einem allmächtigen Schöpfer ist noch viel mehr möglich. Er hat ein so kleines Tier erschaffen, und doch geht dessen »Konstruktion« über alles hinaus, was wir Menschen für möglich halten und möglich machen. Und wenn es diesen Schöpfer tatsächlich gibt, woran ich fest glaube, was, denken Sie, könnte dieser Schöpfer erst in Ihrem Leben bewirken, wenn Sie ihm freie Hand lassen? Die Hummel fliegt einfach, ohne sich Gedanken zu machen, ob sie das kann. Was wäre, wenn wir, statt zu zweifeln, anfangen würden, darauf zu vertrauen, dass Gott auch in unserem Leben etwas schaffen kann, was wir selbst niemals zustande bringen würden?

Es macht einen Unterschied, ob wir uns auf uns selbst beschränken oder dem Schöpfer Raum geben, uns so zu verändern, dass wir fähig werden, große Herausforderungen zu bewältigen. Lesen Sie die heutige Bibellese und lernen Sie einen einfachen Menschen kennen, der das erlebt hat.

apa

Glauben Sie an einen Gott, dem nichts unmöglich ist?

Machen Sie es wie die Hummel. Vertrauen Sie einfach!

Richter 6,36-40

**Und Gott sah alles, was er gemacht hatte;
und siehe, es war sehr gut.**
1. Mose 1,31

Genialer Schöpfer (2)

Gestern haben wir uns mit der Hummel beschäftigt, die nach den üblichen Anforderungen moderner Flugtechnik eigentlich gar nicht fliegen dürfte. Dass sie es trotzdem kann, liegt an einer, wie ich finde, genialen Konstruktion ihrer Flügel. Die gekrümmten Hummelflügel besitzen ein Gelenk, mit dem die Hummel selbst die Krümmung noch verstärken kann. Außerdem bewegt die Hummel ihre Flügel nicht einfach nur auf und ab, sondern folgt mit ihrem Flügelschlag einer speziellen Bewegung, während der sie die Flügel auch noch dreht. Das verursacht einen Luftwirbel, der der Hummel den Auftrieb gibt. Noch dazu besitzt die Hummel Hinterflügel, die den Auftrieb unterstützen. Und dabei ist die Größe der Flügel genau so abgestimmt, dass diese die Hummel nicht behindern, wenn sie in eine Blüte oder in ihr Nest krabbeln will.

Wissen Sie, was mich stutzig macht? Ich habe schon Menschen voller Faszination erlebt, die mir davon vorgeschwärmt haben, was ihr neues Auto alles kann. Keiner dieser Menschen wäre auf die Idee gekommen, mir zu sagen, dass dieses Wunderwerk der Technik in Millionen Jahren zufällig entstanden ist. Jeder findet, dass die Designer eines solchen Autos echt helle Köpfe sein müssen. Aber die gleichen Menschen würden mir sagen, dass ein solches Wunderwerk wie die Hummel ein Zufallsprodukt ist, hinter dem kein genialer Designer steckt. Wie passt das zusammen? – Niemand würde glauben, dass aus einem Haufen Blech und Metall zufällig ein Auto wird, wenn man nur einige Milliarden Jahre wartet. Und ich kann nicht glauben, dass aus einem Haufen Aminosäuren zufällig eine Hummel wird. Ich denke, dass wir in der Natur um uns herum unendlich viele Hinweise auf einen Schöpfer haben. Und es lohnt sich, danach zu suchen. *apa*

? Wie ist unsere Welt entstanden?

! Folgen Sie den Hinweisen!

Hiob 38,4-18

Sonntag 5. März 17

**So sind wir nun Gesandte für Christus,
als ob Gott durch uns ermahnte; wir bitten an Christi statt:
Lasst euch versöhnen mit Gott!**

2. Korinther 5,20

Schon halbwegs in der Hölle?

In 67 Metern über dem Meeresspiegel wurde die Fahrbahn der Golden Gate Bridge zwischen die beiden über 250 Meter hohen Pylonen am Anfang und am Ende der Brücke aufgehängt. Damit niemand dabei in die Tiefe stürzte, spannte man Fangnetze auf. 27 Männer verdanken dieser Vorsicht ihr weiteres Leben. Doch ziemlich frivol nannten sie ihren Verein »Half Way to Hell Club«.

Nicht nur die 27 Monteure gehörten zu diesem Klub, sondern es gehören eigentlich alle dazu, die schon die Hälfte ihres Lebens hinter sich gebracht und sich noch immer keine Gedanken darüber gemacht haben, was aus ihnen wird, wenn auch die zweite Hälfte ihres Erdenlebens zu Ende geht.

Natürlich kann man sich einreden, so schreckliche Dinge wie Hölle und göttliches Gericht seien nur von den Kirchen erfunden worden, um die Leute an der Kandare zu halten und Wohlverhalten zu erzwingen. Andere sagen, wir seien nur hoch entwickelte Tiere, und mit dem Tod sei alles aus. Aber sind diese beiden Behauptungen tatsächlich einwandfrei erwiesen? Und wenn nicht, dann verstieße man doch gegen alles Eigeninteresse, wenn man nicht auf die Warnungen der Bibel hörte. Sie hat von Anfang an nichts anderes gelehrt, als dass wir Menschen etwas Besonderes sind und ewig sein werden, dass wir uns aber entscheiden müssen. Dazu kommt noch, dass niemand weiß, ob er nicht schon 90 Prozent seines Zeitkontingents verbraucht hat oder gar morgen vielleicht schon tot ist. Dann wäre »Half Way to Hell« ein überaus gefährlicher Selbstbetrug, weil das ja bedeuten würde, noch einmal so lange zu leben, wie man schon gelebt hat.

Unser Tagesvers lädt alle bisher Unentschiedenen ganz dringend zur Umkehr zu Gott ein. *gr*

Was wäre wichtiger, als in diesem Punkt Klarheit zu schaffen?

Gott hat den Menschen sehr viel mehr Gaben geschenkt, als er nur zu diesem Erdenleben nötig hätte.

2. Korinther 5

In meiner Bedrängnis rief ich zum HERRN, und ich schrie zu meinem Gott. Er hörte aus seinem Tempel meine Stimme, und mein Schrei vor ihm drang an seine Ohren.

Psalm 18,7

Not lehrt beten ... und mehr!

Ich wollte zwei schwere Pakete in meinem Auto umpacken. Da krachte es in meinem rechten Arm. Die Sehne des Bizeps war abgerissen; das musste operiert werden. Die Operation verlief gut, der Arm kam in Gips, und der Heilungsprozess ging gut vonstatten. Meinen Dienst als reisender Missionar konnte ich trotzdem tun, nur durfte ich nicht selbst Auto fahren. Ein Missionseinsatz an einem etwa 400 Kilometer von uns entfernten Ort lag vor mir. Ein Freund von dort holte mich ab. Da eine Ergotherapie nötig war, hatte man am Einsatzort zwei Termine für mich organisiert. Die Therapeutin war recht gesprächig. Sie erzählte von ihrer Mutter, die sich den Arm gebrochen hatte. Bei der gründlichen Untersuchung hatte man auch einen frischen Tumor auf der Lunge festgestellt. Die Mutter wurde operiert, trotzdem hatte die Familie weiterhin Angst um sie. Ich fragte die Therapeutin, ob sie beten könne. »Ja, wir beten«, sagte sie. Ich hatte jedoch den Eindruck, dass das Beten für sie eher eine Formalität war.

Am folgenden Tag hatte ich den nächsten Behandlungstermin. Sie machte ihre Sache sehr gut. Natürlich setzten wir unser Gespräch fort, nun auch über meinen Glauben an den lebendigen Gott. Als die Behandlung beendet war, fragte ich sie, ob ich anschließend noch für sie und ihre Mutter beten dürfte. Das hat sie gerne bejaht. So betete ich für sie um inneren Frieden und um Genesung für die Mutter. Ich betete auch dafür, dass sie beide eine persönliche Beziehung zu dem Herrn Jesus finden mögen. Nach dem Amen bekannte sie mir, so etwas noch nie erlebt zu haben. Ich wünschte ihr Gottes Segen und gab ihr etwas zum Lesen, was ihr mehr darüber sagte, wie man eine lebendige Beziehung zu Gott bekommen kann. *fr*

Was ist das Gebet für Sie? Nur der letzte Strohhalm, an den man sich klammert, oder der Ausdruck einer wirklichen Beziehung zu Gott?

Eine Notlage kann der Beginn einer wichtigen und bleibenden Beziehung zu Gott sein.

Johannes 15,1-8

**Sei getreu bis in den Tod,
so will ich dir die Krone des Lebens geben!**
Offenbarung 2,10

Hoffnung gibt Kraft

Nach noch erhaltenen frühchristlichen Augenzeugenberichten wurden im Jahre 203 n. Chr. Perpetua und ihre Sklavin Felicitas im römischen Karthago verhaftet und zum Tode verurteilt, weil sie sich auf die Taufe vorbereiteten und ihrem christlichen Glauben nicht abschwören wollten. Perpetua stammte aus einem vornehmen Haus, war 22 Jahre alt, verheiratet und Mutter eines Sohnes im Säuglingsalter. Ihre Sklavin Felicitas war ebenfalls Mutter eines neugeborenen Babys. Sie wurden mit anderen Christen noch während ihrer Haft getauft.

Am 7. März 203 sollten sie wegen ihres Glaubens an Jesus Christus im Amphitheater von Karthago von wilden Rindern getötet werden. Perpetua überlebte den Angriff der Tiere schwer verwundet und wurde schließlich von einem Soldaten erstochen. Das brutale Morden fand anlässlich des 14. Geburtstages von Geta statt, er war der Sohn des Kaisers Septimius Severus.

Perpetua und Felicitas hatten eine Hoffnung, die über den Tod hinausging. Sie wussten, zeitliche Freuden und Vergnügungen stehen in keinem Verhältnis zu dem, was nach dem Tod auf sie zukommt. Deshalb konnten sie diesen schrecklichen Tod auch auf sich nehmen.

Liebe Leserin, lieber Leser, wie geht es Ihnen bei dem Gedanken an den Tod und daran, was danach kommt? Auf was haben Sie Ihre Hoffnung gesetzt? Auf Erfolg, Reichtum und Bequemlichkeit? Ist mit dem Tod wirklich alles vorbei? Was ist, wenn es doch ein Danach gibt? Noch haben Sie die Chance umzukehren, dann gilt auch für Sie der folgende Bibelvers. In Offenbarung 21,4 steht: «Und Gott wird abwischen alle Tränen von ihren Augen, und der Tod wird nicht mehr sein, noch Leid, noch Geschrei, noch Schmerz wird mehr sein.« *rr*

? Wie stellen Sie sich das vor, was auf den Tod folgt?

! Erst die Hoffnung auf ein ewiges Leben gibt den Erfahrungen im Diesseits einen Sinn.

Offenbarung 21,1-6

Wenn ich hungrig wäre, so würde ich es dir nicht sagen; denn mir gehört der Erdkreis und was ihn erfüllt.

Psalm 50,12

Gott braucht mich nicht?!

Als Scheidungskind wünschte ich mir früher sehnsüchtig, einmal für einen Menschen etwas ganz Besonderes zu sein. Als ich dann von Jesus Christus hörte und davon, dass er am Kreuz für mich ganz persönlich gestorben ist, da fühlte ich mich sehr besonders. Ich dachte, wenn jemand so etwas für mich tut, dann muss ich ihm sehr wichtig sein. Einige Jahre später wurde mir dann bewusst, dass Gott mich zwar sehr liebt, dass er aber in keiner Weise auf mich angewiesen ist. Gott ist so groß, dass er mich kleinen Menschen gar nicht braucht.

Diese Erkenntnis erschütterte mich damals. Wozu bete ich denn, wenn Gott das nicht nötig hat, um etwas zu tun? Bin ich am Ende doch gar nichts Besonderes für ihn, sondern nur ein kleines, unbedeutendes Geschöpf wie viele andere? Daran hatte ich eine Weile zu knabbern. Bis ich eine weitere Erkenntnis erlangte. Wenn Gott tatsächlich auf mich angewiesen wäre, wenn er zum Beipiel nur handeln könnte, wenn ich bete, dann wäre ich richtig im Stress. Wie sehr müsste ich mich anstrengen, auch ja keine Gebetszeit auszulassen und auch nur das kleinste Gebetsanliegen nicht zu vergessen. Wenn Gott zur Erfüllung seiner Pläne auf uns angewiesen wäre, würde wohl vieles nicht zustande kommen, was in seiner Absicht liegt.

Und so bin ich froh, dass Gott gut ohne mich unvollkommenes Wesen auskommt. Und trotzdem bin ich gewiss, dass ich dennoch, so wie Sie auch, etwas Besonderes für ihn bin. Das erinnert mich an meine Mutterrolle. Meine Kinder sind ein großer Schatz, und ich liebe sie sehr, aber ich bin nicht auf sie angewiesen, wenn es darum geht, dass sie saubere Kleider oder genug zu essen haben. Ihre Grundbedürfnisse zu befriedigen, ist meine Aufgabe, nicht ihre. Genauso macht Gott es mit uns Menschen. *apa*

Denken Sie, dass Gott Sie nicht braucht?

Seien Sie froh darüber und freuen Sie sich an der liebevollen Fürsorge Gottes!

Psalm 23

... und seid dankbar!

Kolosser 3,15

Alles selbstverständlich?

Gestern berichtete ich davon, dass ich das tägliche Leben meiner Kinder im Blick habe, ohne dass sie sich darum kümmern müssen. Da meine Kinder noch recht jung sind, habe ich viel zu tun. Ich wasche ihre Wäsche, kaufe ein, stelle Obst und Gemüse auf den Tisch, überwache ihre Termine, sorge für ausreichend Bewegung und stehe ihnen quasi rund um die Uhr zur Verfügung. Sehr vieles tue ich, ohne dass sie es merken. Für meine Kinder ist das selbstverständlich, für mich eine Menge Arbeit.

Und so kommt es immer wieder zu einer ganz typischen Situation: Es ist Abend, und die Kinder sollen aufräumen. Standardantwort: »Och Mama! Wir haben keine Lust zum Aufräumen.« Meine Standardreaktion: »Wenn ich ab heute nur noch tun würde, wozu ich Lust habe, würdet ihr ganz schön alt aussehen.« Und dann zähle ich ihnen auf, was ihnen alles fehlen würde, wenn ich keine Lust mehr hätte, meine Aufgaben zu erledigen. Manchmal bekomme ich dann zur Antwort: »Aber Mama, das ist doch ganz normal, dass du das machst. Wir können das ja nicht.« Da haben sie recht. Natürlich ist es einerseits ganz normal und auch mein Job, für all diese Dinge zu sorgen. Und doch freue ich mich, wenn meine Kinder Dankbarkeit lernen und froh darüber sind, dass sie eine Mutter haben, die gut für sie sorgt.

Wussten Sie eigentlich, dass Ihr Herz ca. 3 Milliarden Mal im Leben schlägt? Ganz zuverlässig pumpt es Tag für Tag Blut durch Ihren Körper, und im Zusammenspiel mit den anderen Organen läuft Ihr Körper wie eine Maschine, ohne dass Sie etwas dazutun. Jeden Morgen geht die Sonne auf, die Jahreszeiten entstehen ohne unser Zutun. »Ist doch ganz normal«, sagen Sie? Stimmt, aber ist »normal« ein Grund, weniger dankbar zu sein? *apa*

? Was ist für Sie alles »ganz normal«?

! Danken Sie Gott doch mal für all die Selbstverständlichkeiten in Ihrem Leben. Er freut sich darüber!

Lukas 17,1-19

So wahr ich lebe, spricht der Herr, HERR, ich habe kein Gefallen am Tod des Gottlosen, sondern dass der Gottlose von seinem Weg umkehre und lebe!

Hesekiel 33,11

Wir müssen glaubhaft sein

Søren Kierkegaard, ein dänischer Christ und Philosoph, erzählte folgende Geschichte: »In einem Theater brach hinter den Kulissen Feuer aus. Der Clown sprang in die Manege, um das Publikum zu warnen. Die Leute meinten, er wolle einen Witz machen, und applaudierten. Er wiederholte seine Mitteilung, und man jubelte noch mehr. So denke ich mir, dass die Welt untergehen wird unter dem Jubel der witzigen Köpfe, die glauben, das sei ein Witz.«

Zwei Dinge können wir aus dieser Geschichte lernen.

1. Clowns taugen nicht als Überbringer ernster Nachrichten. Wollen wir – sowohl im kleinsten Kreis der Familie als auch in der Öffentlichkeit – ernst genommen werden, so müssen wir als vertrauenswürdige Menschen bekannt sein. Sonst geht es uns so ähnlich wie dem Clown oder auch wie dem Lügner, von dem man sagt: »Wer einmal lügt, dem glaubt man nicht, und wenn er auch die Wahrheit spricht.« Über Clowns wollen die Leute nur lachen, und vor Lügnern halten sie die Ohren zu. Ernst nehmen will man beide nicht.

2. Kierkegaard sieht das Ende der Welt als ein feuriges Inferno über uns hereinbrechen. Das hat er sich nicht in einer seiner häufigen depressiven Phasen selbst ausgedacht, sondern in der Bibel gelesen. Und in diesem Buch redet Gott selbst zu uns. Allerdings wird in der Bibel auch der rettende Ausweg beschrieben.

Wenn wir einen Menschen also vor diesem schrecklichen Schicksal bewahren und ihn ernsthaft warnen möchten, dürfen wir nicht als Spaßvögel und Clowns und auch nicht als notorische Lügner bekannt sein, weil unser Appell dann ungehört verhallt. Gott will uns zu brauchbaren Mahnern machen, indem er uns selbst rettet, damit wir dabei helfen können, andere zu retten. *gr*

Als was sind Sie bei Ihren Zeitgenossen bekannt?

Man kann sehr wohl fröhlich und doch ernst zu nehmen sein.

Hesekiel 33,1-11

Lass an deinen Knechten sichtbar werden dein Tun.
Psalm 90,16

Fan oder Nachfolger?

Samstagmittag. Heimspiel. Die Anhänger von Schalke 04 pilgern ins Stadion. Man erkennt den echten Fan an seinem Äußeren: Schalke-T-Shirt, Schalke-Schal, Schalke-Mütze. Auch wenn mancher darüber lächeln mag, der treue Fan lebt seinen »Glauben« für jeden sichtbar. Die eingeübten Chorgesänge schallen durch das weite Rund der Arena. Endlich betreten die Mannschaften den »heiligen« Rasen. Die Blicke des Zuschauer richten sich auf ihre Idole, die verehrt werden wie Götter. Elfmeter für Schalke! Die Fans beugen den Kopf, schließen die Hände, »beten«, dass der Ball ins Tor geht. Die Fans der gegnerischen Mannschaft »beten« auch – für das Gegenteil. Der Torwart hält den Ball, und ein enttäuschtes Aufstöhnen geht durch das Stadion.

Man mag darüber streiten, wie viel Sinn darin liegt, der Fan eines Fußballklubs zu sein. Wenn man alles für seinen Verein geben würde, wenn kein Eintrittspreis zu hoch und keine Reise zum Auswärtsspiel zu teuer ist. Wenn man alle Spielergebnisse der letzten Jahre im Kopf hat, über jeden Spieler genau informiert ist und stundenlang erzählen kann. Liegt darin der Sinn meines Lebens?

Als entschiedener Christ möchte ich lieber von Christus, von Gott und der Bibel reden, lieber von Jesus erzählen und für ihn leben, der so viel für mich getan hat. Der für mich nicht nur am Samstagnachmittag zählt, sondern an jedem Tag mein Leben erfüllt. Zu dem ich täglich im Gebet rede, der mich mit tröstenden Worten stark macht für das Leben im Alltag, im Beruf und in meiner Familie. Da, wo es drauf ankommt, dass ich meinen Mann stehe und für andere zum Halt werden kann, die den Stürmen des Lebens nicht mehr standhalten können. »Herr, lass an mir sichtbar werden dein Tun.«

schn

Gibt es etwas, was Ihnen so wichtig ist, dass Sie sich zu 100% dafür einsetzen?

Gott hat mit seinem Sohn alles für uns gegeben, deshalb sollten wir uns ihm zuerst und ganz hingeben.

Philipper 3,7-16

Das Wort ist gewiss und aller Annahme wert.
1. Timotheus 4,9

Klassenarbeit

Panik im Kinderzimmer: Nur noch zwei Tage bis zur Lateinarbeit. Natürlich wusste unser Sohn, welcher Stoff abgefragt werden sollte. Doch die Lehrerin hatte angekündigt, mit der Klasse zuvor auch noch einen ganz bestimmten neuen Aufgabentyp zu besprechen. Das hatte sie aber wohl irgendwie vergessen. Nun war unser Sohn in größter Unruhe, ob er dennoch die Prüfung bestehen könnte. Er wusste ja nicht, was man von ihm verlangen würde. Natürlich versuchten wir, ihn zu beruhigen: Die Lehrerin wird doch keine Aufgabe stellen, ohne wirklich alle hierfür notwendigen Informationen an die Schüler weiterzugeben, damit diese sich hinreichend gut vorbereiten könnten. Er sollte die Lehrerin am folgenden Tag einfach noch einmal fragen. Auf seine Nachfrage teilte sie wie erwartet mit: Selbstverständlich werde sie von den Schülern nichts verlangen, wovon sie vorher nichts erzählt hatte. Und tatsächlich wurde nur der bekannte Stoff abgefragt.

Wenn es um Gottes Anforderungen an unser Leben geht, sind viele Menschen auch verunsichert. Was will Gott von mir? Wie kann ich bei ihm bestehen? Und woher bekomme ich die erforderlichen Informationen?

Auf all das gibt Gott verlässliche Antworten. Er verweist hierfür auf eine uns gut verständliche Informationsquelle: die Bibel. Es sind seine Worte. Wenn ich etwas über Gott lernen möchte, muss ich darin lesen. Wie eine gute Lehrerin lässt Gott den Menschen nicht im Unklaren darüber, was er über ihn denkt und was er von ihm erwartet. Wenn Gott uns eines Tages zur Rechenschaft zieht, werden wir ihm nicht entgegenhalten können: Das konnten wir doch nicht wissen! Er wird uns dann die berechtigte Frage stellen: Warum habt ihr nicht auf meine Worte gehört?

mm

? Haben Sie sich schon informiert?

! Wer gut vorbereitet ist, braucht keine Angst zu haben.

Apostelgeschichte 17,22-31

**Wenn der Sohn euch frei macht,
dann seid ihr wirklich frei.**
Johannes 8,36

Auf der Suche nach Liebe

An dieses Versprechen Gottes habe ich mich geklammert. Ich wuchs mit einem cholerischen, völlig unberechenbaren Vater auf. Ich war total das »Papa-Kind« und litt sehr unter seiner Ablehnung. Er nannte mich nie mit Namen, sondern benutzte stattdessen die schlimmsten Schimpfwörter. Schon mit sechs Jahren wollte ich sterben und hielt dafür die Luft an. Ich erzählte das meiner Mutter, die empört sagte: »Selbstmord ist eine Sünde, die nicht vergeben wird! Du wirst in die Hölle kommen!« Dieser Satz rettete mir 15 Jahre später das Leben, als ich meine zwei Selbstmordversuche nicht »zu Ende« brachte. Ich nahm Drogen, weil ich meine negativen Emotionen nicht mehr ertrug. Mit 17 Jahren fing ich an, mich zu ritzen, weil ich keine Antwort auf die Frage »Warum das alles?« hatte. Ich machte alles Mögliche durch: wechselnde Beziehungen zu Männern, ständige Suche nach Liebe, Kokain, eine abgebrochene Ausbildung, Klinikaufenthalte, Hunger, extrem viel Sport. Überall suchte ich Erfüllung und rutschte doch immer mehr ab. Mit 23 Jahren sagte ich mir: »Endstation, ich kann nicht mehr!« Ich gab auf, war am Boden. Doch dann fand mich Gott! Er rettete mich aus meiner Sünde, die mir völlig klar vor Augen stand. Bei Gott fand ich die Vaterliebe, nach der ich überall vergeblich gesucht hatte. Er gab mir die Gewissheit, dass ich gewollt bin. Er löste in mir die bittere Frage nach dem »Warum« und gab mir dafür ein »Ich bin für DICH gestorben«.

Heute bin ich frei von Drogen und Depressionen, habe eine gute Ausbildung, arbeite in einem großen Unternehmen, bin eine glückliche Mutter und kann bezeugen, dass Gott alles heil gemacht hat. Ich kann Ihnen sagen: Es ist nie zu spät! Wagen Sie noch heute den Schritt zu Jesus. Er liebt jeden Menschen – auch Sie. *spa*

Wo suchen Sie nach Liebe?

Nur Gott kann unsere Sehnsucht stillen!

Epheser 2,1-10

**Ich rief aus meiner Bedrängnis zum HERRN,
und er antwortete mir. Aus dem Schoß des Scheol
schrie ich um Hilfe – du hörtest meine Stimme.**
Jona 2,3

Niemals aufgeben!

Rainer ging am Montag zur Arbeit. Ihm grauste davor. Erst vor kurzem hatte er die Stelle gewechselt, und am neuen Arbeitsplatz fand er es ziemlich schwierig. Außerdem fiel es ihm nicht leicht, neue Kontakte zu knüpfen. Einen Lichtblick aber hatte er an jenem Tag: Am Abend würde er sich mit seinem väterlichen Freund treffen und mit ihm über alles reden können. Dieser Freund ermutigte ihn, zu kämpfen und nicht aufzugeben. Rainer nahm sich vor, seinen Rat zu befolgen. Einige Tage später verbesserte sich seine Arbeitssituation erheblich. Er musste an den Ausspruch seines Freundes denken: »Menschen sind wie ein Teebeutel. Wenn man sie ins heiße Wasser wirft, merkt man erst, wie stark sie sind.«

Im Tagesvers und in der Bibellese lesen wir von einem Mann, der sich durch eigenes Verschulden in eine scheinbar ausweglose Situation gebracht hatte. Und jetzt wusste er: »Ich bin dran! Ich muss kämpfen; aber ich wende mich gleichzeitig an einen, der stärker ist als ich und mir beisteht!« Jona wusste um die Realität Gottes in seinem Leben. Und an diesen Gott wandte er sich jetzt und schrie um Hilfe. Gott erhörte ihn und rettete ihn aus seiner verzweifelten Lage.

Im Leben kämpfen zu müssen, das wird Ihnen sicher auch geläufig sein. Aufgeben und sich kampflos irgendwelchen Lebensumständen auszuliefern, ist meistens nicht der richtige Weg. Ich bin aber froh, dass mir jemand beisteht – Gott! –, der mir hilft durchzuhalten und der einen Ausweg schenkt – nicht, damit ich allein einen Vorteil habe, sondern die Situation für alle Beteiligten möglichst gut endet. Es ist beruhigend, dass ich mich einem Stärkeren anvertrauen darf und im Kampf nicht allein dastehe. Denn alleine würde ich oftmals wohl hoffnungslos untergehen.

bw

Wie begegnen Sie schwierigen Lebenssituationen?

»Wer kämpft, kann verlieren. Wer nicht kämpft, hat schon verloren.« (Bertolt Brecht)

Jona 1–2

15. März 17

Mittwoch

Und als ganz Israel sah, dass der König nicht auf sie hörte, da gab das Volk dem König Antwort und sprach: Was haben wir für ein Teil an David?

1. Könige 12,16

Zusammenhalt oder Trennung?

Die Geschichte, auf die sich der Tagesvers bezieht, ist ungefähr 3000 Jahre her. Doch dass ein Volk sich von einem anderen trennen will, das gibt es auch in der Gegenwart, man denke an die Probleme, die die Schotten den Engländern bereiten.

Mit dem altehrwürdigen »Österreich-Ungarn« war es vor 150 Jahren ähnlich. Die Ungarn waren es satt, an den Lasten der Doppelmonarchie beteiligt zu sein, während die Vorteile von Wien kassiert wurden. So nahmen die Ungarn 1867 eine Gelegenheit wahr, um mehr zu erreichen. Im Jahr davor war Österreich von Preußen geschlagen worden und musste sich aus Deutschland zurückziehen. Manche Völker, die sich unter der Krone Habsburgs angesammelt hatten, fragten sich: ›Was sollen wir noch bei Habsburg? Können wir unsere Probleme nicht besser allein lösen?‹ Österreich war in der Gefahr, sich in seine Einzelstaaten aufzulösen, es drohte der Absturz in die politische Bedeutungslosigkeit. Das aber nützte niemandem, auch nicht denen, die die Abtrennung betrieben. So entstand heute vor 150 Jahren die sogenannte Doppelmonarchie, besser bekannt als k. u. k. »Österreich-Ungarn«. Sie hatte nur bis zum Ersten Weltkrieg Bestand.

Auch im alten Israel mussten die Menschen die Erfahrung machen, dass es selten von Segen ist, die eigenen Interessen an die oberste Stelle zu setzen. Eine handgreifliche Folge war, dass Israel 150 Jahre früher am Ende war als sein Brudervolk im Süden. Trennung bedeutet letztlich auch Schwächung, selbst wenn man das zunächst nicht sieht. Es kann kurzzeitig sogar zu einem Aufblühen kommen, allmählich aber überfordert man die reduzierten Kräfte. Wie fördert man also den Zusammenhalt? Indem man nicht sein eigenes, sondern das Wohl des anderen sucht und den anderen höher achtet als sich selbst. *koh*

Mit wem haben Sie so Ihre Probleme?

An einer Beziehung muss man stets arbeiten, aber es lohnt sich – zu beider Nutzen.

2. Korinther 6,11–7,4

Jesus redete nun wieder zu ihnen und sprach: Ich bin das Licht der Welt; wer mir nachfolgt, wird nicht in der Finsternis wandeln, sondern wird das Licht des Lebens haben.

Johannes 8,12

Stromausfall

Wir sind heutzutage im wahrsten Sinne des Wortes von Licht überflutet – von künstlichem Licht. Es gibt Flutlichtanlagen in Fußballstadien, Laternen erhellen nachts Wege und Straßen, in den Geschäften leuchten bis spät in den Morgen die Schaufenster, Werbeanzeigen blinken, und unsere Häuser und Wohnungen sind hell erleuchtet. Manche reden sogar schon von »Lichtverschmutzung«, sodass viele Menschen kaum jemals einen Stern zu gesehen bekommen haben. Doch immer wieder fällt plötzlich der Strom aus, das passiert bei uns hier in Italien relativ häufig. Und dann kann es sein, dass ein kompletter Straßenzug oder sogar ein ganzer Stadtteil in totaler Dunkelheit liegt. Man kann dann praktisch nichts tun und ist wie lahmgelegt, ganz abgesehen von den Schäden, die den Leuten entstehen, die an Computern oder in Labors arbeiten.

Wenn wir das auf die moralische Situation der Menschheit übertragen, dann stellen wir fest, dass sie sich in totaler Dunkelheit befindet und lahmgelegt ist vom Bösen. Wir brauchen uns nur umzuschauen oder die Nachrichten zu verfolgen, um die Folgen dieser geistlichen Finsternis zu erkennen: Mord, Raub, Terror, Betrug, Hass oder Gewalt und Unmoral. Aber es gibt eine gute Nachricht. Das wahre Licht des Lebens, Jesus Christus, Gottes Sohn, ist Mensch geworden und gekommen, unsere Dunkelheit zu beenden und uns aus unserer Dunkelheit herauszuretten und auf einen Weg zu bringen, der immer heller leuchten wird (Sprüche 4,18) – bis wir im Himmel sehen werden, wie groß und erhaben Jesus in seiner Herrlichkeit ist.

Wer ihm nachfolgt, wird schon jetzt das Licht des Lebens haben. Damit verbindet sich für alle Menschen die einzig wirkliche Hoffnung, die uns noch bleibt in dieser Welt der Finsternis. *tk*

Sitzen Sie noch im Dunkeln, oder gehen Sie schon im Licht?

Lassen Sie sich in Gottes Licht bringen!

Epheser 5,8-14

… und werden umsonst gerechtfertigt durch seine Gnade, durch die Erlösung, die in Christus Jesus ist.

Römer 3,24

Gratis – aber wertvoll!

Vor einiger Zeit hörten wir im Radio eine interessante Reportage zum Thema Wiederverwendung von Kleidung, Konsumgütern und Essen. Es ging darum, Dinge, die man nicht mehr braucht, anderen gratis zur Verfügung zu stellen. Dabei wurde »Containering« vorgestellt – das Retten von noch genießbaren Lebensmitteln aus Mülleimern von Supermärkten oder Bäckereien. Mittlerweile gibt es in vielen deutschen Städten sogenanntes Foodsharing. Diese Initiative hat ihren Ursprung in Berlin, wo der Gründer eine Bio-Supermarktkette Menschen dazu bewegen konnte, unverdorbene Lebensmittel, die nicht mehr verkauft werden können, an die Foodsharing-Initiative abzugeben, anstatt sie in die Mülltonnen zu werfen. Diese Lebensmittel werden dann gratis an bedürftige Menschen weitergegeben. Bei dem Radio-Interview kam heraus, dass ein großes Problem der Initiative die Scham der Menschen ist, ohne Gegenleistung etwas anzunehmen. Es kratzt an ihrem Stolz, einfach so, ganz ohne Bezahlung, etwas zu bekommen. Bei vielen Menschen ist der Satz »Was nichts kostet, ist nichts wert« noch immer tief verwurzelt. Oft ist es nämlich tatsächlich so, dass wir Dinge, für die wir nicht bezahlen müssen, auch nicht wertschätzen.

Erstaunlich ist, dass das wertvollste Gut überhaupt für uns tatsächlich »gratis« ist! Gott bietet den Menschen die Erlösung, die Errettung umsonst an. Ohne Gegenleistung und ohne Vorbedingung. Der Grund dafür ist, dass die Erlösung so wertvoll ist, dass wir sie niemals bezahlen könnten. Alle guten Werke reichen nicht aus, unsere Schuld abzugelten. So ist Gottes Angebot der Liebe für uns zwar umsonst, aber Gott selbst hat es viel gekostet. Er hat es teuer bezahlt: mit dem Leben seines Sohnes.

frm

Steht uns unser Stolz im Weg, wenn es darum geht, das Angebot der Erlösung ohne Gegenleistung anzunehmen?

Wenn Liebe bezahlbar wäre, wäre es keine Liebe mehr!

1. Petrus 1,18-22

Denn Gott hat die Welt so geliebt, dass er seinen eingeborenen Sohn gab, damit jeder, der an ihn glaubt, nicht verloren gehe, sondern ewiges Leben habe.

Johannes 3,16

Teure Götter?

Es war auf unserer ersten Reise durch Myanmar. Ein Ehepaar, mein Mann, unser Führer und ich waren teils im Auto und teils mit sehr abenteuerlichen Fortbewegungsmitteln unterwegs. Zum Schluss unserer Reise hatten wir noch eine längere Autofahrt vor uns. Jeder der Reisegruppe war in seine eigene Gedankenwelt versunken und versuchte, die vielen fremdartigen Eindrücke zu verarbeiten. Plötzlich sagte meine Reisegefährtin: »Jetzt weiß ich, warum die Menschen hier so arm sind!« Auf meinen fragenden Blick hin erklärte sie: »Die Menschen sind so arm, weil sie so teure Götter haben!«

Dieser Ausspruch ging mir nach. Ich musste zugeben, dass die Frau recht hatte. Kamen die Einheimischen zu Geld, so wurde es für eine neue Pagode oder für etwas anderes im Tempel ausgegeben. Die Götter forderten viel von den Menschen!

Im Lauf der Jahrhunderte haben in den verschiedensten Religionen Menschen alles für ihre Götter gegeben – sei es Geld oder Nahrung. In manchen Völkern wurden sogar die eigenen Kinder zur Besänftigung der Götter geopfert. In unserer westlichen Kultur haben Menschen keine Götter zum Anfassen, aber für viele sind doch Dinge wie die Karriere oder der eigene Körper zum Gott geworden. Diesem »Gott« muss dann alles im Leben untergeordnet und geopfert werden.

Ich bin froh, dass der Gott der Bibel anders ist! Es gibt nichts, was wir Menschen ihm geben könnten. Er ist unendlich reich und benötigt weder unsere Gaben noch unsere Gebete. Vielmehr ist er der einzige Gott, der nicht zuerst fordert, sondern gibt. Er hat sogar sein Kostbarstes, seinen eigenen Sohn, für uns Menschen gegeben. Dieser Gott macht Menschen nicht arm, sondern reich. Wollen Sie ihn nicht kennenlernen?

bw

? Was opfern Menschen ihren Göttern?

! Der Gott der Bibel ist ein gebender Gott.

2. Korinther 8,9

19. März 17

Sonntag

Es wird auch keine Nacht mehr geben, sodass man keine Beleuchtung mehr braucht. Nicht einmal das Sonnenlicht wird mehr nötig sein; denn Gott selbst, der Herr, wird ihr Licht sein. Offenbarung 22,5

Sonnenhungrig?

Endlich wird es nach den dunklen Wintertagen wieder heller und wärmer! Die dicken Mäntel und Wollpullis können im Schrank verstaut werden, die Frühjahrsblüher lugen zaghaft aus dem zuvor noch schneebedeckten Boden. Die Zugvögel kommen aus dem Süden zurück, die Natur hat »ausgeschlafen« und ist erwacht. Es ist Frühling! Der Grund dafür ist die Sonne, die um diese Jahreszeit mit ihren wärmenden Strahlen auch uns Menschen nach draußen lockt.

Wissenschaftliche Studien beweisen schon lange, wie wichtig das Sonnenlicht für unsere Gesundheit ist. Das essenzielle Vitamin, das vom menschlichen Körper zu 90% über die Haut mittels UV-Strahlung der Sonne gebildet wird, ist gerade nach dem Winter wichtig. Ein dauerhafter Vitamin-D-Mangel führt zu einem erhöhten Krebsrisiko und begünstigt Krankheiten wie Diabetes, Herz-Kreislauf-Erkrankungen, Osteoporose und nicht zuletzt Depressionen. Die Sonne kurbelt das Immunsystem an, und ihr Licht, das über die Netzhaut unserer Augen aufgenommen wird, beendet den »Winterblues«.

Was täten wir ohne die Sonne? Nichts. Irdisches Leben wäre unmöglich. Umso mehr erstaunt der heutige Tagesvers, der sagt, dass die an Gott Gläubigen einmal in seiner Gegenwart keine Sonne und kein künstliches Licht mehr brauchen werden. Der Schöpfer, der sich als Licht der Welt vorstellt (Johannes 8,12) und sich in Licht kleidet (Psalm 104,2), wird dann völlig genügen. Gottes Licht liegt weit außerhalb unseres Vorstellungsvermögens; es ist vollkommen rein. Gott ist selbst Licht. Demgegenüber ist die Sonne, die er schuf, nur ein blasser Abglanz seines Lichtes – obwohl sie für uns Menschen doch so lebenswichtig ist.

dbe

Welche Parallelen gibt es zwischen der Sonne und Gott?

Eigentlich müssten wir nicht nur sonnenhungrig, sondern vor allem gotteshungrig sein!

Offenbarung 21,22–22,5

**Fürchte dich nicht, denn ich bin mit dir;
sei nicht ängstlich, denn ich bin dein Gott.**
Jesaja 41,10

Aber Gott ist doch da!

Was für ein herrlicher Tag. Der Frühling zeigte sich von seiner schönsten Seite, als wir mit unseren zwei Kindern in Richtung Süden fuhren. An diesem Samstag hatte uns eine gute Freundin zu ihrem 30. Geburtstag nach Heilbronn eingeladen. Das Wetter war perfekt für diese Feier, denn sie sollte in einem wunderschönen Schrebergarten stattfinden.

Die eineinhalbstündige Fahrt verlief reibungslos. Auf der Feier vertieften sich meine Frau und ich in verschiedenste Gespräche, sodass wir unseren dreijährigen Sohn schon bald nicht mehr im Blick hatten. Die Gemeinschaft war richtig toll, und wir lernten schnell verschiedenste Gäste der Feier kennen. Nach einiger Zeit kam eine Frau lachend zu uns an den Tisch. Sie hatte unseren Sohn gesehen, wie er ganz alleine auf der Schaukel saß, und wollte ihm ein bisschen Gesellschaft leisten. Als sie bei ihm war, fragte sie ihn: »Na, du bist ja ganz alleine hier! Soll ich ein bisschen mit dir spielen?« Unser dreijähriger Sohn schaute sie ganz verblüfft an und erwiderte: »Ich bin doch nicht alleine, Gott ist doch immer bei mir!«

Für unseren Sohn war es ein tröstlicher Gedanke zu wissen, dass Gott immer da ist. Denn für ihn war klar, ich bin nie allein, es ist immer jemand da, der mich sieht und dem ich alles erzählen kann. Für unseren Sohn, der schon viele Ortswechsel miterlebt hat, ist Gott der Einzige, neben uns Eltern, der bisher überall mitgekommen ist. Doch nicht für jeden ist dieser Gedanke tröstlich oder nicht jeden stimmt er fröhlich. Wenn wir etwas zu verbergen haben, wollen wir nicht, dass es irgendjemand sieht, nicht einmal Gott. Gott hält die Lösung für ein gutes Gewissen ihm gegenüber bereit! Es ist sein Geschenk an Sie! *ty*

? Wie empfinden Sie den Gedanken, Gott sei immer gegenwärtig?

! Der Tagesvers ist nur dem ein Trost, der mit Gott im Frieden lebt.

Psalm 23

21. März 17

Dienstag

Da ich den HERRN suchte, antwortete er mir und errettete mich aus aller meiner Furcht.

Psalm 34,5

Sorgen lähmen

Auf einem Feigenbaum, so erzählt eine alte indische Fabel, saßen zwei Tauben. Eines Tages sagte die eine: «Ach, nun hat unsere letzte Stunde geschlagen! Siehst du dort unten den Schützen mit Pfeil und Bogen? Er zielt schon auf uns. Und über uns kreist der blutdürstige Falke, um sich auf uns zu stürzen. Wir sind verloren!« »Warum fürchtest du dich?«, erwiderte ihre Gefährtin. »Wenn Gott uns gnädig ist, werden bergehohe Nöte klein wie Kieselsteine. Sein Wille geschehe!«

In diesem Augenblick biss eine Schlange dem Schützen in die Ferse. Vor Schreck ließ er die Sehne seines Bogens los, und der Pfeil durchbohrte den Falken. Die Tauben aber flogen fröhlich davon.

Kommen Sie sich auch manchmal vor wie die eine Taube, die keinen Ausweg mehr sah? Vielleicht werden Sie von Krankheit geplagt, Arbeitslosigkeit und Sorgen mit den Kindern. Sie sehen kein Licht mehr am weiten Horizont. Alles läuft Ihrer Ansicht nach aus dem Ruder. Sie stehen am Abgrund, wissen nicht mehr weiter, und keine Hilfe ist in Sicht. – Oder geht es Ihnen wie der anderen Taube, die ganz sicher mit Gottes Hilfe und mit seinem Eingreifen rechnet, auch wenn die momentane Situation ganz und gar nicht danach aussieht?

Wenn aber Angst, Unruhe und Sorgen Ihnen den Mut rauben und die Freude am Leben nehmen wollen, dürfen Sie wissen dass da jemand ist, der größer ist als alle Ihre Not – Jesus Christus! Kennen Sie sein wunderbares Angebot, das in 1. Petrus 5,7 steht: »Alle eure Sorgen werft auf ihn, denn er sorgt für euch!«? Wenn Sie diesen Herrn kennenlernen wollen, lade ich Sie ein, heute dieses Angebot anzunehmen, indem Sie sich vor Gott demütigen und sich nicht mehr um das sorgen, was doch Gott für Sie tragen will. *rr*

Was raubt Ihnen den Schlaf?

Jesus schenkt Ruhe!

Psalm 34

**»Abraham glaubte Gott,
und das wurde ihm als Gerechtigkeit angerechnet.«
Er wurde sogar »Freund Gottes« genannt.**

Jakobus 2,23

Ein Glaube, der sich bewährt

Da es nicht alle Tage vorkommt, dass wir einen Familienausflug ins Schwimmbad machen, hüpfte unser 3-jähriger Sohn aufgeregt auf und ab. Er konnte es kaum erwarten. Als die Taschen gepackt waren und wir im Auto saßen, war uns der Stress in die Gesichter geschrieben, den wir hatten das Gefühl, für unseren nächsten Sommerurlaub gepackt zu haben, dabei ging es nur zum nahe gelegenen Schwimmbad! Die Freude unseres Sohnes verwandelte sich jedoch in Angst, als er das tiefe Wasser sah. Obwohl wir ihm die Schwimmflügel prall aufgeblasen hatten, klammerte er sich fest an mich. Ich versuchte, ihn zu überzeugen, dass die Schwimmflügel ihn über Wasser halten würden, vergeblich. Es fehlte ihm an Glauben, dass die Schwimmflügel ihn trugen.

Das Wort Glaube kommt in der Bibel häufig vor und wird auch bei uns im Alltag gebraucht. Wir sagen: »Ich glaube, morgen wird es schön«, und meinen damit: Es kann sein, dass es morgen schön wird. Diese Art Glauben hatte auch mein Sohn: Es kann sein, dass die Schwimmflügel mich tragen, aber ich gehe doch lieber auf Nummer sicher und halte mich an Papa fest.

Die Bibel sagt, dass wir ohne Glauben Gott nicht gefallen können (Hebräer 11,6). Doch woher weiß ich, ob mein Glaube an ihn und an sein Wort echt ist? Das erkenne ich, wenn mein Glaube auf die Probe gestellt wird. – Abraham bekam von Gott das Versprechen einer zahlreichen Nachkommenschaft. Und dann sollte er seinen Sohn Gott opfern. Er sollte das Kostbarste, was er hatte, für Gott aufgeben. Abraham bewies, dass er dazu bereit war. Er vertraute darauf, dass Gott sein Versprechen trotzdem wahr machen würde. Das hat ihm Gott »als Gerechtigkeit angerechnet«. Mit anderen Worten: Einen solchen Glauben belohnt Gott mit dem Geschenk ewigen Lebens. *ty*

Gibt es sichtbare Anzeichen dafür, dass Sie Ihr Leben Gott anvertraut haben?

Jeder, der wahrhaft glaubt, wird nicht nur zum Freund, sondern sogar zu Gottes Kind gemacht.

1. Mose 22,1-19

23. März 17

Donnerstag

**Jesus aber sprach zu ihm:
Judas, überlieferst du den Sohn des Menschen
mit einem Kuss?**

Lukas 22,48

Liebe und Gegenliebe

Wohl die meisten von uns kennen die Begebenheit, auf die im Tagesvers Bezug genommen wird. Seit jeher ist der Name Judas ein Synonym für Verrat und Hinterhältigkeit. Man kann sich schwer vorstellen, von einem engen Vertrauten verraten und hintergangen zu werden. Nehmen wir mal an, dass Ihnen jemand zum guten Freund wird, und Sie wüssten schon genau, dass er Sie irgendwann einmal heimtückisch betrügen würde. Was würden Sie tun? Jesus, so berichtet es die Bibel, wusste von Anfang an, wer ihn verraten würde (Johannes 6,64 und 6,71). Trotzdem erwählte er Judas mit unter seine 12 Jünger, die ihm ganz nahestehen und ihn täglich begleiten sollten. Und so wie oben ausgedrückt, hat ihm Judas das dann gelohnt!

Wie oft hatte Jesus zuvor wohl mit Judas gesprochen, ihn herzlich in den Arm genommen, ihn ermahnt, getröstet und auferbaut, ihm geholfen, ihm einfach zugehört, ihn mit einem Kuss begrüßt, so wie es damals im Nahen Osten üblich war? Jesus hat ihn so behandelt wie die anderen Jünger auch. Er hat keinen Unterschied zwischen ihnen gemacht.

Wenn Jesus sogar einem heimtückischen Verräter so liebevoll entgegentrat, wird er es mit uns dann nicht ebenso tun? Er beweist uns die uneigennützige Hingabe eines helfenden Gottes, der immer an uns denkt, uns nie aus den Augen lässt und immer bereit ist, bis zu unserem letzten Atemzug, seine rettende Hand uns entgegenzustrecken. Wie unermesslich weit ist doch das mitfühlende, von Gnade und Liebe geprägte Wesen Jesu von unserem menschlichen Denken entfernt!

Und welch eine Torheit von Judas, sich einem solchen Herrn letztendlich doch entgegenzustellen – und das auch noch in Verbindung mit einer Liebesbezeugung, mit einem Kuss! *schn*

? Wie sind Sie gegenüber Jesus eingestellt?

! Er tat alles für Sie! Was tun Sie für ihn?

Johannes 13,18-30

Ich preise dich dafür, dass ich auf eine erstaunliche, ausgezeichnete Weise gemacht bin. Wunderbar sind deine Werke, und meine Seele weiß es sehr wohl.

Psalm 139,14

»Schöne neue Welt«?

Der Wolf prahlte vor dem Fuchs, er sei stärker als die Menschen und werde jeden sofort fressen, wenn er einen findet. Bald sahen sie einen kleinen Jungen, der zum Kindergarten ging. »Ist das ein Mensch?«, fragte der Wolf. »Nein, das wird erst einer«, antwortete der Fuchs. Dann trafen sie einen Kriegsinvaliden, der mühsam an Krücken vorüberhumpelte. »Ist das einer?«, fragte der Wolf wieder. »Nein, das war mal einer«, gab der Fuchs zur Antwort. Dann sah der Fuchs den Jäger mit der Flinte und rief beim Fortlaufen: »Da, das ist ein Mensch!«

Wie die Geschichte ausging, soll uns heute nicht interessieren. Mir kommt es darauf an zu zeigen, dass in unserer Zeit die Weltsicht des Fuchses immer mehr um sich greift. Man legt fest, ab wann jemand ein Mensch ist. Das macht dann den Weg frei, alles, was vor diesem »Termin« liegt, einfach umbringen zu dürfen. In Wirklichkeit weiß jeder denkende Mensch, dass ein Baby vor der Geburt genauso gut ein Mensch ist wie nach der Geburt. Man müsste es nur wachsen lassen.

Dieses moderne Denken führt konsequenterweise auch immer deutlicher dahin, ebenfalls am Ende des Lebens festzulegen, wann jemand kein durch das Grundgesetz geschützter Mensch mehr ist. Möglich wird das alles selbstverständlich nur, wenn man nicht mehr mit dem Schöpfer, nicht mehr mit Gott rechnet. Dann sind oftmals kleine Kinder wie auch altersschwache Menschen nur lästige Kostenfaktoren. Außerdem hindern sie die im Augenblick noch Starken an der Selbstverwirklichung. Nach dem Gesetz des Dschungels, wo nur der Stärkere überlebt, muss man sie aus dem Weg räumen.

Aber ist das wirklich die »schöne neue Welt«, die wir uns wünschen?

gr

Wann beginnt nach Ihrer Meinung das Menschsein?

Gott liebt alle seine Geschöpfe!

Psalm 127

25. März 17

Samstag

Jabez war angesehener als seine Brüder.
1. Chronik 4,9

Das Gebet des Jabez

In einer scheinbar endlosen Aufzählung von Namen im ersten Chronikbuch fällt ein Name auf: Jabez. Er war angesehener als seine Brüder, obwohl sein Name das krasse Gegenteil aussagt: »Schmerzenskind«, denn, so sagte seine Mutter: »Ich habe ihn mit Schmerzen geboren.«

Jabez jedoch ließ sich durch solche negativen Vorzeichen nicht entmutigen. Er wandte sich in kindlichem Vertrauen an Gott und betete: »Dass du mich doch segnen und mein Gebiet erweitern mögest und deine Hand mit mir sei und du das Übel von mir fern hieltest, dass kein Schmerz mich treffe!« Und Gott ließ kommen, was er erbeten hatte.

Der Erfolg des millionenfach verkauften Bestsellers von Bruce Wilkinson »Das Gebet des Jabez« zeigt, dass viele Menschen den Wunsch haben, ihre Gebete würden in der gleichen Weise von Gott beantwortet. Um die Chancen auf Gebetserhörung zu verbessern, nützt es jedoch nichts, die Worte des Jabez wie eine Zauberformel zu wiederholen.

Entscheidend ist vielmehr die innere Haltung des Beters. Jabez glaubt fest daran, dass Gott da ist und dass seine Bitten von ihm wahrgenommen werden. Er ist sich bewusst, dass allein Gott die Macht hat, seine Bitten zu erfüllen. Dabei lässt die Wahl seiner Worte eine Demut erkennen, die es Gott freistellt, ob er die vorgetragenen Bitten erhört oder nicht. Jabez bringt damit zum Ausdruck, dass er keinen Anspruch auf eine Erhörung anmeldet, er bittet einfach in kindlichem Vertrauen und hofft auf die Gnade Gottes und auf sein Wohlwollen.

Einem Menschen mit einer solchen inneren Haltung kann Gott auch größeres Ansehen verleihen, ohne dass dieser der Versuchung zum Stolz erliegt. »Demütigt euch vor dem Herrn! Und er wird euch erhöhen« (Jak 4,10).

sg

Warum, glauben Sie, sollte Gott Ihre Gebete erhören?

Gott erfüllt nicht alle unsere Wünsche, aber alle seine Verheißungen.

1. Könige 3,5-15

26. März 17

Sonntag

Dass du mich doch segnen
und mein Gebiet erweitern mögest …
1. Chronik 4,10

Die Bitte um Erweiterung

Die Bibel ist ein sehr interessantes Buch. Man kann sie aber nicht lesen wie einen Roman oder wie ein Lexikon benutzen. Manche Weisheiten, die sie enthält, findet man erst auf den zweiten Blick.

Beim Gebet des Jabez und seiner Bitte um Erweiterung seines Gebietes dachte ich zuerst an eine Erweiterung seines Grundbesitzes. Aber nach einigen Überlegungen und Vergleichen mit anderen Übersetzungen kam mir der Gedanke, dass diese Bitte auch eine andere, nicht materielle Bedeutung haben könnte. Ersetzt man das Wort »Gebiet« mit »Grenze« (wie in anderen Übersetzungen) oder gar mit »Horizont«, dann erscheint diese Bitte in einem ganz anderen Licht.

Jabez hatte die Erfahrung gemacht, mit vielen mitmenschlichen Problemen nicht fertigzuwerden. Immer wieder stieß er an die Grenzen seines Verstehen-Könnens, wenn er trösten oder Rat erteilen wollte. Ihm wurde immer mehr bewusst, dass er mehr Schaden anrichtete, als Segen zu stiften. Er brauchte einfach einen weiteren Horizont, um anderen ein Segen sein zu können. Darum bat er Gott, erst selbst mit Grenzerweiterung gesegnet zu werden. Dass wir um diesen Segen bitten können. zeigt uns auch das Neue Testament:

»Wenn aber jemand von euch Weisheit mangelt, so bitte er Gott, der allen willig gibt und keine Vorwürfe macht, und sie wird ihm gegeben werden. Er bitte aber im Glauben, ohne irgend zu zweifeln; denn der Zweifler gleicht einer Meereswoge, die vom Wind bewegt und hin und her getrieben wird. Denn jener Mensch denke nicht, dass er etwas von dem Herrn empfangen werde, ist er doch ein wankelmütiger Mann, unbeständig in allen seinen Wegen« (Jakobus 1,5-8). *sg*

?
Welchen Einfluss hat das Lesen der Bibel auf Ihr Leben?

!
Die Weisheiten der Bibel bleiben bei oberflächlichem oder kritischem Lesen verborgen.

1. Chronik 4,9-10

27. März 17

Montag

Ich bin der gute Hirte und kenne die Meinen, und die Meinen kennen mich.
Johannes 10,14

Psalm 23: »Der Herr ist mein Hirte ...«

Folgende Anekdote wird erzählt: Ein berühmter Schauspieler, der in einer Familie eingeladen war, wurde gebeten, etwas vorzutragen. Er bat um Vorschläge. Ein älterer Geistlicher bat um den Psalm 23. Der Schauspieler, etwas verlegen, willigte ein unter der Bedingung, dass der alte Herr den Psalm nach ihm wiederhole. Dann trug er den bekannten Hirtenpsalm mit wundervoller Stimme und klarster Betonung vor. Er erntete dafür reichen Beifall. – Dann wiederholte der alte Pfarrer den Psalm. Niemand spendete Beifall, aber mancher der Anwesenden war angesprochen. Da sagte der Schauspieler ernst: »Ich darf wohl sagen, ich kenne den Psalm, Sie aber kennen den Hirten.«

So geht es leider vielen Menschen. Sie kennen den Psalm, haben ihn vielleicht schon mal im Religionsunterricht oder zur Firmung oder Konfirmation auswendig gelernt, aber den Guten Hirten kennen sie leider nicht.

Wie sieht es in Ihrem Leben aus, kennen Sie diesen Guten Hirten? Wenn nicht, so lade ich Sie heute ein, diesen Hirten kennen zu lernen. Im Johannesevangelium sagt Jesus Christus von sich: »Ich bin der gute Hirte, der gute Hirte lässt sein Leben für die Schafe.« Er hat das nicht nur gesagt, sondern auch getan. Am Kreuz auf Golgatha hat er für Ihre und meine Schuld bezahlt. Er macht Ihnen heute das Angebot, Ihre Sünden bei ihm loszuwerden, sich zukünftig seiner Fürsorge anzuvertrauen und ihm nachzufolgen. Wäre es nicht gut, diesen Hirten persönlich zu kennen? Von solchen, die zu ihm kommen, sagt er dann auch noch: »Meine Schafe hören meine Stimme, und ich kenne sie, und sie folgen mir nach. Und ich gebe ihnen ewiges Leben, und sie werden in Ewigkeit nicht umkommen, und niemand wird sie aus meiner Hand reißen« (Johannes 10,27-28).

rr

Gehören Sie auch zu den »Meinen«?

Falls nicht, kümmern Sie sich um Ihre »Aufnahme«, indem Sie sich an den Eigentümer wenden.

Psalm 23

28. März 17

Dienstag

**Wir wissen jetzt, dass du alles weißt;
du kennst unsere Fragen, bevor wir sie dir stellen.
Darum glauben wir, dass du von Gott gekommen bist.**
Johannes 16,30

Big Data: Wenn die Zukunft berechenbar wird

»Big Data« ist eines der beherrschenden Zukunftsthemen der Wirtschaft. Der Begriff bezeichnet die Nutzung großer Datenmengen, die maschinell ausgewertet werden, um Wahrscheinlichkeiten über das Verhalten von Menschen zu berechnen. Der Kunde bekommt dadurch zum passenden Zeitpunkt die Angebote, die ihn mit hoher Wahrscheinlichkeit interessieren – und muss nicht selbst danach suchen. Doch darin liegt auch die Gefahr: Wenn ich nur noch gefilterte Informationen erhalte, entscheide ich auf einer einseitigen Informationsgrundlage. Auf die Auswahl habe ich keinen Einfluss. Je nach Rechenlogik der Anbieter werde ich aufgrund von Rasse, Herkunft und Geschlecht oder meines bisherigen Verhaltens für bestimmte Dinge aussortiert. Mir wird nicht mehr die Möglichkeit geboten, etwas anderes zu denken und zu tun als sonst. Datenschützer fordern daher einen verantwortungsvollen Umfang mit solchen Daten.

Das erinnert mich an die Art und Weise, wie Gott mit seinem Wissen über uns Menschen umgeht. Gott weiß alles über uns. Doch obwohl wir für ihn mehr als berechenbar sind, schränkt er uns nicht ein. Er strebt nicht nach Nutzen für sich selbst, sondern ihn motiviert seine Liebe zu uns. Sein Wissen über unsere Schuld hat ihn veranlasst, an unserer Stelle den Preis für unsere Sünde zu bezahlen. Trotz der falschen Entscheidungen in unserem Leben hat er uns nicht auf ein Leben ohne Gott festgelegt, sondern uns den Weg für eine Umkehr und ein neues Leben mit ihm eröffnet. Dafür ist Jesus am Kreuz gestorben und hat uns gleichzeitig das Wesen Gottes in Person gezeigt. Auf dieser vollständigen Informationsgrundlage können wir entscheiden, ob wir Gott glauben wollen oder nicht! *dr*

? Welches Handeln Gottes kennen Sie, mit dem er Ihnen seine Vertrauenswürdigkeit zeigen will?

! Nutzen Sie Ihre Entscheidungsfreiheit und nehmen Sie Gottes Liebesangebot an!

Hesekiel 36,24-32

Mittwoch

29. März 17

Es soll doch lieber gleich jemand von euch die Türen des Tempels schließen, damit ihr nicht vergeblich mein Altarfeuer anzündet!

Maleachi 1,10

Nur noch eine Formalität?

Im März 2016 meldete rp-online, immer mehr Kirchen in NRW würden schließen und ihre Gebäude verkaufen müssen, weil sie in Zahlungsschwierigkeiten stecken. Grund sei die sinkende Anzahl der Gemeindemitglieder. Durch den Verkauf bekommen die geweihten Gebäude dann einen anderen Verwendungszweck. So werde beispielsweise eine Kirche in Gladbeck (Ruhrgebiet) zukünftig von einem Elektrobetrieb genutzt.

Im letzten Buch des Alten Testaments lesen wir in den Aussprüchen des Propheten Maleachi, dass in Israel ein religiöses System betrieben wurde, ohne dass die Herzen auf Gott ausgerichtet waren. Die Juden brachten zwar regelmäßig ihre Opfer zum Tempel und lebten nach der jüdischen Tradition ihrer Vorfahren. Jedoch gingen sie auch mehr und mehr unmoralische Kompromisse ein und drückten somit Gott gleichzeitig ihre Missachtung aus. Sie betonten zwar durch ihre Tempelgänge, an Gott zu glauben, lebten aber außerhalb dieser Ereignisse ein Leben, als gäbe es ihn nicht. Gott ließ seinen Unmut darüber verkünden. Er wollte eine echte und liebevolle Hingabe der Herzen, denn ansonsten könnte der Tempel auch gleich geschlossen werden.

2400 Jahre später finden wir heute leider viele Parallelen zur damaligen Zeit. Die Beziehung zu Gott ist vielfach auf eine religiöse Tradition reduziert worden. Oft widmet man Gott sogar nicht einmal mehr den Kirchenbesuch, und wenn, dann ist das Herz dabei vermutlich meilenweit entfernt von ihm. Die damaligen Opfergänge sollten aber genau wie heutige Gottesdienstbesuche mit dem Wunsch zur Vertiefung der Beziehung zu Gott verbunden und Ausdruck einer echten Hingabe sein. In schwierigen Zeiten ist jedenfalls schon manch einer froh gewesen, wenn die Türen der Kirchen nicht verschlossen waren. *str*

Woran denken Sie zuerst, wenn Sie den Wunsch haben, Gott zu begegnen?

Suchen Sie Gott dort, wo seine Botschaft klar und wahr verkündigt wird.

Apostelgeschichte 13,14-15.44-52

30. März 17

Donnerstag

Ich preise dich dafür, dass ich auf eine erstaunliche, ausgezeichnete Weise gemacht bin. Wunderbar sind deine Werke, und meine Seele weiß es sehr wohl. Mein Gebein war nicht vor dir verborgen, als ich gemacht wurde ... **Psalm 139,14-15**

Kleine Wunderwerke

Überglücklich halte ich nach der Geburt unsere Tochter in den Armen. Voller Liebe und Hingabe möchte ich dieses kleine, wunderbare Wesen versorgen, das doch völlig auf meine Hilfe angewiesen ist. Mit der Zeit entwickelt sich das hilflose Baby aber zu einem immer selbstständigeren Kleinkind. Unsere Tochter beginnt, die Welt um sich herum wahrzunehmen, macht die ersten Greifversuche, indem sie an das Mobile schlägt, bis es ihr Wochen später gelingt, auch den ersten Spielball zu fassen. Sie fängt an, sich vom Rücken auf den Bauch zu drehen, und wieder zurück. Von Misserfolgen lässt sie sich nicht abbringen. Kaum hat sie es geschafft, rudert sie mit den Armen, bis sie schließlich das Robben lernt, dann das Krabbeln, den Stand und kurz darauf das Laufen. Während ich als Mutter staunend dabei zusehe, frage ich mich, wer ihr das alles beibringt. Woher »weiß« sie, was sie wann lernen muss und wie neue Bewegungsabläufe funktionieren, die wir Erwachsenen viel mühsamer trainieren müssten? Wer hat alles das in sie hineingelegt?

Schon seit Urzeiten sind die Entwicklungsschritte der Kinder gleich und regen zum Staunen an. Vor 3000 Jahren brachte bereits König David in seinem Psalm seine Faszination über das aus der Schöpferhand hervorgegangene Menschenleben zum Ausdruck. Er begriff, dass neues Leben kein Zufall ist, sondern erkannte darin die Größe Gottes, der jeden Menschen einzigartig und auf wunderbare Weise gemacht hat.

Gott hat alle diese Entwicklungsschritte vorprogrammiert, die ich nun bei meiner Tochter beobachten darf. Und so möchte ich einstimmen in das Lob Gottes, der Sie und mich und auch jeden anderen Menschen auf ebendiese »erstaunliche, ausgezeichnete Weise« geschaffen hat. *hk*

? Wenn man bei jedem Steinzeitbeil an einen Schöpfer glaubt, warum nicht bei so etwas Genialem, wie es ein Kind ist?

! Lassen Sie sich von Kleinkindern ins Staunen über den Schöpfer versetzen!

Richter 13,1-14.24-25

Denn einer ist Gott,
und einer ist Mittler zwischen Gott und Menschen,
der Mensch Christus Jesus …
1. Timotheus 2,5

Der »ewige Oberdiplomat«

Sein Auftritt auf dem Balkon der Prager Botschaft ist die Szene, die die Lebensleistung von Hans-Dietrich Genscher eindrücklich zusammenfasst. 4000 DDR-Bürger, die Ende September 1989 bereits wochenlang im Garten der deutschen Vertretung ausgeharrt und auf ein Leben in Freiheit gehofft hatten, ließen den schlecht ausgeleuchteten Diplomaten seinen Satz damals nicht zu Ende sprechen: »Wir sind zu Ihnen gekommen, um Ihnen mitzuteilen, dass heute Ihre Ausreise …« Der Rest ist Geschichte. – Der grenzenlose Jubel der »Freigesprochenen« unterstrich den Höhepunkt jahrzehntelanger politischer Bestrebungen, die nicht zuletzt auch immer mit dem Namen Hans-Dietrich Genscher verbunden sein werden. Heute vor einem Jahr verstarb der »ewige Außenminister«, wie man ihn nannte.

Was für die Deutschen die beharrliche Vermittlungsarbeit Genschers zwischen dem Westen und dem Osten war, das ist für alle Erdenbürger der Einsatz von Jesus Christus zwischen Himmel und Erde. Der Mittelsmann Jesus ist zu uns gekommen, um uns mitzuteilen, dass heute unsere Ausreise aus der Gefangenschaft der Sünde in das ewige Reich Gottes möglich geworden ist. »Und die Befreiten des HERRN werden zurückkehren und nach Zion kommen mit Jubel, und ewige Freude wird über ihrem Haupt sein. Sie werden Wonne und Freude erlangen, und Kummer und Seufzen werden entfliehen« (Jesaja 35,10), so die Prophetie der Bibel dazu. Jesus ist der »ewige Oberdiplomat« zwischen Gott und Menschen. Er ist der Angekündigte und von Gott Gesandte, der Erlöser, der das Ende der Unterdrückung hinter der Mauer der Sünde besiegelte. Er verkündet wirkliche Freiheit und ist gleichzeitig ihr Garant. Er hat es verdient, dass wir ihm zujubeln und ihn verehren. *wä*

? Können Sie mitjubeln über die Freiheit in Christus?

! Jesus hat die Mauer eingerissen, in die Freiheit gehen müssen Sie!

Galater 5,1.13-26

**Wer an den Sohn glaubt, hat ewiges Leben;
wer aber dem Sohn nicht gehorcht, wird das Leben
nicht sehen, sondern der Zorn Gottes bleibt auf ihm.**

Johannes 3,36

Ernste Folgeschäden

»Bei diesen Dieselpreisen habe ich heute direkt mal Diesel statt Benzin getankt!« Ungläubig schaut die Verkäuferin in der Tankstelle meinen Mann an, der sich bei den niedrigen Spritpreisen einen Witz erlaubt hat. »Wirklich?«, fragt sie erstaunt zurück, »kann Ihr Auto beides tanken?« Mein Mann klärt sie liebevoll auf, dass das nur ein Scherz war, worauf die Frau erleichtert aufatmet und entgegnet, dass es ja heutzutage schon fast alles gäbe ...

Ja, es wäre wirklich schön, wenn wir uns einfach aussuchen könnten, was uns gerade am angenehmsten ist! Wenn wir Tatsachen einfach ausblenden könnten. Der Gedanke, das zu tanken, was gerade billiger ist, ist eigentlich wirklich verlockend. Doch ist es jedem klar, dass das technischer Unsinn wäre und gravierende Schäden am Motor nach sich ziehen würde.

Im Leben gibt es natürlich noch viel wichtigere Fragen als die nach dem richtigen Kraftstoff. Da ist es gut, die Tatsachen zu kennen, um richtige Entscheidungen treffen zu können und ernste Folgeschäden zu vermeiden. Zum Beispiel die Frage nach der Ewigkeit. In der Bibel steht, dass es ein Leben nach dem Tod gibt. Gott möchte, dass wir ewig bei ihm sind. Dazu brauchen wir seine Vergebung, die er uns in Jesus Christus anbietet – schon heute, ganz persönlich. Ob wir sie annehmen, ist unsere Entscheidung. Wenn wir uns auf unsere eigenen Vorstellungen über das Leben nach dem Tod verlassen und einfach das glauben, was uns passt, kann das ernste Folgeschäden haben – nämlich die ewige Trennung von Gott. Wir müssen die Tatsachen kennen, um jetzt die richtige Entscheidung treffen zu können.

Wie gut, dass Gott uns in der Bibel klar sagt, was kommen wird und wie wir uns heute schon darauf vorbereiten können. *hk*

Was glauben Sie über das Leben nach dem Tod? Worauf gründen Sie Ihre Erwartungen?

Lieber falsch getankt als falsch geglaubt!

Josua 1,1-9

**Heute, wenn ihr seine Stimme hört,
so verhärtet eure Herzen nicht.**
Hebräer 3,15

Antwort erforderlich?

Wie jeden Morgen hole ich einen dicken Stapel Post aus unserem Briefkasten. Obwohl wir ein Schild mit der Aufschrift »Bitte keine Reklame« aufgeklebt haben, kommt doch jeden Tag eine Menge zusammen. Wie immer mache ich auf dem Tisch zwei Stapel: Der eine wandert direkt in den Papiermüll, der andere wird später noch einmal angesehen. Zum Glück erfordert der Großteil der Briefe keine Reaktion von mir. Der Verleger des Kölner Stadtanzeigers wird sich kaum bei mir melden, warum ich sein Angebot für ein Probe-Abo nicht angenommen habe. Das Autohaus rechnet auch nicht damit, dass wir das »Knaller-Angebot zum Frühjahrs-Check« persönlich absagen. Und die Einladung zum 40. Jubiläum des Möbelhauses erfordert auch keine Reaktion. Anders ist es hingegen mit der Hochzeitseinladung aus der Verwandtschaft. Das wäre schon sehr unhöflich, wenn man da nicht zu- oder absagen würde! Oder der persönliche Brief meiner Freundin. Es hätte eine Auswirkung auf unsere Beziehung, wenn ich den ignorieren und mich in den nächsten Tagen nicht bei ihr melden würde. So verteile ich die Post auf die Stapel und überlege, wie ich auf die persönlichen Zuschriften reagieren soll.

Die Bibel betont an vielen Stellen, dass Gott ein Gott ist, der redet. Jeder hat das in seinem Leben schon gespürt. Leider behandle ich Gott manchmal so wie die Post vom Autohaus: Ich registriere sein Reden zwar, zeige aber keine Reaktion. Das tut mir dann im Nachhinein leid, denn ich weiß, dass Gott mich persönlich angesprochen hat, mich lieb hat und auf eine Antwort wartet. Zum Glück ist er nur ein Gebet weit entfernt. Wenn Sie spüren, dass Gott zu Ihnen redet, ignorieren Sie ihn nicht! Im Gegensatz zur Massenwerbung spricht Gott jeden Menschen persönlich an und wartet auf eine Antwort. *eli*

Wo haben Sie gemerkt, dass Gott Sie persönlich anspricht?

Keine Reaktion ist auch eine Reaktion – aber die falsche.

Hebräer 1,1-3

3. April 17

Montag

Ihr habt nicht mich erwählt,
sondern ich habe euch erwählt und euch dazu bestimmt,
dass ihr hingeht und Frucht bringt.
Johannes 15,16

Bist du im Team?

Das Ritual war immer dasselbe. Wenn in der Schule Fußball gespielt werden sollte, wählten zwei Jungs aus der Klasse ihre Mannschaften aus. Und ich war immer der Letzte. Zugegeben, damals war ich aufgrund meiner Figur nicht sehr sportlich. Und darum vielleicht tatsächlich so etwas wie eine Zumutung für meine sportlicheren Mitschüler.

Als Jesus auf dieser Erde lebte, hat auch er Menschen als seine Nachfolger ausgewählt. »Folge mir nach«, sagte er dann zu einem Petrus oder Andreas oder Johannes und wie sie alle hießen. Jesus hat einfache Menschen in seine Nachfolge berufen. Keiner seiner Jünger hätte mit der Berufung in die Nachfolge eines Rabbiners rechnen können. Und zu den engsten Mitarbeitern von Jesus gehörten auch Außenseiter, wie etwa ein Zollbeamter. Der mit der römischen Besatzungsmacht zusammenarbeitete.

Ich bin dankbar dafür, dass Jesus ein Herz auch für Außenseiter hat, für die Schwachen und Unscheinbaren. Oft wählt er gerade sie aus, um mit ihnen Großes zu tun. – »Folge mir nach!« Damit spricht Jesus auch Sie heute an. Er will, dass Sie ihn kennenlernen. Er will Ihnen zeigen, dass er aus Liebe zu Ihnen auf diese Erde gekommen ist um Sie vor dem Gericht Gottes zu retten. Und wenn Sie das begriffen haben, will er Sie in seinen Dienst nehmen wie damals seine Jünger. Es ist eine wunderbare Sache, Diener dieses Herrn zu sein. Er kennt unsere Begabungen und weiß auch genau, was wir nicht können. Und niemals verlangt er zu viel von uns, und zu allem, wozu er uns auffordert, gibt er auch genau die nötige Kraft.

Wichtig ist nur, dass wir nahe bei ihm bleiben, damit wir hören können, was er sagt, und dass wir niemals meinen, es besser zu wissen als er.

hl

Wen kennen Sie, der diesem Herrn gut erkennbar nachfolgt?

Lernen Sie von Ihm!

Johannes 21

4. April 17

Dienstag

Ein Ochse kennt seinen Besitzer,
und ein Esel die Krippe seines Herrn;
Israel hat keine Erkenntnis, mein Volk hat kein Verständnis.
Jesaja 1,3

Es ist Zeit, den Heimweg anzutreten

Vor einiger Zeit las ich von einer Familie, die draußen vor der Tür ein lautes Miauen hörte. Die Tür wurde geöffnet, und ein Kater mit dickem Pelz kam herein, lief schnurstracks ins Wohnzimmer und setzte sich auf den Teppich vor dem warmen Kamin. Dort begann er, sein Fell abzulecken. Als die Leute das Tier näher besahen, merkten sie, dass es ihr eigener Kater war, den sie vor acht Jahren verloren hatten. Nach langem Forschen und Fragen hatten sie die Suche nach ihm schließlich aufgegeben – und nun saß er, wie damals, wieder bei ihnen in der Stube, als sei inzwischen nichts geschehen.

Als mir diese Geschichte einfiel, musste ich an unseren Tagesvers denken. Gott wollte uns Menschen bei sich haben, und wir sollten uns in seiner Nähe wohlfühlen, zumal wir alles Gute von ihm erhalten. Doch dann wurden unsere Ureltern durch betrügerische Versprechungen fortgelockt. Sie und alle ihre Nachkommen irrten seitdem in der Welt umher, und kaum einer fand zu Gott zurück. Dass sich die Menschen immer tiefer verirren, wird jedem deutlich, der die Nachrichten liest und sich dabei fragt, wie die augenblicklichen Schwierigkeiten jemals wieder aufgelöst werden können. Aber anstatt ernsthaft nach einer Lösung zu suchen, gefallen sich die Meinungsmacher und Unterhalter darin, immer unverschämter alles lächerlich zu machen, was mit Gott und seinen Ansprüchen an Moral und Sittlichkeit zu tun hat.

Wem das bewusst wird, dem sollte all das ein starker Hinweis darauf sein, dass wir bald an einen Punkt gekommen sind, von dem es keine Umkehr mehr gibt, und dass Gott dann eingreift und dem Treiben von sich aus ein Ende macht. Es wird also Zeit, den Weg nach Hause einzuschlagen!

gr

? Wie bereiten Sie sich auf die Begegnung mit dem Schöpfer vor?

! Man muss kommen, solange er noch freundlich ruft und die Tür geöffnet wird!

Jesaja 1,1-20

... denn wie des Grases Blume wird er vergehen.
Jakobus 1,10

Unser Leben ist nur ein Hauch

Ich weiß nicht wie alt Sie sind. Vielleicht gerade 18 oder 20 Jahre. Oder Sie befinden sich in Ihren mittleren Jahren zwischen 40 und 50. Vielleicht sind Sie sogar älter, in den Sechzigern oder Siebzigern, und schauen auf ein langes Leben zurück. Dann werden Sie sicher bestätigen können, dass das Leben einem Hauch gleicht. Die Jahre vergehen, und ehe man sich versieht, ist man alt.

John Charles Ryle, Bischof in Liverpool, schrieb um das Jahr 1880: »Alles wird älter: Die Welt wird älter, wir selbst werden älter. Noch ein paar Sommer, noch ein paar Winter, noch ein paar Krankheiten, noch ein paar Sorgen, noch ein paar Hochzeiten und noch ein paar Abschiede – und was dann? Dann wird das Gras auf unserem Grab wachsen.«

Das sind nachdenklich machende Worte. Egal ob wir 18 oder 80 Jahre alt sind, unser Leben ist ein Hauch. Es vergeht in Windeseile. Und wozu das alles? Warum leben wir? Wozu sind wir da, wenn alles so kurz und vergänglich ist? Die Bibel zeigt uns, dass Gott alles geschaffen hat, auch uns Menschen. Wir sollen uns daran erinnern, dass unser Leben auf der Erde im Vergleich zur Ewigkeit nur von kurzer Dauer ist. Die Frage ist, ob wir diese kurze Zeit auf Erden nutzen, um uns für die Ewigkeit vorzubereiten.

Unvorbereitet ist man, wenn man nie über den Sinn seines Daseins nachgedacht und fern von Gott gelebt hat. Das Resultat ist dann die Hölle. Vorbereitet ist man hingegen, wenn man zu Lebzeiten erkannt und für sich in Anspruch genommen hat, dass der alleinige Gott seinen Sohn Jesus Christus auf die Erde geschickt hat, um unsere persönliche Lebensschuld am Kreuz zu begleichen. Das Ergebnis ist dann der Himmel als ewiger Wohnort. *tl*

? Was machen Sie mit Ihrer kurzen Lebenszeit?

! Leben Sie nicht einfach drauf los! Wenn erst Gras auf Ihrem Grab wächst, ist es zu spät, um sich noch auf die Ewigkeit vorzubereiten.

Lukas 16,19-31

Donnerstag

6. April 17

Welt-Olympia-Tag

Du beobachtest mich, ob ich gehe oder liege, und bist vertraut mit allen meinen Wegen.
Psalm 139,3

Gemeinsam ins Ziel

Als Derek Redmond 1988 zu seinen ersten Olympischen Spielen nach Seoul fährt, ist er britischer Rekordhalter über 400 Meter. Doch ausgerechnet anderthalb Minuten vor seinem ersten Lauf verletzt er sich beim Warmmachen und muss aufgeben. Vier Jahre später, bei seinen zweiten Olympischen Spielen in Barcelona 1992, scheint jedoch alles gut zu gehen. Es winkt eine Medaille im Endlauf. Der Startschuss fällt, Redmond geht es schnell an, bis er bei 250 Metern abrupt in vollem Lauf stoppt. Er humpelt, hält sich den rechten Oberschenkel, weint verzweifelt, rafft sich wieder auf, humpelt einige Meter. Plötzlich rennt ein Mann von der Tribüne auf die Tartanbahn zu Redmond. Es ist sein Vater. Er legt ihm den Arm um die Schulter. An der Seite seines Vaters und unter dem Beifall der Zuschauer humpelt Redmond bis zur Ziellinie.

Viele von uns kennen Lebenssituationen, in denen einem scheinbar der Boden unter den Füßen weggezogen wird oder man sich selbst in eine Sackgasse manövriert hat. Wie verlockend und naheliegend ist es dann, aufzugeben und sich einfach treiben zu lassen. In der Bibel begegnen wir vielen Personen, die an solch einem Punkt standen und nicht mehr weiterwussten. Gleichzeitig lesen wir, dass Gott ihre Lage genau im Blick hatte und ihnen gerade an diesen Tiefpunkten ganz persönlich begegnete. Er kann das Wirrwarr unseres Lebens entwirren, er ist vertraut mit all unseren Wegen.

Sie sind nicht allein! Ebenso wie Redmonds Vater den Weg bis zur Ziellinie gemeinsam mit seinem verletzten Sohn ging, so will auch Gott gerade in Ihrer momentanen Situation auf die Tartanbahn Ihres Lebens treten. Heißen Sie ihn willkommen und nehmen Sie seine Hilfe an?

ls

? Ist Ihnen bewusst, dass Gott Ihre Situation genau kennt?

! Gottes Arm ist niemals zu kurz, um einzugreifen. Wenden Sie sich ihm offenen Herzens zu!

Psalm 139

Jesus aber, der in sich selbst erkannt hatte, dass eine Kraft von ihm ausgegangen war, wandte sich sogleich inmitten der Menge um und sprach: Wer hat mein Gewand angerührt?

Markus 5,30

Gott kann heilen!

Die Werbung verspricht uns vieles: Neben Reichtum, Glück, Erfüllung wird auch Gesundheit quasi »auf Knopfdruck« angeboten. Es ist nur eine Tablette, nur ein Tropfen einer Tinktur, nur eine Salbe etc., und schon wird alles besser, was die Gesundheit angeht. Aber dann kommt immer der Nachsatz: »Zu Risiken und Nebenwirkungen ...« Das lässt alles dann in einem doch nicht so heiteren Licht erscheinen. »Was? Ich riskiere etwas, wenn ich eine Medizin anwende oder ein Medikament einnehme?« Ja, und die Kombination mehrerer Präparate kann dann sogar gegensätzlich und schädlich wirken. Die Gesundheit bekommt man nicht so leicht in den Griff, und das, wo sie doch für so viele die Hauptsache ist.

Die Frau in unserem Tagesvers berührte nicht allein aus Verzweiflung, sondern aus Glauben nur den Rand des Gewands, das Jesus Christus trug. Sie hatte die Hoffnung, dass alleine das ihr schon in ihrer aussichtslosen Situation helfen könnte. Von den Ärzten war sie bereits aufgegeben worden. Doch ihr Mut und ihre Entschlossenheit, sich dem Sohn Gottes zu nahen und von ihm Hilfe zu erhoffen, zahlten sich aus. Die Ärzte hatten sie nur ausgesaugt und dadurch finanziell in Not gebracht. Christus hatte keine Abrechnungsstelle für diese Leistung. Die Frau wurde ohne Gegenleistung geheilt. Sie musste nur im Glauben das Gewand berühren. Vorher hieß es: »Es war vielmehr noch schlimmer mit ihr geworden« (V. 26). Nun war sie frei von ihrer Not, der Körper war gesund.

Auch heute noch haben wir die Möglichkeit, Jesus Christus zu begegnen. Die Bibel lädt uns ein, ihn im Gebet zu suchen und ihm die eigene Not zu offenbaren. Noch tut er Wunder und heilt unsere Seele und, wenn er will, auch den Leib. *kü*

Welche Not haben Sie?

Christus hat versprochen, die Seele derer zu heilen, die ihm ihr Vertrauen schenken.

Markus 5,25-34

**Siehe, ich bin der HERR, der Gott allen Fleisches;
sollte mir irgendein Ding unmöglich sein?**
Jeremia 32,27

Glück gehabt?

Der 7-jährige Tom wird von seinen Papa zu Bett gebracht. Erschöpft von der Arbeit fragt der Vater nur knapp: »Na, wie war dein Tag? Wofür können wir beten?« – »Äh, dass Gott die Kratzer aus dem Lack wieder wegbekommt …«, antwortet der Kleine. Verdutzt fragt der Vater nach: »Welche Kratzer? Was ist passiert?« Etwas kleinlaut berichtet Tom seine Missetat. »Ich bin heute beim Spielen über Mamas Auto geklettert, und das gab ein paar tiefe Kratzer.« Fassungslos bohrt der Vater nach: »Und jetzt meinst du, wir sollen beten, dass GOTT die wieder rausbekommt? Wie soll DAS denn gehen?« Ohne großartig nachzudenken, antwortet Tom: »Aber Gott kann doch ALLES!« Nachher betet er: »Lieber Herr Jesus, mach du doch bitte die Kratzer aus dem Lack raus. Amen.«

Am nächsten Tag klingelt bei Toms Papa das Telefon. »Schatz, ich bin es. Du musst sofort hier vorbeikommen!« Es ist die Mama von Tom. »Wo bist du denn? Was ist passiert?«, will ihr Mann wissen. »Ich stehe in der Innenstadt. Stell dir vor: Unser Auto wurde gerammt. Als ich mit den Kindern zum Auto zurück kam, war es nur noch ein Schrotthaufen. Ich kann jetzt nicht mal mehr damit wegfahren.« Sofort macht sich Toms Vater auf den Weg. Nach Unfallmeldung, Polizeibericht und Einsatz des Abschleppdienstes bekommt die Familie bald ein Ersatzauto. Die Versicherung hat den Schaden übernommen. Strahlend steht Tom neben dem neuen Auto, streicht über den glatten Lack und ruft: »Siehst du!« Mit einem ungläubigen Kopfschütteln murmelt Toms Papa nur: »Da hat GOTT doch tatsächlich die Kratzer aus dem Lack rausgekriegt!« Ja, ein anderer musste zahlen, den Schaden übernehmen. Kindliches Vertrauen wird erleben, dass Gott da ist »und denen, die ihn suchen, ein Belohner ist« (Hebräer 11,6). *fe*

Welche Unmöglichkeit kann durch Gott in Ihrem Leben möglich werden?

»Siehe, ich mache alles alt …«, sagt die Zeit. »Siehe, ich mache alles neu«, sagt Gott (Offenbarung 21,5).

Matthäus 18,2-14

Wahrhaftig, dieser war Gottes Sohn!
Matthäus 27,54

Wer ist Jesus?

Wenn ich die Berichte über die letzten Stunden im Leben von Jesus lese, bewegen mich zwei Personen sehr – zwei, die als Zeugen dabei waren. Einer von ihnen war ein Gewaltverbrecher, der ebenfalls zum Tod am Kreuz verurteilt war. Er hatte bis dahin nichts mit Jesus zu tun gehabt und war nichts weiter als ein zum Tode Verurteilter wie Jesus auch. Doch dann erlebte er, wie dieser Jesus neben ihm Gott mit den Worten anrief: »Vater, vergibt ihnen! Denn sie wissen nicht, was sie tun.« Und er erkennt, dass dieser Jesus Macht über den Tod hinaus hat; er wendet sich Jesus zu und ruft: »Jesus, gedenke meiner, wenn du in dein Reich kommst!« Die Antwort Jesu ist Balsam für seine aufgewühlte Seele, es ist das wertvollste Wort, das er je in seinem Leben gehört hat: »Wahrlich, ich sage dir: Heute wirst du mit mir im Paradies sein« (Lukas 23,42.43).

Und dann gibt es noch einen weiteren Zeugen, der als Hauptmann der römischen Besatzungsmacht von Amts wegen diese Hinrichtung überwachte. Alles nahm er mit großem Interesse auf: die Verspottung durch die jüdischen Führer, die letzten Worte, die Jesus an die verschiedenen Leute richtete, auch sein Zwiegespräch mit dem anderen Gekreuzigten. Schließlich erlebte er auch den Tod Jesu mit, der unmittelbar nach dem bewegenden Ruf zu Gott folgte: »Vater, in deine Hände übergebe ich meinen Geist!«

»Wahrhaftig, dieser war Gottes Sohn«, bekannte daraufhin der Hauptmann und wurde zum Ersten, der Jesus nach seinem Tod als den Sohn Gottes erkannte und anerkannte.

Zwei Menschen, die rechtzeitig begriffen, was es mit diesem Jesus von Nazareth auf sich hatte, und die daraus die richtige Konsequenz zogen: zu glauben und dadurch für ewig gerettet zu werden. *li*

? Wie ist Ihre Antwort auf die Frage, wer Jesus für Sie ist?

! Man sollte eine persönliche Antwort darauf finden, solange man noch auf dieser Erde lebt.

Lukas 23,33-49

10. April 17

Montag

Was sucht ihr den Lebenden unter den Toten?
Lukas 24,5

Elvis lebt

Es war eine echte Sensation im Fußballjahr 2016: Die Mannschaft von Leicester City holt den Meistertitel der englischen Premier League. Dieser Traditionsverein, der auch als »The Foxes« (»Die Füchse«) bekannt ist, spielte erst seit 2014, nach Jahren der Drittklassigkeit, wieder in der ersten Liga. Nach mäßigem Beginn startete das Team um Trainer Claudio Ranieri in der Saison 2015/2016 dann schließlich richtig durch und setzte sich gegen so starke Konkurrenten wie Manchester City oder Chelsea durch.

Doch was hat das mit Elvis zu tun? Nun, wer vor der Saison auf »The Foxes« als kommenden Meister gewettet hatte, der hatte bei den englischen Buchmachern eine Quote von 5000:1 gegen sich. Denn ein Titelgewinn von Leicester war vor Beginn des Wettbewerbs – aus Sicht der Experten und Wettprofis – denkbar unwahrscheinlich, genauso wie (laut Wettquoten) die Möglichkeit, dass das Monster von Loch Ness entdeckt würde oder der heißeste Tag des Jahres auf Weihnachten fällt. Viel wahrscheinlicher (nämlich mit einer Quote von immerhin »nur« 2000:1) war da schon, dass Elvis Presley lebt!

Mich würde interessieren, ob es auch eine Wettquote für die Behauptung gab, dass Jesus Christus lebt – und ob Sie auf diese Behauptung setzen würden?

Für viele Menschen scheint festzustehen: Elvis und Jesus sind beide tot, Jesus sogar schon viel länger. Nur Spinner und Verschwörungstheoretiker würden glauben, dass er noch lebt. Aber im Gegensatz zu Elvis (bei dem ich mir im Übrigen ganz sicher bin, dass er tot ist) bezeugen laut der Bibel viele hundert Menschen, dass Jesus Christus von den Toten auferstanden ist und also tatsächlich lebt. Das erscheint Ihnen zu unwahrscheinlich? Denken Sie an Leicester City! *mm*

Wie schwer fällt es Ihnen, mit dem eigentlich Unmöglichen zu rechnen?

Hinterher weiß man es immer besser. Und im Falle der Auferstehung Jesu ist das sogar gut!

Johannes 20,1-22

Ich habe eine Taufe, womit ich getauft werden muss, und wie bin ich beengt, bis sie vollbracht ist.

Lukas 12,50

Müssen oder dürfen?

Es ist gut, sich in den Tagen vor Karfreitag an den Leidensweg des Herrn Jesus zu erinnern. Er sprach schon sehr früh von den bevorstehenden Ereignissen – von den Strapazen, die ihn erwarteten. Sie kamen nicht einfach über ihn, sondern er begab sich sehr bewusst in sie hinein:

Bereits lange vor seinem schrecklichen Tod fasst der Herr Jesus sein Ziel ins Auge – und damit seine Passion zusammen: »Der Sohn des Menschen muss vieles leiden und verworfen werden … und getötet und am dritten Tage auferweckt werden« (Lukas 9,22). Aber direkt im darauffolgenden Vers sagt er: »Wenn jemand mir nachkommen will, der verleugne sich selbst und nehme sein Kreuz auf täglich und folge mir nach.«

Im Blick auf seine Erlöserschaft geht es ums MÜSSEN, im Blick auf unsere Jüngerschaft ums WOLLEN. Dieser Gedanke berührt mich: Die Erlösung ist zwingend – aber die Nachfolge freigestellt?

Ja! Der Meister *muss*, der Diener *darf*. Das ist umwerfend. Das ist ganz anders als bei den Chefs und Herren dieser Welt. Lukas betont das Erfordernis, die Notwendigkeit, die Unumgänglichkeit der Mission des Messias an vielen Stellen: »Ich habe aber eine Taufe, womit ich getauft werden *muss*, und wie bin ich beengt, bis sie vollbracht ist« (12,49). »Ich *muss* … denn es geht nicht an, dass ein Prophet außerhalb Jerusalems umkomme« (13,33). »Zuvor aber *muss* er vieles leiden und verworfen werden von diesem Geschlecht« (17,25). »Auch dieses *muss* an mir erfüllt werden: ›Er ist unter die Gesetzlosen gerechnet worden‹« (22,35). »Der Sohn des Menschen *muss* in die Hände sündiger Menschen überliefert und gekreuzigt werden und am dritten Tage auferstehen« (24,7). *fe*

Warum unterwarf sich der Sohn Gott bewusst diesem MUSS?

Die Liebe findet einen Weg und die Gleichgültigkeit eine Ausrede!

Lukas 24,13-35

12. April 17

Bleibe bei mir, fürchte dich nicht! ...
Bei mir bist du in Sicherheit.
1. Samuel 22,23

Der Volvo

Vor 90 Jahren, am 14. April 1927, verließ das erste Volvo-Serienfahrzeug die Produktionshalle bei Göteborg. Das Model ÖV4 wurde bekannt unter dem Spitznamen »Jacob«, ein viertüriges Cabrio, das immerhin eine Geschwindigkeit von 70 km/h erreichte. Damit begann die Geschichte einer erfolgreichen Automarke. Volvo steht seither für robuste Karosserien, starke Motoren, raffinierte Technik und gehobenes Interieur. Früher, auf unseren Urlaubsfahrten in skandinavische Länder, waren diese Autos nicht aus dem Straßenbild wegzudenken. Wir als Kinder wollten später selbst mal so einen wuchtigen PKW fahren.

Vor allem aber verbindet man mit einem Volvo das Thema Sicherheit. Sicherheit, die jeder Verkehrssituation trotzt und insbesondere die Unversehrtheit der Insassen zum Ziel hat. Damit trafen die Hersteller eines der größten menschlichen Bedürfnisse, und dafür ging man neue Wege. So konnte sich der Volvo beispielsweise mit dem Sicherheitskonzept des Dreipunktgurtes auf dem Weltmarkt durchsetzen.

Im Leben sind wir auch unterwegs wie auf einer Autofahrt. Manches Erlebnis, mancher Schicksalsschlag, mancher Fahrerfehler wirft uns aus der Bahn, bringt ins Schleudern oder kommt uns wie ein Frontalzusammenstoß vor. Was hält uns dann im Sitz und schützt vor schweren Verletzungen? Jesus Christus möchte unsere Seele sicher zu sich in den Himmel bringen, indem wir mit ihm unterwegs sind. Seine Sicherheitsstandards sind hervorragend und millionenfach bewährt.

Deswegen hat man früher in den Kirchen oft das Lied gesungen: »Befiehl du deine Wege / und was dein Herze kränkt, / der allertreusten Pflege, / des, der den Himmel lenkt.« Könnte das nicht auch Ihre Hymne werden?

ap

? Wie wird bei Ihnen das Thema Sicherheit auf der Reise in die Ewigkeit berücksichtigt?

! Wer bei Jesus einsteigt, darf sicher sein!

1. Samuel 22,9-23

**Fürchtet ihr euch nicht, denn ich weiß,
dass ihr Jesus, den Gekreuzigten, sucht.
Er ist nicht hier, er ist auferstanden.**
Matthäus 28,5

Ostern

Wenn wir an Ostern denken, an das christliche Fest der Auferstehung Jesu Christi, dann passt es so wunderschön, dass es im Frühling liegt. Das Wiedererwachen der Natur nach der Todesstarre des Winters gibt immer wieder Anlass, von Auferstehung zu reden. Tulpen, Märzenbecher, Narzissen und viele andere Frühblüher zieren die Ostergrußkarten. Aber das gilt ja nur für die mittleren Breiten der Nordhalbkugel der Erde. In Südafrika ist zu Ostern Herbst- und Erntezeit, und in Israel reift die Gerste zu Ostern heran.

Weltweit kommt es also bei Ostern gar nicht auf die Frühlingsstimmung an, sondern darauf, den Menschen bewusst zu machen, dass sie ohne Gott so weit von dem ewigen Leben entfernt sind wie ein vom Frost erstarrter Apfelbaum von einem, der in voller Blüte steht.

Um die Menschen aus ihrer geistlichen Todesstarre zu erwecken, ist Jesus Christus für uns gestorben und wieder auferstanden. Wer das glauben kann, soll nach Gottes Verheißung teilhaben an dem Leben des Sohnes Gottes. Viele Menschen werden sagen, sie seien doch lebendig und nähmen sogar sehr intensiv am Leben teil. Aber Gott hat die Menschen zu etwas Besserem berufen, als nur dazu, ein paar Jährchen hier auf Erden zuzubringen und dabei noch viel zu erleiden und zu erdulden, um dann für immer zu verschwinden, so, als habe es sie nie gegeben. Gott will uns für ewig bei sich in seinem Himmel haben.

Um dieses Ziel zu erreichen, können wir nichts beitragen. Gott aber will es allen schenken, indem er unser Desinteresse an ihm und unsere Feindschaft gegen ihn allen vergibt, die ihn darum bitten.

Das ist es, warum sich Christen über Ostern herzlich freuen können.

gr

? Was bedeutet Ostern für Sie?

! Wir sind zu Höherem berufen, als nur nach ein paar Jahren zu sterben.

Matthäus 28

14. April 17

Freitag **Karfreitag**

»Andere hat er gerettet«, riefen sie,
»sich selbst kann er nicht retten!«
Matthäus 27,42

Kläglich versagt?

Der Wanderprediger Jesus Christus war in den letzten drei Jahren heilend und lehrend durchs Land gezogen, hatte Aussätzige, Gelähmte, Fieberkranke, Besessene, Taubstumme und viele andere Kranke geheilt. Er hatte Blinde sehend gemacht und erfolglosen Fischern zu einem ungewöhnlich großen Fischfang verholfen. Mit gerade mal zwei zur Verfügung stehenden Fischen und fünf Broten hatte er mehrere Tausend Menschen gesättigt, und noch vor wenigen Tagen hatte er beim Einzug in Jerusalem einen enthusiastischen Empfang erlebt. Er hatte sich als Sohn Gottes erwiesen und konnte sogar Tote auferwecken!

Und jetzt? Von einer aufgepeitschten Menge wird er vor den Richter gezerrt und erwidert kein Wort zu seiner Verteidigung. Im Gegenteil: Er lässt sich von aufgebrachten Soldaten bespucken und eine aus langen, spitzen Dornen geflochtene Krone aufsetzen – er wehrt sich selbst dann nicht, als man sogar noch mit einem Rohr darauf schlägt. Er, dem in den letzten Jahren uneingeschränkt göttliche Macht zur Verfügung zu stehen schien, wirkt auf einmal so völlig anders. Er wehrt sich sogar auch dann nicht, als die Peiniger ihn an ein Kreuz nageln.

Wie gesagt: Jesus hatte – neben vielen anderen belegten Wundern – sogar Tote auferweckt. Ist er jetzt etwa nicht in der Lage, sich zu wehren und sich der qualvollen Hinrichtung am Kreuz zu entziehen? Kann er nicht – wie noch kurz zuvor bei einer anderen Gelegenheit – dafür sorgen, dass seine Peiniger durch ein gebietendes Wort ohne Gewaltanwendung zurückweichen? Versagt Jesus Christus am Ende womöglich auf ganzer Linie? Zumindest heute, an Karfreitag, ist das eine nachvollziehbare Fragestellung. Aber es geht weiter … Gott sei Dank. *md*

? Warum wohl hat Jesus Christus seine Macht nicht entfaltet und den Justizmord verhindert?

! Nicht alles, was vordergründig wie Versagen oder Schwäche aussieht, endet in einer Niederlage.

Matthäus 27,1-2.11-55

Gib deshalb bitte den Befehl, dass die Gruft bis zum dritten Tag bewacht wird! Sonst könnten seine Jünger kommen, ihn stehlen und dann … behaupten, er sei von den Toten auferstanden. Matthäus 27,64

Sicherungsverwahrung

Begleitet vom tumultartigen Gejohle des Volkes hatten Soldaten Jesus Christus, den zum Tod Verurteilten, zur Hinrichtungsstätte gebracht. Der von Peitschen- und Stockhieben Geschwächte musste sein Folterinstrument sogar selbst tragen. Auf dem nahe gelegenen Hügel war dann der Forderung »Kreuzige ihn« aus der Koalition der ihm feindlich Gesonnenen entsprochen worden. Daraufhin war es plötzlich mitten am Tag für drei Stunden stockdunkel geworden. Kurz vor Eintritt des Todes hatte der Gekreuzigte dann laut aufgeschrien. Im gleichen Moment zerriss im Tempel der Vorhang vor dem Allerheiligsten. Die Erde bebte. Verstorbene wurden auferweckt und stiegen aus ihren Gräbern und liefen durch Jerusalem. Der für die Kreuzigung zuständige Hauptmann erkennt und bezeugt: Dieser Gekreuzigte war tatsächlich Gottes Sohn.

Abends holt sich dann ein Jesus-Jünger vom Gouverneur Pilatus die Erlaubnis, den Leib Jesu vom Kreuz herabzunehmen und in seiner privaten Gruft zu beerdigen. Dann erinnern sich die Drahtzieher dieses Justizmordes daran, dass Jesus davon gesprochen hatte, am dritten Tag auferstehen zu wollen. Sie befürchten, dass es seine Anhänger am Ende noch fertigbringen, den Leichnam zu stehlen und zu behaupten, er sei von den Toten auferstanden! Deshalb fordern sie eine Sicherungsverwahrung, damit genau das auf keinen Fall passiert!

Der vor das Grab gewälzte Stein wird versiegelt und das Grab zusätzlich durch Wachen gesichert. So soll verhindert werden, dass die Anhänger von Jesus »tricksen«, um die angekündigte Totenauferstehung wahr werden zu lassen! Damit wurden jegliche Manipulationsversuche im Keim erstickt und erwiesen das, was am nächsten Tag geschah, umso klarer als ein von Gott gewirktes Geschehen aus. *md*

Was wäre wohl im Lauf der Jahrhunderte alles behauptet worden, wenn das Grab Jesu nicht versiegelt und bewacht worden wäre?

Beeindruckend, wie Gott dieses die Weltgeschichte verändernde Ereignis durch »Brief und Siegel« von den Gegnern Jesu bestätigen ließ.

Matthäus 27,57-66

»Was sucht ihr den Lebendigen bei den Toten? Er ist nicht hier, er ist auferstanden.«

Lukas 24,5-6

Unfassbar!

Das Grab ist professionell versiegelt, und die besten Männer stehen Wache. Alles scheint perfekt und absolut sicher zu sein! Mitten in diese zufriedene Feststellung platzt frühmorgens die Nachricht der Soldaten: »Er ist weg!« Noch völlig verstört berichten sie außerdem von einem großen Erdbeben und davon, dass der Stein vor dem Grab von selbst weggerollt ist. Sie selbst seien vor Schreck ohnmächtig geworden.

Unfassbar! Genau das, was unter allen Umständen verhindert werden sollte, ist eingetreten: Der Gekreuzigte ist – obwohl das Grab extra versiegelt und bewacht wurde – einfach fort! Und das leere Grab ist nicht zu leugnen! Anstatt nun in sich zu gehen und die ganze Mordaktion von Herzen zu bereuen, wird in einer eilig von den Hohenpriestern und Schriftgelehrten einberufenen Krisensitzung beratschlagt, wie man am ehesten Schadensbegrenzung betreiben und sein Gesicht wahren kann: Keinesfalls soll darum großer Lärm entstehen. Ihnen fällt nichts weiter ein, als gegen ein üppiges Bestechungsgeld die zuständigen Bewacher zu dem Geständnis zu überreden, eingeschlafen zu sein und deshalb nicht mitbekommen zu haben, dass seine Jünger den Toten nachts gestohlen haben. Außerdem sichert man ihnen zu, den Gouverneur wegen des vermeintlichen »Dienst-Schlafes« zu beschwichtigen und sicherzustellen, dass dieses Vergehen nicht bestraft wird.

Ostern! Das Unfassbare ist geschehen! Derjenige, der vorgestern noch versagt zu haben schien, dessen Leib man extra unter Sicherungsverwahrung nahm, ist aus den Toten auferstanden! Jesus lebt! Spätestens hier wird deutlich: Wer sich mit Jesus Christus einlässt, hat es mit dem tatsächlich Allmächtigen zu tun. Mit dem Sieger über Tod und Hölle.

md

Warum wohl glauben noch heute viele Menschen dieser plumpen Lüge des Grabraubs?

Es gibt viele Beweise, dass Jesus Christus wirklich auferstanden ist.

Matthäus 28,1-20

Ist Christus aber nicht auferstanden,
so ist euer Glaube nichtig,
so seid ihr noch in euren Sünden.
1. Korinther 15,17

Die Bedeutung der Auferstehung Jesu

Das Ereignis der Auferstehung Jesu von den Toten ist für viele nicht leicht zu verstehen. Ein Pfarrer sagte mir einmal kurz vor Ostern: »Jetzt komme ich in einen Predigt-Notstand.« Er glaubte nicht an die leibhaftige Auferstehung Jesu, und damit hatte er nicht nur ein Glaubensdetail, sondern den rettenden Glauben überhaupt über Bord geworfen. Seiner Gemeinde hatte er nun nichts mehr zu sagen. Er glich einem Auto ohne Motor oder einem Schiff ohne Ruder. Das Ziel kann nicht mehr erreicht werden.

Der nicht vom Glauben her argumentierende Philosoph Martin Heidegger erkannte richtig: »Ist Jesus von Nazareth von den Toten auferstanden, dann ist jede naturwissenschaftliche Erkenntnis vorletztlich.« Die heute gängige Denkweise in den Naturwissenschaften ist leider einseitig materialistisch orientiert und legt sich somit unbegründet Denkfesseln an. Mit der Auferstehung Jesu wurde unsere dreidimensionale Welt durchbrochen, und durch sie ist uns die jenseitige Welt Gottes als Wirklichkeit offenbart.

Durch die Auferstehung lieferte Jesus uns den Beweis, dass er Gottes Sohn ist (Römer 1,3), und damit bestätigte er zugleich die Wahrheit all dessen, was er gesagt hatte. Mit dem Wort vom Kreuz – »Es ist vollbracht« – und dem Wort des Engels – »Er ist nicht hier, er ist auferstanden« – ist der Rettungsplan erfüllt. Somit dürfen wir gewiss sein, dass er auch uns aus dem Tod auferwecken wird und nach seiner Zusage das ewige Leben zugeeignet hat.

Mit der Auferstehung Jesu hat Gott die Garantieerklärung für unser Bürgerrecht im Himmel unwiderruflich unterschrieben – so leben wir von dieser Gewissheit. *gi*

? Haben Sie noch einen Glaubens-Notstand, was die Auferstehung Jesu betrifft?

! Alles Heil und unsere Zukunft sind allein in Jesus begründet!

Johannes 10,27-28

18. April 17

Dienstag

Dieses hast du getan, und ich schwieg;
du dachtest, ich sei ganz wie du.
Ich werde dich strafen und es dir vor Augen stellen.

Psalm 50,21

Spurensicherung

Desoxyribonukleinsäure, kurz DNS, englisch DNA, ist ein in allen Lebewesen vorkommendes Biomolekül und Träger der Erbinformationen, also der Gene. Die DNA-Analyse-Datei ist eine am 17. April 1998 zur Speicherung von DNA-Profilen eingerichtete Datenbank, die vom Bundeskriminalamt zentral betrieben wird. Als ich im September 2000 von der Schutz- zur Kriminalpolizei wechselte, befand sich dieses Projekt noch in den Kinderschuhen.

Von Anfang an beschäftigte ich mich mit dieser neuen Methode der Verbrechensbekämpfung. Gerichtsbeschlüsse, wonach in sogenannten retrograden Fällen (bei Tätern früherer Straftaten) eine Speichelprobe entnommen und das daraus gewonnene DNS-Material in die Datenbank eingestellt wurde, waren zu diesem Zeitpunkt an der Tagesordnung. In einem Fall sicherte ich bei einer Autoaufbruch-Serie eine fast nicht wahrzunehmende Blutspur. Das DNA-Profil wurde in der Datenbank recherchiert, ergab aber kein Ergebnis. 2 Jahre später wurde dem noch unbekannten Täter wegen eines anderen Deliktes eine Speichelprobe entnommen und das Profil in die Datenbank eingestellt. So konnte er nachträglich für die Autoaufbrüche verantwortlich gemacht werden.

Jeder Täter hinterlässt Spuren. Das ist auch bei unseren Sünden der Fall. Wenn wir mit den Folgen und der Nachweisbarkeit konfrontiert würden, wären wir überrascht und sicher auch betroffen. Gott entgeht nichts. Er konfrontiert uns schon jetzt mit unseren Sünden, damit wir sie vor ihm eingestehen und seine Vergebung in Anspruch nehmen. Wenn wir das versäumen, haben wir im letzten Gericht ein großes Problem. Da gibt es dann nämlich keinen Fürsprecher mehr, sondern nur noch einen Ankläger mit erdrückender Beweislast. Wollen wir es darauf ankommen lassen?

schn

Welche »Spuren« hinterlassen Sie?

Gottes Zuspruch will Ihr Freispruch sein!

Psalm 148,1-6

19. April 17

Mittwoch

Was sucht ihr den Lebendigen bei den Toten?
Lukas 24,5

Jesus lebt!

Sind Sie auf der Suche? Was suchen Sie? Gott? Es gibt viele Religionen, die ganz unterschiedliche Weltansschauungen beschreiben. Die von Menschen erdachten Wege zu Gott oder einem höheren Wesen sind in der Regel an Gebote, Rituale und Regeln geknüpft, die es gilt einzuhalten oder zu erfüllen – bis dahin, dass Menschen Opfer bringen müssen oder gar selbst geopfert werden. Der Kulturkreis, in dem Sie leben, beeinflusst Ihre Einstellung, und umgekehrt beeinflusst die vorherrschende Religion Tradition und Kultur einer Gesellschaft.

Wo also anfangen mit der Suche, wenn Sie den Weg finden wollen, der Sie wirklich zu Gott führt? Es ist eine Gemeinsamkeit aller Religionen zu beobachten: Der Mensch versucht, sich die Gunst einer göttlichen Macht mit seinen menschlichen Möglichkeiten und Vorstellungen zu erarbeiten. Dazu sind viele bereit, einiges auf sich zu nehmen, um Gott zu gefallen, ihn gnädig zu stimmen oder sich einen Platz im Himmel oder Paradies zu verdienen. Doch all diese Anstrengungen sind gerade so, als würde man einen Lebendigen in einer Grabstätte suchen.

Die Frauen, die am dritten Tag nach Jesu Kreuzigung zu seinem Grab gingen, um seinen Leichnam zu salben, durften als Erste erfahren, was es heißt, eine lebendige Hoffnung, einen lebendigen Glauben, einen lebendigen Herrn zu haben. Jesus war von den Toten auferstanden. Er lebt. Er hat keine Religion gestiftet, um uns dann alleinzulassen. Er ist für Sie und mich gestorben und auferstanden, um uns zu Gott zu führen. Ihm nachzufolgen, heißt nicht, eine Weltanschauung anzunehmen, sondern mit Christus zu leben. Er möchte, dass jeder zu ihm kommt. Dafür fordert er nicht, sich zuerst bessern oder gewisse Bedingungen zu erfüllen, denn er hat alles bereits für uns erfüllt. *dbe*

? Suchen Sie noch, oder leben Sie schon?

! Kommen Sie zu Jesus und setzen Sie Ihr Vertrauen auf ihn! Er hat uns Menschen mit Gott versöhnt.

2. Korinther 5,18-21

Donnerstag

20. April 17

Glückselig, die nach Gerechtigkeit hungern und dürsten; denn sie werden gesättigt werden.
Matthäus 5,6

Das den Menschen Unmögliche tut Gott

Einmal saßen ein paar kluge Leute beieinander und unterhielten sich darüber, dass wir Menschen am Grund eines Luftmeeres leben und dass auf jeden Quadratzentimeter unseres Körpers etwa ein Kilogramm Luft drückt. Das wären bei erwachsenen Leuten rund 15 000 kg – ungeheuerlich! Auf dem Tisch stand ein leeres Wasserglas und man stellte Überlegungen an, wie man die so schwere Luft daraus verdrängen könnte. Eigentlich müssten alle Versuche – auch die mit einer Vakuumpumpe – fehlschlagen, weil die allgegenwärtige Luft immer nachdrängen würde. Da füllte plötzlich einer das Glas randvoll mit Wasser. Das war die Lösung!

Beim Nachhausegehen dachte einer, der dabei gewesen war: Eigentlich ist es im geistigen Bereich ebenso. Wir bewegen uns in dieser Welt am Grund eines Meeres, das unsere Seele randvoll mit gewaltverherrlichenden, das Ich vergötternden und schmutzigen Bildern füllt, gegen die man sich einfach nicht wehren kann, weil sie übermächtig sind. Man müsste seine Seele stattdessen mit etwas füllen, was uns Anleitung und Kraft gibt, das Böse zu überwinden. Neulich hatte ihm jemand noch gesagt, er solle doch einmal die Bergpredigt lesen. Da würde er etwas von einem ganz anderen Geist erleben als den, den ihm die Welt ringsumher anbietet. Ob er das nicht auch einmal probieren sollte?

Die Bibel sagt allerdings, dass dieser andere, neue Geist erst dann unsere Seele füllen kann, wenn man zugibt, dass bisher sehr vieles darin war, was Gott niemals akzeptieren kann. Aber Gott ist gütig und lädt uns ein, ihm unser Unvermögen zu bekennen. Tun wir das, dann wird er uns nach und nach die Augen für seine große Menschenliebe öffnen und unsere Seele mit dem füllen, was ihm wohlgefällt. *gr*

? Warum sind die Leute nicht einfach gut, wenn sie doch sehen, wohin das Böse führt?

! Lesen Sie die Bergpredigt. Dann lernen Sie den kennen, der uns helfen kann!

Matthäus 5,1-26

21. April 17

Freitag

**Ich rufe zu Gott, dem Höchsten, zu dem Gott,
der alles für mich zu einem guten Ende bringt.
Er wird vom Himmel aus Hilfe schicken und mich retten.**

Psalm 57,3-4

Wer sieht meinen Hilferuf?

Ihrem ungewöhnlichen Hilferuf hatte eine 72-Jährige im April 2016 die Rettung aus höchster Not zu verdanken. Nachdem ihr auf einer einsamen Straße das Benzin ausgegangen war, entfernte sie sich zu Fuß so weit von ihrem Fahrzeug, dass sie nicht mehr zurückfand. Tagelang verbrachte sie in auswegloser Situation in der Wüste von Arizona, trank Wasser aus einem Teich und ernährte sich von Pflanzen. In der Hoffnung, dass jemand es von oben entdecken würde, legte sie in einer Schlucht den Schriftzug »Help« aus Steinen und Ästen. Diesen nach oben gerichteten Hilferuf sah eine Hubschrauberbesatzung und rettete die Dame am neunten Tag nach ihrem Verschwinden.

Aus Gottes Sicht befinden sich viele Menschen in einer ähnlichen Situation wie diese Rentnerin. Auf der Suche nach etwas, was sie im Leben voranbringt, haben sie sich von Gottes Wegen entfernt. Sie wollten die Richtung selbst bestimmen, anstatt nach Gottes Willen für ihr Leben zu fragen. Doch die anfangs so vielversprechend erscheinenden eigenen Wege führten in eine »Wüste« aus zerbrochenen Beziehungen, unbewältigter Schuld und Zukunftsängsten. Gibt es eine Rettung, wenn wir aus dieser Sackgasse nicht mehr herausfinden?

Ja, denn Gott achtet vom Himmel her auf unsere Hilferufe! Die Bibel beschreibt ihn als einen Hirten, der verirrte Schafe sucht. Darum sandte er Jesus als Retter vom Himmel auf die Erde. Er kam, um uns einen Ausweg aus unserer Verlorenheit zu geben. Wer seinen Hilferuf an Gott adressiert und sich ihm wieder zuwendet, erfährt: Gott reagiert auf Gebet! Er wartet darauf, dass Menschen sich an ihn wenden, damit er ihre Beziehungen heilen, ihre Schuld vergeben und ihr Leben verändern kann. *dr*

Wofür haben Sie zuletzt zu Gott, dem Höchsten, um Hilfe gebeten?

Gott handelt, wenn Menschen ihre Hilfe bei ihm suchen!

1. Mose 21,14-21

Samstag

22. April 17

Und er ging auf seinen Tagemärschen ...
bis zu der Stätte, wo im Anfang sein Zelt gewesen war. ...
Und Abram [Abraham] rief dort den Namen des HERRN an.
1. Mose 13,3-4

Achtung – Sackgasse!

Im Frühjahr war ich mit dem Fahrrad unterwegs. Gerne probiere ich dann mal neue Routen aus. So auch an diesem Tag. Nach dem Überqueren einer Brücke führte die Straße zu einem Bahnübergang. Auf der anderen Seite waren herrliche Wiesen und Felder zu sehen. Dort wollte ich entlangradeln. Doch zunächst war die Schranke heruntergelassen, und jemand sagte mir, dass der Weg über die Schranke in eine Sackgasse führte. Man musste aus dem Bereich hinter der Schranke wieder über die Schranke zurück. Ich war natürlich dankbar, dass ich auf die Sackgasse hingewiesen wurde und mir unnötige Kilometer erspart blieben; dann war ich aber auch ein bisschen enttäuscht, weil die Natur da drüben so verlockend schön war.

Wenn es doch im Leben an wichtigen Stellen auch immer einen Menschen geben würde, der einen vor einer »Sackgasse« warnt. Manchmal kommt uns der vor uns liegende Lebensabschnitt wie ein großer Gewinn vor. Aber irgendwann merken wir, dass wir uns scheußlich festgefahren haben.

Abraham hatte sich etwas von einem »Ausflug« nach Ägypten versprochen. Aber dort gab es für ihn bald nur Ärger und keine Zukunft. Es blieb ihm nichts anderes übrig, als dahin zurückzukehren, wo er falsch abgebogen war, um wieder neu anzufangen.

Wer sein Leben ohne Gott lebt, ist im Grunde in einer Sackgasse unterwegs. Mag es ihm auch eine Zeit lang gut gehen, eine wirkliche Zukunft bleibt ihm verbaut. Da hilft nur die Umkehr hin zu dem Punkt, wo man Gott aus dem Auge verloren hat. Dort muss man den Neuanfang mit Gott wagen. Abraham baute damals einen Altar und rief den Namen des Herrn an. Das war ein deutliches Zeichen dafür, dass er innerlich und äußerlich zu Gott umgekehrt war. *pj*

Sind Sie noch in der oben erwähnten »Sackgasse« unterwegs?

Sie können zu Gott umkehren und neu anfangen.

1. Mose 12,9–13,4

Welttag des Labors

23. April 17

Sonntag

**Der Lohn der Sünde ist der Tod,
die Gabe Gottes aber ewiges Leben
in Christus Jesus, unserem Herrn.**

Römer 6,23

Die Entdeckung des Penizillins

Die Entdeckung des Penizillins war eigentlich ein Zufall: 1928 experimentierte der Mikrobiologe Alexander Fleming mit bestimmten Krankheitserregern. Leider war eine seiner Bakterienkulturen von einem Schimmelpilz befallen. Er wollte die verunreinigte Probe schon entsorgen, als ihm auffiel, dass sich überall dort, wo der Pilz war, keine Bakterien mehr ansiedelten. Sofort machte Fleming weitere Versuche. Er fand heraus, dass der Pilz tatsächlich eine für Bakterien tödliche Substanz – er nannte sie Penizillin – absondert. Doch es gelang ihm nicht, diesen Stoff zu isolieren und zu einem Medikament zu machen. Er veröffentlichte seine Erkenntnis, aber niemand interessierte sich dafür. Die Wissenschaft fieberte gerade der Entwicklung von Sulfonamiden entgegen, also Substanzen, die Bakterien nicht töten, aber ihr Wachstum hemmen. Als 1935 in London vor der Royal Society davon berichtet wurde, saß auch Fleming mit im Saal. Er soll zu seinem Sitznachbarn gesagt haben: »Ich habe noch etwas viel Besseres entdeckt. Aber keiner will davon hören!« Doch zum Glück ging die Forschung weiter. 1939 gelang es endlich, das Penizillin zu isolieren. Seit 1941 wird es eingesetzt und hat seitdem unzähligen Menschen das Leben gerettet.

Die Bibel sagt, dass der Mensch ein Sünder ist und dass die Folge der Sünde der Tod, also die ewige Trennung von Gott, ist. Aber zum Glück gibt es ein Heilmittel! Jesus Christus hat am Kreuz die Schuld der Welt getragen, und sein stellvertretender Tod ermöglicht dem, der daran glaubt, ewiges Leben bei Gott. Doch so wie Alexander Flemings bahnbrechende Entdeckung zuerst nicht beachtet wurde, so gehen viele Menschen auch mit Jesus Christus um. Sie beachten ihn nicht und suchen stattdessen woanders nach Hilfe. Wie töricht! *sa*

? Wie denken Sie über Jesus Christus?

! Auch das beste Medikament nutzt nur dem, der es einnimmt.

Römer 3

24. April 17

Montag

Wo aber die Sünde zugenommen hat,
ist die Gnade überreich geworden.
Römer 5,20

Reicht das Heilmittel?

Er war der erste Mensch, an dem das gerade entdeckte Penizillin angewendet wurde: Der 43-jährige Polizist aus London hatte sich nach einer einfachen Schnittverletzung eine schwere bakterielle Infektion zugezogen. Er bekam hohes Fieber, und alle bisher bekannten Medikamente blieben wirkungslos. Der Mann schien dem Tod geweiht. Doch am 12. Februar 1941 wurde entschieden, ihn mit Penizillin zu behandeln. Das Mittel wirkte: Nach nur 5 Tagen war das Fieber verschwunden. Doch dann das Drama: Der Zustand des Mannes verschlechterte sich erneut. Offensichtlich wurde noch mehr Penizillin benötigt. Doch die Vorräte waren aufgebraucht, und es war eine sehr komplizierte und langwierige Arbeit, auch nur eine Tagesdosis davon im Labor herzustellen. So starb der Mann einen Monat später.

Es gibt Menschen, die davon überzeugt sind, dass Gott Schuld vergeben kann – aber ihre nicht. Sie glauben, so etwas Schlimmes getan zu haben, dass sie außerhalb der Reichweite von Gottes Gnade stehen. ›Gottes Vergebung reicht für die Größe meiner Schuld nicht aus‹, so denken sie verzweifelt. Unser Bibelvers aber sagt etwas anderes: Wie groß die Schuld auch ist, die Gnade ist noch größer. Wer sich in ehrlicher Reue und ungeheucheltem Glauben an Gott wendet, dem wird vergeben – egal, was er getan hat.

Der erkrankte Polizist starb trotz des Penizillins, weil es nicht genug davon gab, um ihn zu retten. Das Blut Jesu aber reicht zur Vergebung aller Sünden. Das hatte Paulus, von dem unser Tagesvers stammt, »am eigenen Leib« erfahren, ein Mann, der vor seiner Bekehrung die Christen grausam verfolgte und dadurch sehr viel Schuld auf sich lud. Wie gut, dass der Vorschuss an Gottes Gnade so groß ist, dass er niemals aufgebraucht werden kann! *eli*

? Was macht die Gnade Gottes unwirksam?

! Nur die Weigerung, sie in Anspruch zu nehmen.

Römer 5,1-2.12-21

Wie kostbar sind mir deine Gedanken, o Gott!
Psalm 139,17

Wie erstaunlich sind Gottes Werke!

Unsere Körper bestehen aus Billionen von Zellen, die zum größten Teil so klein sind, dass man sie mit dem Mikroskop kaum sehen kann. Und doch enthalten sie viele, noch viel kleinere Elektromotoren, die aus der Nahrung ganz kleine Kraftpakete machen, die von anderen Maschinen als Antrieb genutzt werden. Da gibt es Maschinen, die Texte abschreiben, und andere, die nach diesen Texten neue Bausteine des Lebens zusammensetzen, und vieles mehr. Und zwischen ihnen laufen Förderbänder, die »Halbfertigfabrikate« zur nächsten Bearbeitung transportieren. Weitere Maschinen sind für den Transport zu Nachbarzellen oder für die Entsorgung von »Restmüll« verantwortlich. Es geht da zu wie in großen chemischen Fabriken. Und wenn in diesen Zellen eine oder mehrere Maschinen ausfallen, dann haben sie sogar das Know-how, sie zu reparieren oder auszutauschen.

König David sagte schon vor 3000 Jahren: »Ich preise dich dafür, dass ich auf erstaunliche, ausgezeichnete Weise gemacht bin.« Wie sehr müssten wir Gott preisen, wo wir doch viel tiefere Einblicke in Gottes wunderbares Schöpfungswerk haben. Eigentlich dürften wir aus dem Staunen überhaupt nicht mehr herauskommen, seit es Elektronenmikroskope und die vielen tollen und raffinierten Versuchsanordnungen in den Labors gibt.

Leider führen die meisten Untersuchungen nicht zum Lob Gottes, sondern werden nur unternommen, um beweisen zu können, dass alles ohne den Schöpfer entstanden ist.

Eigentlich ist das doch eine Wissenschaft der Hoffnungslosigkeit, die den Himmel leer macht und das Erdenleid sinnlos bleiben lässt, obwohl es dafür keinen wirklichen Beweis gibt. Wir sollten uns davon nicht irremachen lassen. *gr*

? Wofür danken Sie Gott?

! Vertrauen auch Sie diesem überragenden Schöpfer!

Psalm 139

Es ist aber der Glaube eine feste Zuversicht auf das, was man hofft, eine Überzeugung von Tatsachen, die man nicht sieht … Durch Glauben verstehen wir, dass die Welten durch Gottes Wort bereitet worden sind … Hebräer 11,1-3

Ich glaube nur, was ich sehe

»Ich glaube nur, was ich sehe.« Kennen Sie diesen Ausspruch? Könnte er von Ihnen stammen? Ich habe diesen Satz schon sehr oft gehört. Ganz oft wird er im Zusammenhang mit Gott gebraucht. Dabei gibt es so viele Dinge in unserem Leben, an die wir glauben, obwohl sie für uns nicht sichtbar sind. Luft, Wind, Strom und sogar Liebe, alle diese Dinge sind für unsere Augen nicht sichtbar. Doch würde keiner in Frage stellen, dass es diese Dinge gibt, weil wir deren Auswirkungen erfahren können.

In seinem bekannten Abendlied »Der Mond ist aufgegangen« schreibt der Dichter Matthias Claudius: »Seht ihr den Mond dort stehen? / Er ist nur halb zu sehen, / und ist doch rund und schön! / So sind wohl manche Sachen, / die wir getrost belachen, / weil unsre Augen sie nicht sehn.« Viele stellen die Existenz eines unsichtbaren Gottes in Frage; dabei ist es Gott, der uns das Leben gab und erhält. Ohne ihn könnten wir nicht einen Atemzug machen. Ich glaube, dass Matthias Claudius hier etwas sehr Wahres beschrieben hat.

Gott ist für unsere Augen nicht sichtbar. Aber er ist trotzdem da. Der Tagesvers sagt, dass wir durch Glauben erkennen, dass Gott die Welt gemacht hat. Wir können die Auswirkungen von Gottes Handeln um uns herum sehen. Wir müssen nur die Augen aufmachen. Er ist ein genialer Schöpfer, der alles wunderbar durchdacht hat. Jede einzelne Zelle ist ein Wunderwerk seiner Schöpfung. Es wäre tragisch, wenn wir zu der Schlussfolgerung kämen, es gäbe keinen Gott, weil wir ihn mit unseren Augen nicht sehen können, denn es gilt auch folgender Satz, der nur ein paar Zeilen weiter in der Bibel zu finden ist: »Wer zu Gott kommt, muss glauben, dass er ist und dass er die belohnen wird, welche ihn suchen« (Hebräer 11,6).

za

? Was könnte Gott Ihrer Meinung nach noch mehr tun, um sich uns noch deutlicher zu erklären?

! Es könnte wohl kaum das übertreffen, was er bis jetzt schon von sich mitgeteilt hat.

Psalm 19

27. April 17

Weltgrafikertag **Donnerstag**

**Trachtet aber zuerst nach dem Reich Gottes
und nach seiner Gerechtigkeit!
Und dies alles wird euch hinzugefügt werden.**
Matthäus 6,33

Und ihr werdet stille sein!

Es ist am zweiten Tag meiner Aufnahmeprüfung zum Grafikstudium. Zu 30 Bewerbern sitzen wir über unseren Aufgaben. Nur sechs sollen für das neue Semester zugelassen werden. Deutsch, Mathematik, Kunstgeschichte, Konstruktions- und Freihandzeichnen sind bereits geschafft. Nun sollen wir in Literatur mündlich geprüft werden. Jeder wird einzeln vor die Prüfungskommission gerufen. Ich weiß: Das ist eindeutig mein Schwachpunkt. Ich habe bisher wenig Ahnung vor allem von moderner Literatur. Doch ich habe gebetet: »Herr, wenn es dein Wille ist, dass ich Grafikdesign studiere, so hilf du mir in der Prüfung, wenn nicht, so lass mich durchfallen!« Und doch bin ich sehr nervös und unsicher. Was soll ich antworten, wenn die Professoren mich darüber befragen werden?

Da ist es mir, als würde mir jemand zuflüstern: »Wenn du gefragt wirst, was du zuletzt gelesen hast, sag einfach die Wahrheit: die Bibel!« Verdutzt frage ich im Stillen meinen Herrn im Himmel: »Wirklich? Blamiere ich mich da nicht?« – »Probier's doch!«, scheint er mir zu antworten. Innerlich stimme ich zu und werde darüber unendlich ruhig. Ja, warum eigentlich nicht?! – Und seine Lösung sah dann so aus: Unter allen 30 Bewerbern war ich der einzige Kandidat, der in diesem Fach nicht geprüft wurde und trotzdem unter den sechs angenommenen Studierenden war!

Was soll ich sagen? Ich begreife es bis heute nicht. Was sich das Komitee dabei gedacht hat, habe ich nie herausgefunden. Aber für mich war es eine eindeutige Bestätigung meines Herrn, dass er wollte, dass ich diesen Beruf ausüben soll. Und ich bin von Herzen dankbar, dass er mich als Grafikdesigner über viele Jahre gebraucht hat, um das Evangelium auf vielfältige Weise unters Volk zu bringen. *pt*

Was steht für Sie an erster Stelle in Ihrem Leben?

»Der HERR wird für euch kämpfen, ihr aber werdet still sein« (2. Mose 14,14).

Matthäus 6,24-34

Freitag

28. April 17

Welttag für Sicherheit und Gesundheit am Arbeitsplatz

**Ihr Herren, lasst das Drohen, da ihr wisst,
dass euer Herr in den Himmeln ist
und dass es bei ihm kein Ansehen der Person gibt.**

Epheser 6,9

»Ich will Ergebnisse!«

Außendienstverkäufer werden in der Regel von einem großen Umsatzdruck beherrscht. Selbst in guten Verkaufszeiten kann die bisherige Zufriedenheit eines Chefs durch den Erfolg eines neuen Kollegen abrupt mit der Frage enden: »Wenn es möglich ist, fünf Maschinen pro Woche zu verkaufen, wie uns ja der Umsatz unseres neuen Kollegen nun beweist, warum bringen dann die anderen nur ein bis drei Verträge? Ich will Ergebnisse!« Hinter den Kulissen ist der Stress enorm: Es steigt die Angst, selbst abstürzen zu können, nicht gut genug zu sein, nicht die geforderten Erfolge zu bringen. Nachts hört man noch schweißgebadet die Stimme des Chefs in der letzten Vertriebssitzung: »Ich will Ergebnisse!«

Als die Manipulation der Abgaswerte in der Automobilindustrie bekannt wurde, herrschte Empörung. Man konnte daran aber auch sehen: Die Firmen hatten unter großem Druck gestanden. Besser sein, schneller sein, schadstoffärmer sein ... Vorgesetzte wollten nichts von Problemen hören, wollten sich nicht von moralischen Skrupeln aufhalten lassen, wollten nicht wissen, »wie die Sache nicht geht, sie wollten wissen, wie sie geht«! Sie wollten Ergebnisse! Der Druck wurde von oben nach unten weitergegeben.

Für Jesus Christus ist das Problem nicht neu: Weil er selbst als Mensch auf der Erde gelebt hat, kennt er auch den massiven Druck einer Leistungsgesellschaft. Deshalb fordert er dazu auf, sich an ihn um Hilfe zu wenden und von ihm zu lernen. Denn er kann wirklich helfen. Er hat selbst größtem Druck standgehalten und die Last der Sünde, die uns Menschen quälte, auf sich genommen. – Möglicherweise kann man seinem Chef alternative Lösungen vorschlagen. Oder man wird selbst als Chef seinen Mitarbeitern den Ansporn auf andere Weise geben. *sp*

Wie entscheide ich mich, wenn Druck auf mich ausgeübt wird, etwas Falsches zu tun? Übe ich selber Druck auf andere aus, der sie in schwierige Situationen bringt?

Beten Sie zu Gott um Hilfe! Er stärkt Glaubwürdigkeit und Zuverlässigkeit.

Daniel 6

Es stieg aber unter ihnen eine Überlegung auf, wer wohl der Größte unter ihnen sei.
Lukas 9,46

Wettlauf der Wolkenkratzer

In Manhattan lieferten sich die Wolkenkratzer einen Wettlauf. Das Chrysler Building war mit 319 m bei der Eröffnung das höchste Gebäude der Welt. Im Internetlexikon Wikipedia lesen wir: »Der Architekt William Van Alen hatte 1930 die 56 Meter hohe Spitze bis zum letzten Moment geheim gehalten, damit der Konkurrent, die Bank of Manhattan, deren Gebäude gerade 283 Meter Höhe erreicht hatte, nicht mehr reagieren konnte. Die einzelnen Bestandteile dieser Metallspitze waren im Heizungsschacht des Gebäudes zunächst gelagert und vormontiert worden. Dann wurden die riesigen Stahlplatten heimlich auf das 65. Geschoss gebracht, dort zusammengeschraubt und anschließend in einem Stück mit einem Drehkran auf das Gebäude aufgesetzt, das damit 319 m Höhe erreichte und die Konkurrenz deutlich übertrumpfte.« Aber dieser Höhenrekord hielt nicht lange. Nur ein Jahr später, 1931, wurde auch diesem Wolkenkratzer der Rang als höchstes Bauwerk der Welt abgelaufen. Das Empire State Building übertraf es mit 381 m. Kritiker sagten, dass der 61 m hohe Turm, der eigentlich als Anlegemast für Luftschiffe dienen sollte, nur aus Höhengründen gebaut wurde. Ein Luftschiff hat dort nie anlegt. Einige Jahre später, morgen vor 50 Jahren, hat sich der Moskauer Fernsehturm mit 540 m an die Spitze der höchsten Bauwerke gesetzt (s. a. den Kalenderbeitrag morgen).

Im obigen Tagesvers lesen wir, wie die Jünger sich miteinander verglichen und untereinander fragten: »Wer ist der Größte?« Der Herr Jesus forderte seine Nachfolger daraufhin auf: »Ihr aber nicht so! Sondern der Größte unter euch sei (...) euer Diener« (Lukas 22,26). In seinem Leben hatte Jesus es ihnen vorgemacht. Er erniedrigte sich selbst (vgl. Philipper 2,5-8), um uns zu Kindern Gottes, des Höchsten, zu machen. *tp*

Wo kann ich anderen Menschen dienen?

»Denn auch der Sohn des Menschen ist nicht gekommen, um bedient zu werden, sondern um zu dienen und sein Leben zu geben als Lösegeld für viele« (Markus 10,45).

1. Petrus 5,5-7

Und sie sprachen: Wohlan, wir wollen uns eine Stadt und einen Turm bauen, und seine Spitze bis an den Himmel! So wollen wir uns einen Namen machen.

1. Mose 11,4

Schneller, höher, weiter

Heute vor 50 Jahren, am 30. April 1967, wurde der Bau des Moskauer Fernsehturms im Stadtteil Ostankino vollendet. Mit 540 m war er damals das höchste Bauwerk der Welt und ist es immer noch bis heute – in Europa. Sicherlich waren es zum einen technische Gründe, einen so hohen Turm zu bauen. Seine Sendestrahlen sollten die Millionenstadt Moskau versorgen und möglichst weit ins Hinterland reichen. Aber die Frage »Wer hat den höchsten Turm?« spielte auch eine Rolle. Genauso wie im ehrgeizig betriebenen Leistungssport wollte der Kommunismus auch hier »die Nase vorn haben«. Zwölf Jahre später wurde der Moskauer Turm vom Fernsehturm in Toronto um 13 m übertroffen. Es gab dann Überlegungen, durch eine aufgesetzte Antenne den Rekord »zurückzuholen«, doch inzwischen wurde ein an Höhe scheinbar kaum zu übertreffender Turm in Dubai gebaut, der »Burj Khalifa« mit 828 m. Und schon jetzt sind noch höhere Gebäude in Planung, die sogar die 1-km-Grenze knacken sollen.

Wir Menschen vergleichen uns gerne miteinander, um uns zu übertrumpfen. So ist es kein Zufall, dass die Spitze des Felsendoms höher gebaut wurde als die der Grabeskirche in Jerusalem. Die Erbauer wollten damit aussagen, dass ihr Gott dem christlichen Gott überlegen sei. Wir hängen uns an äußere Signale und Statussymbole, um uns wichtig zu fühlen oder Komplexe zu kompensieren. Deshalb beteiligen wir uns am Wettlauf des Konsums, bei dem es auch darum geht, sich gegenseitig zu übertrumpfen. Doch was nützt es, seinen Wert, seine »Größe« durch etwas zu definieren, was schon so bald an Wert verliert oder übertroffen wird? Nur Gott kann uns einen Wert zuweisen, der ewig bleibt. Das tut er mit allen, die sich ihm zuwenden und sich zu ihm bekennen.

tp

Wo versuchen Sie, sich vor anderen zu beweisen?

Wirkliche Größe hat es nicht nötig, sich zu beweisen.

Jesaja 43,1-7

1. Mai 17

Maifeiertag **Montag**

Kommt, denn schon ist alles bereit.
Lukas 14,17

Bankett für Bettler

Es war schon alles für die Hochzeit vorbereitet: Das Bankett in einem Viersternehotel in Sacramento war gebucht, die Gäste eingeladen, 35 000 Dollar ausgegeben. Nur noch fünf Tage, dann sollte die große Party steigen. Doch dann bekam der Bräutigam kalte Füße – und sagte kurzerhand die Hochzeit ab.

Die Mutter der Braut konnte es nicht fassen. Aber ausfallen lassen wollte Kari Duane die bestellte Feier auch nicht. Für sie stand sofort fest: ›Daraus machen wir etwas Sinnvolles. Wir veranstalten trotzdem eine Gala.‹ Kurzerhand lud sie die eigentlichen Hochzeitsgäste aus und die Obdachlosen der Stadt zum Bankett in das Nobel-Hotel ein. »Wir machen gerade harte Zeiten durch. Das war wirklich ein Segen«, sagte später ein Mann, der mit seiner Frau und seinen fünf Kindern gekommen war, um das Bankett zu genießen.

Eine ganz ähnliche Wendung nimmt auch ein Bankett, das Gott seit Langem vorbereitet hat. Hier macht allerdings nicht der Bräutigam den Rückzieher, sondern die geladenen Gäste kommen nicht. Sie hatten angeblich Wichtigeres zu tun als Gottes Einladung zu folgen: Der Beruf, Beziehungen, dringende Termine ... Kurzerhand adressiert Gott – wie Kari Duane – seine Einladung um: »Geh hinaus auf die Wege und an die Zäune und nötige sie hereinzukommen, damit mein Haus voll werde; denn ich sage euch, dass nicht einer jener Männer, die geladen waren, mein Abendmahl schmecken wird!« (Lukas 14,21-24).

Weder die Taufe noch irgendeine fromme Tradition, weder der Empfang der Sakramente noch eine christliche Sozialisation reservieren uns einen Platz im Himmel: Jeder Einzelne muss die Sache mit Gott wichtiger nehmen als den Beruf, als Beziehungen und dringende Termine.

fe

? Was, um alles in der Welt, ist wichtiger als Gottes Einladung?

! Viele vermeintlich reservierte Plätze im Himmel werden von Gott neu besetzt – nicht von den Edlen, sondern von den Elenden!

Lukas 14,7-24

Alle eure Sorge werft auf ihn; denn er sorgt für euch!

1. Petrus 5,7

Sorglos werden!

Als ich neulich mit meiner kleinen Tochter spazieren ging, sah ich auf einem kleinen Grasflecken ganz nahe neben einer verkehrsreichen Straße zwei eben geschlüpfte Amselküken. Sie konnten noch nicht richtig fliegen, und wenn sie es versucht hätten, wären sie ganz sicher unter eins der Autos gekommen, die sehr schnell vorbeisausten und deren Fahrer ganz sicher kein Auge für die kleinen schwarzen Federbällchen hatten. Plötzlich erschien ihre Mutter. Sie hüpfte auf die Kleinen zu, und die rissen gleich ihre Schnäbel auf, als sie sie sahen. Dann aber war die Amselmutter auch schon wieder verschwunden, um neues Futter zu suchen, weil kleine Vogelkinder immer so schrecklich hungrig sind.

Die beiden Kleinen machten überhaupt keinen ängstlichen Eindruck, obwohl sie doch bei ihrer Hilflosigkeit von tausend Gefahren umgeben waren. Da musste ich an Jesus denken, der gesagt hat, dass Gott auch auf die Vögel acht hat, wie viel mehr dann aber auf uns! Die beiden Jungamseln brauchten sich also zurecht keine Sorgen zu machen. Es war ja einer da, der für sie sorgte.

Aber wie ist es mit uns Menschen? Wir können wissen, was im heutigen Tagesvers steht, nur fehlt den meisten Menschen der Glaube, dass die Bibel die Wahrheit sagt. Und mancher hat schon verzweifelt gefragt, wie man zu diesem Glauben kommen kann, wenn er denn auf Wahrheit beruht. Da gibt es in der Bibel ein schönes Wort des Herrn Jesus Christus. Er sagt, dass einer, der Gottes Willen tun will, erkennen wird, dass die Bibel die Wahrheit über Gott sagt. Das sollte jeder ehrliche Sucher doch einmal ganz konkret ausprobieren. Dann kann man ganz gelassen den Anforderungen des Tages entgegentreten. *sd*

? Wie gehen Sie mit Sorgen um?

! Christen haben einen, der für alles sorgt!

Lukas 12,22-31

3. Mai 17

Mittwoch

**Was wird es einem Menschen nützen,
wenn er die ganze Welt gewönne,
aber sein Leben einbüßte?**
Matthäus 16,26

Gewonnen und doch verloren!

Es ist der 3. Mai 2016. Halbfinale der Fußball-Champions-League. Zwei der besten Fußballmannschaften Europas stehen sich gegenüber. Das Spiel ist nervenaufreibend. Der FC Bayern hat seinen Gegner Atletico Madrid fest im Griff. An diesem Abend scheint den Münchenern alles zu gelingen. Sie schnüren ihren Gegner regelrecht ein, spielen über 70 Minuten Powerfußball und lassen dem Gegner kaum eine Chance. Es steht 1:0 für die Bayern. Nach einem Fehlpass kommen plötzlich die Madrilenen an den Ball und kontern eiskalt. Der Ausgleich! Die Münchener müssen nun weitere zwei Tore schießen, um nicht aus dem Wettbewerb zu fliegen. Schließlich gelingt Lewandowski die Führung zum 2:1. Doch das reicht nicht. Durch die Auswärtstorregelung führt trotzdem der Gegner, da die Tore beider Spiele zusammengerechnet werden. Ein weiteres Tor muss also her. Jetzt setzen die Spieler in Rot alles daran, ein weiteres Mal den Ball im Netz des Gegners zu versenken. Sie sind ganz nah dran. Doch dann der Schlusspfiff. Das Spiel ist aus. Die Münchener hatten gewonnen, und doch haben sie am Ende verloren.

Dieses Beispiel erinnert mich an den heutigen Bibelvers. Aus menschlicher Sicht kann man alles gewinnen. Wer möchte nicht Erfolg, Ruhm und Reichtum, eine Familie, eine gute Arbeitsstelle, gutes Auskommen? Doch Jesus fragt: Was nützt es, wenn man im Leben alles gewinnt und am Ende doch als Verlierer vom Platz geht, weil das Entscheidende fehlt? Unser Leben besteht aus mehr als aus Erfolg. Viel wichtiger ist die Frage, ob ich mit meinem Schöpfer versöhnt bin und Vergebung meiner Schuld habe. Habe ich Frieden mit Gott, dann habe ich das wirklich Wichtige gewonnen, nämlich die Rettung meiner Seele. *tl*

Worauf setzen Sie die Priorität in Ihrem Leben?

Fußball kann begeistern, aber auch vom eigentlich Wichtigen ablenken.

Prediger 12,1-8.13-14

Denn er bietet seine Engel für dich auf, dich zu bewahren auf allen deinen Wegen.

Psalm 91,11

Da kann man nur staunen über Gott

Der Bauernhof ist für die sechs Kinder des Ehepaares ein richtiges Paradies. Die dreijährige Esther liebt ihren Papa und den großen Traktor. Eines Morgens läuft die kleine Esther nach dem Frühstück auf den Hof, um bei ihrem Papa zu sein. Der Vater fährt gerade mit dem Frontlader rückwärts, ohne seine Tochter hinter dem Fahrzeug zu bemerken. Das große Rad erfasst Esther. Als sich der Frontlader plötzlich hebt, hält der Landwirt erschrocken den Trecker an und sieht nach, was passiert ist.

Zwischen Vorder- und Hinterrad liegt das überfahrene Kind. Zitternd trägt der Vater sein scheinbar lebloses Kind in die Küche des Bauernhauses, wo die Mutter wirtschaftet. Esther kommt in der Küche wieder zu Bewusstsein. Auf schnellstem Wege fahren die Eltern mit der Kleinen in die Klinik. Dort wird Esther intensiv untersucht. Nach Abschluss der Untersuchungen kommt der Arzt zu dem Ergebnis: »Dem Kind fehlt nichts; es ist ohne innere und äußere Verletzungen. Kann es sein, dass Sie das Kind gar nicht mit dem Traktor erfasst haben?«

Der Landwirt ist von dem, was er erlebt hat, völlig überzeugt und zeigt dem Arzt den Arm von Esther, auf dem noch deutlich die Spuren des Traktorreifens zu sehen sind. Verwundert wiederholt der untersuchende Arzt: »Ihrem Kind fehlt nichts, es ist völlig gesund!«

Mit Tränen in den Augen berichtete die Mutter von Esther auf einer Freizeit im Schwarzwald von diesem Erlebnis und davon, wie sie damals voller Staunen Gott gedankt haben, der seinen Engel gesandt hatte, den schweren Traktor hochzuheben, damit Esther unverletzt blieb. Esther ist gesund herangewachsen und lebt heute mit ihrer Familie in der Nähe von Bonn auf einem Bauernhof. *kr*

? Können wir noch über die Wunder staunen, die Gott wirkt?

! Ja, wir dürfen staunen über die Wunder, die Gott tut, einfach nur staunen!

Markus 5,21-43

Gott fragt: »Wo warst du, als ich die Erde gründete? Sage mir's, wenn du so klug bist!«
Hiob 38,4

Wer war dabei?

Es fasziniert mich immer wieder, dass Astronomen eine Sonnen- oder Mondfinsternis minutengenau vorausberechnen können. So, wie man aufgrund von bestehenden Naturgesetzen die Bahnen von Gestirnen vorausberechnen kann, geht das natürlich auch rückwärts in die Vergangenheit. Aus der sogenannten Rotverschiebung in den Spektrallinien bei weiter entfernten Objekten schloss man, dass diese Objekte sich alle von uns wegbewegen und infolgedessen früher einmal ganz dicht zusammen gewesen sein müssten. Auf dieser Grundlage entstand die Urknalltheorie, die im Lauf der Jahre immer mehr ausgebaut und verfeinert wurde. Je mehr man aber versucht, die Urknalltheorie zu untermauern, umso mehr unbekannte Faktoren tauchen auf. »Sollten die ursprünglichen Gravitationswellen als beobachtbare Spuren der bis dato noch hypothetischen Inflationsphase nicht gefunden werden, dann haben die Kosmologen ein ernsthaftes Problem.« Mit diesen Worten endete im »Kosmos Himmelsjahr 2016« ein Artikel mit dem Titel »Auf den Spuren des Urknalls«. Trotzdem wurden in diesem Artikel die ersten Sekunden und Minuten des Urknalls, der vor 13,7 Milliarden Jahren stattgefunden haben soll, so exakt beschrieben, als ob der Autor das Ganze live miterlebt hätte.

Der Tagesvers konfrontiert uns allerdings mit der unleugbaren Tatsache, dass niemand dabei gewesen ist und dass daher nur der Schöpfer selbst zuverlässiges Wissen darüber haben kann. Und in der Bibel teilt er uns klipp und klar mit: »Am Anfang schuf Gott Himmel und Erde« (1. Mose 1,1). Die Urknalltheorie aber entlarvt sich als Erklärungsversuch einer Schöpfung ohne Schöpfer. Dazu passt ein Zitat, das Napoleon Bonaparte zugeschrieben wird: »Der Mensch glaubt alles. Es darf nur nicht in der Bibel stehen.« *sg*

Warum nur wollen die Menschen unbedingt beweisen, dass die Schöpfung keinen Schöpfer braucht?

Wir sollten als begrenzte Menschen nicht so sehr auf unsere Klugheit pochen.

Hebräer 11,1-12

6. Mai 17

Samstag

Siehe, ich stehe an der Tür und klopfe an.

Offenbarung 3,20

Vereinswechsel

Zum Ende einer Fußballsaison beginnt sich schon wieder das Spielerkarussell zu drehen. Die eine oder andere Nachricht von einem anstehenden Vereinswechsel macht zunächst als Gerücht die Runde, je nach Spieler schlagen dann die Wellen der Emotionen hoch, bis der Wechsel bestätigt ist und die betroffenen Fans sich mit dem Unabänderlichen arrangieren müssen. Im Falle von Mats Hummels von Borussia Dortmund war das in der vergangenen Saison für viele nicht leicht zu verdauen. Angeblich habe er bei den Bayern »angeklopft«, um seine Bereitschaft zum Wechseln zu signalisieren.

Wie auch immer die Zusammenhänge waren, mich hat das »Anklopfen« an den heutigen Tagesvers erinnert. Da sagt Jesus Christus: »Siehe, ich stehe an der Tür und klopfe an.« Auch wir wären schlecht beraten, wenn wir ihm nicht öffnen würden! Allerdings will nicht Jesus »den Verein wechseln«, sondern er lädt uns ein, dies zu tun. Er möchte uns in seiner Mannschaft, in seinem Reich haben. Dafür hat er schon vor über 2000 Jahren die Initiative ergriffen, indem er am Kreuz für Ihre und meine Sünden sein Leben gegeben hat. Das war die größte »Ablösesumme«, die jemals bezahlt wurde. Sind wir denn so besondere Leute, dass Jesus bereit war, so einen hohen Preis für uns zu zahlen? Jeder, der einen ehrlichen Blick in sein eigenes Herz tut, weiß, dass das nicht der Fall ist. Wie erstaunlich, dass Jesus Christus nicht die »Top-Spieler« will, sondern die, die sich ihrer eigenen Sünden und Schwächen bewusst sind. Und aus diesen Menschen formt er dann ein neues Team – seine weltweite Gemeinde.

Es liegt an jedem Einzelnen, ob er auf Jesu Klopfen hört, seine Herzenstür öffnet und »den Verein wechselt« – oder nicht. *weu*

Was hält Sie noch in dem alten Verein?

Nehmen Sie guten Rat an: Öffnen Sie Jesus Ihr Herz und wechseln Sie noch heute!

Matthäus 9,9-13

**Daher, wenn jemand in Christus ist,
so ist er eine neue Schöpfung;
das Alte ist vergangen, siehe, Neues ist geworden.**
2. Korinther 5,17

Vorzeichenwechsel

Uns geht es sehr wahrscheinlich wie vielen Eltern: Stück für Stück arbeitet man die Schullaufbahn der Kinder mit durch. So z. B. in Mathe. Zuletzt besprach ich mit unserem Sohn die Multiplikation mit positiven und negativen Zahlen. Natürlich prägte ich ihm ein, stets auf die Vorzeichen zu achten, denn diese sind für das Ergebnis entscheidend. Beim Üben stellten wir fest: Ich kann eine noch so große positive Zahl nehmen; wenn ich sie mit einer negativen Zahl – und sei sie noch so klein – multipliziere, wird auch die allergrößte Zahl im Ergebnis negativ!

Für mich illustriert dieses mathematische Faktum gut das biblische Urteil über unser menschliches Lebenswerk. Tatsächlich können Menschen unglaublich viel erreichen, Beeindruckendes leisten und Großartiges bewegen, sei es in sozialen, intellektuellen oder kulturellen Belangen. Die positive »Zahl« menschlicher Verdienste kann also – um im Bild zu bleiben – immens groß sein. Allerdings ist zu beachten, dass dieser positive Wert nach göttlicher Arithmetik unauflöslich in Verbindung steht mit dem Wert des menschlichen Herzens. Doch das menschliche Herz ist von seiner moralischen Struktur her nach Gottes Beurteilung »böse von seiner Jugend an«. Es hat sozusagen ein negatives Vorzeichen. Multipliziere ich ein noch so beeindruckendes Lebenswerk hiermit, so bleibt die Bilanz daher dennoch zwangsläufig negativ.

Möchte man aus Gottes Sicht ein positives Gesamtergebnis des Lebens, müssen alle beteiligten Faktoren positiv sein, also auch das Herz. Hier muss es zu einem Vorzeichenwechsel kommen. Doch wie geschieht das? Es gibt nur einen Weg: Wir müssen eine neue, positive Version unseres Herzens erhalten. Doch das kann nur Gott schenken.

mm

? Haben Sie Ihr Leben schon mal »durchgerechnet«?

! Nur durch Christus kann etwas Positives dabei herauskommen. Er ist das göttliche »Plus«, das wir unbedingt brauchen.

Titus 3,3-7

8. Mai 17

Montag

Heuchler, zieh zuerst den Balken aus deinem Auge heraus, und dann wirst du klar sehen, um den Splitter aus dem Auge deines Bruders herauszuziehen.

Matthäus 7,5

»Schämt euch, ihr Gaffer vom Hauptbahnhof!«

Mit drastischen Worten machte im letzten Jahr die Polizei Hagen mit einem Facebook-Post auf ein Unding aufmerksam: Nachdem ein 10-jähriges Mädchen von einem Auto angefahren und dabei schwer verletzt wurde, hatten »mehrere hundert« Schaulustige nichts Besseres im Sinn, als das verletzte Mädchen und die Landung des Hubschraubers mit ihren Smartphones zu filmen. Dabei behinderten sie sogar die Rettungskräfte. Polizisten mussten zum Schutz vor Blicken und Kameras eine Absperrung errichten und wurden gefragt, ob sie nicht mal an die Seite gehen könnten, damit man besser filmen kann. Als ich diese Nachricht las, platzte mir fast der Kragen. So eine Unverschämtheit! Fast 10 000 andere Leser kommentierten das Posting mit ähnlich entrüsteten Äußerungen. »Wie kann man nur …?«

Ein paar Tage später fuhr ich auf der A57 an einem schweren Autounfall vorbei. Und was passierte? Ich konnte nicht anders, als im langsamen Vorbeifahren »mal eben« einen Blick auf die Unfallstelle zu werfen. Peinlich! Gerade noch mit Kopfschütteln auf die Gaffer vom Hauptbahnhof reagiert und dann selber auch nicht viel besser gehandelt.

Vielleicht geht es Ihnen ähnlich wie mir, dass wir schnell dabei sind, Fehler im Verhalten anderer zu sehen und zu verurteilen. Bei uns selbst sind wir da etwas nachsichtiger, oder? Jesus gibt uns im heutigen Bibeltext den guten Rat, zuerst vor der eigenen Haustür zu kehren, bevor wir den Nachbarn auf seinen Dreck aufmerksam machen. Dies hilft uns nicht nur im Alltag, sondern hat auch ewige Konsequenzen: Das Erkennen des eigenen Versagens, die »Sündenerkenntnis«, ist ein unverzichtbarer Bestandteil des Weges zum Himmelreich. *tcb*

Welchen Maßstab legen Sie an Fehler anderer Menschen und an sich selbst an?

Bleiben Sie fair in Ihrer Beurteilung!

1. Korinther 9,19-27

**Nehmt auf euch mein Joch und lernt von mir;
denn ich bin sanftmütig und von Herzen demütig.**
Matthäus 11,29

Was zählt wirklich?

Oft habe ich in letzter Zeit Gelegenheit zu verfolgen, wie es dem Sohn unserer Nachbarn mit seinen Hausaufgaben geht. Dabei kamen mir so manche Gedanken über unsere Wohlstandsgesellschaft, in der es ja leider häufig so ist, dass die Schule mitsamt den Hausaufgaben die ersten wirklichen Anforderungen an die jungen Menschen stellt. Die Sache wird oft noch komplizierter, indem die Eltern sich in ihren Kindern verwirklichen möchten und von ihnen mehr erwarten, als vernünftigerweise aus ihnen herauszuholen ist. Für sie bildet dann die Schule nichts anderes als die ersten Stufen zur künftigen Karriereleiter. Das kann unter Umständen alle anderen Ziele für ein erfülltes Menschsein verdecken oder gar abwürgen und Eltern und Kinder tief unglücklich machen.

In unserem Tagesvers werden wir alle aufgefordert, in die Schule Jesu Christi zu gehen, um von ihm zu lernen. Das ist nicht als Ersatz für die irdische Schule gedacht, sondern soll uns helfen, in allen Lebenslagen, also auch in der Schule, sanftmütig zu sein. Dabei lernen wir, uns den Aufgaben, die von uns verlangt werden, ohne Aggression und Widerborstigkeit zu stellen, solange sie nicht Gottes Geboten entgegenstehen. Und wenn wir demütig bleiben, können wir auch mit unangenehmen Situationen und Menschen so umgehen, wie Gott es haben will. Wahrscheinlich werden wir diesen Unterricht niemals abschließen. Wir bleiben Schüler.

Vor allem aber lernen wir in der Schule Christi, wie man einen Weg zu Gottes Ehre geht, der schließlich im Himmel enden wird. Und da anzukommen, ist das höchste, ja, das eigentliche Ziel, zu dem Gott, der Schöpfer, uns berufen hat. *frm*

Wie ergeht es Ihnen in der Schule Gottes?

Wer aufhört, besser zu werden, hat aufgehört, gut zu sein!

Philipper 2,6-12

**Jesus spricht … Wer mich gesehen hat,
der hat den Vater gesehen.**

Johannes 14,9

Der unsichtbare Gott

Endlich ist es Mittwochabend. Die Vorfreude auf diesen Abend war wieder groß. Seit Anfang Mai 2015 treffen wir uns jeden Mittwoch mit einigen Interessierten zum Bibellesen. Unser Ziel ist es, an 15 Abenden einen guten Überblick über die Bibel zu bekommen. An einem Abend hatten wir das Thema »Im Anfang schuf Gott«. Es ist sehr aufschlussreich zu sehen, dass die Bibel mit diesen Worten beginnt. Es gibt weder eine Einleitung über Gott noch eine Erklärung, wer Gott ist. Seine Existenz wird einfach als Tatsache vorausgesetzt und damit auch gesagt, dass ER vor allem anderen schon da war.

Um ein klareres Bild davon zu bekommen, wer Gott ist, untersuchten wir einige Namen Gottes, die in der Bibel vorkommen. So stellt Gott sich dem Mose als »ICH BIN, DER ICH BIN« vor. An anderen Stellen in der Bibel wird Gott HERR oder der HÖCHSTE genannt. Wir diskutierten über diese Namen Gottes und hielten Folgendes fest: Gott benötigt nichts, um zu existieren – er ist ohne Anfang und ohne Ende. Gott steht über allem – er ist der HERR der Herren. Gott ist der Höchste im Universum – er ist der König über alles.

Doch dann behandelten wir noch eine andere Eigenschaft Gottes: Gott ist Geist (Johannes 4,24) und somit für uns nicht sichtbar. Diese Information machte einem der Teilnehmer schwer zu schaffen. Stirnrunzelnd fragte er: »Wenn die Bibel uns Gott als so groß und mächtig beschreibt und wir Menschen so viel Mühe haben, an ihn zu glauben, weil wir Gott nicht sehen können, hätte Gott nicht einfach auf die Erde kommen können, damit alle ihn sehen?« – Genau dies hat Gott getan! Dies ist die zentrale Botschaft der Bibel: Der unsichtbare, unnahbare Gott wurde sichtbar in Jesus Christus, seinem Sohn, und somit für uns Menschen erkennbar.

ty

Ist Ihnen bewusst, dass Gott in Jesus auch Ihnen entgegenkommt und sich sichtbar macht?

Wer an Gott interessiert ist, muss sich mit Jesus Christus beschäftigen.

Johannes 1,1-18

**Und Gott sprach:
Lasst uns Menschen machen in unserem Bild,
nach unserem Gleichnis.**

1. Mose 1,26

Die größte Ehre – die größte Gefahr

Während ich meinen Kindern die Geschichte vom ersten Sündenfall im Paradies erzählte, fragte mein fünfjähriger Sohn: »Warum hat Gott die Schlange ins Paradies gelassen?« Diese Frage hat Unzählige beschäftigt, und viele sind in schweren Zweifeln an Gottes Allmacht, Liebe und Gerechtigkeit stecken geblieben. Konnte Gott das nicht ganz einfach verhindert haben? Dann hätten wir noch heute paradiesische Verhältnisse.

Aber die Menschen sind die einzigen sichtbaren Wesen, mit denen Gott Gemeinschaft haben wollte. Dafür hat er sie mit vielen großen Vorrechten ausgestattet. Sie können zum Beispiel die Größe Gottes bewundern und ihm dankbar sein. Außerdem gab er ihnen ewige Existenz und darüber hinaus das Recht, »Ja« und »Nein« zu seinem großartigen Freundschaftsangebot sagen zu können. Gott selbst verzichtete auf die Macht, uns Menschen zum Gehorsam zu zwingen. Das war eigentlich die höchste Ehre, die er zu vergeben hatte. Wir sind also völlig frei, uns für oder gegen ihn zu entscheiden, und Gott akzeptiert das. Nun musste es natürlich auch beide Wahlmöglichkeiten geben, und Adam und Eva entschieden sich leider sofort dafür, der Schlange zu folgen, die ihnen vorlog, sie würden durch Ungehorsam so mächtig wie Gott. Seitdem herrscht das Böse auf Erden.

Aber auch heute noch haben wir das Recht, »Ja« oder »Nein« zu Gottes Versöhnungsangebot zu sagen, wenn wir auch seit Adam nicht mehr entscheiden können, ob wir gut oder böse sein wollen. Wenn wir aber zugeben, dass unser Verhalten Gott nicht gefallen kann, vergibt er uns alle Sünden und nimmt uns in Gnaden als seine geliebten Kinder an. Dafür ist sein Sohn am Kreuz gestorben. *gr*

? Wie entscheiden Sie sich?

! So viel Herablassung Gottes sollte niemand törichterweise übergehen!

Jeremia 31,1-14

Freitag **12. Mai 17** **Welttag der seltenen Erkrankungen**

Wenn du in Not bist, rufe mich an!
Dann will ich dich retten –
und du wirst mich ehren!
Psalm 50,15

»Da hilft nur noch Beten!«

Der Gesichtsausdruck des Professors lässt nichts Gutes erahnen. »Die Krankheit ist uns aus den Händen geglitten. Wir haben alles medizinisch Mögliche unternommen. Alle Medikamente haben das Krankheitsgeschehen nicht positiv beeinflusst. Wir können nichts mehr für den Patienten tun und müssen mit dem Schlimmsten rechnen. Da hilft jetzt nur noch Beten!« Mit diesen Worten verabschiedet sich der behandelnde Arzt und verlässt das Krankenzimmer.

Was war geschehen? Als Personenschützer hochrangiger Politiker führten ihn die letzten Dienstreisen nach Ägypten und anschließend nach Frankreich. Während des Aufenthaltes in Frankreich stellte sich hohes Fieber ein, sodass der Dienstauftrag abrupt beendet werden musste. Zurück in Deutschland begann die Krankenhausbehandlung und die Suche nach der Ursache des hohen Fiebers. Die Ärzte vermuteten einen Virus, den sich der Patient möglicherweise im Ausland eingefangen hatte. Es gelang nicht, den Virus zu bestimmen und durch Medikamente unschädlich zu machen.

Die Angehörigen des Patienten haben als Christen auch ohne den Hinweis des Arztes gebetet. Und auch die christliche Gemeinde, zu der der Kranke gehörte, wurde über diesen schlimmen Verlauf der Krankheit informiert. Am Abend hatte sich die Gemeinde zu einem Vortrag getroffen. Die Nachricht von der Schwere der Erkrankung war nun Anlass, die ganze Nacht hindurch Jesus, den Sohn Gottes, um sein barmherziges Eingreifen zu bitten. Das Wunder geschah. Ganz allmählich verbesserte sich der Zustand des Kranken bis hin zur völligen Genesung.

Das Ereignis liegt nun schon 30 Jahre zurück. Der Geheilte hat bis heute an seinem Lebensziel, Jesus Christus durch sein Leben zu ehren, festgehalten. *kr*

Was würden Sie aus Dankbarkeit tun, wenn Sie vor dem scheinbar unausweichlichen Tod gerettet würden?

Das Maß der Dankbarkeit sollte dem entsprechen, was Jesus für unsere ewige Errettung getan hat.

Lukas 17,11-19

Hiskia wurde König, als er 25 Jahre alt war und er regierte 29 Jahre in Jerusalem und der Name seiner Mutter war Abija, die Tochter Secharijas.

2. Chronik 29,1

Der Einfluss einer Mutter

Wenn man in den Könige-Büchern der Bibel liest, fällt auf, dass bei der Einführung fast jeden neuen Königs sein Alter bei Regierungsantritt, die Regierungsdauer und der Name der Königsmutter erwähnt wird. Manchmal wird auch der Name der Großmutter genannt. Warum ist das so? Fest steht, dass eine Mutter einen großen Einfluss auf die charakterliche Entwicklung ihres Kindes hat. Ich denke oft an meine Mutter und an deren Mutter zurück und bin dankbar für das Vorbild dieser beiden Frauen.

Meine Oma hat während der Kriegszeit viel durchgemacht. Zuerst wurde ihr Mann, ein sehr geehrter Lehrer im Dorf, eines Nachts im Jahr 1937 plötzlich abgeführt. Darauf folgten Zwangsenteignung und die Verjagung aus der Ukraine. Aller Wohlstand, den ihre Vorfahren durch unermüdlichen Fleiß in 200 Jahren erwirtschaftet hatten, wurde von einem Tag auf den anderen weggenommen. Doch meine Oma verbitterte nicht, auch wenn ihr Leben sehr schwer war: Flucht, häufige Ortswechsel, Verfolgung, Kälte, Einsamkeit, Krankheit und vieles andere mehr. In allem aber blieb sie eine stille gläubige Frau, die ihr Vertrauen auf Gott nie verlor.

Meine Mutter hat ebenfalls durch ihren großen Fleiß, ihr Vorbild und vor allem durch ihre Gebete alle ihre Kinder zu einem anständigen und gottesfürchtigen Leben erzogen. Während des Kommunismus, als die Christen unterdrückt und verfolgt wurden, hat sie trotz drohender Strafen Bibelstunden in unserem Haus erlaubt. Sie hielt mutig an ihrem Glauben fest und hatte damit einen unauslöschlichen Einfluss auf mich und meine neun Geschwister. Vor 10 Jahren ist sie zu ihrem himmlischen Vater gegangen. Doch noch immer spüren wir ihre positive Prägung – bis zu den Enkeln und Urenkeln. *sa*

? Wie werden sich nachfolgende Generationen an Sie erinnern?

! Mütter prägen die Menschen von morgen.

2. Timotheus 1,3-14

**Und rufe mich an am Tag der Not,
so will ich dich erretten, und du sollst mich ehren!**
Psalm 50,15

Ganz automatisch …

Es ist 4.30 Uhr. Vor einer halben Stunde beendete ein ziemlich heftiges Gewitter meine Nachtruhe. Nun ja, eigentlich war es nicht das Gewitter. Mittlerweile ist es weitergezogen, und ich könnte bereits wieder tief schlafen. Aber als gegen 4.00 Uhr ein besonders heftiger Donner im wahrsten Sinne des Wortes unser Haus erschütterte, hörte ich sechs kleine Füße über den Flur trippeln. Diese Füße gehörten drei kleinen Mädchen, die, vom Krach des Donners geweckt, Zuflucht in unserem Bett suchten. Da liegen sie nun und schlafen, von meinem Mann und mir getröstet, selig weiter. Und so sitze ich im Wohnzimmer und beschließe, die unverhoffte Ruhe zu genießen, die uns Müttern nur zu selten beschert ist.

Dass ich dieses Erlebnis aufschreibe, hat einen Grund: Mir wird auf einmal deutlich, dass unsere Kinder ganz automatisch den Weg zu uns Eltern suchen, wenn sie Sorgen haben. Das tun sie sowohl am Tag als auch in der Nacht. Sobald sie bei uns sind, fühlen sie sich geborgen. Aber bei wem können wir Erwachsenen unsere Sorgen abladen? Seit ich mit Gott lebe, habe ich auf diese Frage eine Antwort: Ich gehe zu meinem himmlischen Vater. Sobald mich Sorgen, und seien sie noch so klein, überkommen, bete ich. Denn ich weiß: Bei Gott gibt es Geborgenheit und Hilfe in der Not. Das tue ich mittlerweile ganz automatisch. Und wenn ich bete, erfahre ich die gleiche Geborgenheit wie ein Kind, das zu seinen Eltern läuft.

Und so bin ich nach dieser Nacht nicht böse wegen des fehlenden Schlafs, sondern froh, dass uns nichts passiert ist und wir endlich wieder Regen bekommen haben. Und vor allem bin ich dankbar dafür, dass Gott immer und überall erreichbar ist, wenn ich mich in der Not an ihn wende.

apa

?
Wohin zieht es Sie in der Not?

!
»Mach aus Sorgen ein Gebet«, sagt ein altes Sprichwort.

Jesaja 38

15. Mai 17

Montag

Denn ich, der Herr, dein Gott,
ergreife deine rechte Hand und sage dir:
Fürchte dich nicht; ich helfe dir!
Jesaja 41,13

David gegen Goliath

Vor genau einem Jahr vollbrachte der englische Fußballklub Leicester City etwas, was man gemeinhin nur als Fußballwunder bezeichnen kann. Der Verein gewann die englische Premier League, die prominenteste und reichste Liga der Welt. Diese Liga wurde über Jahre von Mannschaften dominiert, die durch reiche Investoren aus dem Ausland mit Millionen und Abermillionen versorgt wurden und außerdem den Löwenanteil der Fernsehgelder ausgeschüttet bekamen. Und auf einmal kommt da ein Klub um die Ecke, der in der Vorsaison nur haarscharf dem Abstieg entgangen war und stellt mit Herz, Leidenschaft und Kampfgeist die Verhältnisse auf den Kopf. Mit dem kleinsten Etat und der ältesten Truppe der ganzen Liga. Ich liebe solche Underdog-Geschichten!

Die Wettquote für eine Meisterschaft von Leicester stand übrigens vor der Saison bei 5000:1. Eine ähnliche Quote dürfte David gehabt haben, als er gegen Goliath antrat. Nur mit einer Steinschleuder bewaffnet, ohne Rüstung, stellte er sich dem Elitekämpfer Goliath gegenüber, der ihm in jeglicher Hinsicht überlegen war. Aber David hatte jemanden auf seiner Seite, mit dem Goliath nicht gerechnet hatte: den »HERRN der Heerscharen«, eine Bezeichnung für Gott. Und mit dessen Hilfe fasste er Mut und fällte den Riesen mit einem Stein aus seiner Schleuder.

Auch wir haben in unserem Leben manchmal mit großen Problemen zu kämpfen, mit wahren Riesen, die wie Berge vor uns stehen. Doch der, der Gott kennt, ihm vertraut und ihn ernst nimmt, findet in ihm eine verlässliche Kraftquelle, mit der man die Schwierigkeiten des Lebens meistern kann. Dies haben Christen seit Jahrhunderten, auch in Verfolgung und Not, immer wieder erfahren. Und im Nachhinein erschien es ihnen vermutlich auch wie ein großes Wunder. *tcb*

? Kennen Sie Gott als den Helfer in Not?

! Er hört auch heute noch auf jeden Hilfeschrei!

Psalm 71

16. Mai 17

Dienstag

Sagt in allem Dank,
denn dies ist der Wille Gottes in Christus Jesus für euch.

1. Thessalonicher 5,18

Dankbarkeit

Kommt es Ihnen auch so vor, dass heutzutage immer weniger Menschen »Danke« sagen? Man lässt an der Supermarktkasse einem anderen den Vortritt und hört vielleicht ein leise gemurmeltes Wort, erkennt eine Geste, aber selten ein herzliches und klares »Danke«. Das liegt oft daran, dass man die Unterstützung anderer als selbstverständlich ansieht oder meint, dass man moralisch Anspruch auf Hilfe hat. Um bei unserem Beispiel zu bleiben: Für den Betroffenen ist es völlig korrekt, dass man ihn an der Kasse vorlässt, weil er ja nur zwei Artikel hat. Es wäre sogar unverschämt, wenn man ihn nicht vorlassen würde.

Das Wort »Danke« lässt sich sprachlich auf das althochdeutsche »dancon« zurückführen und gehört zum Wortstamm von »denken«. Zunächst war die Bedeutung »Gedanke, Wille, Absicht«, und heutzutage spricht man von einer »dankbaren Gesinnung« und »Erkenntlichkeit«. Man könnte also sagen: Wer »denken« kann, der sollte auch »dankbar« sein. Der deutsche Theologe Hermann von Bezzel (1861–1917) hat einmal gesagt: »Die größte Kraft im Leben ist der Dank. Wir können dankbar sein dafür, dass Gott seinen Sohn für uns auf die Erde gesandt hat. Dankbar können wir dem Sohn sein, dass er für uns gelitten hat und gestorben ist.«

Die Bibel spricht sehr häufig über Dankbarkeit. Es lohnt sich, diesbezüglich einmal genau zu forschen. Wenn es nach der Bibel geht, hätten wir keinen Grund mehr zum Klagen, sondern nur noch zum Danken. Beharrliches Danken ist für Gott ein Wohlgefallen, es sollte unser Leben prägen. Damit ehren wir nicht nur Gott, sondern tun uns auch selbst den größten Gefallen. – Wenn wir im alltäglichen Miteinander das Danken gutheißen, wie viel mehr gegenüber Gott, dem wir so viel verdanken!?

schn

Mal ehrlich, wie oft klagen Sie, und wie oft danken Sie für alltägliche Dinge?

Lassen Sie sich bewusst aufs Danken ein.

Philipper 4,4-9

17. Mai 17

Mittwoch

**Himmel und Erde werden vergehen,
aber meine Worte werden nicht vergehen.**
Matthäus 24,35

Das Netz

Kennen Sie »das Netz«? Das Netz kann lachen, lästern, sich empören, es spottet, begeistert sich, explodiert und reagiert. Ein paar Kostproben gefällig? »Chauvinistische Waschanleitung empört das Netz!«, »RTL-Show gestartet – Das Netz lacht über die Bachelorette«, »So gemein spottet das Netz über Reals Blamage«.

Täglich darf man lesen, was »das Netz« alles so denkt, worüber es lacht oder sich aufregt. Doch wer ist dieses Netz eigentlich? Kreative Köpfe, deren Tweets oder Kommentare in Windeseile geteilt und »gelikt« werden, sodass eine Meinung entsteht? Angesagte Blogger? Promis mit Tausenden von Followern? Zumindest ist das Netz sehr leicht in Rage versetzt und lässt seiner Empörung freien Lauf. Der Ursprung mancher Aussagen ist oft gar nicht mehr aufzufinden. Ausgerechnet ein Mitglied der Satirepartei »Die Partei« schrieb dazu treffend: »Auf die Macht des Netzes ist Verlass. Egal, was behauptet wird, es findet sich immer ein Abnehmer, der ohne nachzudenken jede beliebige Nachricht weiterverbreitet.« Schon 2010 prophezeite der Psychologe Peter Kruse zur Entwicklung der Netzgemeinde: »Hohe Vernetzungsdichte, hohe Spontanaktivität und kreisende Erregung haben die Tendenz zur Selbstaufschaukelung. Diese Systeme werden plötzlich mächtig und unkontrollierbar.«

Macht Sie das genauso nachdenklich wie mich? Keiner von uns kann diese Entwicklung aufhalten, aber jeder kann sich damit arrangieren. Sie haben die Wahl, was Sie lesen, was Sie teilen und kommentieren. Im Gegensatz zu unserer nervösen Internetkultur steht Gottes Wort, die Bibel. Seit Jahrtausenden mit den immer noch richtigen Antworten auf unsere Fragen und messerscharfen Analysen des menschlichen Charakters. *tcb*

Wer oder was prägt Ihre Meinung?

Die Bibel hat trotz ihres Alters nichts an Aktualität eingebüßt!

Matthäus 16,13-20

HERR, du hast mich erforscht und erkannt. Du kennst mein Sitzen und mein Aufstehen, du verstehst mein Trachten von fern. Mein Wandeln und mein Liegen – du prüfst es. Mit allen meinen Wegen bist du vertraut. Psalm 139,1-3

Spy-Abkommen

Wenn man anfangen wollte, die Vorteile der Digitalisierung in unserer modernen Welt aufzuzählen, dann wäre man sicherlich so einige Zeit beschäftigt. Automatisierung, Kostenreduktion, Bequemlichkeit usw., die Liste würde wohl wirklich sehr lang!

Doch in der jüngeren Vergangenheit wurden – ausgelöst z. B. durch diverse Geheimdienst-Affären – immer mehr Menschen an die Schattenseiten dieser Entwicklung erinnert, nämlich, dass z. B. die Privatsphäre des einzelnen Bürgers immer weiter auf der Strecke bleibt. Schließlich reicht heutzutage eine Ausspähung der Online-Aktivitäten aus, um sich ein sehr aufschlussreiches Persönlichkeitsprofil einer zu beobachtenden Person erstellen zu können. Und dass solch ein Profil, welches das Kaufverhalten, persönliche Gewohnheiten usw. einschließt, zum Nachteil der betroffenen Person verwendet werden kann, versteht sich wohl von selbst.

Der Schreiber der obigen Verse hatte natürlich keine Ahnung von Ausspähung, Internet, E-Mail-Beobachtung usw. Aber trotzdem war er sich in einer anderen Hinsicht einer ganz besonderen Total-Transparenz bewusst.

Sein Resümee nimmt er direkt im ersten Vers vorweg: Gott weiß alles über mich! Vor ihm bin ich gläsern im absoluten Sinne.

Dies kann zum einen eine recht beunruhigende Erkenntnis sein, denn wenn Gott alles über mich weiß, dann kennt er auch alle meine Fehler und Schwächen. Auf der anderen Seite bedeutet es jedoch auch, dass ich vor Gott nichts geheim halten muss, da er ja sowieso schon alles über mich weiß. Und dass er mir trotz meiner ihm klar ersichtlichen Schwächen Gemeinschaft und Vergebung anbietet, zeigt mir, wie groß seine Liebe zu uns Menschen ist. *sn*

? Wie gehen Sie mit dem Gedanken um, dass Gott Sie durch und durch kennt?

! Wer sich nicht schämen muss, kann völlig transparent sein!

1. Korinther 8,1-2

Tut Buße ...

Apostelgeschichte 2,38

»Nimm Jesus in dein Leben auf!«

Diesen Aufruf hört man oft am Ende von Evangelisations-Vorträgen. Vielfach wird den Hörern dann noch versichert, dass sie Christen werden, wenn sie Jesus bitten, in ihr Leben zu treten. Aber dabei fehlt dann doch etwas ganz Wichtiges, was in der Bibel als Voraussetzung für das Christsein genannt wird: die Umkehr oder die Buße.

Ohne mit Gott und seinen heiligen Geboten in Verbindung gekommen zu sein, laufen alle Menschen in die falsche Richtung, wenn der einzig richtige Weg der Weg zu Gott hin ist. Die Bibel sagt nun, dass wir auf diesem falschen Weg Gottes Zorn auf uns gezogen haben. Und wir merken es auch in unserem irdischen Leben, wie viel Kummer und Herzeleid wir uns gegenseitig antun.

Doch all unser verkehrtes Handeln will Gott uns gern vergeben, wir müssen es nur eingestehen. Darum riefen die Apostel und auch viele Evangelisten in der Kirchengeschichte immer wieder auf: »Tut Buße!«, das heißt: »Kehrt um mit dem Eingeständnis, falsch gehandelt zu haben!« Gott vergibt nur Sünden – kein Verschweigen, keine Ausreden und keine Entschuldigungen, nur eingestandene Sünden.

Dazu muss man wissen, dass Gott über unser Leben sehr viel besser Bescheid weiß als wir selbst. Wir können ihm nichts vormachen. Aber das Schöne ist, dass wir ihm auch gar nichts vorzumachen brauchen. Er will uns ja herzlich gern vergeben, weil alle Schulden längst bezahlt wurden, als der Sohn Gottes, Jesus Christus, für uns starb. Aber der ist auch auferstanden und lebt nun ewig, um allen ein Helfer zu sein, die ihr Vertrauen auf ihn setzen.

Wäre es nicht wunderschön, einen solchen Stellungswechsel vorzunehmen, damit aus einem Feind ein Freund Gottes wird? *gr*

Warum lässt Gott sich auf gar nichts mit uns ein, wenn wir ihm nicht unser Versagen bekennen?

Gott kennt uns besser als wir uns selbst.

Apostelgeschichte 2,22-23.37-41

20. Mai 17

Samstag

Denn ich weiß, was für Gedanken ich über euch habe, spricht der Herr, Gedanken des Friedens und nicht des Unheils, um euch eine Zukunft und eine Hoffnung zu geben.

Jeremia 29,11

Freistoßspray

Seit gut drei Jahren ist es aus dem Profifußball nicht mehr wegzudenken: das Freistoßspray. Anfangs von vielen noch belächelt, hat es sich mittlerweile als Hilfsmittel für den Schiedsrichter bei Freistößen bewährt. Das Wasser-Butan-Gemisch markiert sowohl die Position des Balls als auch die Position der vom Gegner aufgestellten Mauer. Somit wird einerseits der Schütze daran gehindert, den Ball zu verlegen, andererseits werden vor allem aber die Spieler in der Mauer dazu gezwungen, den Mindestabstand von 9,15 Meter zum Ball einzuhalten. Vor allem gute Freistoßschützen freuen sich über die Einführung des Sprays: »Früher rückten die Spieler immer weiter vor. Jetzt wagen sie es nicht, die sichtbare Linie zu übertreten, und halten den Abstand ein«, so das Freistoß-Ass Hakan Calhanoglu.

Man könnte sich jetzt die Frage stellen, wieso die Spieler die Abstände nicht einfach ohne das Freistoßspray einhalten, oder? Schließlich lieben alle diesen Sport, und ohne festgelegte Regeln funktioniert er nun mal nicht.

Eine ähnliche Frage drängt sich mir auf, wenn ich an Gottes Gebote für uns Menschen denke. Wieso halten wir Menschen uns nicht an seine Gebote, obwohl sie unser Zusammenleben viel besser machen würden? Stellen Sie sich vor, Sie könnten Ihr Fahrrad überall abstellen, ohne Angst haben zu müssen, dass es jemand klaut. Gott hat ja gesagt: »Du sollst nicht stehlen!« – Ehepartner würden einander nicht mehr betrügen, und jeder würde seinen Nächsten lieben wie sich selbst ... Das wären ja paradiesische Zustände! – Wenn Gott in der Bibel Gebote gibt, dann niemals, um uns Menschen zu unterdrücken. Als der Urheber des Lebens weiß er, dass es zu unserem Besten ist, wenn wir uns an seine »Spielregeln« halten. *tcb*

? Was haben Sie für ein Gottesbild?

! Lernen Sie Gott so kennen, wie er sich in der Bibel präsentiert!

5. Mose 28,1-14

Ich achte mein Leben nicht der Rede wert, damit ich meinen Lauf vollende und den Dienst, den ich von dem Herrn Jesus empfangen habe: das Evangelium der Gnade Gottes zu bezeugen. Apostelgeschichte 20,24

Reformation

2017 ist das »Jahr der Reformation« – ein »500-Jahre-Jubiläum«, das sich auf das Jahr 1517 mit den 95 Thesen bezieht, die Martin Luther angeblich an die Tür der Schlosskirche von Wittenberg anschlug, womit eine der größten religiösen und politischen Umwälzungen Deutschlands einleitete.

Worum ging es Luther? Seine Absicht war, auf Missstände in der Kirche hinzuweisen und diese zu reformieren. Gegenüber äußeren Anstrengungen und religiösen Werken wie Leben im Kloster, Wallfahrten, Selbstkasteiung, sogenannte Ablassbriefe, Almosen, mit denen man sich das ewige Heil erarbeiten sollte, das die Kirche und ihre Repräsentanten quasi hochherrschaftlich verwalteten, wollte Luther zur Rückbesinnung auf die biblischen Grundlagen des Evangeliums hinleiten. Die Menschen sollten allein auf Christus, allein auf die Gnade Gottes vertrauen, allein durch Glauben das Heil empfangen und sich allein auf die Schrift gründen als die für alle Christen verbindliche Autorität. Nicht Menschen aufgrund vermeintlicher Verdienste, sondern allein Gott sollte die Ehre zukommen für seine Liebe, die er den Menschen entgegenbringt, ohne dafür irgendwelche Vorleistungen einzufordern.

Dies nennt man die fünf *Sola* (lat. für »allein«) der Reformation, und sie fassen zusammen, worum es im Kern bei diesem geschichtlichen Wendepunkt ging. In den kommenden Tagen wollen wir diese fünf *Sola* genauer betrachten und danach fragen, wozu sie die Menschen heute mahnen, selbst wenn die meisten von ihnen im Gegensatz zur damaligen Gesellschaft gar nicht (mehr) zur Kirche gehören und vom befreienden Evangelium von Jesus Christus kaum noch etwas wissen.

Dieses deutsche Mega-Jubiläum wäre doch eine gute Gelegenheit, sich neu damit auseinanderzusetzen. *pj*

Was wissen Sie über die Reformation Martin Luthers?

Nutzen Sie Angebote von Veranstaltungen und Vorträgen oder auch mediale Dokumentationen, sich darüber zu informieren.

Römer 1,8-17

22. Mai 17

Montag

Denn aus Gnade seid ihr selig geworden durch Glauben, und das nicht aus euch: Gottes Gabe ist es.

Epheser 2,8

Sola gratia – allein die Gnade

Was es heißt, in einer Leistungsgesellschaft zu leben, können besonders die nachvollziehen, die an den Anforderungen scheitern, denen man sich in einer solchen gegenübersieht. Erfolg beruht auf Leistung, und wer keine Leistung erbringt, dem bleiben Erfolg und Anerkennung verwehrt. Das geht dann schnell einher mit sozialem Abstieg, Frustration, Ausgrenzung, Perspektivlosigkeit usw.

Das Deutschland im Mittelalter war eine religiöse Leistungsgesellschaft. Das Seelenheil (ewiges Leben) musste man sich durch allerlei religiöse Pflichten und Verbindlichkeiten mühsam erarbeiten. Trotzdem gab es keine letzte Sicherheit, ob diese Bemühungen auch wirklich ausreichten. Man starb in der Ungewissheit, ob es wirklich reichte, was man geleistet hatte.

Martin Luther aber hatte erkannt, dass nicht einmal das beste Bemühen ausreichte, um von Gott vorbehaltlos anerkannt zu werden. Es war wie das vergebliche Jagen nach einem unerreichbaren fernen Ziel. Der Erfolg musste aufgrund der Sündhaftigkeit des Menschen ausbleiben, ja, rückte in immer weitere Ferne. Denn je mehr man Gottes Heiligkeit erkennt, desto tiefer blickt man auch in die eigene Sündhaftigkeit. Luther hat sehr unter dieser Einsicht gelitten, bis er aus dem Neuen Testament heraus erkennen durfte, dass die ewige Rettung nicht auf menschlicher Leistung, sondern *allein auf Gnade* beruht, durch die Gott das ewige Heil aus freien Stücken denen schenkt, die auf das vollkommene Werk der Erlösung in Jesus Christus vertrauen. Das Heil war ihm längst geschenkt, begriff Luther. Durch diese Erkenntnis von einem ungeheuren Druck befreit, war er völlig neu fähig und motiviert zu einem kraftvollen Leben im Dienst für Gott und seine Mitmenschen.

pj

? Auf welche Weise wollen Sie vor Gott bestehen?

! Das Prinzip von Leistung und Erfolg funktioniert bestenfalls bis zu unserem Tod, aber allein die Gnade und der Glaube führen unendlich weit darüber hinaus.

Epheser 2,1-10

Denn einer ist Gott, und einer ist Mittler zwischen Gott und Menschen, der Mensch Christus Jesus, der sich selbst als Lösegeld für alle gab, als das Zeugnis zur rechten Zeit.

1. Timotheus 2,5-6

Solus Christus – allein Christus

Wie wichtig eine andere Person für uns werden kann, erfährt man in verschiedenen Bereichen des gesellschaftlichen Lebens. Die Fürsprache oder Empfehlung einer bedeutenden Person kann z. B. die Tür zu einer guten Arbeitsstelle öffnen. Oder etwa in der schulischen Laufbahn, wo die Einschätzung und Empfehlung des Grundschullehrers beim Übergang zu einer weiterführenden Schule eine wichtige Rolle spielt. Schlecht dran ist man allerdings, wenn man dabei an den Falschen gerät und – statt vorwärtszukommen – frustriert stecken bleibt.

Die Kirche des Mittelalters hatte sich zu einer heilsverwaltenden übermächtigen Größe entwickelt. Eine zentrale Rolle spielten dabei für heilig erklärte und entsprechend verehrte verstorbene Gläubige, die sogenannten Heiligen, an die man sich als Fürsprecher wenden konnte. Auch Maria, die Mutter Jesu, war zu einer wichtigen »Instanz« geworden, um Fürsprache und Erlösung zu finden. Gott selbst und Jesus Christus schienen in eine unnahbare Sphäre entrückt, zu der man keinen Zugang mehr fand bzw. nicht mehr finden zu können glaubte.

Durch Martin Luther kam nun die eigentliche biblische Wahrheit wieder ans Licht: Nicht Menschen – selbst wenn sie noch so tiefgläubig waren – bieten Zugang zu Gott, sondern *allein durch Jesus Christus* sollen und können die Menschen ohne weitere Vermittlung Gott nahen. Wie die Bibel selbst es formuliert, kann »jeder, der den Namen des Herrn anruft, … gerettet werden« (Römer 10,13). Und auch die täglichen Sorgen und Nöte darf man ihm direkt sagen und alles von ihm selbst erbitten. Den Zuspruch erlebt man dann durch den Heiligen Geist sowie durch die Bibel und nicht durch irgendeinen Vermittler, ob von anderen dazu gemacht oder selbst ernannt. *pj*

? Was bedeutet Ihnen der durch Jesus Christus möglich gewordene Zugang zu Gott?

! Machen Sie Jesus Christus zu Ihrem Fürsprecher, indem Sie seinen Namen anrufen, um gerettet zu werden.

Johannes 17

24. Mai 17

Mittwoch

So halten wir nun dafür, dass der Mensch gerecht wird ohne des Gesetzes Werke, allein durch den Glauben.

Römer 3,28

Sola fide – allein aus Glauben

»Man muss nicht an Gott glauben, um zu glauben.« Dieses Zitat provoziert auf den ersten Blick, drückt aber im Grunde nur die simple Wahrheit aus, dass der Mensch ohne Glauben gar nicht auskommt. Oder prüfen Sie jedes Mal nach, ob der Stuhl, auf den Sie sich setzen wollen, auch halten wird? Sie vertrauen darauf, dass der Hersteller Material verwendet hat, das Ihrem Gewicht standhält. Anders ausgedrückt: Wir glauben schon längst, bevor überhaupt Gott ins Spiel kommt. Es ist eine Fähigkeit, ohne die wir im Alltag gar nicht zurechtkämen.

Glaube beruht auf Überzeugung. Die Frage ist, ob die Überzeugung auch den wirklichen Fakten entspricht. Wenn ein Stuhl unter uns zusammenbricht, haben sich die vermuteten Fakten wohl als falsch erwiesen. Dann durchfährt uns ein Schreck, und wir tun uns vielleicht ein bisschen weh. Viel weitreichender aber sind die Folgen, wenn wir auf ein falsches Lebenskonzept setzen, das sich am Ende als nicht tragfähig erweist.

Allein der Glaube rettet zum ewigen Leben, war Martin Luthers Erkenntnis. Nicht das Befolgen von Geboten und sonstigen auferlegten Verpflichtungen im aussichtslosen Kampf gegen die Sünde in uns führt zur Anerkennung vor Gott, sondern *allein* das Vertrauen auf Gottes Handeln in Jesus Christus. Durch ihn schenkt er allen, die ihn darum bitten, die Gerechtigkeit, die vor ihm gilt. Das setzt allerdings Demut voraus, indem man nicht mehr die eigene Leistung zur Geltung bringt, sondern die Leistung eines anderen als unverzichtbare Hilfe zu 100% in Anspruch nimmt. – Was spricht dafür, dies zu wagen? Gott selbst verbürgt sich durch klare und eindeutige Aussagen in der Bibel dafür. Und seit Bekanntwerden dieser Fakten sind Unzählige in ihrem Glauben daran bestätigt worden.

pj

Wie weit reicht Ihr Glaubenshorizont?

Die Bestätigung der Gerechtigkeit vor Gott durch Glauben erfährt man durch die zustande kommende lebendige und vertrauensvolle Beziehung zu Gott als liebenden Vater.

Galater 2,16-21

Christi Himmelfahrt

25. Mai 17

Donnerstag

Das sage ich euch, damit meine Freude in euch bleibe und eure Freude vollkommen werde.
Johannes 15,11

Langeweile im Himmel?

»Im Himmel gibt's kein Bier, drum trinken wir es hier!«, ist ein bekanntes, meiner Meinung nach dümmliches Trinklied aus dem Jahr 1956. Viele Menschen grölen es lauthals in der fünften Jahreszeit. Doch woher hat der Liedschreiber seine Informationen über den Himmel? Die Bibel sagt jedenfalls, dass es dort Wein und gutes Essen gibt (Matthäus 26,29; Lukas 14,15). Entgegen anderer Annahmen herrscht dort also auf keinen Fall Langeweile, sondern lauter Freude. Kehrt ein Mensch zu Gott um, wird im Himmel jetzt schon gefeiert und gejubelt (Lukas 15,7).

Im Gleichnis vom verlorenen Sohn (Lukas 15,11-32) ist der Vater ein Bild für Gott selbst. Als der Sohn erkennt, dass er gesündigt hat, als er sein Elternhaus verließ, um seine eigenen Wege zu gehen, und reumütig nach Hause zurückkommt, lässt der Vater das Mastkalb schlachten und richtet ein großes Freudenfest aus. Den fröhlichen Lärm des Festes kann selbst der andere Sohn hören, der auf dem Feld draußen arbeitet. Unser Gott ist also kein Langweiler, kein alter Mann, der den Menschen keine Freude gönnt. Vielmehr ist es so, dass wir wirkliche, bleibende Freude nur in Gottes Gegenwart finden. Der Sohn hat in seinen Jahren in der Ferne unzählige Partys gefeiert, die ihm vielleicht Spaß, aber doch keine dauerhafte Erfüllung und Freude geben konnten. Die fand er erst, als er zu seinem Vater umgekehrt war.

Kein irdischer Spaß kann die Freude, die von oben kommt, übertreffen. Sie hat weder diesen schalen Nachgeschmack noch negative Folgen oder versteckte Kosten. Jeder an Jesus gläubige Mensch wird bestätigen können, dass er eine tiefe, durchdringende Freude in sich hat, die nicht von dieser Welt kommt und auch in schlechten Zeiten bleibt. Diese Freude wird einmal im Himmel vollendet werden. *dbe*

? Was ist der Unterschied zwischen Spaß und Freude?

! Die Bibel spricht viel über Freude. Es lohnt sich, da zu stöbern!

Offenbarung 19,6-9

Freitag

26. Mai 17

Denn alle Schrift, von Gott eingegeben, ist nütze zur Lehre, zur Zurechtweisung, zur Besserung, zur Erziehung in der Gerechtigkeit, dass der Mensch Gottes vollkommen sei, zu allem guten Werk geschickt. **2. Timotheus 3,16-17**

Sola scriptura – allein die Schrift

»Oliver Twist«, ein Gesellschaftsroman von Charles Dickens, erzählt die Geschichte eines Findelkindes, das im Armenhaus einer englischen Kleinstadt aufwächst (Anfang 19. Jh.). Die Zustände dort sind katastrophal. In einer der zahlreichen Romanverfilmungen kommt drastisch zum Ausdruck, wie sehr die Menschen von Egoismus und Eigennutz durchdrungen sind. Die Betreiber des Armenhauses essen sich vor den Augen der hungrigen Kinder satt, die mit einer dünnen Suppe abgespeist werden, die ihnen viel zu wenig gibt, um die harte Arbeit zu schaffen. Ihre Betreuer nähren sich vom Besten, während sie es denen vorenthalten, die es viel nötiger haben.

So ähnlich stand es vor 500 Jahren um die geistliche Versorgung der Bevölkerung im »christlichen« Abendland. Die Kirche und ihre Würdenträger beanspruchten die Autorität in Glaubensfragen. Die Bibel gab es überwiegend nur in lateinischer Sprache. Dem einfachen Volk blieb der direkte Zugang zum Wort Gottes verwehrt. Stattdessen waren die Leute davon abhängig, was ihnen weitergegeben wurde. Und das reichte nicht, um daraus Kraft zu einem Gott wohlgefälligen Leben zu schöpfen.

Martin Luther jedoch hielt die Bibel für verständlich genug, dass sie von jedem selbst gehört, gelesen und verstanden wurde, sofern man sie eben in die Sprache des Volkes übersetzte. Das tat er dann, und so wurde die Bibel zur Quelle der Gotteserkenntnis und zum Maßstab für alle religiösen und sittlichen Werte. Dazu wurden Schulen eingerichtet, damit jeder selbst fähig sein sollte, Gottes Wort zu lesen und sich daran zu orientieren. Die entscheidende Autorität hatte fortan nicht mehr die Kirche, sondern *allein die Schrift*, also die Bibel. *pj*

Wie gut kennen Sie die Bibel?

Sie zu lesen, kann auch für Sie der Schlüssel zu einem Gott wohlgefälligen Leben werden.

Psalm 119,1-24

**Denn von ihm und durch ihn und zu ihm sind alle Dinge.
Ihm sei Ehre in Ewigkeit! Amen.**
Römer 11,36

Soli Deo Gloria – allein Gott die Ehre

Der Ehrenoscar ist ein vom *Board of Governors* der *Academy of Motion Picture Arts and Sciences* vergebener Sonderpreis. Die Preisträger werden aufgrund von drei Kriterien ausgewählt: herausragendes Lebenswerk, außerordentliche Beiträge für die Weiterentwicklung des Films, herausragender Einsatz für die o. g. Akademie. Der Preis kann an Einzelpersonen, Organisationen oder Unternehmen vergeben werden. Der Ehrenoscar kann in einem Jahr auch an mehrere Preisträger vergeben werden. Am erfolgreichsten in der Geschichte der Oscars war der US-Komiker und -Schauspieler Bob Hope (1903–2003), der viermal mit einem Ehrenoscar ausgezeichnet wurde. (Quelle: wikipedia)

Ehrungen und Preisverleihungen erfreuen sich großer Beliebtheit, nicht nur in der Unterhaltungsbranche. Oft sind solche medienwirksamen Ereignisse mit einer Gala verbunden und werden dann live per TV einem Millionenpublikum vermittelt. Anschließend nehmen sich noch zahlreiche Boulevardblätter und Promi-Illustrierte einer bilderreichen Berichterstattung von diesen Veranstaltungen an.

»Ehre, wem Ehre gebührt«, sagt das Sprichwort, aber dass Gott zuallererst und immer wieder Ehre beanspruchen darf, das ist vielfach aus dem Blick geraten. Das war auch zur Zeit Martin Luthers so, als die Heiligen und kirchliche Würdenträger in ihrem irdischen Glanz nahezu völlig den Blick auf den Schöpfer aller Dinge und Urheber des ewigen Heils verstellten. Die Reformatoren aber – und alle, die den Kern des christlichen Glaubens mit ihnen neu entdeckt hatten – bewegte vor allem eines: ihrem *Gott allein alle Ehre* zu geben, weil *er allein* unsere Erlösung bewirkt. »Ich bin der HERR«, sagt Gott in Jesaja 42,8, »das ist mein Name. Und meine Ehre gebe ich keinem anderen …« *pj*

Was wird Gott wohl über die Menschen denken, die so sehr mit ihrer eigenen Ehre beschäftigt sind?

Im Grunde beruht alles, was wir tun können, auf dem, was Gott vorher geleistet hat. Wer das erkennt, möchte ihm allein die Ehre geben!

Psalm 96

Sonntag

28. Mai 17

Seid ihr so unverständig?
Nachdem ihr im Geist angefangen habt,
wollt ihr jetzt im Fleisch vollenden?
Galater 3,3

Reformation damals – und heute?

Betraf damals die von Martin Luther und anderen vorangetriebene Reformation etwa nur die Kirche? Nein, die ganze Gesellschaft, weil zu damaliger Zeit Kirche und Gesellschaft eine Einheit bildeten. Die Reformation hatte auch weitreichende kulturelle und politische Konsequenzen. Doch es gab auch Fehlentwicklungen. Die durch Gnade und Glauben mögliche innere Freiheit wurde teilweise missverstanden und löste den Wunsch nach äußerer Befreiung aus, z. B. von Leibeigenschaft, was dann zu Gewalttaten durch einige »Täufer« und den Bauernkriegen führte. Statt die innere Freiheit dankbar und ohne eigenes Zutun als Geschenk anzunehmen, wollte man lieber die äußere Freiheit mit Gewalt und aus eigener Kraft herbeiführen, ohne zu erkennen, dass dabei die Prinzipien der Reformation völlig verfehlt wurden. Dies war mit viel Leid verbunden und blieb ohne Erfolg.

Heute leben wir in einer säkularen Gesellschaft, die weitgehend unabhängig von der Kirche ihre eigenen Grundsätze pflegt. Aufgrund der Demokratisierung und der Durchsetzung von Menschenrechten meint man, bis heute viel erreicht zu haben. Aber wie viel Blut und Tränen sind dafür vergossen worden? Und wer kann garantieren, dass nicht schon morgen wieder alles zusammenbricht und man brutal zurückkatapultiert wird in ein für alle Mal überwunden geglaubte Zustände? Welchen Nutzen haben dann alle eigenen Anstrengungen gebracht?

Ohne Gottes Hilfe kommt der Mensch letztlich nicht zum Ziel. Wenn man eines aus der Geschichte der Reformation lernen sollte, dann dies: Erkennen, was Gott zu unserem Heil und unserer Erlösung getan hat und noch tun wird – und darauf sein Vertrauen setzen! Das befreit jetzt schon zu einem Leben im Dienst der Liebe und Barmherzigkeit – unabhängig von allen äußeren Umständen. *pj*

Was ist Ihnen wichtiger? Innere Freiheit im Glauben oder äußere Freiheit durch ein unbedingtes Durchsetzen Ihrer Rechte?

Äußere Freiheit nützt wenig, wenn man keinen inneren Frieden hat.

Lukas 21,5-28

Frieden lasse ich euch, meinen Frieden gebe ich euch;
nicht wie die Welt gibt, gebe ich euch.
Euer Herz werde nicht bestürzt, sei auch nicht furchtsam.
Johannes 14,27

John F. Kennedy, ein Bürger Berlins

Heute vor 100 Jahren wurde der amerikanische Politiker John F. Kennedy in Brookline, Massachusetts, geboren. Kennedy wurde 1961 Präsident der Vereinigten Staaten von Amerika und starb im November 1963 durch ein Attentat.

Viele Deutsche erinnern sich noch an ihn, besonders an seine Rede in Berlin vom 26. Juni 1963. Es war die Zeit des Kalten Krieges, und Berlin war eine geteilte Stadt. Kennedy machte den Berlinern Mut mit den Worten: »Alle freien Menschen, wo auch immer sie leben mögen, sind Bürger Berlins, und deshalb bin ich als freier Mensch stolz darauf, sagen zu können: ›Ich bin ein Berliner!‹«

Heute ist die Teilung Berlins fast vergessen und durch Gottes Gnade haben die beiden deutschen Staaten friedlich zueinandergefunden.

Trotzdem herrscht auf der Erde weiter Krieg. Länder kämpfen um Macht und Einfluss. Terrorgruppen versetzen die Menschen in Angst und Schrecken. Der Mensch ist immer noch des Menschen Feind. Sollten Menschen dann doch Frieden schließen wollen, muss jeder ein wenig nachgeben. Schließlich hat auch jeder zum Streit beigetragen.

Doch wenn es um die Beziehung zwischen Gott und Menschen geht, ist das anders. Wir Menschen sind alleine schuldig. Unsere Beziehung zu Gott ist durch die Sünde unterbrochen. Wir Menschen sind im Krieg mit Gott, ohne dass die Menschen aus eigener Kraft Frieden mit Gott schließen können.

Doch Gott ist von sich aus aktiv geworden. Er wollte wieder Frieden mit den Menschen. Deshalb hat er auch den ersten Schritt getan. Jesus Christus kam auf diese Erde und wurde Mensch – für uns alle. Durch seinen Tod hat er Frieden gemacht zwischen Gott und Mensch. Und in diesen Frieden will er jeden Menschen mit hineinnehmen. *hl*

? Wie denken Sie über dieses Friedensangebot?

! Man kann sich darüber bestimmt noch mehr freuen als die Berliner über Kennedy.

Kolosser 1,15-23

**Keiner erhebt Klage mit Recht,
und keiner führt eine Rechtssache gemäß der Wahrheit;
man vertraut auf Nichtiges und redet Unwahres.**

Jesaja 59,4

Wie oft ...?

Wenn man diese beiden Worte im Internet googelt, bekommt man einen recht bunten Reigen von Ratschlägen, wie oft man etwas tun oder lassen sollte. Doch in Bezug auf Gott scheint das niemand so schnell zu reflektieren. Heute nehme ich mir einmal Zeit dazu. Ich lade Sie herzlich ein, mitzumachen!

Wie oft haben wir Gott schon in unserem Leben ignoriert? Wie oft haben wir Gott bewusst oder unbewusst angeklagt? Wie oft haben wir menschliches Fehlverhalten auf ihn abgewälzt und wie selten uns bei ihm bedankt? Wie oft haben wir ihm unseren Willen aufzwingen wollen, und wie selten haben wir wirklich versucht, auf seine Stimme zu hören? Wie oft haben wir erfolglose Versuche gestartet, Gott zu manipulieren, und wie oft haben wir Sachverhalte so dargestellt, dass jemand anderes statt unsereins die Schuld trägt? Wie oft haben wir ihm die schlimmen Dinge vorgeworfen, und wie selten die guten als nicht selbstverständlich geachtet? Wie oft haben wir schon gedacht, es besser zu wissen, und wie selten haben wir Gott aufrichtig vertraut? Wie oft haben wir versucht, selbst eine Lösung zu erzielen, und wie selten Probleme ganz an ihn abgegeben? Wie oft haben wir das Schwierige aus seiner Hand abgelehnt und wie selten uns Zeit für Gott genommen, als es uns gut ging? Wie oft sind wir in Gedanken abgeschweift, als er zu uns reden wollte, und wie selten haben wir versucht, das Gehörte umzusetzen? Wie oft haben wir uns selbst gerühmt, und wie selten haben wir über Gott gestaunt? Wie oft haben wir Gott unserem Denken angepasst, und wie selten ihn an uns herangelassen? Wie oft werden wir noch seinen Ruf überhören, und wie wenig seine Gedanken in Erinnerung behalten?

Wie oft will uns Gott eigentlich noch eine Möglichkeit zur Umkehr einräumen? *str*

Wie oft wollen Sie Gott noch ignorieren?

Wir müssen ehrlich mit uns selbst sein.

Lukas 13,31-35

31. Mai 17

Mittwoch

Die Menschen haben … keine Entschuldigung, denn trotz allem, was sie über Gott wussten, erwiesen sie ihm nicht die Ehre, die ihm zukommt, und blieben ihm den Dank schuldig. Römer 1,20-21

Was mich der Müllmann lehrte

Vom Fenster meines Krankenhauszimmers aus kann ich einen schönen Park überblicken. Es ist noch früher Morgen, und kaum jemand ist unterwegs. Einige Parkbänke unter schattigen Bäumen laden zum Verweilen ein, und auch ich hänge meinen Gedanken nach. Da sehe ich einen Mann, der eine Müllkarre vor sich herschiebt und gleich darauf einen der großen Eimer neben einer Bank entleert. Dann greift der Müllmann noch einmal hinein, um auch die letzten zerknüllten Plastiktüten zu erreichen. Munteren Schrittes geht er zum nächsten Mülleimer und nimmt sich auch diesen vor.

Da wird mir bewusst, wie oft mich schon überfüllte Mülleimer geärgert haben, aber dass ich noch nie zuvor einen Gedanken an die Menschen verschwendet habe, die diese Eimer normalerweise ordentlich ausleeren. Und richtig beschämt stelle ich fest, dass es mir in meiner Beziehung mit Gott auch oft so geht. Erst wenn es Schwierigkeiten gibt, beginne ich mit Gott zu reden: »Warum muss das jetzt sein? Und warum lässt du jenes auch noch zu?«

Solange alles rundläuft, alles nach Plan funktioniert, ist mir selten bewusst, wie sehr mich Gott jeden Tag beschenkt. Dass ich sehe, höre und mich bewegen kann, ist keine Selbstverständlichkeit. Dass ich überhaupt am Leben bin und in Jesus Christus sogar ewig leben darf, ist sein Geschenk an mich.

Ist es nicht unglaublich: Der Schöpfer des ganzen Universums ist persönlich an mir interessiert! Er möchte, dass wir uns kennenlernen und eine von Liebe erfüllte Beziehung zu ihm eingehen. Und das, obwohl er mich durch und durch kennt. Das ist wahrlich ein Wunder! Damit er mir dieses Angebot machen konnte, hat er einen unvorstellbar hohen Preis bezahlt. Wie gehe ich mit diesem gewaltigen Geschenk um? *se*

Ertappen Sie sich auch manchmal dabei, erst dann an Gott zu denken, wenn etwas schiefläuft?

Erforschen Sie sein Wesen und sein Handeln in der Bibel und entdecken Sie, was auch Sie davon betrifft!

Psalm 103

Ehre deinen Vater und deine Mutter!

2. Mose 20,12

Liebe und Konsequenz

Unsere Tochter war acht und sollte Geigenunterricht bekommen. Ich war mit ihr zu dem Geigenlehrer, einem groß gewachsenen, netten Mann, gegangen. Dieser hatte gerade einen Disput mit seiner kleinen, sechsjährigen Tochter, die sich weigerte, den Anweisungen ihres Vaters zu folgen. Meine Tochter durchschaute die Situation und mischte sich ungefragt in die Unterhaltung ein, indem sie zu meinem großen Schrecken Wilhelm Busch zitierte: »Dem Esel, störrisch im Geschäfte, verleiht der Knittel neue Kräfte.« Zum Glück brach der Geigenlehrer in schallendes Gelächter aus, es hätte auch das schnelle Ende unserer Beziehung sein können.

Heute würde eine solche Aussage – nach augenblicklicher *Political Correctness* beurteilt – völlig indiskutabel sein. Das bedeutet aber nicht, dass unser Tagesvers deshalb hinfällig geworden wäre. Wie sehr sich die Kinder selbst schaden, wenn sie meinen, ihre Eltern und deren weit größeren Erfahrungsschatz nicht ernst nehmen zu brauchen, zeigen die sich immer mehr häufenden Fälle, in denen Jugendliche sich selbst zugrunde gerichtet haben. Es wäre ja zu schön, wenn alle Kinder durch Vorbild und sachliche Aufklärung zu netten, liebenswerten und tüchtigen Menschen heranwüchsen; aber leider waren wir selbst meistens nicht so klug, und unsere Kinder sind es auch nicht. Und somit sind Eltern aufgefordert, herauszufinden, was für ihre Kinder unbedingt gut wäre, um das dann mit nie ermüdender Liebe und anhaltender Konsequenz durchzusetzen.

Gott, der uns die Zehn Gebote gegeben hat, will allen, die ihn darum bitten, bei der schweren Aufgabe zur Seite zu stehen, selbst kein schlechtes Vorbild zu sein und den Kindern zu ihrem Glück zu verhelfen.

gr

? Was beinhalten Liebe und Konsequenz im praktischen Vollzug?

! Kleine Kinder – kleine Sorgen …

Sprüche 1,8-9; 4,1-9

2. Juni 17

Freitag

... wenn ihr wirklich geschmeckt habt, dass der Herr gütig ist.

1. Petrus 2,3

Das Gute geschmeckt

Unsere Tochter bekam, bis sie fast zwei Jahre alt war, von uns Eltern keine Süßigkeiten. Es war gar nicht schwierig für uns, sie von Schokolade und Gummibärchen zurückzuhalten, denn schließlich kannte sie diese Leckereien nicht und wusste daher nicht, wie lecker sie schmecken. Sie war völlig zufrieden mit Äpfeln, Erdbeeren und Rosinen. Für sie war Obst das Süßeste und Leckerste, was sie sich vorstellen konnte – bis sie eines Tages Schokolade aß! Danach war plötzlich alles anders. Wenn sie irgendwo Schokolade entdeckte, wollte sie unbedingt auch etwas davon haben, und jede raschelnde Verpackung weckte in ihr die Hoffnung, dass darin etwas Schokoladiges versteckt sein könnte. Unsere Tochter hatte einmal das Süße geschmeckt. Sie wusste nun, wie lecker es war, und wollte immer wieder davon haben.

In unserem Tagesvers spricht Petrus davon, dass wir geschmeckt haben, dass der Herr gütig ist. Diesen Vergleich finde ich sehr passend: Wenn wir einmal in unserem Leben erfahren haben, dass Gott gütig ist und es gut mit uns meint, dann hat sich ab diesem Moment unsere Wahrnehmung vollkommen verändert. Wir wissen nun, wie gut Gott ist und dass er uns weder den Spaß verderben noch uns wie ein Tyrann bestrafen will. Wir haben erfahren: Gott ist gut. Seine Pläne sind gut. Er meint es gut mit uns. Wir werden uns von diesem Moment an immer wieder daran erinnern, wie Gott uns Gutes gab, obwohl wir es nicht verdienten. Deshalb vertrauen wir ihm und haben »Lust auf mehr«. Die Tatsache, dass wir Gott erfahren und seine Güte geschmeckt haben, bewirkt, dass wir uns nach ihm und seinem Wort, der Bibel, sehnen und diesen Gott immer besser kennenlernen wollen. *frm*

? Haben Sie schon einmal Gottes Güte erfahren?

! Erinnern Sie sich an alles Gute, was Gott Ihnen gegeben hat, und danken Sie ihm dafür!

Psalm 145,5-9

Der Mensch hat es gelernt, jede Art von wilden Tieren, Vögeln, Schlangen und Seetieren zu bändigen. Aber die Zunge, … kann kein Mensch bändigen.

Jakobus 3,7-8

Wir können fast alles …

Es war ein toller Tag. Mit einem befreundeten Ehepaar verbrachten wir den Tag im Tierpark Hanau. Neben den vielen europäischen Tierarten, die in großen Freigehegen anzuschauen sind, bot der Tierpark am Nachmittag eine Greifvogelschau. Es ist sehr eindrücklich, wenn man die majestätischen Bussarde, Falken, Adler und Eulen aus unmittelbarer Nähe erleben kann. Für jede Flugeinlage wurden die Vögel mit Fleisch belohnt. Dies, so wurde uns gesagt, sei auch der Grund, weshalb die Greifvögel nicht das Weite suchen, sobald sie losgelassen werden. Die Greifvögel wurden »gebändigt« durch die Erwartung, dass sie für ihre Flugkünste belohnt werden.

Die Bibel sagt, dass der Mensch in der Lage ist, alles zu beherrschen, außer seine eigene Zunge. Das gilt für Alt und Jung gleichermaßen. Wir wollen zwar die Wahrheit sagen, doch wie schnell ist uns eine Lüge über die Lippen gerutscht. Wir wollen Frieden, doch unsere Worte lösen den nächsten Streit aus. Ohne es zu wollen, verletzen wir mit unseren Worten diejenigen, die wir eigentlich am meisten lieben. Es liegt daran, dass unsere Zunge ja nur ein Barometer für unseren Herzenszustand ist. Wenn darin viel Böses steckt, kann aus dem Mund auch nicht viel anderes herauskommen.

Was wir deshalb unbedingt brauchen, ist die Erneuerung unseres Herzens. Es bedarf einer Veränderung und Neuausrichtung, die durch und durch wirksam ist. Von solchen, die sich mit der Bitte um Vergebung und Erneuerung an Gott gewandt haben, wird im Neuen Testament gesagt: Die Liebe Gottes ist ausgegossen in ihre Herzen durch den Heiligen Geist, der ihnen gegeben worden ist (vgl. Römer 5,5). Mit solcher Liebe im Herzen werden auch die Worte aus unserem Mund einen völlig neuen Charakter gewinnen. *ty*

? Wollen Sie Ihre Zunge unter Kontrolle bekommen?

! Das Grundproblem ist Ihr Herz!

Kolosser 3,5-12

4. Juni 17

Pfingstsonntag **Sonntag**

Kehrt um, erwiderte Petrus und lasst euch im Namen von Jesus Christus auf die Sündenvergebung hin taufen! Dann werdet ihr den Heiligen Geist geschenkt bekommen.

Apostelgeschichte 2,38

Warum feiern wir Pfingsten?

Das verlängerte Pfingstwochenende bietet sich für einen Kurzurlaub an. Raus aus dem Stress und hin zur Entspannung. Dass Montag frei ist, wissen die Deutschen. Eine Umfrage der »Bella« (Zeitschrift) ergab, dass 73% keine Ahnung haben, was an Pfingsten »gefeiert« wird.

Am Pfingsttag (50 Tage nach Ostern) waren die Nachfolger von Jesus zusammen. Vom Himmel her kam ein Brausen und alle wurden mit dem Heiligen Geist erfüllt. Sie fingen an, in fremden Sprachen zu reden, so wie der Geist ihnen eingab. Aus aller Welt waren Menschen in Jerusalem und gerieten ins Staunen, als sie die Jünger Jesu in ihren Sprachen reden hörten. »Was ist das nur«, fragte einer den anderen ratlos und erstaunt.

Petrus erklärte der aufgewühlten Menge: »Gott hat Jesus auferweckt. Wir alle sind Zeugen davon. Nun hat Gott ihn auf seinen Thron erhöht. Dort hat er die vom Vater versprochene Gabe des Heiligen Geistes erhalten, und den hat er jetzt über uns ausgegossen – wie ihr hier sehen und hören könnt.« Weiter erläuterte er: »Diesen Jesus, den ihr gekreuzigt habt, den hat Gott zum Herrn und zum Retter Israels gemacht.« – »Was sollen wir jetzt tun?«, fragten sie Petrus und die anderen Apostel.« Petrus antwortete ihnen: »Kehrt euch ab von euren Sünden und wendet euch Gott zu und lasst euch im Namen Jesus Christus auf die Sündenvergebung hin taufen. Dann werdet ihr den Heiligen Geist empfangen.«

Diejenigen, die glaubten, was Petrus gesagt hatte, wurden getauft und gehörten von da an zur christlichen Gemeinde. Etwa 3000 Personen kamen an jenem Tag dazu. Zu Pfingsten wird seitdem das »Kommen des Heiligen Geistes« und der »Geburtstag der Kirche« gefeiert.

kr

? Was ist die Voraussetzung, um zur Gemeinde Gottes zu gehören?

! Der Heilige Geist wird auch heute noch jedem an Jesus Christus Glaubenden geschenkt.

Apostelgeschichte 2,1-41

**Wascht euch, reinigt euch;
schafft mir die Schlechtigkeit eurer Handlungen
aus den Augen, hört auf Böses zu tun!**
Jesaja 1,16

Müllentsorgung

Unsere Wohlstandsgesellschaft produziert so viel Müll, dass denen, die Bescheid wissen, die Haare zu Berge stehen. Wissenschaftler entdeckten z. B., dass weite Teile der Ozeane von einem hochgiftigen Schlamm bedeckt sind, der aus den Resten der »sich selbst auflösenden« Plastikbehälter besteht, und andere weisen darauf hin, dass die giftigen Chlor-Wasserstoff-Moleküle des PVC unser Grundwasser weltweit bedrohen. Um die Gewissen ein wenig zu beruhigen, trennen wir jetzt den Müll, anstatt ihn möglichst zu vermeiden. Aber allmählich erkennt man, welche Gefahren uns bedrohen.

Noch viel schlimmer sieht es bei dem moralischen Müll aus, den unsere Gesellschaft in immer gefährlicherem Maß produziert. Je weiter man sich von Gott und seinen heilsamen Geboten »emanzipiert« hat, umso frivoler werden die Menschen den schädlichsten Giften ausgesetzt. Und weil unsere Kinder und Jugendlichen eine noch viel empfindsamere Seele haben als wir meist schon recht abgebrühten Erwachsenen, sind sie viel empfänglicher und weithin schon so schwer geschädigt, dass psychiatrische Kliniken und Therapeuten immer längere Wartelisten haben.

In der öffentlichen Wahrnehmung spielt Gott so gut wie keine Rolle mehr. Damit entfällt für die meisten Menschen jegliche Orientierung für das, was gut oder böse ist. Aber Gott ist nicht ein erfundenes Erziehungsmittel wie etwa der Nikolaus. Er ist immer noch der Herr und Schöpfer aller Dinge, der auch nicht einen Millimeter von seinen moralischen Ansprüchen abgewichen ist und der sein Wort wahr macht: »Was der Mensch sät, das wird er auch ernten.« Aber trotz unserer dreisten Abkehr von ihm lädt er uns doch auch heute noch ein, zu ihm zurückzukehren. Er hat seine Menschen nämlich lieb. *gr*

? Haben Sie den Müll Ihres Lebens schon entsorgt?

! Müllentsorgung ist wichtig!

Jesaja 1,10-20

Habt den Glauben Jesu Christi, unseres Herrn der Herrlichkeit, ohne Ansehen der Person!

Jakobus 2,1

Andere sehen, wie sie wirklich sind

Die meisten Menschen hatten irgendwann einmal einen Lehrer, an den sie sich ein Leben lang erinnern. Für viele Schüler der Harrison High School in West Lafayette, Indiana, ist dies Kathy Nimmer. Sie ist blind. Eines Tages wurde ihr klar: »Es geht nicht um das Sehen, sondern darum, eine Verbindung zum Herzen der Schüler aufzubauen. Das ist der Schlüssel. Wenn einem sehenden Lehrer die Persönlichkeit der Schüler nicht am Herzen liegt, werden sie bei ihm nicht mehr lernen als von mir.« Mit dieser Philosophie schaffte es Nimmer unter die vier Finalisten des nationalen Wettbewerbs »Lehrer des Jahres 2015«. Blindheit könne für einen Lehrer auch Vorteile haben, meint sie. »Das ist ja sogar das Beste, dass ich sie nicht sehen kann«, sagt sie lachend. Sie wurde eine Lehrerin, die ihre Schüler so sieht, wie sie wirklich sind.

In 3. Mose 19,15 fordert uns Gott dazu auf: »Du sollst die Person des Geringen nicht bevorzugen und die Person des Großen nicht ehren.« Aber genau das fällt uns schwer: die Menschen zu sehen, »wie sie wirklich sind«. Oft lassen wir uns in unserem Urteil davon leiten, ob uns das äußere Erscheinungsbild eines Menschen sympathisch ist oder nicht. Und auch wir selbst werden von anderen entweder bevorzugt oder benachteiligt – je nachdem, wie ihnen unsere »Nase« gefällt!

Gott hingegen lässt sich von Äußerlichkeiten nicht beirren. Sein Urteil über uns ist unvoreingenommen und gerecht; denn er »sieht auf das Herz«. Maßgeblich für ihn ist unsere Beziehung zu Jesus: »Wer den Sohn hat, hat das Leben; wer den Sohn Gottes nicht hat, hat das Leben nicht.«

Gott wurde Mensch in der Person Jesu Christi, um eine »Verbindung zu Ihrem Herzen aufzubauen«. Lassen Sie das zu? *pg*

? Wonach beurteilen Sie Ihre Mitmenschen?

! Wer Gottes Gnade kennt, wird auch barmherzig mit den Schwächen anderer umgehen.

1. Samuel 22,20-23

7. Juni 17

Mittwoch

Ich habe erkannt, HERR, dass der Weg des Menschen nicht in seiner Macht steht und dass es keinem, der geht, gegeben ist, seinen Schritt zu lenken.

Jeremia 10,23

Nur ein Schritt!

Der Mensch macht in seinem Leben etwa 150 Millionen Schritte. Rechnet man mit einem halben Meter pro Schritt, wären das 75 Millionen Kilometer. Das heißt, wir umrunden unsere Erde im Laufe unseres Daseins über 1800-mal. Das ist beeindruckend.

Man kann also sagen, wir sind ununterbrochen irgendwohin unterwegs. Wir gehen vom Schlaf- ins Badezimmer, vom Haus zum Einkaufen, zur Arbeitsstelle, zum Arzt oder einfach nur spazieren. Nun, diese Wegstrecken sind im Vergleich zu einer Klippenwanderung an der Steilküste Mallorcas oder einem Aufstieg auf die Zugspitze kaum erwähnenswert. Doch haben sie alle eines gemeinsam: Es liegt nicht in unserer Hand, ob wir am jeweiligen Bestimmungsort heil ankommen.

Wahrscheinlich denken wir nicht daran, dass wir mit jedem Schritt, den wir tun, näher an die Ewigkeit heranrücken. So mancher ist vom Einkaufen nicht zurückgekehrt, weil ihn unterwegs ein tödlicher Unfall ereilte. Auch kann man auf einer Bananenschale ausrutschen und so unglücklich fallen, dass man stirbt. Jederzeit kann es uns treffen, und wir müssen unseren »letzten Gang« antreten. Deshalb sollten wir es nicht aufschieben, den alles entscheidenden Schritt unseres Lebens zu tun.

Dieser hat allerdings nichts mit unseren Füßen zu tun, sondern es ist ein Schritt – eine Entscheidung – des Herzens. Es ist die Bitte an den lebendigen Gott um Vergebung meiner Schuld und die Hingabe meines Herzens an Jesus Christus. Haben wir diesen Schritt getan, können wir froh unseres Weges ziehen. Dann werden wir sicher am Ziel, das heißt im Himmel, ankommen – egal, was auf unserem Lebensweg noch geschehen mag. *tl*

Haben Sie den alles entscheidenden Schritt schon gemacht?

Machen Sie ihn jetzt, denn Gott fordert Sie dazu auf!

Matthäus 11,25-30

Durch die Liebe dient einander!

Galater 5,13

Einander helfen

Schlägt man die Zeitung auf oder hört man die Nachrichten, so kann einem angst und bange werden. Da liest man, dass manche aus Dummheit, viele aber auch aus kalter Berechnung den Frieden unter den Menschen verhindern. »Wenn zwei sich zanken, freut sich der Dritte«, scheint das Motto solcher Leute zu sein. Sie hoffen, aus dem immer größer werdenden Scherbenhaufen selbst den größten Nutzen ziehen zu können, wenn sie sich am Ende schlau auf die Seite des Siegers stellen. Und wenn sich beide Kontrahenten zugrunde gerichtet haben, können sie dann deren Erbe antreten. Das gilt im ganz Kleinen, also in der Familie, genauso wie im ganz Großen, wo es um das Schicksal von Millionen Flüchtlingen oder Unterdrückten geht.

Wie kommt es zu diesem doch so unsinnigen und selbstzerstörerischen Verhalten der einen und zu dem zynischen Egoismus der anderen? Nun, die Bibel lässt keinen aufrichtigen Leser darüber im Unklaren: Wir Menschen haben uns von dem Gott losgesagt, der uns geschaffen hat, um seinen Weisungen nicht nachzukommen, durch die wir ihm als frohe und glückliche Menschen dienen könnten.

Um uns zu zeigen, wie wir zu Gott zurückfinden können, sandte Gott seinen Sohn. Er sagte, er sei gekommen, um zu dienen und sein Leben für andere hinzugeben. Allen, die ihn um Vergebung ihrer Schuld gebeten haben, will er den Weg der Heilung zeigen, den unser Tagesvers zeigt. Wir sollten uns Gottes Liebe schenken lassen, um so ein Klima des Friedens und der Liebe um uns herum zu verbreiten. Das ergäbe sicher keine großen Zeitungsartikel, aber ein friedliches Beieinander in Familie und Nachbarschaft, und ein Stück »heile Welt« für unsere Kinder. *gr*

? Was ist nötig, damit man wirklich ohne Hintergedanken dienen kann?

! Möglichst früh damit anfangen!

Markus 10,35-45

Freitag

9. Juni 17

**Und wenn ich alle meine Habe
zur Speisung der Armen austeile ...,
aber keine Liebe habe, so nützt es mir nichts!**

1. Korinther 13,3

Bloß nicht in die Hölle kommen!

Neulich landete eine skurrile Spam-Mail in meinem Postfach: »Sag bloß, du hast noch nie was vom Millionär Jack McGuinness gehört? Der Typ teilt gerade sein Geld auf! Scheinbar ein schwerer Fall von ›bloß nicht in die Hölle kommen!‹. Alles, was du tun musst, um einen Batzen davon zu erhalten, ist, dich hier einzutragen.« Es folgten ein dubioser Link und noch der Hinweis, dass schon viele Leute da 10 000 Euro »völlig kostenlos abgesahnt« hätten.

Ich musste ziemlich schmunzeln, als ich das las. Auf was für Ideen manche Leute kommen! Und ich fragte mich, ob es wirklich Empfänger gibt, die naiv genug sind, dem Schreiber auf den Leim zu gehen.

Was mich aber auch aufmerken ließ, war der Gedanke, dass hier (zumindest angeblich) ein Millionär sein Geld verschenkt, um »bloß nicht in die Hölle« zu kommen. Offensichtlich wird die Existenz der Hölle vorausgesetzt, was ich als Bibelleser nur bestätigen kann. Aber ist es wirklich ein angemessenes Mittel, ihr zu entgehen, indem man seinen Besitz an Arme verschenkt? Mal ganz abgesehen davon, dass das Geld bei dieser Aufrufaktion mitnichten Notleidenden zugutekommen würde ...

Ohne Zweifel rühmt die Bibel Nächstenliebe, Barmherzigkeit und Opferbereitschaft, auch in finanziellen Dingen. Und jeder, der Gott liebt, wird gerne geben, wo er Not sieht. Aber die Bibel macht auch unmissverständlich klar, dass wir uns mit guten Taten nicht von der Hölle freikaufen können, selbst wenn wir Millionen zu verschenken hätten. Ewig gerettet wird nur der, der sein Vertrauen auf Jesus Christus setzt und seine Vergebung und Liebe als freies Geschenk annimmt. Und wer so beschenkt ist, hat allen Grund, freigiebig zu sein. *kaa*

Was halten Sie für nützlich, um nicht in die Hölle zu kommen?

Wer an Jesus Christus glaubt, hat ewiges Leben. Wer diese feste Zusage Gottes in Anspruch nimmt, braucht keine Panikaktionen starten.

Johannes 3,1-21

Wer Gott naht, muss glauben, dass er ist und denen, die ihn suchen, ein Belohner sein wird.
Hebräer 11,6

Wozu überhaupt Glauben?

Wir leben heute in einer aufgeklärten Welt und Gesellschaft, in der viele denken, man könne mit wissenschaftlichen Methoden alles, was um uns herum passiert, erklären. Das erweckt den Eindruck, dass Themen wie Glaube und Religion eine eher untergeordnete Rolle spielen. Ich muss aber immer öfter zur Kenntnis nehmen, dass gerade das nicht zutrifft. Der Mensch wird trotz fortschreitender wissenschaftlicher Erkenntnisse nicht etwa weniger religiös, sondern das Gegenteil scheint der Fall zu sein.

Das ist doch paradox! Da wird der christliche Glaube in unserer Gesellschaft immer mehr an den Rand gedrängt, und dann stellt man fest, dass man doch etwas »Transzendenz« nötig hat. Es scheint so, dass der Mensch eine innere Sehnsucht nach etwas Höherem hat, die er auf Dauer nicht unterdrücken kann. Für einige ist das »Gott«, für andere die Philosophie, und bei wieder anderen zeigt sich das im täglichen Blick ins Horoskop. Wissenschaftsglaube und Materialismus geben eben keine Antworten auf existenzielle Fragen.

Im Grunde geht es hier um die Suche nach Rückhalt, und da genügen nicht einfach Fakten oder Wissen, sondern da ist Glaube gefragt. Die Bibel beschreibt diesen als eine feste Zuversicht und ein Überführtsein von Dingen, die man nicht sieht (Hebräer 1,1), die also mit wissenschaftlichen Methoden nicht zu beweisen sind. So lässt sich z. B. die Auferstehung Jesu nicht »beweisen«, sie wird aber in der Bibel als Tatsache bezeugt. Auch Gott selbst lässt sich nicht »beweisen«, allerdings hat er sich als Schöpfer selbst bewiesen und vielfältig den Menschen offenbart. Wir selbst können das alles »nur« glauben, aber dieser Glaube führt uns dann erstaunlicherweise in die Gegenwart des lebendigen Gottes, so wie die Bibel ihn beschreibt. *toe*

? Forschen Sie noch, oder glauben Sie schon?

! Wissen beruht auf tatsächlichen Fakten, genauso der Glaube!

Hebräer 11

Den Kelch, den mir der Vater gegeben hat, soll ich den nicht trinken?

Johannes 18,11

Der Kelch des Zorns

Den Gedanken, dass ein Becher oder Kelch, aus dem getrunken wird, Symbolcharakter besitzt, findet man häufiger. So wurde einst Sokrates gezwungen, den »Schierlingsbecher« auszutrinken, der einen Gifttrank enthielt und seinen Tod besiegelte. Man spricht aber auch vom »Siegestrunk« und meint damit das Trinken aus einem Gefäß, um so einen errungenen Sieg z. B. im Sport zu feiern. Doch der »Kelch«, den Jesus im übertragenen Sinne trinken sollte, betraf ein Geschehen von viel größerer Tragweite. Es ging nicht um ihn allein, sondern letztlich um die ganze Menschheit.

Als Soldaten kamen, um Jesus gefangen zu nehmen, wurde er von einem seiner Anhänger mit dem Schwert verteidigt. Jesus stellt ihm angesichts des Kreuzestodes die im Tagesvers zitierte Frage. Der Vergleich mit anderen Bibelstellen legt nahe, hier von Gottes »Kelch des Zorns« auszugehen, den Jesus trinken sollte. Die Bibel macht deutlich, dass Gott in der Tat seinen Zorn über seinen Sohn ausgegossen hat. Deswegen rief er am Kreuz voller Schmerz aus: »Mein Gott, mein Gott, warum hast du mich verlassen?« Jesus wurde um unserer Gerechtigkeit willen zur Sünde gemacht (2. Korinther 5,21), damit uns Gottes Zorn über die Sünde nicht mehr treffen muss.

Wenn ich den sündlosen Gottessohn unter dem Zorn Gottes sehe, dann weiß ich, es kann nicht wegen seiner eigenen Schuld gewesen sein. Jesus trank den »Kelch des Zorns«, weil er an meiner Stelle am Kreuz hing. Der gerechte Gott drückte angesichts meiner Sünde nicht einfach ein Auge zu. Nein, meine Sünde wurde gerichtet, und zwar an seinem Sohn. Es gilt aber auch: »... wer aber dem Sohn nicht glaubt, der wird das Leben nicht sehen, sondern der Zorn Gottes bleibt auf ihm« (Johannes 3,36).

bu

Was macht man, wenn man den Zorn eines Stärkeren zu fürchten hat?

Man sucht den Schutz dessen, der diesem Zorn standhalten kann.

Lukas 22,39-46

**Irrt euch nicht, Gott lässt sich nicht verspotten!
Denn was ein Mensch sät, das wird er auch ernten!**
Galater 6,7

Ein wertvolles Erbe

Am 12. Juni 2014 las ich in der Tageszeitung folgenden Artikel: Schauspieler Ben Becker wünscht sich Musik der Rolling Stones auf seinem letzten Weg. »›Sympathy for the Devil‹ wird auf meiner Beerdigung gespielt«, sagte Becker beim Auftritt der Band in Berlin. Seine 13-jährige Tochter nahm er mit zum Konzert: »Damit sie mit 30 sagen kann: ›Mein Papa war cool, der hat mich zu den Stones mitgenommen, die hab ich noch gesehen.‹« – Ben Becker, bekannt für seine markante Stimme und sein Schauspieltalent, macht aus seiner »Sympathie für den Teufel« kein Geheimnis. Nachdenklich stimmt mich jedoch seine »Vielseitigkeit«. Im Jahr 2007 hat er das Hörbuch »Die Bibel. Eine gesprochene Symphonie« eingespielt. Heute spielt er auf der Bühne »Ich, Judas« – eine Inszenierung, die Judas Iskariot als den zweiten Messias darstellt. – Ben Becker arbeitet hart an seinem Vermächtnis.

Was geben wir unseren Kindern mit für ihr Leben? Was werden sie von uns sagen, wenn sie unserem Sarg folgen? Was wird der Mühe wert sein, dass ihnen von uns in Erinnerung bleibt, was ihr Leben nachhaltig prägt?

Die Bibel gibt dazu folgenden Rat: »Und du sollst den HERRN, deinen Gott, lieben mit deinem ganzen Herzen und mit deiner ganzen Seele und mit deiner ganzen Kraft. Und du sollst diese Worte deinen Kindern einschärfen und davon reden, wenn du in deinem Hause sitzest, und wenn du auf dem Wege gehst, und wenn du dich niederlegst, und wenn du aufstehst« (5. Mose 6,5.7).

Es wird gut sein, wieder eine Kinderbibel oder Bibel zur Hand zu nehmen und unseren Kindern daraus vorzulesen. Nichts ist prägender, eindrücklicher, wirksamer als die Worte Gottes, der uns das Leben gab.

bo

? Welches Erbe liegt für Sie bereit?

! »Eine größere Freude habe ich nicht als dies, dass ich höre, dass meine Kinder in der Wahrheit wandeln« (3. Johannes 4).

5. Mose 32,44-47

Dienstag

13. Juni 17

Jäte-deinen-Garten-Tag

Siehe, der Sämann ging hinaus zu säen …
Als aber die Saat aufsprosste und Frucht brachte,
da erschien auch das Unkraut.

Matthäus 13,4.26

Sünde – die Wurzel alles Bösen

Unkraut jäten ist wirklich eine lästige Sache! Besonders an heißen Sommertagen gibt es weit angenehmere Tätigkeiten, die man im Garten verrichten könnte. Doch diese lästige Arbeit ist wichtig und muss regelmäßig getan werden. Würde man nämlich Löwenzahn, Giersch und Co. ungehindert im Gemüsebeet wuchern lassen, so hätten schon nach kurzer Zeit die zarten Gemüsepflänzchen keine Chance auf Wachstum mehr. Dabei reicht es nicht, die ungeliebten Pflanzen nur von der Erdoberfläche zu entfernen. Nein, gerade beim Löwenzahn muss man manchmal recht tief graben, um die langen Wurzeln zu entfernen. Das ist besonders mühsam, wenn seit der letzten »Unkraut-Ernte« schon einige Zeit vergangen ist …

Auch im Leben von uns Menschen gibt es vieles, was unser Denken und Handeln vergiften kann. Die Bibel nennt das »Sünde«. Auch Sünde beginnt oft klein und sieht harmlos aus, doch kann sie in einem Leben genauso viel kaputt machen wie wucherndes Unkraut in einem Gemüsebeet. Deswegen ist es gut, auch scheinbar »kleine Sünden« schnell zu bekennen. Jesus Christus ist ein wunderbarer Gärtner, der durch seine Vergebung jedes Unkraut ausreißen und durch seine liebevolle Fürsorge unser Leben zum Blühen bringen kann.

Jeder Gärtner weiß, dass sich Unkraut weniger schnell ausbreitet, wenn man keine offene Erde lässt und stattdessen Bodendecker pflanzt. Genauso ist es wichtig, Sünde nicht nur zu bekennen und zu lassen, sondern sie durch gute Gedanken und Taten zu ersetzen. Wenn Sie Ihr Leben noch nicht in Ordnung gebracht haben, dann tun Sie es heute, damit das Unkraut der Sünde es nicht kaputt machen kann, sondern stattdessen Platz für gute Dinge ist, an denen Gott und Menschen Freude haben.

weu

? Wie sieht Ihr »Lebensbeet« aus?

! Packen Sie die Sünde bei der Wurzel!

Epheser 4,17-32

**Siehe, das Lamm Gottes,
das die Sünde der Welt wegnimmt!**
Johannes 1,29

Sündenböcke

»Die Suche nach Sündenböcken ist von allen Jagdarten die einfachste«, so die Aussage des amerikanischen Präsidenten Dwight D. Eisenhower (von 1953 bis 1961 im Amt). Als Politiker wusste Eisenhower, wie schnell die Suche nach dem Sündenbock einsetzt, wenn sich Misserfolg einstellt. Erfolg hat viele Väter, doch bei Misserfolg beginnt sofort die Suche nach dem Sündenbock, den man dann »in die Wüste schickt«.

Da muss ein Minister seinen »Hut« nehmen, weil in seinem Ministerium etwas schiefgelaufen ist. Ein Manager muss die Firma verlassen, weil das Unternehmen rote Zahlen schreibt. Ein Fußballtrainer wird fristlos entlassen, weil der Verein mehrere Spiele hintereinander verloren hat. Alles »Sündenböcke«, die etwas auferlegt bekommen, wofür sie selbst gar nicht verantwortlich sind.

Woher kommt eigentlich der Ausdruck vom Sündenbock, der in die Wüste geschickt wird? Im ersten Teil der Bibel, im Alten Testament, finden wir die Aufforderung an den Hohenpriester Israels: »Aaron lege seine beiden Hände auf den Kopf des lebenden Ziegenbocks und bekenne auf ihn alle Schuld der Söhne Israel und all ihre Vergehen nach allen ihren Sünden. Und er lege sie auf den Kopf des Ziegenbocks und schicke ihn durch einen bereitstehenden Mann fort in die Wüste, damit der Ziegenbock all ihre Schuld auf sich trägt in ein ödes Land; und er schicke den Ziegenbock in die Wüste« (3. Mose 16,21-22).

Doch Aarons Ziegenbock war noch nicht der Sündenbock, der wirklich für immer Sünden wegnehmen konnte. Dazu hatte Gott seinen eigenen Sohn vorgesehen, den er uns auf diese Erde sandte. Einsam an einem öden Ort starb er für uns am Kreuz und trug unsere Sünden. Sein Tod brachte uns Versöhnung und Frieden mit Gott. *kr*

Suchen Sie noch nach einem Sündenbock?

Jesus hat längst unser aller Schuld auf sich genommen. Nehmen Sie seine Vergebung in Anspruch.

1. Petrus 2,21-25

15. Juni 17

Donnerstag **Fronleichnam**

**Denn der Herr sieht nicht auf das, worauf der Mensch sieht;
denn der Mensch sieht auf das, was vor Augen ist,
der Herr aber sieht das Herz an.**

1. Samuel 16,7

Die defekte Schaukel

Ich saß mit meiner Tochter auf einer dieser Kinderschaukeln, die mit einer Spirale am Boden befestigt sind. Von außen sah sie voll funktionstüchtig aus. Als wir jedoch wild vor und zurück schaukelten, knackte es plötzlich: Die Spirale brach genau in dem Moment durch, in dem wir uns nach hinten lehnten! Ehe wir uns versahen, lagen wir zusammen mit der Schaukel im Sand und mussten uns erst einmal wieder aufrappeln. Peinlich berührt sah ich mich um – zum Glück waren nicht so viele Beobachter da!

Ich hatte mich in der Beurteilung dieser Schaukel total geirrt. Sie sah von außen stabil aus. Was ich jedoch nicht sehen konnte, war der innere Zustand. Und darauf kam es beim Schaukeln letztendlich an – auf den inneren Zustand der Schaukel.

Ist es nicht auch oftmals bei uns Menschen so, dass wir uns zu sehr auf Äußerlichkeiten konzentrieren? Uns ist es sehr wichtig, frisch, freundlich, gut gelaunt und positiv zu wirken. Vielleicht ist sogar unser äußeres Erscheinungsbild zur wichtigsten Sache überhaupt geworden. Wir wollen, dass die Leute sehen, dass wir gut, nett und ordentlich sind. Aber kaum einer weiß, wie es in uns aussieht oder was wir gerade denken. Auch unsere engsten Vertrauten können nicht in unser Herz schauen. So passiert es schnell, dass wir unseren Mitmenschen etwas vormachen.

Es gibt aber einen, der uns durch und durch kennt: unsere oftmals schlechten Gedanken, unsere falschen Motive und unsere wahren Gefühle. Auch die Sorgen, Nöte und Probleme, die wir mit uns herumtragen, aber keinem Menschen anvertrauen, sind ihm bekannt. Dieser eine ist Gott selbst. Vor ihm brauchen wir uns nicht zu verstellen, denn er kennt unseren inneren Zustand sogar besser als wir selbst. *sd*

? Was sieht Gott, wenn er in Ihr Herz schaut?

! Gott bauchen Sie nichts vorzumachen!

Psalm 139

16. Juni 17

Freitag

Die Gott wohlgefälligen Opfer sind ein zerbrochener Geist; ein zerbrochenes und zerschlagenes Herz wirst du, o Gott, nicht verachten.

Psalm 51,19

»Ist der Ruf erst ruiniert, lebt es sich ganz ungeniert!?«

Wenn ich dieses Zitat lese, dann müsste ich eigentlich lachen, wenn es nicht so traurig wäre. Bei etlichen Personen des heutigen öffentlichen Lebens gewinnt man den Eindruck, dass das ihr selbst gewähltes Lebensmotto ist!

Die Bibel kennt auch solche Geschichten. Sie beschreibt aber Menschen, die aus so einer Situation etwas gelernt und eine Lebenswende vollzogen haben. In der heutigen Bibellese (siehe unten) haben wir so eine Begebenheit: König David sollte eigentlich bei seinen Soldaten sein. Stattdessen ließ er sich durch Müßiggang zum Ehebruch verleiten, den er zu vertuschen suchte. Das führte dann sogar zu einem Mord. Das aber konnte Gott auf keinen Fall durchgehen lassen; denn eigentlich liebte David seinen Gott. Andererseits war ihm bewusst, dass er seinen Ruf als frommer König durch diesen Fehltritt gründlich ruiniert hatte. Auf keinen Fall wollte er nun aber »ungeniert« weitermachen, wie es in der Überschrift heißt. Er demütigte sich tief vor Gott, indem er zugab, selbst nichts zu besitzen, was er als Sühnung geben könnte. Vielmehr wusste er, dass er ganz und gar auf Gottes Barmherzigkeit angewiesen war. Und Gott hat ihm vergeben, wenn er auch lebenslang an den Folgen seiner Tat zu tragen hatte. Aber seine Beziehung zu Gott war wiederhergestellt.

Der Weg der Umkehr stand nicht nur dem König David offen. Jeder Sünder darf so zu Gott kommen, einerlei, wie sehr er sich auch verirrt und wie sehr er Gottes Gebote mit Füßen getreten hat.

Gott liebt Sünder, die umkehren. Das ist fast die beste Botschaft, die es gibt. Nur eine ist noch besser: Gott selbst hat unsere Sünden auf seinen Sohn geladen, sodass sie tatsächlich alle bezahlt sind. *bw*

? Was halten Sie von der heutigen Überschrift?

! Gott jedenfalls hält nichts davon.

Psalm 51

Glaube an den Herrn Jesus Christus, so wirst du errettet werden.

Apostelgeschichte 16,31

Der Lebensretter Nr. 1

Der 50. Geburtstag liegt schon hinter ihm. Über eine Million Leben hat er schon gerettet. Es dauerte viele Jahrzehnte, bis er sich durchgesetzt hat. Die Rede ist vom Sicherheitsgurt. »Jeder kann durch sein Verhalten, durch das Anlegen des Gurtes für optimalen Schutz sorgen«, so zu lesen in der Schriftenreihe *Verkehr und Sicherheit*. Die Verkehrsteilnehmer sind in vielen Kampagnen darauf hingewiesen worden: »Erst gurten, dann starten.« Wenn ich einmal vergessen habe, mir den Sicherheitsgurt anzulegen, dann werde ich im Auto optisch und akustisch darauf hingewiesen, mich anzuschnallen. Erst wenn ich das Versäumte nachgeholt habe, schaltet die Elektronik den Hinweis ab. Ziel ist es: Keiner kommt um, alle kommen an!

Unsere Eltern haben uns fünf Geschwistern recht früh auch mit einem »Sicherheitssystem« für das Leben vertraut gemacht. Es sollte uns vor vielen Gefahren des Lebens bewahren, damit wir unbeschadet ans ewige Ziel kommen. Sie haben uns mit der Lebensregel vertraut gemacht: »Geh ohne Gebet und Gottes Wort niemals aus dem Hause fort!« Das war für die Eltern keine leere Formel. Ich kann mich erinnern, ich war noch ein kleiner Junge, dass mein Vater vor dem Verlassen des Hauses meine Mutter in den Arm nahm und ein kurzes Gebet sprach: »Herr Jesus, bewahre Elfriede und die Kinder!« Ich war noch Kind, als er plötzlich starb, aber dieses Bild habe ich immer noch vor Augen, wenn ich an meinen Vater denke.

So will auch Gott unser Vater sein und uns vor dem ewigen Tod bewahren, und so sagt es auch unser Tagesvers. Er ist der wahre Lebensretter. Er will, dass keiner umkommt, sondern alle gerettet werden und bei ihm ankommen! *kr*

? Im Auto vertrauen wir dem Sicherheitsgurt, und wem vertrauen wir unser Leben an, damit wir einmal in den Himmel kommen?

! Der Apostel Paulus empfiehlt: »Glaube an den Herrn Jesus, und du wirst errettet werden, du und dein Haus!«

4. Mose 21,4-9

Alle Schrift ist von Gott eingegeben.
2. Timotheus 3,16

Die Bibel kann nicht lügen

Charles Wesley, ein englischer Liederdichter, sagte einmal über die Bibel:

»Sie muss entweder eine Erfindung guter Menschen, von Engeln, von bösen Menschen oder Dämonen oder von Gott sein. Eine Erfindung guter Menschen oder von Engeln kann sie nicht sein. Schließlich würden oder könnten diese kein Buch schreiben, in dem sie immerzu lügen und sagen: »So spricht der Herr«, während doch alles frei erfunden ist. Sie kann auch nicht das Werk von schlechten Leuten oder Dämonen sein, denn die würden kein Buch schreiben, das zum Halten der Gebote auffordert, Sünde verbietet und ihre Seelen für ewig in die Hölle verbannt. Deshalb komme ich zu dem Schluss, dass die Bibel durch göttliche Inspiration gegeben worden ist.«

Der italienische Philosoph und Astronom Galileo Galilei (1564–1642) teilte diese Überzeugung: »Die Heilige Schrift kann nie lügen oder irren«, sagte er. »Ihre Aussprüche sind absolut und unverletzlich wahr.« Die Bibel ist das »Wort Gottes« (Hebräer 4,12). Der Apostel Petrus stellt fest: »Denn niemals wurde eine Weissagung durch den Willen eines Menschen hervorgebracht, sondern von Gott her redeten Menschen, getrieben vom Heiligen Geist« (2. Petrus 1,21).

Wenn Sie die Bibel lesen, dann spricht Gott zu Ihnen – über das Leben, über den Tod und über die Ewigkeit. Durch sie schenkt er Ihnen Einblick in seine Gedanken. Er zeigt Ihnen, wer Sie sind, was er von Ihnen will und wie Sie ihm begegnen können. Sie ist Gottes Handbuch für Ihr Leben und Ihr Sterben. Wie töricht wäre es, würden Sie dieses göttliche Wort ignorieren! Wenn Sie aber danach handeln, sind Sie »mit einem klugen Mann [zu] vergleichen, der sein Haus auf den Felsen baute« (Matthäus 7,24). *pg*

? Was halten Sie von der Bibel?

! Wie kein anderes Buch beantwortet sie die Fragen nach dem Woher und dem Wozu unserer Existenz.

Psalm 119,89-112

Montag

19. Juni 17

Und der HERR hat ihn treffen lassen unser aller Ungerechtigkeiten.

Jesaja 53,6

Mein persönlicher Blitzableiter

»Der Erlöser wird repariert.« So titelte eine deutsche Zeitung, als ein Blitz nach schweren Gewittern in der brasilianischen Metropole Rio de Janeiro in die 30 Meter hohe Christus-Statue eingeschlagen hatte und Bauarbeiter damit begannen, die Statue mit neuen Blitzableitern auszustatten. Als höchster Punkt der Umgebung war diese Statue zum Anziehungsobjekt vieler Blitze geworden und trug Schäden an Kopf und Hand davon. Wie bekannt sein dürfte, schlägt ein Blitz immer im höchsten Punkt ein. Sich auf freiem Feld möglichst klein zu machen oder sich nicht unter Bäume zu stellen, erscheint also bei Gewittern sehr sinnvoll. Hohe Gebäude sind deswegen mit Blitzableitern ausgestattet. Es sind Schutzeinrichtungen, die das Risiko minimieren, dass Blitze in Objekte einschlagen. Doch nur was mit einem Blitzableiter ausgestattet ist, ist auch geschützt!

Das oben beschriebene Ereignis ist ein treffendes Bild dafür, dass auch der Erlöser – Jesus Christus – selbst solch ein Blitzableiter ist! IHN trifft, was sonst mich getroffen hätte! Unser Tagesvers spricht davon, dass Jesus getroffen wird – von dem »Blitz« unserer Ungerechtigkeiten, unserer Schuld. Die Bibel deckt auf, dass jeder Mensch vor Gott Schuld angehäuft hat in seinem Leben. Und jede Schuld muss bezahlt werden.

Zurück zur Christus-Statue in Rio de Janeiro. Da steht Jesus mit ausgebreiteten Armen auf einem Berg. Und ihn trifft der Blitz. Und nun denken Sie an das, was die Bibel über Jesu Sterben sagt. Da hängt Jesus mit ausgebreiteten Armen auf dem Hügel Golgatha. Und ihn trifft unser aller Schuld. Da wird der Erlöser zur Zielscheibe aller unserer Ungerechtigkeiten – und er geht als der Sieger hervor! *wj*

Welche Überlebenschance hat man, wenn man von einem Blitz getroffen wird?

Machen Sie noch heute Jesus zu Ihrem persönlichen Blitzableiter!

Jesaja 53

**Nun aber bleibt Glaube, Hoffnung, Liebe, diese drei;
die größte aber von diesen ist die Liebe.**

1. Korinther 13,13

Ein Heer an Hoffnungslosen?

Es gibt nur eine Sprache, die auf der ganzen Welt von jedem verstanden wird. Egal, zu welcher Nation, zu welcher Kultur oder welchem Volk jemand gehört. Selbst Neugeborene verstehen sie schon. Es ist die Sprache der Liebe. Obwohl wir sie gut verstehen, sprechen die Menschen sie meist nur gebrochen. Niemand beherrscht sie so perfekt wie Jesus Christus. Sie ist sozusagen seine Muttersprache. Um sie den neugierigen Leuten anschaulich beizubringen, erzählte Jesus eine Geschichte (Lukas 10,25-37): Da wurde ein Mann auf der Straße niedergeschlagen, ausgeraubt und halb tot liegen gelassen. Ihm wurde ausgerechnet von einem Ausländer, der zufällig vorbeikam, geholfen, während zwei angesehene religiöse Männer achtlos an ihm vorübergingen. Dieser Ausländer, ein Samariter, bewies, dass er die Sprache der (Nächsten-)Liebe sprach.

Was wäre, wenn wir zu den vielen ausländischen Flüchtlingen, die in den letzten Jahren zu uns gekommen sind, ebenso in dieser Sprache redeten? Wenn sich Ängste breitmachen, weil fremde Kulturen und verschiedene Religionen aufeinandertreffen, ist nämlich Nächstenliebe das wirksamste Mittel, diese Ängste abzubauen und aus Fremden Freunde zu machen. Es kann gut sein, dass der eine oder die andere zum ersten Mal erfährt, was das bedeutet. Das Evangelium von Jesus Christus gilt allen Menschen, besonders aber den Armen und Elenden. Jene Menschen, die diese Nächstenliebe praktizieren, sind es, die auch diese Gute Botschaft glaubwürdig transportieren können. Wenn dann aus einem kleinen Hoffnungsschimmer, den ein Mensch in der Flucht nach Europa gesehen haben mag, ein starker Glaube an einen liebenden Gott und Retter würde, hätte er neue Hoffnung gefunden, die sogar über den Tod hinaus reicht. *dbe*

Haben Sie (schon) Flüchtlinge in Ihrem Freundeskreis?

Jesus fordert seine Nachfolger auf, sogar die Feinde zu lieben!

Lukas 10,25-37

Wir erwarten aber nach seiner Verheißung neue Himmel und eine neue Erde, in denen Gerechtigkeit wohnt.

2. Petrus 3,13

»What a Wonderful World«

Ich mag dieses Lied von Louis Armstrong sehr gerne. An einem Maimorgen, bei einer Radrunde mit unserem Hund wurde ich an diesen Song erinnert: Die Sonne schien, es war angenehm warm, aber nicht zu heiß, ein leichter Wind wehte, der den Geruch frisch gemähten Grases herübertrug. Die Bäume hatten dieses satte Grün, das man nur im Frühling findet. Die Farben des Waldes, des Himmels und einiger Wolken harmonierten wunderbar. Auf einer Wiese stand ein majestätischer Fischreiher. Alles war schön anzuschauen, scheinbar perfekt.

Dann stieß ein anderer Fischreiher auf den ersten hinab, und es entspann sich ein wilder Revierstreit. In der nächsten Kurve traf ich auf zwei Spatzenmännchen, die so intensiv in einen heftigen Kampf vertieft waren, dass sie mich erst gar nicht bemerkten. Und kaum erblickte unser Hund ein Kaninchen, wollte er instinktiv losspurten, um es zu erlegen. Mir wurde einmal mehr klar, dass unsere Welt trotz aller Schönheit offenbar durchzogen ist von Kampf, Streit und Tod. Wenn man den Menschen noch hinzuzieht, dann wird das besonders deutlich: Es gibt keinen Platz auf Erden, an dem nicht an jedem Tag Menschen anderen Menschen Böses antun.

Warum können diese Welt, die ganze Natur, der Mensch nicht einfach friedlich und von Harmonie geprägt sein, ohne Bosheit, Neid und Blutvergießen?

Die Antwort ist hart: Weil wir Menschen es im Paradies nicht ausgehalten haben. Durch unseren Eigenwillen haben wir Gottes harmonische, perfekte Schöpfung verdorben. Darunter leidet nicht nur der Mensch. Die Konsequenzen haben auch Tier- und Pflanzenwelt zu tragen. Doch diese Tragödie ist nicht das Ende. Gott verheißt eine neue Welt, in der wieder alles nach seiner Ordnung funktionieren wird: Perfekt! *mm*

Was bedeutet Ihnen die Verheißung einer heilen, gerechten Welt ohne Streit?

Wir können uns heute für Gottes Angebot entscheiden.

Psalm 46

**Und der Pharao sprach zu Joseph:
Nachdem Gott dir dies alles mitgeteilt hat,
ist keiner so verständig und weise wie du.**

1. Mose 41,39

Wilhelm von Humboldt zum 250. Geburtstag

In Köln machten im vorigen Jahr die angehenden Abiturienten auf ihre Art ihrem Herzen Luft und randalierten in einer Weise, dass es zu Sachschäden und Schwerverletzten kam. So hatte sich das der »Erfinder« des Abiturs, Wilhelm von Humboldt, sicher nicht vorgestellt. Er wollte dem Staat Preußen, dem er diente, aus seinem Elend heraushelfen, in das er durch den verlorenen Krieg gegen Napoleon gekommen war.

Preußen hatte große Gebiete abtreten müssen. Die Steuereinkünfte waren eingebrochen, die Staatskasse geplündert. Wirtschaft und Handel lagen am Boden. Die einzige Ressource, die Napoleon den Preußen nicht nehmen konnte, waren die Fähigkeiten seiner Bürger. Einer von ihnen war Wilhelm von Humboldt. Von seiner Mutter sorgfältig erzogen und selbst mehr als hochbegabt, trat er in den preußischen Staatsdienst ein und erhielt dort die Aufgabe, das Bildungswesen zu reformieren. Die nahm er in Angriff und schuf ein weitgehend einheitliches Schulsystem für Preußen mit Volksschule und (Mittel-)Schule. Darüber dann noch die höhere Schule, die die Absolventen auf die Universität vorbereiten sollte. Den erfolgreichen Abschluss derselben nannte er Abitur. Diese Bildungsreform war so gut gelungen und erfolgreich, dass viele Staaten sie übernahmen. Der Aufstieg Deutschlands zur bedeutendsten Bildungsmacht in der Welt des 19. Jahrhunderts war die Folge.

Wie gnädig Gott mit uns Menschen ist, zeigt sich auch am Beispiel von Joseph, den er mit so viel Weisheit ausstattete, dass er ein ganzes Land vor Hunger und Tod bewahren konnte. Und im Neuen Testament erkennen wir, dass durch Gottes Weisheit nicht nur unser irdisches Schicksal beeinflusst, sondern auch für unser ewiges Heil gesorgt wird – durch Jesus Christus, der uns aus unserem Elend der Sünde erlöst. *koh*

Was halten Sie für wichtiger? Aufstieg durch Bildung oder weise werden zur Rettung durch den Glauben (2. Timotheus 3,15)?

Beides ist wichtig, Letzteres ist aber entscheidend für die Ewigkeit!

2. Timotheus 3,10-17

23. Juni 17

Freitag

Ich bin von dem Vater ausgegangen
und in die Welt gekommen,
wieder verlasse ich die Welt und gehe zum Vater.
Johannes 16,28

Hinterm Horizont geht's weiter ...

Ich wuchs in einer wunderschönen Bergwelt auf. Inmitten der Salzburger Berge am Rande der Hohen Tauern. Die Landeshauptstadt Salzburg, auch »Mozartstadt« genannt, ist ca. 40 Kilometer weit entfernt. Vor einigen Jahrzehnten war es noch so, dass es besondere Tage waren, an denen wir in die Stadt fuhren. Nur wenige Anlässe gab es dazu. So war mein Horizont für die Welt da draußen sehr eingeschränkt. Später, als das Autofahren und das Reisen zum Alltag gehörten, machte ich die Erfahrung, wie groß und weit und wunderschön die Welt ist.

Millionen von Menschen haben leider in Bezug auf Gott einen völlig eingeschränkten Horizont. Der Widersacher Gottes, in der Bibel Satan oder Teufel genannt, hat es geschafft, viele Menschen zu überzeugen, dass hinter der Schöpfung des Universums kein göttlicher Plan steckt. In fast allen Dokumentationen über die wunderbare Vielfalt der Schöpfung will man uns weismachen, dass es keinen Gott gibt. So sind viele Menschen, die sich nicht gut genug auskennen, der Meinung, dass der Glaube an einen Gott und an den Himmel unwissenschaftlich sei. Auf diese Weise hat Satan die Welt in ein Gefängnis verwandelt und unser Leben in ein hoffnungsloses Dasein ohne wirklichen Sinn und ein lohnendes Ziel.

Die Aussage von Jesus im Tagesvers bedeutet aber, dass es nicht nur diese Welt hier gibt. Diese Welt ist nicht das Letzte, es gibt Leben darüber hinaus! Jesus kam aus der Welt des Vaters, aus der Ewigkeit. Nachdem er uns am Kreuz die Liebe des Vaters vor Augen gestellt hat, ging er wieder heim – zum Vater.

Der Glaube an den Herrn Jesus und seine Worte erweitert unseren Lebenshorizont überdimensional! Jesus öffnet uns den Blick für die ewigen Weiten der himmlischen Herrlichkeit! *sew*

Glauben Sie immer noch den modernen Welterklärern mehr als dem Sohn Gottes?

Lassen Sie sich von Ihrem engen, eingeschränkten Lebenshorizont befreien!

Epheser 1,15-23

24. Juni 17

Samstag

... zeige mir deinen Glauben ohne die Werke.
Jakobus 2,18

Wer hat an der Uhr gedreht?

Eine Kirchengemeinde in Oldenburg-Ohmstede vermisst den kleinen Zeiger ihrer Kirchturmuhr. Den haben offenbar Metalldiebe im Sommer 2014 aus schwindelnder Höhe geklaut. Nun zeigt die Kirchturmuhr nur noch die Minuten an, aber nicht mehr, was die Stunde geschlagen hat. (Quelle: idea/12.09.2014)

Eine weithin sichtbare Turmuhr, von der nicht mehr die Zeit ablesbar ist, ist einigermaßen unsinnig, nicht wahr?

Den Zeiger einer Turmuhr stehlen? Wie geht das denn? Der Kirchturm ist immerhin weit über 30 Meter hoch ... Ganz einfach: Weil die Kirche wegen Dachdecker-Arbeiten komplett eingerüstet war, konnten die Diebe zunächst auf ein Gerüst klettern. Dann hangelten sie sich unter Lebensgefahr noch drei Meter höher bis an die Uhr und brachen gewaltsam den kleinen Zeiger ab. Bei der ganzen Aktion wurde ein beträchtlicher Schaden angerichtet, der in die Tausende ging. Von Steiger und Zeiger fehlt bis heute jede Spur. Das Ziffernblatt war zwar noch da, auch das Uhrwerk lief noch, aber der Stundenzeiger fehlte.

Ist das nicht ein treffendes Gleichnis für den Zustand von manchen Christen, die ihren Glauben verstecken? Innerlich ticken sie vielleicht ganz richtig, aber nach außen ist davon nichts Eindeutiges ablesbar. Sie wagen es nicht, offensiv zu zeigen, was sie in ihrem Innersten bewegt. Die Bibel sagt aber: Echter Glaube wird sich klar und deutlich zeigen! Ein Glaube ohne Werke ist tot. Mit dem Herzen wird geglaubt zur Gerechtigkeit, und mit dem Mund wird bekannt zum Heil. Wer mit seinem Mund Jesus als Herrn bekennt, der wird gerettet (Römer 10,9-10). Durch ein ehrliches und offenes Bekenntnis kann man Schaden von sich und anderen abwenden, weil Gott nicht nur hin und wieder einen Menschen, sondern alle retten will. *fe*

? Wo zeigt sich Ihr Glaube im Bekenntnis und in der Tat? Ist er lebendig oder tot?

! Sogar durch bloßes Schweigen kann großer Schaden angerichtet werden.

Jakobus 2,14-26

Sonntag **25. Juni 17** **Tag des Seefahrers**

Du bist gut und tust Gutes.
Lehre mich deine Ordnungen!
Psalm 119,68

Volle Fahrt voraus!

Als ich neulich ein Schifffahrtsmuseum besuchte, fesselte mich ein alter Schiffstelegraf. Das sind die mit einem großen Hebel versehenen Geräte, mit denen der Kapitän früher die Fahrtrichtung und die Geschwindigkeit des Schiffes vorgab. Das runde Anzeigefeld war eingeteilt in sieben Segmente, die mit »volle Fahrt voraus«, »halbe Fahrt voraus«, »langsame Fahrt voraus«, »Stop«, »langsame Fahrt zurück«, »halbe Fahrt zurück« und »volle Fahrt zurück« beschrieben waren.

Durch die Betätigung des Hebels wurde allerdings nicht direkt der Antrieb gesteuert, sondern lediglich das gewünschte Kommando per Seilzug auf eine Anzeige im Maschinenraum übertragen. Das Personal dort war dann dafür verantwortlich, die Maschinen entsprechend einzustellen. Die Technik mutet heute umständlich an, war aber lange Zeit der technische Standard auf allen Dampfschiffen.

Unwillkürlich versetzte ich mich in einen Maschinisten hinein. Er konnte aus dem Maschinenraum – wenn überhaupt – nur sehr eingeschränkt nach draußen schauen. Er brauchte daher ein tiefes Vertrauen, dass die Order von oben sinnvoll war und dass das Schiff sich beispielsweise nicht gerade auf gefährlichem Kollisionskurs befand, wenn »volle Fahrt voraus« angesagt war. Er musste vertrauen, dass sein Kapitän von der Kommandobrücke aus die bessere Übersicht hatte und seine Anweisungen zum Wohle aller an Bord waren.

Ganz ähnlich, so dachte ich sofort, ergeht es mir auch. Ich muss vertrauen, dass das, was Gott sagt, gut ist. Ich weiß, dass er die bessere Übersicht hat und dass seine Anweisungen mich vor verborgenen Klippen bewahren können. Er hat das Beste für mich im Sinn. Deshalb will ich sein Wort ernst nehmen und gerne befolgen. *kaa*

Wieso meinen Menschen manchmal, eine besere Übersicht über ihr Leben zu haben als Gott?

Vertrauen Sie dem mit der besten Übersicht!

Psalm 121

Jeder aber wird versucht, wenn er von seiner eigenen Begierde fortgezogen und gelockt wird.

Jakobus 1,14

Wehre den Anfängen!

Wie klug müssen doch Adam und Eva gewesen sein; denn alles Geniale, was in Shakespeare, Einstein, Bach und Michelangelo aufblitzte, haben diese ja von ihren Urahnen geerbt. Uns ist nämlich kein Mechanismus bekannt, durch den Klugheit zunimmt. Nach den Naturgesetzen geht es immer nur bergab. Und doch hat – wie wir wissen – alle Intelligenz bei Adam und Eva nicht ausgereicht, um der Versuchung zu widerstehen, von der verbotenen Frucht zu essen. Wie war das möglich? Nun, unser Tagesvers erklärt uns, wie Verführung immer wieder abläuft, seit es Menschen auf der Erde gibt:

Man möchte etwas gerne haben. Erst lässt man sich noch von Verboten, Gewissensbissen und moralischen Normen aufhalten. Und da wäre es dann noch möglich, entschieden »Nein« zu dieser Versuchung zu sagen. Unterlässt man das aber und hängt man stattdessen weiter seinen Begierden nach, werden die immer stärker und schieben nach und nach alle vorher erhobenen Bedenken beiseite, bis sie so stark werden, dass man höchstens noch die Risiken bedenkt, die man eingeht, wenn man seiner Begierde nachgeben will, bis man schließlich auch die Risiken gering achtet und auf Biegen und Brechen seinen Begierden folgt und zur Tat schreitet. Dabei kann es sich darum handeln, aus dem Geldbeutel der Mutter einige Euro zu stehlen, um etwas zu kaufen, bis hin zu den Abhängigkeiten der Drogen- und Spielsüchtigen oder bis zu den schrecklichen Taten von Diktatoren oder Mafiabossen.

Die alten Römer schon hatten den weisen Spruch: »Wehre den Anfängen!« Der gilt auch heute noch. Und wenn wir merken, dass uns die Kraft zum Nein-Sagen fehlt, dann dürfen wir Gott bitten, uns Kraft zu schenken. Er hilft allen, die es aufrichtig wollen. *gr*

?

An was müssen Sie beim Lesen dieses Textes denken?

!

Machen Sie es wie die alten Römer! Und nehmen Sie demütig Gottes Hilfe in Anspruch!

1. Mose 3,1-7

27. Juni 17

Dienstag

... und am Morgen [sagt ihr]: Heute kommt ein Ungewitter, denn der Himmel ist rot und trübe! Ihr Heuchler, das Aussehen des Himmels versteht ihr zu beurteilen, die Zeichen der Zeit aber nicht! **Matthäus 16,3**

Zeichen erkennen!

Eben läuteten die Kirchenglocken und riefen zum Gottesdienst. Ein hörbares Signal sagte den Leuten, was zu tun sei. Auf der Straße begegnen uns Verkehrszeichen, die uns als sichtbares Signal auffordern, gewisse Vorschriften zu beachten. Wenn unsere Gesundheit manchmal versagt, ist es ein fühlbares Signal, dass wir kürzertreten müssen. Bei meiner Arbeit in der Flüchtlingshilfe verwendeten wir in der Unterkunft Symbole und Bilder, um international Verständigung zu erlangen. Diese kleinen Bildchen helfen, wenn Sprachbarrieren bestehen und kein Dolmetscher zur Verfügung steht.

Jesus Christus kam auf diese Erde, um den Menschen auf ihr ein Zeichen zu geben. Es war hörbar, sichtbar und auch fühlbar, was für eine Botschaft der Sohn ihnen vom Vater ausrichtete. Der Tagesvers zeigt uns, wie er die Juden damals zurechtwies, weil sie ihr Gespür für Gottes Reden verloren hatten. Sie kannten sich gut in ihrer Welt aus, konnten das Wetter vorhersagen und andere Zeichen deuten. Doch das wichtigste Zeichen haben sie missverstanden.

Gott signalisierte ihnen, dass er in Jesus Christus einen neuen einzigartigen Zugang zu sich schaffen wollte. Nicht mit Opfern, Spenden oder religiösen Übungen, sondern durch die vergebende Gnade Gottes sollte der Mensch zu ihm kommen. Dazu musste sein Sohn das Leben drangeben und sich am Kreuz von Golgatha für die ganze Menschheit töten lassen, um stellvertretend für uns zu sterben. Dazu kam der Sohn Gottes auf die Erde, damit er sich erniedrigte und Spott und Hohn aussetzte, um uns Vergebung zu bringen. Wer an dieses Werk Gottes dort am Kreuz glaubt und für sich in Anspruch nimmt, der hat sein Reden und Signal wirklich verstanden. *kü*

? Welches Zeichen brauchen Sie noch, um Gottes Absichten zu verstehen?

! Gott redet für jeden nur begrenzt. Versäumen Sie nicht diese Gelegenheiten!

Richter 6,1-10

HERR der Heerscharen!
Glücklich ist der Mensch, der auf dich vertraut!
Psalm 84,13

Sicherungslücke

Versicherungen sind so eine Sache: Ganz ohne sie kommt man nicht aus, da manche Pflicht sind. Auf der anderen Seite kann man sich auch »überversichern« in dem Irrglauben, auf diese Weise gegen alle denkbaren Lebensrisiken abgesichert zu sein. Das richtige Maß zu treffen, erfordert Weisheit. Denn Versicherungen haben natürlich einerseits ein erhebliches Interesse daran, ihre Produkte zu verkaufen, um daran zu verdienen. Auf der anderen Seite haben sie professionellen Einblick in die Bewertung von Risiken.

Was macht man nun, wenn ein Versicherungsvertreter mich auf eine »Sicherungslücke« aufmerksam macht? Wie neulich, als man mir eine Unfallversicherung für unsere Kinder nahelegte. Der Hintergrund, den der Vertreter erzählte: Er hat einen anderen Kunden, dessen Sohn schwer verunglückt und seitdem schwer behindert ist. Die Eltern des jungen Mannes sind finanziell nicht gut gestellt und waren plötzlich gezwungen, Sozialhilfe für ihren Sohn, der unfallbedingt voraussichtlich nie eigenes Geld wird verdienen können, zu beantragen. Ist das nun illegitime Angstmache, um ein lukratives Geschäft abzuschließen? Oder ist es einfach ein guter Rat, den ich besser befolgen sollte? Kann ich dem Versicherungsmann vertrauen, der doch auch eigene Interessen verfolgt?

Bei Gott stellt sich diese Frage nicht: Ob wir uns für ihn entscheiden oder nicht, verschafft ihm keinen Vorteil. Gleichzeitig hat er den allerbesten Einblick in alle diesseitigen und jenseitigen Lebensrisiken. Er kann kompetent beurteilen, was uns in der Ewigkeit droht, wenn wir ihn hier ignorieren. Sein Rat an den Menschen, eine Beziehung mit ihm einzugehen, ist selbstlos und allein durch seine Fürsorge für uns motiviert. *mm*

Welchen Grund könnten wir haben, Gottes guten Ratschlägen zu misstrauen?

Informieren Sie sich über Gottes Versicherungsbedingungen!

1. Timotheus 1,15-16

Gedenke, wie kurz mein Leben ist, wie vergänglich du alle Menschen geschaffen hast! Wo ist jemand, der da lebt und den Tod nicht sähe, der seine Seele errette aus des Todes Hand? Psalm 89,48-49

Zukunftspläne

Noch 14 Tage bis zur großen Feier. 80 Jahre – das sollte ausgiebig zelebriert werden! Bei der angehenden Jubilarin und ihrer gesamten Familie stieg die Vorfreude von Tag zu Tag. Seit Wochen waren die Vorbereitungen in vollem Gange: Die Einladungen wurden verschickt, das Menü wurde zusammengestellt, die Dekoration in den Lieblingsfarben ausgewählt und das Überraschungsprogramm aufwendig vorbereitet.

Doch dann traten bei der 79-Jährigen plötzlich starke Schmerzen im Oberbauch auf. Schockierende Diagnose: Leberkrebs im Endstadium. An Feierlichkeiten war nicht mehr zu denken. Selbst die Hoffnung der Patientin, wenigstens noch ein paar Wochen zu leben, erfüllte sich nicht. Binnen weniger Tage musste sie leidvoll Abschied nehmen von den Menschen, die sie liebte, von den Erinnerungen, die ihr Leben zeichneten, von allen Wünschen für die Zukunft. Sie verstarb – zwei Tage vor ihrem 80. Geburtstag.

Wenn Pläne zerschlagen werden und ein Riss durchs Leben geht, ist das bitter, erschütternd und irritierend. Die Realität des Todes lässt keinen Raum mehr für Normalität – sie zwingt unmittelbar zum Loslassen. Obwohl jeder Mensch um seine unabwendbare Endlichkeit weiß, gerät dieser Gedanke im bunten Trubel des Alltags schnell aus dem Blickfeld. Das wusste bereits Mose, der Schreiber des 90. Psalms: »Lehre uns bedenken, dass wir sterben müssen, auf dass wir klug werden.«

Ein kluges Herz weiß um seine Endlichkeit und seine Abhängigkeit von Gott. Zugleich setzt es sein ganzes Vertrauen auf den, der Erbarmen mit uns vergänglichen Menschen hat. Nur bei Gott gibt es Leben nach dem Tod. Welchen Trost könnte man sonst finden? *sna*

? Wie sehr ist Ihnen Ihre eigene Sterblichkeit bewusst?

! Das Leben ist kurz und kostbar. Vertrauen Sie es jetzt Ihrem Schöpfer an.

Psalm 90

**Daher, wenn jemand in Christus ist,
so ist er eine neue Schöpfung;
das Alte ist vergangen, siehe, Neues ist geworden.**
2. Korinther 5,17

Jesus macht alles neu

Im berühmten Hyde Park in London gibt es am nordöstlichen Ende einen Versammlungsplatz, die bekannte Speakers' Corner (»Ecke der Redner«). Durch einen Parlamentsbeschluss vom 27. Juni 1872 darf hier jeder ohne Anmeldung einen Vortrag zu einem beliebigen Thema halten und auf diesem Weg die Vorbeigehenden um sich versammeln.

Dort hielt einmal ein überzeugter Marxist einen engagierten Vortrag. Er zeigte auf einen ärmlich gekleideten Mann neben sich und rief: »Der Marxismus kann diesen Mann in neue Kleider stecken!« Ein Christ unter den Zuhörern unterbrach ihn und rief laut: »Jesus dagegen kann in diese alten Kleider einen neuen Menschen stecken!«

Heute wissen wir, dass der Marxismus in seinem Versuch, die Menschen zu beglücken, gescheitert ist, ebenso wie der Humanismus und auch der Materialismus und der Kapitalismus; sie bringen höchstens Scheinblüten hervor, für die spätere Generationen teuer bezahlen müssen. Einer Ideologie oder Religion zuzustimmen, kann jemanden vielleicht äußerlich oder im Verhalten etwas verändern, doch ohne ein gewisses Maß an Disziplin wird dahinter früher oder später wieder der alte verdorbene Kern zum Vorschein kommen.

Das Christentum, so wie es die Bibel lehrt, verspricht uns kein goldenes Zeitalter in diesem Leben, dafür aber die ewige Seligkeit, zu der wir eigentlich berufen sind. Und wenn Gott unser Herz verändert, werden wir auch hier schon etwas von dem Segen und Frieden spüren, den Gott den Gläubigen schenken will. Dann werden diese »neuen Menschen« durch den Gehorsam den Geboten Gottes gegenüber auch hier schon viele alte Kleider ablegen und in »neuen Kleidern« umhergehen können. Das heißt, man wird es sehen, dass sie den Frieden Gottes und seine Sanftmut ausstrahlen. *tk*

Sind Sie schon eine neue Person?

Vertrauen Sie sich ganz Jesus Christus an, er macht alles neu!

Epheser 4,17-32

Sogleich aber redete Jesus zu ihnen und sprach: Seid guten Mutes! Ich bin es. Fürchtet euch nicht!
Matthäus 14,27

Lebensstürme

Im Juli 2015 besuchte ich einen Gartengottesdienst (Gottesdienst auf dem freien Feld) im Hunsrück. Hier lernte ich auch Peter kennen. Mein Auftrag war, dort zu predigen, und ich entschied mich, über die Bibelstelle aus dem Matthäusevangelium zu reden, wo die Jünger mit dem Boot auf dem See Genezareth unterwegs waren und in einen Sturm gerieten. Sie schrien um Hilfe, und Jesus kam ihnen entgegen, indem er auf dem Wasser ging. Ich weiß, dass dieser Bericht schon immer Skeptiker auf den Plan gerufen hat, aber das soll nicht unser Thema sein. Jesus begegnete seinen Jüngern auf dem See, und er machte ihnen Mut und befreite sie aus ihrer Not, indem er den Sturm stillte.

Jeder von uns hat in seinem Leben schon so manchen Sturm erlebt, wo der Wind einem mehr als heftig ins Gesicht geblasen ist. Aber Jesus kann über all diesen Dingen stehen. Er kann helfen. Doch zuerst spricht er zu seinen Jüngern die tröstenden Worte, die wir im Tagesvers lesen.

Etwa vier Monate nach diesem Gottesdienst rief mich Peter an und teilte mir mit, er habe einen Bandscheibenvorfall erlitten und befände sich nun in der Reha. Große Schmerzen hätten ihn in den letzten Wochen begleitet. Er sagte mir, dass er immer wieder an meine Predigt von damals hatte denken müssen und dass ihm gerade diese Worte aus dem Tagesvers in Erinnerung geblieben wären. Ganz praktisch habe er dadurch Gottes Hilfe spüren können. Das habe ihn getröstet und durchgetragen. Er habe sogar anderen, die in Not waren, mit diesen Worten trösten können. Für mich war es eine große Freude, zu erfahren, dass Gottes Wort wirkt, tröstet und Menschen stärkt, um in schweren Situationen durchzuhalten, ob nun die Hilfe schnell oder erst nach einiger Zeit kommt.

schn

Wie gehen Sie mit Problemen um?

Jesus kann Furcht und Zukunftsängste wegnehmen und unsere Lebensumstände zum Guten wenden.

Matthäus 14,22-33

**… und er wird sie voneinander scheiden,
wie der Hirte die Schafe von den Böcken scheidet.**
Matthäus 25,32

Das sind Engländer!

Vor einigen Jahren machte ich Urlaub mit ein paar Familien in Spanien. An einem Tag machten wir einen Spaziergang entlang der Küste und haben eine Zeit lang die Sonne, die Ruhe und das Meer genossen. Als wir aber zum nächsten Ort kamen, wurde es etwas lauter. Wir trafen auf eine Gruppe junger Männer, die durch ihr Verhalten negativ auffielen. Sie waren etwas alkoholisiert und machten viel Lärm. »Schau mal«, sagte mein Freund, »das sind doch Engländer, oder?« Mein Freund hatte recht. Zugegeben, es war keine gute Werbung für England, aber sie waren eindeutig meinem Herkunftsland zuzuordnen. Ihre Sprache hatte seine Vermutung bestätigt, aber auch an ihrem Verhalten konnte man sie erkennen. Unser »Herkunftsland« bestimmt unsere Sprache und teilweise auch unser Verhalten. So wird erkennbar, wo jemand herkommt.

Für Christen gibt es nicht nur ein »Herkunftsland«, sondern auch ein »Zukunftsland«: Gottes neue Welt, für die sie bestimmt sind. Auch das prägt ihre Sprache und ihr Verhalten, denn wer Gott kennt, wird sich normalerweise anders verhalten als jemand, der Gott nicht kennt. Unser Verhalten und unser Leben werden zeigen, ob wir zu Gott gehören oder nicht. Am Ende der Tage werden alle Menschen vor Gott erscheinen. Aber nicht alle werden bei Gott sein. Es wird eine Trennung stattfinden. Gott wird die »Schafe« von den »Böcken« trennen. Die »Schafe« sind die Gläubigen, und die »Böcke« sind die Leute, die mit Gott nichts zu tun haben wollten. Die Schafe werden für immer bei Gott sein und die Böcke werden hinweggetan werden. Ein Schaf wird an seinen guten Taten, die es in diesem Leben getan hat, erkennbar sein. Die Böcke jedoch haben sich in ihrem Leben als solche erwiesen, die Entscheidendes versäumt haben. *har*

? Was sagt Ihr Leben über Ihre Zugehörigkeit aus?

! Unser Leben verrät, ob wir Gott persönlich kennen oder nicht!

Matthäus 25,31-46

**Denn der Sohn Gottes, Jesus Christus,
der unter euch durch uns gepredigt worden ist,
... in ihm ist ein Ja geschehen.**
2. Korinther 1,19

»Ja« zu 100 %

Mit seinem Wahlkampfslogan »Yes, we can!« errang Obama die Präsidentschaft in den USA. Dank seiner guten Absichten wurde ihm bald nach dem Amtsantritt, verbunden mit hoffungsvollen Erwartungen, der Friedensnobelpreis verliehen. Doch was ist davon geblieben, oder was hat sich überhaupt bewahrheitet?

Die Bilanz unterm Strich ist ernüchternd. Dabei hatten Millionen Menschen weltweit an ihn geglaubt, seinem Ja vertraut und auf dessen Umsetzung unablässig gehofft, ohne eine wirkliche Grundlage dafür zu haben. Am guten Willen des Präsidenten hat es sicher nicht gemangelt, aber wie man so sagt, er ist eben »auch nur ein Mensch«. So konnte Obama, genauso wenig wie sonst irgendwer, erfolgreich sein; er musste an dem so viel Hoffnung weckenden »Yes!« scheitern. Ein solches Ja, zu 100% positiv besetzt, war eben kaum zu erfüllen.

Jesus Christus hingegen ging mit ganzem Willen und mit ganzer Hingabe zu 100% den Weg, an dessen Ende er als Mann von Anfang dreißig mit weit ausgebreiteten Armen am Kreuz von Golgatha hing, von der Qual und Marter dieses schrecklichen Todes gezeichnet. Googeln Sie einmal »Der gemarterte Christus« von Rocha, um annähernd eine Vorstellung davon zu bekommen, was Gottes 100%tiges Ja uns gegenüber ihm abverlangte. Er trug unser aller Schuld und bezahlte dafür mit seinem kostbaren, heiligen und gerechten Leben. 100% Hoffnung war durch 100% Einsatz gedeckt, denn Jesus war »eben nicht nur ein Mensch«, sondern Gottes ewiger Sohn. In seinem vermeintlichen Scheitern am Kreuz – so wurde es damals und wird es noch heute von vielen gesehen – lag der größte Sieg begründet, der jemals hier auf Erden errungen wurde. Dieser Sieg bringt jedem, der glaubt, Garantie über den Tod hinaus: ewiges Leben! *aqu*

Sind Sie auch schon von Menschen enttäuscht worden?

Setzen Sie Ihr Vertrauen auf das »Ja« Gottes – zu 100%!

Johannes 12,23-32.44-50

Alles, was Odem hat, lobe den HERRN! Hallelujah!

Psalm 150,6

Ein Morgenlob für Gott

Es ist Sommer und erst gegen drei Uhr morgens. Längere Zeit liege ich wach. Ich kann einfach nicht schlafen. Bis zum Aufstehen sind es noch 2 bis 3 Stunden. Hoffentlich kann ich noch mal einschlafen. Ich mag es nicht, nachts wach zu liegen, weil mir dann oft sorgenvolle Gedanken durch den Kopf gehen. Eine Amsel beginnt zu singen. Es ist 4.04 Uhr auf meinem Wecker. Sie fängt erst zögerlich an, wird aber immer entschlossener. Ich denke mir: Es ist so, als würde sie den Tag mit dem Lob Gottes beginnen. Andere Vogelstimmen kommen dazu. Die Amsel fordert sie auf: »Los, wacht auf! Lobt unseren Gott und Schöpfer.« Die Stimmen werden immer zahlreicher und voller. Alle stimmen in diesen morgendlichen Lobgesang für Gott ein. Wen außer Gott sollten sie denn sonst mit ihrem Gesang ehren? Er hat ja alle Kreaturen geschaffen.

Diese Vorstellung belebt mich und macht mich froh. Doch bei uns Menschen scheint das alles anders zu sein. Wie fangen wir Menschen unseren Tag an? Meist steht Gott uns gar nicht vor Augen. Müdigkeit lähmt noch unser Denken. Sorgen und ungelöste Probleme, die uns gestern beschäftigten, kommen gleich wieder in den Blickpunkt. Der Tag mit seinem vollem Programm wirft seine Schatten voraus.

Ich denke mir: Von der Amsel kann ich etwas lernen. Ich will meinen Tag auch mit Dankbarkeit und dem Lob Gottes beginnen. Vielleicht so: »Herr, du großer Gott, danke für diesen neuen Tag. Er ist ein Geschenk von dir. Du bist mit deiner Güte da. Meine Sorgen darf ich bei dir lassen, weil du für mich sorgst. Egal, ob es heute Gutes oder Schwieriges geben wird, du bist da, um mich zu führen und zu tragen. Deshalb darf ich froh in den neuen Tag gehen. Du bist ein wunderbarer Gott!« *ht*

? Woran denken Sie am Morgen zuerst?

! Gott am Morgen zu loben, wird mein Herz mit Freude füllen.

Psalm 63

»… der unserer Übertretungen wegen dahingegeben und unserer Rechtfertigung wegen auferweckt worden ist.«

Römer 4,25

Freispruch für Schuldige

Ich habe mir sagen lassen, dass bei uns in Österreich im Allgemeinen Bürgerlichen Gesetzbuch 1502, im Strafgesetzbuch 321 und in der Bundesabgabenordnung rund 300 Paragrafen dafür sorgen, dass das Leben der Bürger geordnet verläuft. Zusätzlich dienen unzählige Landesgesetze und Untergesetze wie Mietrecht, Konsumentenschutz, Straßenverkehrsgesetz usw. für einen geregelten Ablauf unseres Lebensalltags. Inzwischen gibt es auch viele EU-Verordnungen, die wie österreichische Gesetze zu handhaben sind. Außerdem unterhält unser Rechtsstaat unabhängige Richter, die dafür Sorge tragen, dass die Gesetze und Verordnungen eingehalten werden. Solche guten Ordnungen und Einrichtungen gibt es in vielen Ländern nicht.

Ich bin sehr dankbar, dass ich in einem Land wohne, wo noch viele Mitmenschen versuchen, rechtschaffen und ordentlich zu leben. Aber was käme dabei heraus, wenn ein absolut gerechter Richter alle Paragrafen auf jede Handlung anwenden wollte, die jeder Einzelne bei Tag und bei Nacht begangen hat? Auf einmal würde es eine dicke Schlagzeile geben: In Österreich sind alle Bürger Gesetzesbrecher! Denn keiner wäre schuldlos. Und so sieht es tatsächlich aus im Verhältnis zu Gott. Er hat alles gesehen, weiß auch noch alles und vergisst gar nichts. Aber das gilt nicht nur für Österreicher, sondern für alle Menschen. Und schlimm wäre es, wenn das wirklich das letzte Wort wäre; denn dann wären wir alle verloren.

Aber – und hier darf man wirklich sagen: Gott sei Dank! – er hat selbst für einen Ausweg gesorgt. Er wollte uns retten und gab uns dafür die Gute Botschaft des Evangeliums, dass alle, die an seinen Sohn als ihren Retter glauben, von allen Schulden freigesprochen sind.

sew

? Wo würde bei Ihnen ein absolut gerechter Richter einhaken?

! Holen Sie sich das Geschenk des Freispruchs!

Hesekiel 33,10-16

... indem wir hinschauen auf Jesus,
... der um der vor ihm liegenden Freude willen
das Kreuz erduldete.

Hebräer 12,2

Trost im Leid

»Wie hält sie das bloß aus?«, fragten sich viele Bekannte, wenn sie über eine Frau nachdachten, die einige Jahrzehnte lang von ihrem Mann nichts als Heimlichkeiten und Betrügereien erlebt hatte. Unser Tagesvers gibt die Antwort. Und er ist auch die Antwort auf die Frage, wie manche Christen in Nordkorea oder in islamischen Ländern oder auch in Südamerika den Raub ihrer Güter und Folterungen und Demütigungen aller Art aushalten konnten und es leider immer noch aushalten müssen.

Sie sehen auf den Herrn Jesus Christus, und sie wissen genauso wie er, dass nach diesem Leben eine große Belohnung auf sie wartet, wenn sie etwas um Gottes willen erdulden, wenn sie ihr Wort halten oder wenn sie nicht zu Mitteln greifen, die auf dieser Welt zwar üblich sind, aber durch die man auch verrät, dass man nicht auf Gott wartet, sondern sich selbst sein Recht erstreiten will.

Der Glaube, dass Gott allen unschuldig Leidenden einmal Recht verschaffen wird und dass er alle ihre Tränen kennt, bewahrt sie davor, zu verzweifeln oder um sich zu schlagen, je nachdem, wie sie geartet sind. Denn beides wäre ein Zeichen von Unglauben und wäre ein Versagen in den Prüfungen, die manche Gläubige mitmachen müssen.

Und wenn wir solche leidenden Menschen kennen und ihnen wirklich helfen wollen, können wir das nur, wenn wir nicht ihr Selbstmitleid unterstützen – so naheliegend das auch erscheinen mag. Stattdessen beten wir für sie und stehen ihnen – wenn sie für uns erreichbar sind – in ihrer Einsamkeit bei, indem wir ihnen praktische Hilfe zukommen lassen, und vor allem, indem wir auf die großartigen Verheißungen für die Überwinder in der Bibel hinweisen. *gr*

? Wer fällt Ihnen ein, der gerade Trost, Beistand und Ermutigung braucht?

! Gehen Sie hin, hören Sie zu und zeigen Sie Mitgefühl!

Hebräer 12,1-14

... welcher will, dass alle Menschen gerettet werden und zur Erkenntnis der Wahrheit kommen.

1. Timotheus 2,4

Die ausgeschlagene Einladung

»Das ist doch gemein!«, ruft der kleine Junge. Er kann es einfach nicht verstehen, dass Gott nicht alle Menschen in den Himmel lässt. »Was ist denn mit allen anderen?« Nicht nur Kinder stellen sich diese Frage. Auch aus meiner Perspektive scheint dieser Vorwurf berechtigt. Ist Gott unfair, wenn er einige Menschen in den Himmel lässt und andere nicht? Bevorzugt er den einen und benachteiligt den anderen?

Stellen Sie sich einmal Folgendes vor: Für Ihren Geburtstag planen Sie eine große Feier. Sie laden zahlreiche Gäste ein und verwenden Monate darauf, alles perfekt vorzubereiten. Sie als Gastgeber haben alles in Ihrer Macht Stehende getan. Einer Ihrer liebsten Freunde sagt aber leider kurzfristig ab, denn er hat einen Termin zur Hausbesichtigung. Was würden Sie sagen – ist der Freund nicht selbst daran schuld, dass er die Feier verpasst? Ist es unfair, dass er nicht dabei sein kann?

So ähnlich ist es auch in der Beziehung der Menschen zu Gott.

Gott ist der Gastgeber des Himmels, und er gibt uns die Möglichkeit, ewig bei ihm zu leben. Jesus selbst hat die Einladung zum Leben ausgesprochen. Die Logik ist im Grunde genommen einfach: Wer Jesus glaubt und sein Angebot annimmt, kann sich darauf verlassen, dass er in den Himmel kommt. Oft ist uns nicht bewusst, dass diese Einladung ein Geschenk an uns ist. Es liegt an jedem persönlich: Nehme ich an – oder lehne ich ab?

Gott will, dass alle Menschen gerettet werden und zu ihm in den Himmel kommen. Wer Jesus nicht glaubt und seiner Einladung nicht folgt, der ist nicht dabei. Er ist aber selbst dafür verantwortlich. *ebr*

Wie gehen Sie mit Gottes Einladung um?

Jeder Mensch ist für seine Entscheidung selbst verantwortlich.

Lukas 14,16-24

Simon Petrus antwortete ihm: Herr, zu wem sollten wir gehen? Du hast Worte ewigen Lebens und wir haben geglaubt und erkannt, dass du der Heilige Gottes bist.

Johannes 6,68-69

Ein Mensch wie du und ich?

Petrus war einer der zwölf Jünger des Herrn Jesus. Er gehörte mit Johannes und Jakobus zu seinem engsten Vertrautenkreis. Er war ein impulsiver Typ, der immer gerne und schnell das Wort ergriff und so voller Eifer für den Herrn war, dass er einem anderen Mann sogar das Ohr mit dem Schwert abschlug, um Jesus zu schützen. Von keinem anderen hören wir so klare Bekenntnisse wie das in unserem Tagesvers. Später, als Jesus gestorben, auferstanden und in den Himmel gefahren war, gehörte Petrus zu den Säulen der ersten Gemeinde in Jerusalem. In der Apostelgeschichte erleben wir Petrus als engagierten Nachfolger Jesu und vollmächtigen Verkünder des Evangeliums. Kurzum, ein fähiger Diener Gottes, der das Herz am rechten Fleck hatte und sich offen zu Jesus bekannte.

Andererseits sehen wir aber auch einige Schattenseiten: Als Petrus im Garten Gethsemane, dem Ort der Festnahme Jesu, wachen sollte, schlief er mehrfach ein. Kurz vor seinem Tod sagte ihm Jesus Christus voraus, dass er ihn dreimal verleugnen werde. Petrus wies dies empört von sich, aber in der Stunde, als Jesus seinen Häschern überliefert wurde, verleugnete er ihn tatsächlich. Welch klägliches Versagen nach seiner von ihm so vehement beteuerten Treue gegenüber Jesus.

In Petrus können wir uns alle gut wiederfinden. Wenn wir unter einem guten Einfluss stehen, färbt das auf uns ab. Sind wir aber auf uns allein gestellt, zeigt sich u. U., aus welchem »Holz« wir wirklich »geschnitzt« sind. Doch auch falls wir versagen, ist Jesus Christus bereit, uns zu vergeben, wenn wir ihn darum bitten und ihm ehrlich unsere Sünden und Mängel bekennen. Dann können wir es mit seiner Hilfe neu anpacken und unseren Glauben an ihn bewähren. *schn*

? Wo erkennen Sie Parallelen, wenn Sie sich mit Petrus vergleichen?

! Wer gefallen ist, kann mit Gottes Vergebung und Hilfe auch wieder aufstehen.

Johannes 21,15-23

Denn meine Gedanken sind nicht eure Gedanken, und eure Wege sind nicht meine Wege, spricht der Herr.

Jesaja 55,8

Ein schöner Balkon

Über drei Jahre wohnten wir in einer gemütlichen, kleinen Wohnung, die uns nach einiger Zeit aber etwas zu eng wurde. Der Platz war jedoch nicht so problematisch wie das fehlende Sonnenlicht in der Wohnung und die Möglichkeit, auf einen Balkon oder in einen Garten gehen zu können. Wir wären so gerne in die gegenüberliegende Wohnung umgezogen, die etwas größer war und einen schönen Balkon hatte. Unsere Nachbarin machte uns immer wieder Hoffnungen, bald auszuziehen, doch als der letzte Sommer vorüber war, fanden wir uns damit ab, weiterhin in der kleinen Wohnung zu bleiben.

Doch nur kurze Zeit später durften wir erfahren, wie Gott uns völlig unerwartet eine fast doppelt so große und sehr helle Wohnung auf der gegenüberliegenden Straßenseite schenkte.

Da, wo wir uns einen Quadratmeter im Freien und ein paar Sonnenstrahlen mehr erträumt hatten, haben wir heute nicht einen, sondern zwei wunderbar sonnige Balkone. Wir hatten kleingläubig nur an dem festgehalten, was wir selbst als »möglichst praktisch« ansahen, und außer Acht gelassen, dass Gott unsere Sehnsüchte kennt. Gott kann uns weitaus mehr schenken, als wir uns wünschen. Oft passiert das allerdings nicht zu dem Zeitpunkt, den wir im Sinn haben, aber im Nachhinein darf man feststellen, dass sich das Warten lohnt und Gottes Zeitpunkt doch der bessere war. Gottes Sicht auf die Dinge ist weitsichtiger als unsere Sicht.

Wenn ich also auf unseren Balkon schaue, dann erkenne ich jeden Tag aufs Neue Gottes Gnade und seine verschwenderische Liebe in meinem Leben. Wir können Gott die Ehre geben, indem wir ihm jeden Tag für solche Dinge in unserem Alltag danken und diese in vollen Zügen genießen. *kts*

? Wo durften Sie bereits Gottes Gnade in Form von unerwarteten Geschenken in Ihrem Leben erfahren?

! Kleinglaube gegenüber einem großen Gott – das wäre doch irgendwie unpassend!

Matthäus 6,25-34

Wenn Gerechtigkeit durch Gesetz kommt, dann ist Christus umsonst gestorben.

Galater 2,21

Der neue Mensch

Eigentlich sind Gesetze ja sinnvoll, denn ohne sie würde es drunter und drüber gehen. Und nicht immer hat es gleich Folgen, wenn wir uns mal nicht daran halten. Im Straßenverkehr hat sich schon fast jeder mal einen »Übertritt« geleistet – und war hinterher froh, nicht erwischt worden zu sein. Aber Gott ist ein vollkommener Gesetzgeber, und im Gegensatz zu uns unvollkommenen Menschen nimmt er auch jeden unserer Fehltritte wahr. So sind alle Menschen zu »Übertretern« und damit schuldig vor Gott geworden. Gottes Gesetz macht uns also nicht gerecht vor Gott, sondern im Gegenteil: Es klagt uns unerbittlich an.

Obwohl wir uns anstrengen, besonders viel Gutes zu tun, fallen wir doch immer wieder in alte Verhaltensmuster zurück. Aus eigener Kraft können wir nicht vollkommen nach Gottes Gesetzen leben. Straucheln wir nur in einem Gebot Gottes, sind wir schuldig. Da helfen das viele Gutestun, alle Mühe und Hingabe nichts. Wir alle brauchen Vergebung durch Gott.

Jesus war hier auf Erden der einzige Mensch, der die Gesetze Gottes erfüllen konnte. Gottes Sohn wurde Mensch, damit unsere Übertretung im »Fleisch«, d. h. an dem Menschen Jesus, gerichtet werden konnte. Dies geschah am Kreuz von Golgatha, wo Jesus stellvertretend für uns starb. Durch den Glauben an dieses Erlösungswerk wird der Mensch gerecht vor Gott. – Die menschliche Gerechtigkeit verlangt das Einhalten von Gesetzen und Vorschriften, die göttliche Gerechtigkeit verlangt Glauben an den einzig Gerechten, Jesus Christus. In ihm wird der Glaubende zu einer neuen Schöpfung, zu einem neuen Menschen. Das Alte wird zurückgelassen. Und auch wenn wir erneut sündigen, stehen wir nicht mehr unter Gesetz, sondern unter der unfassbaren Gnade unseres großen Gottes.

schn

? Wo erleben Sie das Gefühl, schuldig geworden zu sein?

! Der Weg zu Gott und seiner Gerechtigkeit führt nur über den Glauben an Jesus Christus.

2. Korinther 5,14-20

**Denn er muss herrschen,
bis er alle Feinde unter seine Füße gelegt hat.**
1. Korinther 15,25

Karl IV. Wenzel wird römisch-deutscher König

Einer, der es verdient hätte, in den deutschen Geschichtsbüchern ausführlicher erwähnt zu werden, ist Karl IV. Vor rund 700 Jahren wurde er geboren (1316). Als er König (1346) und schließlich sogar Kaiser (1355) wurde, konnte man im sogenannten Heiligen Römischen Reich keineswegs geregelte Verhältnisse erkennen. Es ging drunter und drüber.

Es gab mal wieder zwei Könige. Das hatte Folgen für den Bestand des Reiches. Es gab aber auch Kräfte, das heißt Fürsten, denen klar war, dass es so nicht weitergehen durfte. Schon 1338 hatte sich einige von ihnen zusammengetan, um eine Wende herbeizuführen. Sie wussten auch, dass ohne klare Führung ein Volk verdirbt, ein biblischer Grundsatz (Sprüche 11,14). Deshalb versuchten sie, eine Reichsordnung zu installieren, die – zunächst einmal – eindeutig die Königswahl regelte. Das wurde auch vertraglich fixiert. Richtig zu Ende gebracht wurde diese »Verfassung des heiligen römischen Reiches« aber erst unter Karl IV. – in einem umfangreichen Vertragswerk, der »Goldenen Bulle«. Dort wurde auch die Frage geklärt, wer überhaupt wählen durfte, die Kurfürsten nämlich. Das Wahlverfahren blieb bis 1806, also 450 Jahre, in Kraft und gab Mitteleuropa einen politischen Rahmen, in dem sich die kulturellen Kräfte der Länder positiv entfalten konnten.

Nach der Bibel wird Gott einmal *seine* Herrschaft auf dieser Erde durchsetzen und *seinen* Sohn Jesus Christus damit beauftragen, über alle Reiche dieser Welt zu regieren. Erst dann wird auf der Erde die Ordnung hergestellt sein, unter der sich wirklich alles zum Besten entwickelt. Und schon heute mahnt er uns Menschen, sich seiner Herrschaft zu unterstellen, damit in unserem persönlichen Leben alles in Ordnung kommen kann. *koh*

Wollen Sie für alle Zukunft auf Gottes Herrschaft und Ordnung setzen?

Dann studieren Sie sein »Gesetz« (die Bibel), das man dann anerkennen und nach dem man sich orientieren muss.

Matthäus 5,1-12

**Alle eure Sorge werft auf ihn;
denn er sorgt für euch.**
1. Petrus 5,7

»Guten Morgen, liebe Sorgen, ...«

Es war Nacht, und die Eheleute Meier wälzten sich unruhig im Bett hin und her. Beide machten sich die gleichen Sorgen. Am Morgen standen sie wie gerädert auf. Was war los? Vor knapp einem Jahr waren sie in das ersehnte Eigenheim umgezogen. Und was hatten sie nicht alles für Pläne und Vorstellungen gehabt! Dann wurde der Mann arbeitslos. Wie sollten sie die nächste Hypothekenrate zurückzahlen? Der Sohn hatte einen schweren Verkehrsunfall gehabt. – Frau Meier hatte nun ihrer Freundin davon erzählt. Diese meinte: »Ich werde für euch beten und bin gespannt, was Gott tun wird.« Frau Meier kannte das schon, dass von ihrer Freundin ab und zu so ein »Spruch« kam. Aber konnte man solchen Glauben wirklich ernst nehmen?

Frau Meier begriff aber: Ich kann nichts dazu beitragen, um die Situation zu verändern, und mein Mann wird immer schwermütiger. Eines Tages fasste sie den Mut, zu ihrer Freundin zu gehen mit der Absicht, das mit dem Glauben einmal genauer anzuschauen. Sie verbrachte einen spannenden Nachmittag und bekam Antworten auf ihre Fragen. Am Abend wieder zu Hause angekommen, erzählte sie ihrem Mann davon. Zuerst fürchtete sie, dass er laut schimpfend reagieren würde. Als das nicht passierte, sprach sie weiter. Ihr Mann wurde hellhörig. Sollte da doch etwas dran sein?, fragte er sich.

Schon bald nahmen alle in der Familie das Rettungsangebot Gottes in Jesus Christus an. Auslöser waren ihre großen Sorgen gewesen. Nun hatten sie gelernt, ihre ganze Hilflosigkeit jemandem anzuvertrauen, der Situationen grundlegend ändern kann. Denn Sorgen und Ängste wirken wie ein Vergrößerungsglas!

Übrigens, der Mann bekam wieder eine gute Stelle, und der Sohn wurde nach einer Reha fast wieder ganz gesund. *bw*

? Wohin gehen Sie mit Ihren Sorgen?

! Gott, der Schöpfer des Himmels und der Erde, kann mit den größten Sorgen spielend leicht umgehen.

Matthäus 6,27-34

**Siehe, jetzt ist die angenehme Zeit;
siehe, jetzt ist der Tag des Heils!**
2. Korinther 6,2

»Ich lasse mir noch Zeit mit Gott und Glauben …«

Vor einiger Zeit hörten wir, dass mein Schwager einen sehr schweren Verkehrsunfall erlitten hatte. Die Polizei rechnete damit, dass er noch am Unfallort sterben würde. Doch er überlebte wie durch ein Wunder, und auch die Heilung ging erstaunlich schnell voran.

Auch meine Freundin wunderte sich darüber und fand die Geschichte außergewöhnlich. Ich sagte ihr, dass wir immer noch für die Situation beteten und auch mit Gottes Eingreifen rechneten und dass die schnelle Heilung kein blinder Zufall war. Sie meinte daraufhin, dass das alles mit Gott zu tun haben könnte; aber für sie sei es noch zu früh, um intensiver über solche Dinge nachzudenken. Allerdings hatte sie schon manchmal in der Altenpflege Menschen sterben sehen und dabei beobachtet, dass Menschen, die an Gott glaubten, keine Todesangst zeigten, während Ungläubige in große Ängste und Unsicherheiten gerieten, wenn es ans Sterben ging. Das habe ihr schon manchmal sehr zu denken gegeben.

Man sollte meinen, dass solche Erfahrungen zu der Erkenntnis führen müssten, dass die Sache mit dem Glauben an Gott doch wohl mehr als bloße Einbildung ist, wenn der Glaube nicht nur in guten Tagen, sondern sogar in der letzten, höchsten Not eines Menschen solche Tragkraft hat. Aber viele Menschen schieben solche Gedanken und Entscheidungen gern auf den Sankt-Nimmerleins-Tag hinaus, obwohl sie ganz und gar nicht wissen, ob sie den erleben werden. Dabei wäre es doch wichtig, so schnell wie möglich Gottes Angebot anzunehmen; denn mit jeder Ablehnung des freundlichen Rettungsangebots wird das Herz immer mehr verhärtet, bis es gar nicht mehr das freundliche Anklopfen Gottes an unserer Herzenstür wahrnimmt. *sd*

? Was halten Sie von dem Bibelwort: Ein Schritt ist zwischen mir und dem Tod!?

! Warten Sie nicht zu lange mit der Frage – es könnte zu spät sein!

Lukas 12,16-21

14. Juli 17

Freitag

**Ich bin der HERR, dein GOTT …
Du sollst keine andern Götter neben mir haben.**

2. Mose 20,2-3

Das (schw)erste Gebot

Auf den ersten Blick finde ich das erste Gebot eigentlich ganz einfach. Zumindest für mich. Andere Götter habe ich nicht, schließlich glaube ich an den Gott der Bibel, wodurch sich für mich das Thema so weit erledigt hat. Aber ist es wirklich so einfach? Oder was meint Gott denn mit »anderen Göttern«? Was sind eigentlich »Götter«? Götter sind alle Dinge oder Personen, denen man huldigt. Denen man viel Aufmerksamkeit, viel Zeit, viel Energie schenkt. Denen man die oberste Priorität gibt, denen eventuell alles untergeordnet wird, denen man Macht zuspricht und von denen man einen Vorteil oder etwas Gutes verspricht, etwa einen Lebenssinn oder manchmal auch einen Wertmaßstab.

Nun fallen mir doch noch weitere Götter ein – angefangen mit Erfolg, Karriere, Macht, Reichtum. Wie viele Menschen gibt es wohl, die alles im Leben ihrem Streben danach opfern? Oder man nimmt Menschen als Götter. Ganz deutlich wird die Schwierigkeit bei der Frage, die Gott einem stellen könnte: »Wer ist dir wichtiger? Deine Frau, dein Mann oder ich, dein Gott?« Da wird es schon ganz eng mit dem ersten Gebot … Oder es gibt ganz banale Dinge, die sich zu einem Gott, einem Götzen aufbauen können: die Suche nach der neuen Wohnung, der Traum von einem größeren Haus, einem neuen Auto, Hobbys oder Freizeitbeschäftigungen … Woran hänge ich mein Herz?

Je mehr ich darüber nachdenke, desto komplexer und schwieriger erscheint mir das erste Gebot. Und es wird mir zum »schwersten Gebot«. Aber – Gott sei Dank – er hilft mir dabei, mich zu fokussieren: Durch Bibelverse, Gebet, andere Menschen oder Situationen, in denen mir klar wird, dass wieder mal ein »Thronwechsel« stattfinden muss.

jts

? Was ist bei Ihnen eine Gefahr, ein Götze für Sie zu werden?

! Gott wohnt nur in einem Herzen, das götzenfrei ist!

2. Mose 20,1-17

Er (Jesus) ist das Bild des unsichtbaren Gottes.
Kolosser 1,15

Machen Sie sich kein Bild!

Nach der Geburt unserer jüngsten Tochter machte die Hebamme im Kreißsaal noch ein Foto von der Kleinen, meinem Mann und mir. Aber das Bild entsprach nicht ganz unserer Wahrnehmung. Unser süßes, neugeborenes Mädchen sah darauf wenig vorteilhaft aus. Dieser Momenteindruck entsprach einfach nicht der Realität. Das sollte niemand zu Gesicht bekommen! Ein anderes Extrem ist, dass immer häufiger Fotos von Babys künstlerisch aufgewertet werden, indem die Bildelemente wie ein perfektes Stillleben zusammengestellt werden.

Das gibt mir Grund zum Nachdenken. Es ist doch am allerbesten, sich eine Sache oder einen Menschen persönlich anzusehen, anstatt nur ein Bild zu haben, das einen ganz falschen Eindruck vermitteln kann. Wir Menschen neigen dazu, uns Bilder von jemandem zu machen, die nicht der Wahrheit entsprechen, entweder zu negativ oder zu verklärt. – Welches Bild von Gott mache ich mir? Zimmere ich mir selbst ein Gottesbild zurecht, das mir zusagt? Ein Gott, der richtet, oder ein Gott, der über alles hinwegsieht? Ein strenger, gerechter Gott, der Sünde scharf verurteilt und hart bestraft, oder ein Gott, der mir jeden Wünsch erfüllt? Man nehme etwas aus dieser Philosophie und jener Strömung, streue noch eine kräftige Prise Unverbindlichkeit und Gleichgültigkeit darüber, und fertig ist das maßgeschneiderte Gottesbild. Das entspricht aber nicht dem Gott der Bibel.

Wie gut, dass Gott uns Menschen in- und auswendig kennt und weiß, dass wir »Anschauungsmaterial« brauchen. Er möchte nicht, dass wir uns eigenmächtig Bilder von ihm machen. Stattdessen schickte er uns seinen Sohn, der die Ausstrahlung seiner Herrlichkeit und ihm in allem gleich ist. Er allein ist das vollkommene Bild Gottes, nur ihn müssen wir ansehen! *se*

Wie sehen die Gottesbilder aus, die Sie sich im Laufe Ihres Lebens schon gemacht haben?

Sehen sich doch einmal das einzige Bild an, das Gott uns von sich gegeben hat: seinen Sohn Jesus Christus!

Johannes 1,1-18

Jesus Christus sagte:
»Ich lasse mein Leben für die Schafe.«
Johannes 10,15

Liebe bringt Opfer

Auf die Frage »Woran erkennst du, den oder die Richtige gefunden zu haben?« antworten viele: »Wenn ich wirklich glücklich bin!« – Liebe zeigt sich für viele im eigenen Glück. Das zeigte die Reaktion auf ein Video, das ich bei Facebook entdeckte. Darin wurde die Behauptung aufgestellt, dass Liebe bedeutet, den anderen glücklich zu machen, sich selbst aufzuopfern, zu vergeben, auch wenn der andere nicht dazu bereit ist. Die Reaktionen auf das Video waren interessant. Die meisten Kommentare lauteten etwa so: »Es kann doch nicht richtig sein, sich selbst aufzuopfern! Das ist doch kein Leben mehr. Liebe muss sich gut anfühlen. Ich muss auch auf mein eigenes Glück achten.«

Ist das wirklich so? Ist Liebe dazu da, dass ich mich selbst gut fühle, weil ich ein Gegenüber habe, das mir Freude macht? Das Gegenteil sehen wir bei der Liebe einer Mutter, die sich um einen kranken Säugling kümmert, obwohl sie nichts zurückbekommt als ein schreiendes Kind und schlaflose Nächte. Kann es sein, dass so viele Beziehungen in der heutigen Zeit deshalb kaputt gehen, weil wir Glück für uns selbst erwarten und nicht bereit sind, uns für den anderen einzusetzen?

Gott war da ganz anders. Er, der selbst die Liebe ist, war bereit, Opfer zu bringen. Wenn er sein eigenes Glück gesucht hätte, hätte er kaum seinen Sohn für uns Menschen sterben lassen. Jesus zeigte eine Liebe, die nur an den anderen denkt. Er verbrachte seine Zeit hier auf der Erde damit, den Menschen um sich herum zu dienen, Kranke zu heilen, Gutes zu tun. Und er erwartete nichts zurück. Er suchte nicht sein eigenes Glück. Im Gegenteil: Er ließ sich kreuzigen und starb, damit Gott uns gnädig sein konnte. Was für ein Beispiel echter, aufopfernder Liebe!

frm

Was bedeutet Liebe für Sie?

Lesen Sie ein Evangelium und beobachten Sie, wie Jesus seine Liebe zeigt.

Johannes 10,7-18

Gott hat seinen Sohn ja nicht in die Welt geschickt, um sie zu verurteilen, sondern um sie durch ihn zu retten.

Johannes 3,17

Die Person des Jahres

Seit 1927 wählt das amerikanische Magazin »Time« Menschen zur Person des Jahres aus. Das für die Wahl maßgebende Kriterium ist dabei: Wer hatte den größten Einfluss auf die Ereignisse des betreffenden Jahres ausgeübt? Und so fiel gegen Ende des Jahres 2015 die Wahl auch auf die Bundeskanzlerin Angela Merkel. Sie habe sich im Kampf gegen die Pleite Griechenlands, in der Flüchtlingskrise und nach den Pariser Terror-Attacken trotz starken Widerstands im eigenen Land sehr mutig engagiert, schrieb die Zeitschrift. Sie habe mit Menschlichkeit, Güte und Toleranz gezeigt, wie die große Stärke Deutschlands zum Retten statt zum Zerstören genutzt werden kann.

Retten statt zerstören, das war es, was man ihr nachsagte. Ich habe mir die Liste der Personen angeschaut, die in den vorhergehenden Jahren geehrt worden waren. Aber da fehlt der, von dem der größte Einfluss auf die Menschen und ihre Geschichte ausgeht. Jesus war noch nie die »Person des Jahres«.

Dabei ist seine Stärke doch das Retten von Menschen vor dem Gericht Gottes. Jesus selbst hat das dem Theologen Nikodemus erklärt. Und Nikodemus hat sich retten lassen. Er stand auch dazu. Nicht so offensichtlich wie Petrus. Aber immerhin. Als Jesus gestorben war, brachte Nikodemus eine große Menge von Myrrhe und Aloe zum Einbalsamieren mit. Und half dann einem anderen, bis dahin heimlichen Nachfolger bei der Bestattung von Jesus. Nikodemus konnte glauben, dass Jesus auch für seine Sünden sterben musste. Damit er gerettet werden konnte.

Ich lade Sie dazu ein: Wählen Sie Jesus zur wichtigsten Person, nicht nur des Jahres, sondern Ihres ganzen Lebens. Er will auch Sie retten und Ihnen ewiges Leben schenken. *hl*

? Was müsste dem gelingen, den Sie für 2017 wählen würden?

! Setzen Sie Ihr Vertrauen auf den, der wirklich helfen kann!

Matthäus 9,27-35

Ich habe die Erde gemacht und den Menschen darauf erschaffen; ich habe mit meinen Händen die Himmel ausgespannt und gebiete all ihrem Heer.

Jesaja 45,12

Klimawandel – und was nun?

Im Zusammenhang mit heftigen Naturkatastrophen, z. B. nach dem verheerenden Taifun 2013 auf den Philippinen, kann man immer wieder in der Zeitung lesen, dass Stürme und gravierende Umweltkatastrophen zunehmen. Man führt das auf den Klimawandel zurück, den nach Expertenmeinung wir Menschen großenteils zu verantworten hätten. Ist das nicht sehr anmaßend? Die Menschen können leider sehr viel »Mist« machen; aber im weltumspannenden Maßstab spielen wir doch wohl nur eine viel unbedeutendere Rolle, als wir sie uns selbst zumessen. Trotzdem ist es natürlich richtig und sinnvoll, zurückhaltend und schonend mit dem umzugehen, was Gott uns anvertraut hat.

Für mich ist die Frage wichtig, was Gott mit diesen Katastrophen und Umweltereignissen zu tun haben könnte. Diese Frage wird von den Umweltexperten und Meinungsbildnern ausgeklammert, aber für viele Menschen ist sie doch wesentlich. Die einen ignorieren also Gottes Ansprüche an seine Schöpfung, die anderen dagegen erwarten von ihm, dafür zu sorgen, dass es besonders in dem jeweils eigenen Umfeld keine Katastrophen gibt. Aber darüber hinaus wollen sie mit Gott eigentlich nichts zu tun haben.

Könnte es nicht sein, dass Gott uns mit den Naturgewalten und den damit verbundenen Katastrophen seine Macht demonstrieren und uns zur Hinwendung zu ihm bewegen will? Gott liebt uns Menschen immer noch, darum rüttelt er uns manchmal auf. Wir sollen darüber nachdenken, wie fahrlässig es doch ist, diesen großen Schöpfer aller Dinge zu missachten und das aufgeweckte Gewissen zu beschwichtigen. Deshalb denke ich persönlich, es ist wichtiger, sich zu Gott zu bekehren, als auf eigene Faust den Klimawandel aufhalten zu wollen. *ht*

Was können wir Menschen Ihrer Meinung nach tatsächlich leisten?

Rechnungen ohne den Schöpfer gehen niemals auf.

2. Petrus 3,9-16

**... vergib uns unsere Schuld,
wie auch wir denen vergeben,
die an uns schuldig werden.**
Matthäus 6,12

Vergeben – wie ich dir, so Gott mir

Das Vaterunser. Sie kennen es. Aber wie verstehen Sie die Passage mit dem Vergeben? Ich habe mich lange schwergetan, zu kapieren, wie es gemeint ist. Genau DER Punkt ist Jesus aber so wichtig, dass er ihn extra erläutert: »Wenn ihr den Menschen nicht vergebt, wird euer Vater im Himmel euch eure Verfehlungen auch nicht vergeben« (Matthäus 6,15). Da war ein Knecht, dem sein Herr eine sehr große Schuld erlassen hatte. Er selbst war aber nicht bereit, seinem Schuldner eine kleine Schuld zu erlassen: »Sein Herr wurde zornig und überlieferte ihn den Folterknechten, bis er alles bezahlt hatte, was er ihm schuldig war. So wird auch mein himmlischer Vater euch tun, wenn ihr nicht ... von Herzen vergebt« (Matthäus 18,35).

Was für eine riesige Schuld hat Gott mir vergeben und ein für alle Mal getilgt, nachdem ich ihn ausdrücklich darum gebeten habe! Sollte mir da das »Von-Herzen-Vergeben« bei den an mir schuldig Gewordenen nicht sehr viel leichter fallen!?

Ein Sprichwort sagt: »Manche treten dir auf den Fuß und entschuldigen sich, andere treten dir ins Herz und merken es nicht mal.« Denen zu vergeben, die selbst gerne zum Vergeben bereit sind, wenn sie andere verletzt haben, fällt leicht. Doch denen von Herzen zu vergeben, die sich gar nicht schuldig fühlen und selbst noch nie um Vergebung gebeten haben, die mir »ins Herz treten« und dabei noch ein Auge zudrücken, um besser zielen zu können, ist eine enorme Herausforderung.

Wahrscheinlich schafft das nur der, der sich seiner ihm vergebenen Schuld bewusst ist und bleibt. Und gegenüber Gott haben wir eine unermessliche Schuld – die uns Jesus vergeben möchte. Vergebung zu empfangen, macht fähig zu vergeben! *md*

? Wie gehen Sie mit Verletzungen um?

! Niemand ist perfekt, jeder macht Fehler. Daher sollte auch jeder lernen zu vergeben. Und: zu vergessen!

Matthäus 18,21-35

20. Juli 17

Donnerstag

**Kein Mensch hat Gewalt über den Wind,
den Wind zurückzuhalten,
und niemand hat Gewalt über den Tag des Todes.**
Prediger 8,8

Plötzlich und unerwartet

Sie und ihr Bruder waren die besten Freunde. Deswegen glaubte sie ihm auch, als er beteuerte, unschuldig des Mordes angeklagt zu sein. Dennoch konnte sie – ungebildet, ohne Schulabschluss, Geld oder Beziehungen – nichts dagegen tun, dass Kenny Waters 1983 zu 18 Jahren Gefängnis verurteilt wurde. Doch die Liebe zu ihrem Bruder ließ Betty Anne nicht aufgeben: Sie beschloss, Jura zu studieren, um dann als Anwältin den Fall neu aufzurollen. Und sie schaffte es tatsächlich: Nach 18 Jahren konnte sie die Unschuld ihres Bruders beweisen und ihn aus dem Gefängnis freibekommen. Doch dann das Unfassbare: Nur sechs Monate nach seiner Freilassung stirbt ihr Bruder Kenny durch einen unglücklichen Sturz, bei dem er sich das Genick bricht.

Der Tod kommt plötzlich. Er fragt nicht danach, ob gerade 18 verlorene Jahre hinter jemandem liegen. Ob noch ein wichtiges Gespräch geführt werden muss oder dringend eine finanzielle Angelegenheit zu regeln ist. Wenn der Mensch von Gott abberufen wird, muss er gehen. Der Gedanke an den Tod wird in unserer Gesellschaft der »ewig Jungen« ausgeblendet. Viele Menschen sagen, dass sie lieber früh sterben wollen, als alt und gebrechlich zu werden. Doch die Menschen, die alt und gebrechlich sind, klammern sich in aller Regel an ihr Leben und wollen nicht sterben. Der Tod, wann auch immer er kommt, ist ein schrecklicher Feind des Menschen.

Auch Christen hängen an ihrem Leben. Aber sie brauchen den Tod nicht zu fürchten. Denn sie wissen, was danach kommt und dass sie dann dem Gott begegnen werden, für den sie schon auf dieser Erde gelebt haben. Sie wissen sich – im Leben und im Sterben – geborgen in der Hand des Gottes, der ihre Tage gezählt hat. *eli*

Welche Gedanken kommen Ihnen, wenn Sie an einen plötzlichen Tod denken?

Die Frage, was nach dem Tod kommt, ist zu wichtig, um verdrängt oder aufgeschoben zu werden.

1. Korinther 15,42-58

Denn alle haben gesündigt und erlangen nicht die Herrlichkeit Gottes und werden umsonst gerechtfertigt durch seine Gnade, durch die Erlösung, die in Christus Jesus ist.

Römer 3,23-24

Die richtige Sichtweise

Jesus erzählte seinen Zuhörern einmal folgende Geschichte, um ihnen zu zeigen, wie Gott die Menschen sieht: Es gingen zwei Menschen in den Tempel, um zu beten. Der eine war ein Pharisäer (sie gehörten zur damaligen Zeit der religiösen Elite an). Und der andere war ein Zöllner (sie wurden vom Volk verachtet, da sie mit der römischen Besatzungsmacht zusammenarbeiteten und sich dabei auch noch selbst bereicherten). Der Pharisäer ging im Tempel ganz nach vorne und betete: »Herr, ich danke dir, dass ich nicht bin wie die übrigen Menschen, Räuber, Ehebrecher, Ungerechte oder auch wie dieser Zöllner.« Dann zählte er noch seine guten Werke auf, die er tat. Ganz anders der Zöllner. Er hatte nichts vorzuweisen. Er blieb weit hinten stehen, wagte nicht einmal, seinen Kopf zu erheben, schlug sich an die Brust und sagte schlicht: »Herr, sei mir Sünder gnädig.«

Jesus schloss dann an diese Geschichte seine Einschätzung an: »Dieser (der Zöllner) ging gerechtfertigt hinab in sein Haus im Gegensatz zu jenem; denn jeder, der sich selbst erhöht, wird erniedrigt werden; wer aber sich selbst erniedrigt, wird erhöht werden.«

Haben Sie auch gute Werke vorzuweisen? Unterstützen Sie vielleicht die Caritas oder Brot für die Welt? Engagieren Sie sich bei älteren und hilfebedürftigen Menschen? Vielleicht gehen Sie auch zum Blutspenden und haben Ihren Organspendeausweis im Portemonnaie? Oder sehen Sie sich als Mensch, der Vergebung braucht? Der erkannt hat, dass er so, wie er ist, nicht vor Gott treten kann?

Es kommt darauf an, wie Gott uns beurteilt. Wir brauchen alle Vergebung durch Jesus Christus. Und die kann man nur demütig erbitten – ohne die eigenen guten Taten ins Spiel zu bringen. Ohne Jesus kann keiner gerettet werden. Er ist der einzige Weg zu Gott. *rr*

? Wie würden Sie vor Gott treten?

! Demütig wird man, wenn man sich ehrlich nach dem Maßstab des Höchsten, also Gott, beurteilt.

Lukas 18,9-14

Die Furcht des HERRN ist der Weisheit Anfang.
Sprüche 1,7

Welche Weltsicht wäre hilfreicher?

Auf einer langen Flugreise saßen ein alter Rabbiner und ein Evolutionsbiologe nebeneinander und unterhielten sich über manche Dinge. Zwischendurch kamen von hinten aus dem Flugzeug immer wieder die Enkel des alten Rabbiners und fragten, ob sie etwas für ihn tun oder ihm bringen könnten. Der Biologe wunderte sich darüber und sagte schließlich: »Wie kommt es, dass Ihre Enkel so freundlich und aufmerksam zu Ihnen sind? Meine drehen sich überhaupt nicht mehr nach mir um. Oft kommt es mir vor, als ob sie sich meiner sogar schämen, weil ich ihnen alt und unansehnlich erscheine.«

Der Rabbiner sagte darauf: »Das ist sehr einfach zu erklären. Ihre Enkel glauben, dass die Menschen sich von irgendeiner Affenart höherentwickelt haben. Somit sind Ihre Enkel schon zwei Generationen weiterentwickelt als Sie und stehen daher über Ihnen. Was könnten Sie ihnen noch beibringen? Meine Enkel wissen, dass Gott als der Schöpfer über allem steht. Er machte ein Menschenpaar, das als Eltern zwischen Gott und ihren Kindern stand. Und die wieder wurden zu Eltern, die für ihre Kinder Gottes Repräsentanten waren. So geht es immer weiter abwärts. Darum schätzen und ehren sie mich.«

Selbst wer nicht an den Schöpfergott glaubt, müsste zugeben, dass die Argumentation des alten Rabbis einleuchtend ist. Es fällt heute vielen Eltern furchtbar schwer, ihren Kindern wirklich Wegweisung für deren Leben zu geben, weil sie im Grunde ihres Herzens nicht einmal wissen, ob sie dazu berechtigt sind, wenn wir doch alle Produkte bloßen Zufalls sind. Die Bibel lehrt uns etwas anderes und gibt den Eltern das Recht, ja, verpflichtet sie sogar, ihre Kinder zu gemeinschaftsfähigen Leuten zu erziehen. *gr*

Womit begründen Sie Ihr Erziehungsrecht?

Auch für die Erziehung braucht man eine sichere Grundlage.

5. Mose 6,5-15

»Es ist vollbracht!«
Johannes 19,30

Sonst noch was?

Es ist abgewickelt, ausgeführt und bewältigt. Es ist vollendet. Es ist für uns durchgeführt, ausgeführt, erledigt, erreicht. Es ist geschafft, verrichtet und verwirklicht. Es ist vollführt, zustande gebracht, zuwege gebracht. Das Werk ist gewirkt. Es ist realisiert, auf die Reihe gebracht, gedeichselt und gelungen. Es ist fertig und gelöst. Es ist ans Ziel gekommen. Es wurde hingekriegt und in den Griff bekommen! Es ist gemanagt, bewerkstelligt und getätigt. Jesus hat es vollbracht!

Dies sind eine ganze Reihe Synonyme für den Satz, der im Deutschen im Allgemeinen mit »Es ist vollbracht!« übersetzt wird und im Originaltext mit dem Wort: »Tetelestai!« beschrieben wird. Dieser Ausruf, den der bekannte Zimmermann und Wanderprediger Jesus Christus bei seinem Sterben am Kreuz von sich gab, ist in die Geschichte eingegangen. Viele Menschen kennen dieses Zitat und bringen es sogar in die richtige Verbindung. Doch kann man die weitreichende Bedeutung dieser Aussage wirklich voll erfassen? Das, was Jesus vollbracht hat, war nicht nur sein Leben, sondern in erster Linie sein Dienst der Versöhnung für uns Menschen. Er, der ohne Sünde war, nahm unsere Schuld und Sünde auf sich und bezahlte dafür, indem er stellvertretend für uns starb. Er gab alles, um das Höchste und Beste für uns zu erreichen.

Kann man dem noch etwas hinzufügen? Gäbe es »sonst noch was«, was man tun müsste? Nein, Jesu Werk war vollkommen, deshalb erwartet Gott von keinem zusätzliche Beiträge in Form von guten Taten, religiösen Ritualen oder frommen Pflichten, sondern nur den Glauben, dass das einzigartige Werk seines Sohnes auch für mich persönlich ausreicht; dass es absolut und komplett vollkommen ist und ich es als Geschenk einfach annehmen darf. *dbe*

Was würden Sie erwarten, wenn Sie sich mit aller Kraft für jemanden eingesetzt haben?

Danken Sie dem Herrn Jesus, dass er Ihre Versöhnung mit Gott für Sie vollbracht hat!

1. Timotheus 1,12-17

Jesus Christus sagt:
Kommt her zu mir, alle ihr Mühseligen und Beladenen!
Und ich werde euch Ruhe geben.
Matthäus 11,28

Wirkliche Ruhe

Ärgerlich steht die große Schwester neben der Wiege: Das Brüderchen schreit schon seit gefühlten Stunden! Da kommt dem kleinen Mädchen ein Einfall: Es nimmt ein schweres Sofa-Kissen und legt es auf das Gesicht des störenden Schreihalses. Und tatsächlich: Schon kurze Zeit später ist endlich Ruhe eingekehrt! Zum Glück kommt die Mutter in diesem Moment ins Zimmer. Sie begreift sofort den Ernst der Lage, reißt das Kissen vom Gesicht ihres Sohnes und nimmt das Baby hoch. Das fängt kurze Zeit später wieder an zu atmen und schreit lautstark. Welch eine Erleichterung! Die Mutter beruhigt ihr Kind liebevoll und stillt es an ihrer Brust. Das Baby fängt an zu trinken, entspannt sich im warmen und vertrauten Arm der Mutter und ist kurz darauf eingeschlafen. Satt, zufrieden und beruhigt. Der Vorfall ist gut ausgegangen – und aus dem kleinen Schreihals ist inzwischen ein netter junger Mann geworden.

Zweimal war das Baby still. Einmal wurde sein Schreien brutal unterdrückt, einmal von der Mutter liebevoll beruhigt. Man kann in dem Schreien des Kindes das Rufen jedes menschlichen Herzens sehen. Wir alle schreien nach Liebe, nach Angenommensein, nach Vergebung, nach Erlösung, nach Frieden und Sinn. Auf unterschiedliche Weise kann dieses Schreien zum Schweigen gebracht werden. Wird es unterdrückt, erstickt und abgewürgt? Oder wird der Mensch gestillt, getröstet und zur Ruhe gebracht? Gott als unser Schöpfer ist der Einzige, bei dem unsere aufgewühlten Herzen zur Ruhe kommen. Nur er kann unseren Hunger, unser Schreien und unsere Sehnsucht stillen. Wenn ein Mensch zu Jesus Christus kommt, dann kehrt Frieden in sein Leben ein. Sein Schreien wird nicht unterdrückt und in Grabesstille verwandelt, sondern er findet wirkliche Ruhe, Nahrung und Geborgenheit. *eli*

? Ist Ihre Sehnsucht unterdrückt oder gestillt?

! Unruhig ist unser Herz, bis es Ruhe findet in Gott. (Augustinus)

Lukas 8,26-39

Denn was ich gefürchtet habe, ist über mich gekommen, und wovor mir graute, hat mich getroffen.
Hiob 3,25

Gott steht über meinen Ängsten

Vor einigen Jahren hat mein Mann mein Portemonnaie verloren, mit sämtlichen Bank- und Kreditkarten. Es war nicht lustig, alle Karten sperren zu lassen und neu zu beantragen. Hinzu kam der Verlust des Bargeldes und des Portemonnaies.

Seitdem habe ich ihn immer wieder gebeten, nur etwas Bargeld zum Brötchenholen mitzunehmen, und nicht das ganze Portemonnaie, denn ich hatte wirklich Angst, dass es wieder verloren geht. Aber welcher Ehemann hört schon auf seine noch so liebe Frau?

An einem Wochenende ist es dann wieder passiert. Mein Mann kam tatsächlich vom Brötchenholen ohne mein Portemonnaie zurück.

Und sofort kam mir unser Tagesvers in den Sinn: »Was ich gefürchtet habe, ist über mich gekommen.« Aber wenn auch Hiob so gedacht haben mag, sollten wir uns seine Haltung nicht zu eigen machen. Gott hat uns lieb und wartet nicht ab, bis wir etwas Törichtes denken, um es uns postwendend heimzuzahlen. Er will uns aber lehren, dass wir dem Wort des Herrn Jesus folgen sollen, der uns gebot, uns nicht schon im Blick auf den nächsten Tag zu fürchten, weil jeder Tag an seinem Übel genug hat.

Als ich das begriffen hatte, flehte ich Gott an: »Bitte mach, dass ich mein Portemonnaie heute noch zurückbekomme, bevor ich wieder alle Karten sperren lassen muss.«

Und Gott hat tatsächlich alles wiedergutgemacht. Ca. 20 Minuten später rief ein netter Busfahrer an und erzählte, dass er mein Portemonnaie gefunden habe. Mein Mann ist sofort hingefahren und hat es abgeholt.

Und ich hoffe sehr, dass wir beide aus der Geschichte gelernt haben, mein Mann und ich.

sst

Was befürchten Sie?

Vertrauen Sie sich Gott an und bitten Sie ihn um Hilfe.

Psalm 28

**Und von dort kamen die Brüder,
als sie von uns gehört hatten,
.... und als Paulus sie sah, dankte er Gott und fasste Mut.**

Apostelgeschichte 28,15

»Man trifft sich nie von ungefähr«

Wir waren in einem Land im Fernen Osten, das sich nur sehr langsam dem Tourismus öffnet. Die ersten zwei bis drei Tage nehmen wir uns immer ausgiebig Zeit, uns klimatisch anzupassen, die ersten Eindrücke in Bezug auf Gewohnheiten und Gebräuche zu sammeln und die nähere Umgebung auszukundschaften. Wir schlenderten also gemütlich an der Straße entlang. Immer wieder trafen wir auf kleine Garküchen. Neugierig schauten wir dann schon manchmal in die Töpfe, was da so herumschwamm. Als wir das wieder einmal taten, sprach uns ein Einheimischer an. Er war gerade mit dem Essen fertig geworden. Wir kamen ins Gespräch. Da unser Heimweg in der gleichen Richtung lag, gingen wir nebeneinander. Auf einmal sagte er: »Ich bin Christ.« Ich fragte ihn: »Wie sind Sie denn Christ geworden?« Seine Antwort lautete: »Ich durfte eine Bekehrung erleben und habe mich taufen lassen zur Vergebung der Sünden und zum Empfang des Heiligen Geistes.« Ich fühlte mich in die Zeit der ersten Christen zurückversetzt (vgl. Apostelgeschichte 2,38). Daraufhin habe ich mich auch zu meinem Glauben bekannt, und wir konnten uns darüber freuen.

Bei den weitaus meisten Menschen drehen sich alle Gedanken um das Diesseits, um diese Welt. Da ist es einerlei, ob die Gedanken tiefgründig sind, ob man sich auskennt und stark engagiert ist, oder ob man frei von Sachkenntnis drauflosschimpft, einen Helden aus der Medienlandschaft anhimmelt oder im Ganzen nur oberflächlich bleibt. Was füllt Ihre Gedanken aus? Ist Ihnen klar, dass Menschen im Gegensatz zu allen anderen Geschöpfen ewige Wesen sind? Wenn Sie diesen Gedanken bei sich zulassen, wäre es wichtig, zu wissen, wo Sie diese Ewigkeit zubringen werden. *bw*

Was wäre für Sie das wichtigste Gesprächsthema?

Die Bibel sagt: Wes das Herz voll ist, des geht der Mund über.

Apostelgeschichte 28,1-16

Am folgenden Tag sieht er (Johannes) Jesus zu sich kommen und spricht: »Siehe, das Lamm Gottes, das die Sünde der Welt wegnimmt!«

Johannes 1,29

Ohne Führerschein

Wir machten in Oberbayern Urlaub und wollten bei gutem Wetter einen schönen Tag in Berchtesgaden und am Königssee verbringen. Von dort wollten wir auch einen Abstecher nach Österreich machen. Als wir uns der Stadt näherten, waren alle Straßen wegen eines Manövers mit Militärfahrzeugen vollgestopft.

Ich bat meine Frau, meinen Führerschein bereitzuhalten, falls man uns überprüfen sollte. Aber sie fand ihn nicht. Nun gab es zwei Möglichkeiten. Wir konnten so tun, als sei alles in Ordnung, und versuchen, unser vorgenommenes Tagesprogramm durchzuführen, oder wir konnten irgendwo abbiegen, um auf Nebenstraßen in unser Quartier zu kommen, und dort den Führerschein holen.

So geht es vielen Menschen, die auf der Reise durch das Leben sind. Irgendwann wird ihnen bewusst, dass sie ohne den gültigen Ausweis unterwegs sind, den sie aber zum Grenzübertritt unbedingt benötigen, wenn dieses Leben zu Ende ist. Vielleicht haben sie bei einer Beerdigung davon gehört, oder sie haben einen Flyer im Briefkasten gefunden. Dann stehen sie vor der Entscheidung, darauf achtzugeben oder einfach so weiterzumachen wie bisher.

An der österreichischen Grenze wurden wir beim nächsten Mal einfach »durchgewunken«. Am Tor zur Ewigkeit wird das aber nicht so sein. Der dort erforderliche »Ausweis« ist weder der Taufschein noch die Mitgliedskarte einer Kirche, sondern der Herzensglaube an die Vergebung durch den Tod Jesu Christi.

Der Spruch: »Nichts wird so heiß gegessen, wie es gekocht ist«, gilt da nicht, genauso wenig wie die Meinung, der liebe Gott werde schon noch ein Auge zudrücken. Uns muss klar sein: Um uns zu retten, musste er seinen Sohn opfern!

gr

? Mit was rechnen Sie?

! Wenn Gott so viel für uns getan hat, muss er es ernst gemeint haben!

Matthäus 27,32-53

Gedenke doch, dass du mich wie Ton gebildet hast.
Hiob 10,9

Gefäße aus Ton – was für ein Bild!

Wir fuhren auf dem Irrawaddy, um ein »Töpferdorf« zu besuchen. Dieses ganze Dorf hatte mit der Herstellung von Tontöpfen zu tun. Wir sahen die einzelnen Arbeitsschritte, bis der Tontopf fast fertig war. Was gab es da nicht alles zu bestaunen! Der letzte Arbeitsgang fehlte allerdings noch: Die Töpfe mussten in den Ofen zum Brennen. Immer wieder wurde neues Holz nachgelegt. Von vorne machten wir uns keinen Begriff von den Ausmaßen dieses Ofens. Dann wurden wir eingeladen, nach hinten die Anhöhe hinaufzusteigen. Wir standen vor einer Art breitem Kamin aus aufgeschichteten Ziegeln. Der Angestellte nahm einen kleinen Ziegelstein heraus, und so konnten wir hineinschauen. 80 Töpfe standen im lodernden Feuer, 3 Tage lang. Ein Anblick, bei dem man an ein Inferno denken muss!

Ich muss gestehen, dass ich von diesem Bild beeindruckt war und das doppelt!

In der Bibel redet Gott gerne in Gleichnissen zu den Menschen, sodass sie es besser verstehen können. Gott will Menschen formen wie einen Tontopf. Und es gibt je nach Verwendungszweck verschiedene Ausführungen von Tontöpfen.

Der Mensch zeigt durch die Umkehr zu Gott, dass er damit einverstanden ist und sich ganz und vertrauensvoll in die Hand des Töpfers gibt. Gott beginnt und modelliert an diesem Gefäß. Irgendwann kommt der Zeitpunkt, an dem es gebrannt werden muss, um seine Tauglichkeit zu erhöhen – also ab ins Feuer. Das sind Situationen, die uns ganz und gar nicht gefallen. Aber genau in diesen Situationen wächst dann ein Christ. Zuerst beginnt das Ganze aber mit einer Kehrtwende zu Gott. Keine Angst! Mit Gott an der Seite wird die Qualität dieses Lebens erhöht, und wir werden brauchbarer. *bw*

Wer weiß, zu was er taugt, der Töpfer oder der Ton?

Gott, der große Töpfer, hat einen Plan mit jedem Menschen.

Jeremia 18,1-10

Dein Wort ist Wahrheit.
Johannes 17,17

Lass dich nicht täuschen!

Mit Kindern kann man sehr interessante Versuche zum Thema »optische Täuschungen« machen. Wenn man zum Beispiel auf eine Karte einen Pfeil aufzeichnet, der nach rechts zeigt, und dann ein mit Wasser gefülltes Glas davorstellt, geschieht etwas Erstaunliches: Blickt man durch das Wasserglas hindurch, zeigt der Pfeil genau in die andere Richtung, nämlich nach links. Sicherlich kennen Sie noch andere optische Täuschungen. Und nicht nur Kinder lassen sich davon irreführen.

Eines beweisen diese Täuschungen alle: auf unsere menschliche Wahrnehmung ist nicht zu 100% Verlass. Wir lassen uns immer wieder täuschen. Ein Phänomen ist zum Beispiel, dass wir dazu neigen, die Meinung der Mehrheit zu übernehmen. Wenn alle sagen, dass Zitrone schlank macht, dann glauben wir das auch. Wenn alle sagen, dass wir glücklich werden können, indem wir unseren eigenen Wünschen folgen, handeln wir danach. Wenn viele meinen, was Wahrheit ist, müsse jeder selbst entscheiden, denken wir auch so. Wir merken nicht einmal, dass wir getäuscht werden.

Es ist daher wichtig, dass wir eine verlässliche »Messlatte« haben, die allen Umständen und Veränderungen standhält. Eine Wahrheit, die nicht dem Zeitgeist unterliegt! In Gott und seinem Wort, der Bibel, haben wir eine solche Messlatte. Gott richtet seine Wertvorstellungen und Maßstäbe nicht an der Meinung der Mehrheit aus. Die Bibel wird nun seit mehreren Tausend Jahren gelesen, und immer noch ist sie aktuell. Wenn wir in ihr lesen, können wir erfahren, was wahr und gut ist, unabhängig von unserer Wahrnehmung und der Meinung der Masse. Wir lernen Gottes Maßstab kennen, der absolut gut und richtig ist. An diesem Maßstab sollen wir unser Leben ausrichten. Das bewahrt uns vor Täuschungen und Irrtümern. *frm*

? Was benutzen Sie als Maßstab oder Kompass Ihres Lebens?

! Je weniger Gottes Messlatte gilt, umso mehr Pannen treten überall auf.

Psalm 119,137-144

30. Juli 17

Sonntag

So spricht der HERR: Siehe, ich bin da ... und will mich meiner Schafe annehmen ... Das Verlorene will ich suchen und das Versprengte zurückführen, und das Verwundete will ich verbinden, und das Kranke will ich stärken. **Hesekiel 34,11.15-16**

Shrek, das Schaf

Shrek gehörte zu einer großen Schafherde in den Bergen Neuseelands. Shrek setzte sich von der Herde ab, nicht für eine kurze Zeit, sondern für sechs Jahre, vermutlich weil er der Schur entgehen wollte. Shrek wurde nicht aufgegeben. Man fand ihn 2004 in einer Höhle. Durch die seit sechs Jahren nicht geschorene Wolle sah Shrek dreimal so groß aus wie ein normales Schaf. Er war so unbeweglich, dass er die Berge hinuntergetragen werden musste. Die Last der Wolle wurde ihm endlich abgeschoren und brachte es auf stattliche 27 kg.

Hätte man nicht nach Shrek gesucht, ihn vom Berg getragen, von seiner Last befreit und gestärkt in die Herde zurückgebracht, hätte er vermutlich nicht mehr lange überlebt. Die Hirten Israels, wie die damaligen Führer des Volkes von Hesekiel genannt werden, hätten Shrek wohl seinem Schicksal überlassen. Sie dachten nur an sich, herrschten brutal über die Herde und ließen es zu, dass die Tiere sich zerstreuten. Niemand fand sich, der den Versprengten nachging. Es fragte noch nicht einmal jemand nach ihnen. Niemand kümmerte sich, niemand interessierte sich, niemand war da.

Doch dann lässt Gott die verlorenen und vergessenen Schafe Israels wissen: »Siehe, ich bin da.« Die zweite Hälfte des 34. Kapitels des Buches Hesekiel beschreibt sehr ausführlich, was den wahren Hirten ausmacht: Er ist präsent, nicht abwesend. Er ist innerlich bewegt, nicht gleichgültig. Er geht nach, er sucht, er findet, er bringt zurück, er verbindet, er stärkt, er weidet und er lagert. Er ist durch und durch genau der, der er verspricht, auch zu sein, damals wie heute: Der gute Hirte, der beste Hirte, mein Hirte – Jesus Christus! *vdm*

?
Welche drei Eigenschaften würden Sie mit einem guten Hirten verbinden?

!
»Jesus sprach: Ich bin der gute Hirte; der gute Hirte lässt sein Leben für die Schafe« (Johanes 10,11).

Johannes 10,1-30

31. Juli 17

Montag

Nehmt die Versöhnung an, die Gott euch anbietet! Er hat den, der ohne Sünde war, für uns zur Sünde gemacht, damit wir durch ihn zu der Gerechtigkeit kommen, mit der wir vor Gott bestehen können. 2. Korinther 5,20-21

Was Sterbende am meisten bereuen

Die australische Sterbebegleiterin Bronnie Ware hat Sterbende befragt, was sie im Rückblick auf ihr Leben bedauern. In ihrem Buch nennt sie fünf Dinge, die Sterbende am meisten bereuen. Meistens sind es Dinge, die man NICHT getan hat, mit Ausnahme der Einsicht: »Ich wünschte, ich hätte weniger gearbeitet.« Wenn das Leben zu Ende gehe, werde vielen klar, was sie verpasst haben. Interessant sei, dass es weniger die verpassten Lebensträume sind, die Todgeweihte bereuen, als vielmehr unerfüllte, zwischenmenschliche Dinge: »Ich hätte meine Gefühle besser ausdrücken sollen«, oder: »Ich hätte mich mehr um Freunde kümmern sollen.« In seiner im »Stern« veröffentlichten Buch-Rezension resümiert Niels Kruse: »Beim Lesen drängt sich der Eindruck auf, dass der Großteil in einem Gestrüpp aus Alltag, Familienpflichten, Geldverdienen und anderen äußeren Umständen festhängt, was den Weg zu den wichtigen Dingen versperrt.«

Wie tragisch ist es, wenn man am Ende feststellt, dass man sich durch Alltägliches den Blick auf wirklich Wichtiges hat versperren lassen! Obwohl man doch weiß, dass jeder Mensch einmal sterben muss. Jedes Leben ist definitiv einmal zu Ende. Früher oder später. Deutlicher als die Interviews mit Sterbenden zeigt die Bibel, was wir tun können, um am Ende aller Tage weniger bedauern zu müssen. Sie weist uns darüber hinaus darauf hin, dass nach dem Tod jeder einmal vor Gott Rechenschaft ablegen muss (Hebräer 9,27). Nur wer ihm zu Lebzeiten seine Sünde bekennt und sein rettendes Angebot, den stellvertretenden Tod seines Sohnes Jesus, in einem bewussten Schritt für sich persönlich in Anspruch genommen hat, wird der Hölle entfliehen (Johannes 3,18). So einer hat dann auch »für nachher« vorgesorgt. *md*

? Was werden Sie einmal bereuen?

! Betreiben Sie Vorsorge nicht bloß für ein zufriedenes Alter, sondern vor allem für das Danach.

Lukas 16,19-31

1. August 17

Dienstag

Woher kommen denn die Kriege und Streitigkeiten unter euch? Sind es nicht eure eigenen Begierden, die sich regelrechte Schlachten … liefern?

Jakobus 4,1

»Wilhelm – es gibt Krieg!«

Mein Vater wurde gerade an jenem unglückseligen Tag geboren, als der erste Weltkrieg ausbrach, also am 1. August 1914. Die Abläufe in der Familie waren Stunden zuvor undramatisch, ja routiniert. Vater war das 12. und letzte Kind seiner Eltern. Die Hebamme war ins Haus gekommen, es herrschte Erschöpfung, aber auch große Freude. Nachts klopfte es dann aufgeregt an der Tür: »Wilhelm – es gibt Krieg!«, rief ein Freund in die Stille der Nacht hinein. Von innen antwortete mein Großvater: »… und wir haben einen kleinen Jungen!« Wegen der ernsten Zeiten erhielt das Baby den Vornamen Ernst.

Eigentlich nur eine kleine Anekdote. Aber im Zusammenhang mit den historischen Bildern jener Tage kann man erkennen, dass parallel zu den großen Weltereignissen das private Leben immer seinen ganz eigenen Rhythmus hatte. Hier das kleine Familienglück, dort ein weltumspannendes riesiges Unglück. Ein Geschenk mitten im Welt-Chaos! So ist Gott! Er kann uns beschenken, auch wenn um uns herum die größten Schwierigkeiten sind!

Mir geht folgendes Zitat durch den Kopf: Es ist eine Lehre der Geschichte, das die Menschen aus der Geschichte nichts lernen. – »Es gibt nichts Neues unter der Sonne«, sagt auch die Bibel und benennt die Gründe für Konflikte: Gier, Egoismus, Neid und Machtstreben führen zu Auseinandersetzungen – schließlich bis hin zum Krieg. Die Anfänge erleben wir täglich in unserem Alltag: Konflikte in der Familie, in der Nachbarschaft, im Berufsleben, auf dem Schulhof! – Vielleicht stecken Sie zur Zeit gerade in schwierigen, friedlosen Umständen? Denken Sie daran: Gott kann! Er muss nicht, aber er kann. Er kann Sie beschenken – mitten in Ihrer schwierigen Situation. Vertrauen Sie ihm! *sp*

? Wo haben Sie Gottes Spuren in ihrem Leben entdeckt?

! Tun Sie selber heute etwas für den Frieden in ihrem Umfeld!

Psalm 2

2. August 17

Mittwoch

Ihr wisst ja, dass ihr nicht mit vergänglichen Dingen wie Silber oder Gold von dem sinnlosen Leben befreit worden seid, ... sondern mit dem ... Blut von Christus.

1. Petrus 1,18-19

Nicht nur halbwegs sauber, sondern wirklich rein!

Wer würde da nicht mitmachen? Auf einem durchnässten, von Maulwurfshügeln übersäten Fußballfeld Fußball zu spielen. Wie jedes Jahr auf der Familienfreizeit ist dies natürlich Pflicht-Programm. Nach dem Spiel hatte einer die glorreiche Idee, mich in eine Pfütze zu werfen. Wie gut, dass ich nur ein paar Meter zu meinem Zimmer hatte, um eine warme Dusche zu nehmen. Ich war von oben bis unten verdreckt und brauchte eine ganze Weile, bis sich das Wasser nicht mehr braun färbte. Als ich das Gefühl hatte, endlich sauber zu sein, nahm ich das vom Freizeitheim bereitgestellte weiße Handtuch und trocknete mich damit ab. Ich war in Gedanken und überlegte mir einen Vergeltungsschlag für die oben geschilderte Attacke. Welch ein Schreck, als ich das mittlerweile braun eingefärbte Handtuch zum Trocknen aufhängen wollte. Und ich dachte, ich wäre sauber gewesen!

Ist das mit unseren Fehlern und schlechten Taten, die wie Dreck an uns kleben, nicht ähnlich? Wir denken, ein paar gute Taten lassen uns schnell wieder sauber aussehen, aber uns plagt weiterhin ein schlechtes Gewissen. Anders als beim Waschen können wir gegen unsere Sünden noch so viele fromme »Reinigungsmittel« einsetzen, wir werden niemals so sauber, dass es in den Augen Gottes genügt. Deshalb hat *er* etwas unternommen, damit wir wirklich rein sind. Gottes »Reinigungsmittel« wirkt zu 100%, es kann uns garantiert von all unserem »Dreck« befreien! »Das Blut Jesu ... reinigt uns von aller Sünde« (1. Johannes 1,7). Wie kann das geschehen? Weil ein anderer, nämlich Jesus, an unserer Stelle gestorben ist, können uns unsere Sünden vergeben werden. Und das bei seinem Tod vergossene Blut zeugt davon. Wer das glaubt, wird völlig rein von seinen Sünden.

ty

? Auf welches Reinigungsmittel setzen Sie?

! Akzeptieren Sie Gottes Reinigunsmittel und nehmen Sie es in Anspruch. Nur dieses wirkt.

1. Johannes 1,1 – 2,2

**Deshalb ermatten wir nicht,
sondern wenn auch unser äußerer Mensch verfällt,
so wird doch unser innerer Tag für Tag erneuert.**

2. Korinther 4,16

Halb voll oder halb leer?

Ist eigentlich ein Glas, in dem nur noch die Hälfte seines Fassungsvermögens an Wasser ist, halb voll oder ist es halb leer? Für einen unbeteiligten Beobachter ist die Sache klar: Beides stimmt. Nur sagt man gewöhnlich, es sei halb leer, wenn es anfangs voll war. Und wenn es anfangs leer war, sagt man, dass es jetzt halb voll ist.

Ganz anders geht es einem, der noch großen Durst hat und der weiß, dass dies die letzte Flüssigkeit ist, die er heute bekommen kann. Der sieht dann nur noch mit Bedauern das halb leere Glas. So kann es auch einem Menschen gehen, der seinen 40. Geburtstag feiert. Er weiß, dass er höchstwahrscheinlich die Hälfte seines Lebens schon verbraucht hat. Und nach aller Erfahrung wird die zweite Lebenshälfte sehr viel weniger lustig ausfallen.

Man kann es aber auch ganz anders betrachten und sich über die noch vorhandene Hälfte der Flüssigkeit oder des Lebens freuen. Aber das geht nur, wenn man noch ein Ziel vor Augen hat, für das man leben möchte.

Wie gut haben es da die Leute, die mit einem gnädigen Gott rechnen. Die brauchen sich weder zu fürchten, dass sie verdursten, noch, dass sie in Trübsal versinken müssen, weil sie mit den jungen Leuten beim Sport nicht mehr mithalten können. Sie können Gott bitten, die bisher gemachten Erfahrungen für ihre Mitmenschen nutzbar machen zu dürfen, und Gott hat versprochen, ihnen dabei zu helfen. Er wird ihnen Weisheit und Geduld und Nachsicht schenken, alles, was sie selbst schon im Umgang mit Gott erfahren haben, an andere weiterzugeben.

Und wenn das Glas völlig leer und das Leben ganz zu Ende ist, fängt für sie das Allerschönste erst an. Dann sind sie daheim, bei ihrem himmlischen Vater. *gr*

? Ist es für Sie schlimm, dass schon die Hälfte vorbei ist, oder freuen Sie sich auf die restliche Hälfte?

! Ihre »Weltanschauung« bestimmt Ihre Einstellung zum Leben.

2. Korinther 4,1-10

4. August 17

Freitag

Der HERR ist mein Hirte; mir wird nichts mangeln.
Psalm 23,1

Wo suchen Sie Zuflucht?

Ich stelle Ihnen heute ein relativ unbekanntes Tier vor. Obwohl dieses Tier schon seit Tausenden von Jahren unsere Erde bewohnt, ist es doch den meisten Menschen nicht bekannt. Es ist der Klippdachs oder das Felsenkaninchen, wie er in hebräischer Sprache genannt wird. Der Klippdachs hat ein braunes Fell und wird etwa 4 kg schwer. Ausgewachsene Tiere können bis zu 50 cm groß werden. Sie leben in Gruppen bis zu 50 Tieren zusammen. Tagsüber liegen sie am liebsten in der Sonne, um Wärme aufzutanken, da sie ihre Körpertemperatur nachts um ungefähr 4°C absenken. Wie der Name schon sagt, leben Klippdachse in Klippen. Dorthin fliehen sie auch, sobald Gefahr droht. In Israel findet man diese Tiere beinahe überall, wo es Felsen gibt.

Ich finde es bemerkenswert, dass so ein kleines Tier weiß, wohin es fliehen muss, wenn Gefahr droht, und sich immer in der Nähe seines Zufluchtsortes aufhält. Wohin fliehen Menschen heute, wenn Gefahr droht, wenn Ängste und Sorgen sie bedrängen? Viele sind weit entfernt von Gott und gehen lieber zu Wahrsagern und Kartenlegern oder berauschen sich mit Alkohol und Drogen. Sie meinen, damit ihren Ängsten entfliehen zu können. Bei manchen kommt es so weit, dass sie ihrem Leben ein Ende setzen, weil sie keinen Ausweg mehr sehen.

In Psalm 31,4 schreibt David von Gott: »Mein Fels und meine Burg bist du!« David wusste, wer ihm Schutz geben konnte. Gott war sein Schutz und seine Hilfe, bei ihm war er in Sicherheit. – Ich wünsche Ihnen, dass auch Sie diesen Gott zu Ihrem Zufluchtsort machen. Durch Jesus Christus dürfen Sie sich bei Gott in Sicherheit wissen. Jesus Christus sagte in Johannes 10,11: «Ich bin der gute Hirte, der gute Hirte lässt sein Leben für die Schafe.« Das tat er auch für Sie! *rr*

Worauf verlassen Sie sich?

Der Gute Hirte kennt alle seine Schafe!

Psalm 31,1-9

Als nun Israel die große Macht sah, die der HERR an den Ägyptern ausgeübt hatte, da fürchtete das Volk den HERRN, und sie glaubten an den HERRN …

2. Mose 14,31

Durch die Wüste

In einer abgedruckten Predigt fand ich folgenden Satz: »Auf das Ende müssen wir achten, dann wissen wir, warum wir unseren Weg mit Gott gehen.« Diese Einsicht hat schon manchem geholfen, der vom Eindruck gegenwärtiger Schwierigkeiten gebannt war.

Wenn wir das Volk Israel in den ersten 400 Jahren seiner Existenz beobachten, lesen wir von Unterdrückung, Hungersnöten und Sklaverei in Ägypten. Erst mit dem Auftreten Moses erlebten die Israeliten massiv das Eingreifen Gottes. Sie sahen wieder Licht im Tunnel. In dieser Zeit tat Gott eine Menge Wunder und führte Israel durch das Wasser des Roten Meeres hindurch in die Freiheit. Zu dieser Zeit waren sie dann auch begeisterte Gottes-Anhänger. Sie schwelgten im Triumph der Rettung und des Sieges und blickten voller Zuversicht in die Zukunft. Doch nach wenigen Tagen schon kam die Ernüchterung. Gott hatte ihnen zwar versprochen, sie in ein Land zu führen, in dem Milch und Honig floss. Sie hatten Ägypten daher hinter sich gelassen, doch was lag nun vor ihnen? Das verheißene Land? Nein! Vor ihnen war Wüste, so weit das Auge reichte. Wer nach Kanaan wollte, musste durch die trockene Wüste reisen.

Auch uns können Ereignisse unseres Lebens in eine Zeit der Dürre führen. Der Verlust des Arbeitsplatzes oder eines lieben Menschen, schwere Krankheiten und finanzielle Nöte sind oft schwierige Lebensetappen. Solche »Dürrezeiten« haben oft etwas mit Verlust zu tun. Ein altes Leben mit seinen Freunden, Gewohnheiten und Sicherheiten geht zu Ende, ohne dass der neue Lebensabschnitt schon Konturen angenommen hätte. Doch Gott mutet uns solche Wegstrecken zu und möchte in solchen Zeiten unseren Glauben stärken. Denn er will uns sicher ans Ziel führen. *jb*

? Wem vertrauen Sie sich auf den Wüstenetappen Ihres Lebens an?

! Man darf nicht vergessen: Gott macht seine Versprechen immer wahr!

Josua 24,16-18

Durch unser Evangelium hat er euch dazu berufen,
denn ihr sollt einmal an der Herrlichkeit
unseres Herrn Jesus Christus teilhaben.
2. Thessalonicher 2,14

Eine gewagte Berufung

In einem Zeitungsbericht las ich, welche enormen Untersuchungen durchgeführt werden, bevor eine Person für ein hohes öffentliches Amt in den USA vorgeschlagen wird. Verschiedene Organisationen und Geheimdienste werden gebeten, ein Dossier über die betreffende Person zu erstellen. Ziel dabei ist es auszuschließen, dass nach der Ernennung doch irgendwelche »schwarzen Flecke« auf der »weißen Weste« auftauchen, die dann das Amt beschädigen würden. Viel wichtiger ist aber, dass man unbedingt vermeiden möchte, dass die Person, die jemanden für das öffentliche Amt vorgeschlagen hat (manchmal der Präsident selbst), beschädigt wird. Letztlich soll also die Frage geklärt werden, ob der Kandidat würdig ist, das Amt auszuführen, und dem Vorschlagenden keine Schande bereitet.

Wenn wir diese Kriterien anlegen, wer könnte dann berufen werden, einmal die Herrlichkeit unseres Herrn Jesus Christus mit ihm zu teilen, wie es der heutige Tagesvers sagt? Welche Qualitäten müsste so jemand aufweisen können? Weil schon der Volksmund weiß, dass »nobody perfect« ist, gibt es sicher niemanden, der von sich aus dazu taugte. Denn die Herrlichkeit Jesu Christi ist nichts Geringeres als die völlige Sündlosigkeit und Heiligkeit Gottes selbst.

Zum Glück kommt in unserem Tagesvers aber auch das Wort »Evangelium« vor, und das heißt »Gute Botschaft«. Und diese gute Botschaft besteht darin, dass Jesus Christus alles für uns getan hat, was wir niemals hätten tun können. Durch ihn erhalten alle, die an ihn glauben, nicht nur die Vergebung ihrer Sünden, sondern werden auch fähig gemacht, dem heiligen und gerechten Gott wohlzugefallen. Alles hat der Sohn Gotts für uns getan. Wir müssen es nur glaubend annehmen.

sro

Auf welchem Weg versuchen Sie passend zu sein für Gott?

Antworten Sie seinem Ruf!

2. Thessalonicher 2,13-17

**Gott ist unsere Zuflucht und Stärke,
ein Helfer, bewährt in Nöten.**
Psalm 46,2

Irgendwie und irgendwann

Kennen Sie das auch? Man steht mitten im Leben, hat viele Aufgaben zu bewältigen, viele Pläne geschmiedet, doch auf einmal passiert etwas, was uns den Boden unter den Füßen wegreißt. Wenn so etwas geschieht, denkt man oft darüber nach, was wirklich im Leben zählt, was wirklich wichtig ist.

Der Jugendpastor und Liedermacher Lutz Scheufler beschreibt in seinem Lied »Irgendwie und Irgendwann« treffend diese Situationen: »Irgendwie und irgendwann kündigt sich auf einmal an, dass ganz schnell ganz viel ganz anders werden kann. Du quittierst mit einem Scherz, jenen unbekannten Schmerz, denn du weißt nicht, spinnt das Hirn oder das Herz. Wie ein dunkelrotes Tuch wird dir jeder Arztbesuch und du fürchtest diesen Krankenhausgeruch. Ob es morgen wieder geht oder war es schon zu spät?«

Er weiß aber auch um eine befreiende Hoffnung in solchen Lagen: »Gott ist da, mach du aus Sorgen ein Gebet. Herr, du weißt, woher ich komm, Herr, du weißt, wohin´s mich treibt. Nimm meine Hand, schenk du mir Mut, vertreib die Angst, mach alles gut, führe du mich durch die Zeit, die mir noch bleibt. ... Irgendwann und irgendwie zwingt dich etwas in die Knie, doch der große gute Gott verlässt dich nie.«

Ich bin überzeugt, mit seinen Aussagen hat er recht. Gott ist da! Egal ob Sie ihm Ihr ganzes Leben lang den Rücken gekehrt haben, ganz egal wie groß Ihre Not ist. »Gott ist da, mach du aus Sorgen ein Gebet. Herr, du weißt ...« In sogenannten Notzeiten zeigt es sich, auf wen wir uns wirklich verlassen können. Gott ist ein Gott, der uns in unserer Not begegnen möchte. Was mich an Gott sehr beeindruckt, ist, dass er uns gerade in schwierigen Zeiten nicht den Rücken zukehrt, sondern da ist! Erlebbar! Gott ist »ein Helfer, bewährt in Nöten«! *za*

? Sind Sie auf Zeiten vorbereitet, in denen alles ganz anders werden kann?

! Lesen Sie einmal den Psalm 107 und staunen Sie über den Gott der Rettung!

Psalm 107

Im Übrigen, ihr Brüder, alles, was wahrhaftig, was ehrbar, was gerecht, was rein, was liebenswert, was wohllautend, was irgendeine Tugend oder etwas Lobenswertes ist, darauf seid bedacht! Philipper 4,8

Kaiser Trajan stirbt im 64. Lebensjahr in Selinus

Heute vor 1900 Jahren schloss der von Senat und Volk hochgeehrte Kaiser Trajan seine Augen für immer. Kein römischer Kaiser seit Augustus entsprach so sehr dem römischen Idealbild von einem guten Herrscher, auch nicht nach Trajans Tod. Unter ihm erreichte das Römische Reich seine größte Ausdehnung. Das aber ist nur ein äußerliches Zeichen seiner Macht. Viel bedeutender war, dass er die immer noch unsicheren Grenzen von Germanien bis Persien sicherer machte und auch die innere Sicherheit des Reiches erhöhte.

Das erreichte er, indem er die unter Domitian verloren gegangene Rechtssicherheit wiederherstellte und in der Verwaltung meist fähige und verlässliche Leute einsetzte. Die Wirtschaft blühte auf, Städte wurden gegründet, Straßen gebaut, verödete Landstriche besiedelt. Die rumänische Sprache ist übrigens eine Frucht seiner Politik. Nachdem er nämlich das entsprechende Land Dakien erobert hatte, besiedelte er es nachhaltig mit lateinisch sprechenden Menschen. So wurde Dakien zur am schnellsten romanisierten Provinz. In den Anfangsjahren seiner Regierung pflegte Trajan ganz absichtsvoll die alten römischen Tugenden neu zu erwecken und Eigenschaften hinzuzufügen, die ihn besonders auszeichneten: Milde, Gerechtigkeit, Frömmigkeit, Tapferkeit, Mäßigung, Freundlichkeit, Selbstbeherrschung. Er selbst strebte danach, so zu leben.

Wie unser Tagesvers zeigt, fordert auch die Bibel Christen dazu auf, tugendhaft zu leben. Darin ist ihnen Jesus Christus ihr größtes Vorbild. Was ein solches Leben dann bewirkt, kann man an ihm klar erkennen. Ganz ohne politische Macht und militärische Kraft hat er erreicht, dass unzählige Menschen in allen Völkern der Erde innerlich neu wurden und Licht ins Dunkel dieser Welt gebracht haben. *koh*

? Haben Sie schon mal darüber nachgedacht, dazu beizutragen, dass es in dieser Welt etwas besser zugeht?

! Jesus ist nicht nur Vorbild, sondern er gibt auch die nötige Kraft, Liebe und Ausdauer dazu.

Matthäus 5,1-16

Wenn du aber von dort den Herrn, deinen Gott, suchen wirst, so wirst du ihn finden, ja, wenn du ihn von ganzem Herzen und von ganzer Seele suchen wirst.

5. Mose 4,29

Wer nicht sucht, wird auch nichts finden!

Vor einigen Tagen stellte ich abends traurig fest, dass ich einen meiner Ohrringe tagsüber verloren hatte. In Gedanken ging ich meinen Tagesablauf durch und war mir schließlich sicher, dass ich den Ohrring in meiner Wohnung verloren haben musste. Die Überzeugung, dass der Stecker irgendwo in meiner Wohnung lag, und die Hoffnung, dass er sich gewiss finden lassen würde, trieben mich an, alles auf den Kopf zu stellen. Die Suche erforderte äußerste Konzentration und verlangte nicht nur Detailarbeit, sondern durch das Verrücken der Möbel auch körperlichen Einsatz. Schließlich tauchte der kleine Ohrring tatsächlich wieder auf! Die Freude über das wiedergefundene Schmuckstück war so groß, dass ich das entstandene Chaos kaum bemerkte.

Gott gibt uns im Tagesvers das Versprechen, dass er sich finden lässt, wenn wir uns voller Eifer und Konzentration auf die Suche nach ihm machen. Ein oberflächliches »Sich-damit-Beschäftigen« reicht nicht aus. Wir werden ihn von ganzem Herzen und von ganzer Seele suchen müssen. Das kann anstrengend und ermüdend werden und erfordert den Willen zur Ausdauer. Doch die Hoffnung, dass sich der Schöpfer dieser Welt offenbart und unser persönlicher Retter aus Schuld sein will, sollte Ansporn genug sein, das ganze Leben dafür auf den Kopf zu stellen. Die Freude, die wir erleben, wenn wir diesen Gott gefunden haben, wird so unbeschreiblich groß sein, dass wir alle Begleiterscheinungen der Suche getrost vergessen können. Wenn wir allerdings nicht daran glauben, dass Gott sich finden lässt, dann brauchen wir mit der Suche gar nicht erst anzufangen. Unsere Seele muss eine tiefe Sehnsucht danach haben, Gott zu begegnen. *kts*

? Wie und wann haben Sie Gott das letzte Mal ernsthaft gesucht?

! Gott ist ein Gott, der sich finden lässt!

Lukas 15,8-9

**Rufe mich an am Tage der Bedrängnis:
Ich will dich erretten, und du wirst mich verherrlichen.**
Psalm 50,15

Vertrauen in Technik?!

Vor kurzer Zeit bin ich zu einer Freundin nach Köln gefahren. Vor mir lag eine etwa 2-stündige Autofahrt an einem Freitagnachmittag, und das auch noch zum Ferienbeginn. Das heißt, die Straßen wurden, je näher ich Köln kam, immer voller. Mein Navi schlug mir immer wieder Alternativrouten vor, die aufgrund des steigenden Verkehrs teilweise über 30 Minuten schneller waren. So akzeptierte ich immer wieder die Empfehlungen und wechselte immer wieder die Autobahnen. Irgendwann dachte ich darüber nach, was ich machen würde, wenn mein Navi jetzt ausfallen würde. Ich hatte mich voll und ganz auf mein Navi verlassen. Aufgrund meines Vertrauens in die Funktion dieses etwa 15x10 cm großen Etwas hatte ich mich ins Auto gesetzt, um eine mir unbekannte Strecke zu fahren, aber mit der festen Hoffnung und dem Vertrauen, dass es mich ans Ziel führt – mein großes Vertrauen in etwas Geschaffenes.

Wie sieht es mit meinem Vertrauen auf Gott aus? Die Bibel sagt uns, dass er der Schöpfer aller Dinge ist. Weitere Eigenschaften von ihm sind Allwissenheit, ewiges Sein, Treue und Fürsorge. Das heißt, er hat die besten Voraussetzungen, das »Navigationssystem« meines Lebens zu sein. Denn er überblickt alles, kennt alle Anfänge und Ausgänge, lässt mich nicht im Stich, und noch mehr, er kennt meine Bedürfnisse und hat mich lieb!

Ein Navi kann veralten, technische Störungen können auftreten. Nicht so bei Gott! In der Bibel sagt Gott selbst: »Rufe mich an am Tag der Bedrängnis: Ich will dich erretten und du wirst mich verherrlichen.«

Aus diesem Grund will ich auf den Schöpfer vertrauen und diesem »Navi« die Führung meiner Lebenswege überlassen. *vj*

Auf was vertrauen Sie?

Nur der, der alles überblickt, kann wirklich richtig führen.

Hebräer 11,8-16

11. August 17

Freitag

Niemand suche das Seine, sondern das des anderen.
1. Korinther 10,24

Egoismus

Der österreichische Sänger Falco, der 1998 mit nur 41 Jahren starb, sang in einem Lied: »Der Mensch, der mir am nächsten ist, bin ich, ich bin ein Egoist.« Ich denke, wenn wir wirklich ehrlich zu uns selbst sind, stimmt dies. Der Mensch, auf den wir am meisten achten, für den wir am meisten tun, der uns am nächsten ist, sind wir selbst. Schmeichelt es nicht unserem Ego, wenn wir für unsere Arbeit ein »Schulterklopfen« bekommen? Wenn wir für unser gutes Zuhören gelobt werden? Wenn unsere Spenden öffentlich werden, sodass auch andere wissen, dass wir großzügig sind? Wenn uns Menschen dankbar sind für das, was wir getan haben?

Selbst in der Hinwendung zu anderen können wir noch wahre Egoisten sein, indem wir dies nur tun, um Anerkennung bei ihnen zu finden oder unserem Stolz auf uns selbst neue Berechtigung zu verleihen.

Um aus unserer egoistischen Denk- und Lebensweise herauszukommen, sind wir auf Hilfe angewiesen. Letztlich kann nur Gott uns von unserer Selbstsucht befreien. Nur er kann unsere Gedanken und unser Herz dazu bewegen, dass wir ohne Eigennutz wirklich auf das Wohl unseres Nächsten bedacht sind. Dazu muss man einmal von sich selbst weg- und auf den schauen, der sich völlig selbstlos für uns alle hingegeben hat, um uns von unserer Sünde und unserem durch und durch ichbezogenen Wesen zu erlösen. Wer sich diesem Erlöser, Jesus Christus, übergibt, aus dem macht er einen ganz neuen Menschen. Paulus drückte diese durch Christus gewonnene neue Identität einmal so aus: »Nicht mehr lebe ich, sondern Christus lebt in mir« (Galater 2,20).

Wie anders würde es in unserer Welt aussehen, wenn es mehr von solchen geben würde, die für Christus und nicht für sich selbst leben.

schn

Was denken Sie, wenn ein anderer nur an sich selbst denkt?

Selbstloses Geben verdoppelt den Segen.

Philipper 2,1-11

12. August 17

Samstag **Tag der Jugend**

... er riss sich los und floh hinaus.

1. Mose 39,12

Weglaufen aus tödlicher Gefahr

»Hau ab, du dummes Tier! Du bringst dich um, wenn du nicht weitergehst« – der zusammengerollte Igel hörte jedoch nicht auf mich. Zuckend blieb er auf der untersten Litze eines sogenannten Hütenetzes, eines in der Schafhaltung verwendeten flexiblen elektrischen Zaunes, liegen. Ohne mein Eingreifen wäre er wenig später tot gewesen – wie viele seiner Artgenossen, die in diese tödliche Falle geraten. Jedes andere Tier flieht bei Berührung eines Elektrozaunes, nur der Igel will sich instinktiv durch Zusammenrollen schützen – doch er geht elend zugrunde.

Unser Tagesvers berichtet von dem jungen Josef, der sich dem aggressiven Verführungsversuch seiner Chefin durch Flucht entzog. Die anschließende Verleumdung der ehebrecherischen Frau brachte ihm zwar Rausschmiss und Gefängnis ein – bewahrte ihn aber für eine einzigartige Aufgabe, für die Gott ihn bestimmt hatte. Im 1. Timotheusbrief wird von Menschen berichtet, die sich durch die Auswirkungen der Geldliebe in moralischer, sozialer und auch seelischer Hinsicht ruiniert haben und im Glauben gescheitert sind; Timotheus wird dringend geraten, »diese Dinge zu fliehen«! Auch vor unmoralischem sexuellem Wunschdenken wird ihm geraten: »Fliehe!« (2. Timotheus 2,22).

Wir leben in einer Zeit, die wie kaum eine vorherige die Menschen mit einem Übermaß an visuellen Verführungen bombardiert – davor muss man rechtzeitig fliehen, statt sich einzuigeln und sich weiterhin der Gefahr auszusetzen. Das Verharren in Situationen, von denen man weiß, dass sie einem schaden, ist mehr als töricht. Statt sich der Sünde auszusetzen und ihr nachzugeben, ist es klüger, zu fliehen, um sich für etwas Besseres zu bewahren. Und schnelles Handeln hilft da mehr, als immer noch weiter abzuwägen. *ek*

Wie würden Sie sich in einer solchen Situation verhalten, wie Josef sie erlebte?

Man sollte den entscheidenden Augenblick zur Flucht nicht verpassen.

1. Mose 39,1-23

Sagt allezeit für alles dem Gott und Vater Dank im Namen unseres Herrn Jesus Christus!

Epheser 5,20

Danke!

Vor einiger Zeit hörte ich mal eine Geschichte von einem Jugendlichen, dem an einem bestimmten Nachmittag fürchterlich langweilig war und der nun wirklich nicht wusste, wie er die Zeit bis zum Abend herumkriegen sollte. In seiner Verzweiflung griff er sich schließlich ein im Wohnzimmer herumliegendes Kreuzworträtselheft und fing an, die zur Verfügung stehenden Lücken auszufüllen. Dies klappte auch zunächst erstaunlich gut, die Langeweile verschwand. An einer Stelle kam er jedoch nicht weiter: »Form der Vergeltung« mit 4 Buchstaben ... Dazu fielen ihm nur Wörter ein, welche die vorgegebene Buchstabenanzahl überstiegen: »Rache«, »Retourkutsche«, »Sanktion« ...

»Onkel Google« konnte ihm auch nicht weiterhelfen, erst der zu Hilfe gerufene Vater hatte dann schließlich die »rettende« Idee: »DANK« war schlicht und einfach der einzusetzende Begriff.

Auch im täglichen Leben kann es passieren, dass die Sache mit dem »DANK« aus dem Blick gerät. Hierfür sind verschiedenste Ursachen denkbar: Vielleicht nehmen wir z. B. viele Annehmlichkeiten des Lebens als viel zu selbstverständlich hin. Oder wir schielen unbewusst auf das vermeintlich schönere Leben unserer Mitmenschen. Oder vielleicht sehen wir gar nicht mehr so klar, bei wem wir uns eigentlich für die schönen Dinge unseres Daseins bedanken können.

In der Bibel jedenfalls wird Gott als der Geber aller »guten Gaben« und »vollkommenen Geschenke« bezeichnet (Jakobus 1,17). Wer zu ihm eine lebendige Beziehung eingegangen ist und diese aufrechterhält, der bekommt auch einen Blick für das viele Gute, das »von oben« kommt. Und vor allem bekommt er einen dankbaren Blick dafür, dass Gott sich uns in Jesus Christus »selbst« geschenkt hat. *sn*

Wie sieht Ihre Form der Vergeltung aus?

Dankbare sind fröhliche Menschen!

Psalm 34

**Jesus spricht: Frieden hinterlasse ich euch;
meinen Frieden gebe ich euch …**
Johannes 14,27

Friede für Friedlose!

»Stell dir vor«, sagte ich zu den Jugendlichen, die in meinem Wohnzimmer saßen, indem ich jeden Einzelnen eindringlich anschaute. »Stell dir vor, du hättest dich an meiner süßen 5-jährigen Tochter vergangen, und ich würde dich jetzt in einem Gespräch zur Rede stellen.« Die Blicke der unverdorbenen Jungs gingen nach unten, da allein die Vorstellung für sie unerträglich war. Soeben hatten sie noch mit meinen Kindern gerauft und gespielt, bevor diese ins Bett gebracht worden waren. Das Unbehagen bei dieser bösen und provokanten Illustration war zu spüren. »Genauso wenig, wie du mir in die Augen schauen könntest, wenn das tatsächlich geschehen wäre, kannst du Gott unter die Augen treten«, fuhr ich fort. »Es gibt keinen Frieden zwischen uns und Gott. Die undankbare und rebellische Haltung unserer Herzen hat uns zu Gottes Feinden gemacht«, zitierte ich die Bibel (Römer 5,10).

Nur wenn wir dieses Unbehagen zwischen uns und Gott wirklich verspüren, verstehen wir das Wunder des Tagesverses. Wir müssen begreifen, dass jede Sünde eine direkte Majestätsbeleidigung Gottes ist, selbst wenn wir damit keinem Menschen geschadet haben. Dann verstehen wir, was Jesus meint, wenn er zu seinen Nachfolgern sinngemäß sagte: »Für euch gibt es keinen Frieden mit Gott, aber ich gebe euch meinen Frieden.«

Jesus gibt uns seinen Frieden. Er lädt uns ein in eine Harmonie, die es nirgends sonst gibt. Dieser Friede kann nur als Geschenk empfangen werden. Nie war die Beziehung des Vaters und des Sohnes getrübt gewesen. Unverdient schenkt uns Jesus diesen, also seinen Frieden. Weil er für uns zur Sünde wurde und unsere Sünde für immer beseitigt hat (2. Korinther 5,21).

bu

? Haben Sie das Geschenk des Friedens mit Gott bereits angenommen?

! Der Glaube an die Zusagen der Bibel lässt diesen Frieden Wirklichkeit in unserem friedlosen Leben werden.

2. Samuel 9

Da ging dieser Knecht hinaus und traf einen seiner Mitknechte, der war ihm hundert Silbergroschen schuldig; und er packte und würgte ihn und sprach: Bezahle, was du mir schuldig bist! Matthäus 18,28

Letzte Chance

Eine todkranke Frau wünschte sich, noch einmal ihren früheren Ehemann zu sehen. Die beiden waren lange zuvor in einem erbitterten Sorgerechtsstreit auseinandergegangen. Drei Jahrzehnte lag der Scheidungskrieg nun schon zurück. Und doch waren die Spuren dieser Zeit sehr offensichtlich: Als die Bitte an den Mann herangetragen wurde, reagierte er mit großer Entrüstung und allerlei Vorwürfen; von Mitgefühl keine Spur. So starb die Frau, ohne dass ein letztes Gespräch stattfand.

Aus unverheilten Verletzungen wachsen oft Wurzeln der Bitterkeit. Sie legen sich fest um das Menschenherz und machen es hart. Schmerz, Stolz, Kummer und Enttäuschung bilden den optimalen Nährboden. Einem so verhärteten Herzen wird es nahezu unmöglich, dem anderen noch wohlwollend zu begegnen. Wie traurig, wenn selbst in der Todesstunde kein freundliches Wort mehr gesprochen werden kann! Haben sich die Türen zur Ewigkeit erst einmal geschlossen, ist eine Aussprache nicht mehr möglich.

Gott möchte, dass wir unseren Mitmenschen von Herzen verzeihen, ist doch seine Vergebungsbereitschaft uns gegenüber so viel größer. Wer selbst Barmherzigkeit erfahren hat, kann sie dem Nächsten nicht verweigern. Auch darum lehrte Jesus seine Jünger zu beten: »Und vergib uns unsere Schuld, wie auch wir vergeben unseren Schuldigern.«

Zu vergeben heißt, seine Ansprüche an den anderen loszulassen. Ein schwerer Schritt für jeden, der schon einmal tief verletzt wurde. Wenn wir dennoch dazu bereit sind, will Gott uns gerne helfen. Bringen wir doch unsere Wut, Ohnmacht und alle Bitterkeit vor ihn. Wer das tut, erfährt, wie diese Gefühle nach und nach ihre Macht verlieren. *sna*

? Wo könnten Sie die Gelegenheit zu einer Aussprache nutzen?

! Warten Sie nicht zu lange – es gibt ein »zu spät«!

Matthäus 18,21-35

16. August 17

Mittwoch

Und Gott, der HERR, sprach:
Es ist nicht gut, dass der Mensch allein sei;
ich will ihm eine Hilfe machen, die ihm entspricht.

1. Mose 2,18

Nicht gegeneinander, sondern füreinander

Im Allgemeinen haben Mädchen heutzutage bis zum Abitur bessere Zeugnisse als Jungen. Das liegt wohl weniger an der schwächeren Begabung der Jungen als vielmehr daran, dass die meisten Mädchen die Beziehung auch zu den Lehrkräften nicht ganz so leichtfertig aufs Spiel setzen mögen wie die Jungen. Mit dem Satz »I like to be liked« (»Ich mag, dass man mich mag«) erklären die Engländer diese erfreuliche Erscheinung, während die bei vielen Jungen verbreitete Faulheit noch durch den Drang zu missverstandenem »Heldentum« verstärkt wird. Natürlich gibt es auch hier – wie überall im Leben – Ausnahmen und Überschneidungen. So entstanden in manchen Städten schon gefährliche Mädchengangs, und sehr fleißige Jungen verfolgen unbeeindruckt von allem Medienrummel zäh ihre Ziele und erreichen sie dann auch.

Dass ich trotz der zuletzt gemachten Einschränkungen heute für hoffnungslos rückständig gelte, ist mir klar, weil ich behaupte, es gebe grundsätzliche Unterschiede zwischen dem Verhalten von Jungen und Mädchen. Zumindest müsste ich nach heute weitverbreiteter Sichtweise zugeben, dass diese Unterschiede einzig durch die von einem überholten Menschenbild geprägte Erziehung herausgebildet wurden.

In meiner Bibel lese ich aber, dass Gott Mann und Frau als ein sich ergänzendes Gegenüber erschaffen hat, und nicht als ein konkurrierendes Gegeneinander. Bei diesem Konkurrenzkampf gibt es dann vordergründig Sieger und Besiegte, letztendlich aber ausnahmslos nur noch Verlierer. Weiter steht in der Bibel, dass der Mann seine Frau lieben soll wie sich selbst und dass die Frau sich so verhalten soll, dass der Mann sie lieben kann und nicht um den nötigen Respekt fürchten muss.

gr

Was müssten Sie ändern, damit Sie dem Schöpfungsplan entsprechen?

Gott will dazu helfen, dass wir seiner Schöpfungsordnung entsprechen können.

Epheser 5,21-33

Und Gott sprach: Bitte, was ich dir geben soll!

1. Könige 3,5

Beinahe unglaublich!

Wenn Sie den Tagesvers zum heutigen Andachtstext gelesen haben, werden Sie sich denken: Das ist ja wie im Märchen!

Ein junger Mann wird König. Eines Nachts begegnet ihm Gott im Traum und sagt: »Bitte mich, um was du willst, und ich gebe es dir.« Der junge König schaut in die Vergangenheit, wie sein Vater sich von Gott durch das Leben führen ließ. Er betrachtet die Gegenwart, sieht seine Jugend und die Unerfahrenheit in Bezug auf seine Aufgabe. Daher wünscht er sich: »Ich möchte ein Herz, das mich fähig macht, das Volk zu führen und zu unterscheiden, was gut und böse ist.« Dieser Wunsch gefiel Gott, und er versprach ihm die Erfüllung. Als Zusatz bekam er auch noch Reichtum und Ehre, so, als sei das nichts im Vergleich zu göttlicher Weisheit.

Was hätten Sie sich an der Stelle des jungen Königs gewünscht? So ganz spontan? Salomo, so hieß der junge König, war trotz seiner Jugend geprägt von dem Wunsch, ein Gott wohlgefälliges Leben zu führen. Sicher war ihm das Vorbild seines Vaters eine Hilfe. Da sah er, was es hieß, ein Leben zu führen, in dem Gott der Mittelpunkt ist. Natürlich gab es auch dort Fehler und Versagen. Aber dann durfte sein Vater Vergebung erfahren und auch Korrektur in Anspruch nehmen.

Die Frage, die sich jeder Mensch darum stellen muss, heißt dann aber doch: »Wie sieht es mit meiner Gottesbeziehung aus? Und welche Vorstellung habe ich von Gott?«

Gott selbst möchte eine persönliche Beziehung zu uns Menschen haben. Das erfordert allerdings, dass wir Gottes Urteil über unser Leben restlos anerkennen. Dann will er aber auch alles neu machen – beinahe unglaublich, aber vollständig wahr. *bw*

Mal ganz ehrlich: Was hätten Sie sich gewünscht?

Bleibende Werte sind immer besser als vergängliche!

1. Könige 3,5-15

**Da sagte Jesus zu ihr:
»Ich bin die Auferstehung und das Leben.
Wer an mich glaubt wird leben, auch wenn er stirbt.«**

Johannes 11,25

Geisterräder

In St. Louis, Missouri, wurde im Jahr 2003 ein komplett weiß lackiertes Fahrrad am Rande einer viel befahrenen Straße in der Innenstadt aufgestellt. Es sollte als Erinnerung und Mahnmal für jenen Menschen dienen, der an dieser Stelle mit dem Rad tödlich verunglückte. Seither wurden diese Geisterräder oder Ghost-Bikes an zahlreichen Orten auf der ganzen Welt an Unglücksstellen angebracht. Oft sind sie mit Blumen, Kreuzen oder den Fotos und Namen der Menschen dekoriert, die bei einem Verkehrsunfall mit dem Fahrrad starben.

Leider ist es keine Seltenheit, dass Menschen jäh aus dem Leben gerissen werden. So fühlen sich die meisten Leute wohl an den Tod erinnert, wenn sie an einem solchen Ghost-Bike vorbeikommen. Der Gedanke, dass an dieser Stelle jemand plötzlich und vielleicht unverschuldet sterben musste, ist schlimm und macht betroffen. Doch die Symbolkraft der weißen Fahrräder reicht bei vielen nicht über die irdische Dimension hinaus. Sie mahnen zur Optimierung der Sicherheitsausrüstung, auf die ein Radfahrer zu achten hat, oder auch zur Vorsicht an gefährlichen Kreuzungen. Doch genügt das?

Dass der Tod uns persönlich unerwartet treffen könnte, wird zumeist weit weggeschoben. Und doch sollte sich jeder auch einmal mit dem eigenen Sterben auseinandersetzen. Bin ich vorbereitet vor den allmächtigen Gott zu treten? Was erwartet mich in der Ewigkeit? Solche Fragen darf man aus seinem Denken nicht ausklammern, und man sollte nicht ruhen, bis man eine klare Antwort darauf gefunden hat. Wer sein Leben Jesus Christus anvertraut, muss keine Angst vor dem Tod mehr haben. Er schenkt denen, die an ihn glauben, ewiges Leben, und seine fürsorgliche Gegenwart erfährt man dann schon im Jetzt.

dbe

? Warum denken Sie, konnte Paulus behaupten, dass Sterben für ihn Gewinn sei? (Philipper 1,21)

! Jesus hat den Tod überwunden und besiegt!

Lukas 16,19-31

Das Endziel des Gebotes aber ist Liebe aus reinem Herzen und gutem Gewissen und ungeheucheltem Glauben.
1. Timotheus 1,5

Ein gutes Gewissen ist ein sanftes Ruhekissen!

»Mit einem reinen Gewissen schläft es sich besser«, sagt uns diese Redewendung. Das schlechte Gewissen kann uns den Schlaf rauben. Es meldet sich oft erst dann, wenn wir zur Ruhe und zum Nachdenken kommen. Die Anlässe sind vielfältig. Der unbeantwortete Brief, die üble Nachrede, das lieblose Verhalten unserem Ehepartner gegenüber, die »Notlüge« und auch die Sucht können unser Gewissen plagen und uns in Unruhe versetzen.

Was ist das Gewissen? Gewissen kommt aus dem griechischen Denken und heißt Mitwissen. Das Gewissen ist der Mitwisser unserer Gedanken und Taten. Es beurteilt uns Menschen in unserem Handeln oder Unterlassen. Das Gewissen gibt weder Kraft, das Richtige zu tun, noch das Böse zu unterlassen, wie ein Thermometer nur die Wärme oder die Kälte anzeigt, ohne etwas daran zu ändern. Das Gewissen urteilt nach ihm bekannten Maßstäben.

Für den einzelnen Menschen können sie sehr unterschiedlich sein. Die Bibel bezeugt, dass jeder Mensch ein Gewissen hat, das anklagt oder entschuldigt (Römer 2,15). Je besser wir die Gedanken und Maßstäbe Gottes in der Bibel kennen, desto leichter hat es unser Gewissen, danach unser Handeln zu beurteilen. Ohne diese Maßstäbe ist das Gewissen orientierungslos. Wenn wir im Straßenverkehr zum Beispiel die Tempobeschränkung aufheben, dann gibt es keine Tempo-Sünder mehr; allerdings würde das zu einer Katastrophe im Straßenverkehr führen.

Das schuldbeladene und uns anklagende Gewissen kann durch ein ehrliches und aufrichtiges »O Gott, sei mir dem Sünder gnädig« Vergebung erfahren und frei werden. »Es tut mir leid, und ich bitte um Entschuldigung« hat schon oft zur Versöhnung und zu einem guten Gewissen geführt. *kr*

Was tun Sie gegen die Anklagen Ihres Gewissens?

Gottes Maßstäbe in der Bibel sind aktuell; danach handeln bewirkt ein erfülltes, glückliches Leben und ein gutes Gewissen!

Hebräer 10,19-25

Die Furcht des HERRN bedeutet, das Böse zu hassen.
Sprüche 8,13

Eine andere Sichtweise

Vor einiger Zeit hörte ich in einem Lokal, wie sich am Nachbartisch ein Mann mit einer Frau unterhielt. Es schien so, als hätten sie sich nach längerer Zeit erstmals wieder getroffen. Der Mann berichtete voller Stolz von dem, was er erreicht hatte, und dass er sein Leben echt gut im Griff habe, ganz nach dem Motto: »Mein Haus, mein Boot, mein Auto ...« Die Frau hörte sich alles ganz geduldig mit einem freundlichen Lächeln an. Doch es gab einen Moment in der Unterhaltung, bei dem ihr Gesichtsausdruck sehr ernst wurde. Der Mann hatte soeben von seinem neuen leistungsstarken Auto berichtet und davon, dass es unmöglich sei, damit vorschriftsmäßig zu fahren. Er prahlte sogar mit der Anzahl der Strafzettel, die er kassiert hatte. »Alles albernes Zeug«, war sein Fazit. Sie unterbrach ihn ziemlich abrupt und sagte: «Weißt du, zu diesem Thema habe ich eine ganz andere Meinung als du. Für mich ist zu schnelles Fahren keine Bagatelle. Mein Sohn wurde in unserem Ort von einem zu schnell fahrenden Auto angefahren und ist an den Verletzungen gestorben. Man hat festgestellt, dass der Wagen rechtzeitig zum Stehen gekommen wäre, wenn sich der Fahrer an die vorgeschriebene Geschwindigkeit gehalten hätte!«

Diese Unterhaltung stimmte mich nachdenklich; ich musste daran denken, wie Gott Sünden ansieht, auch solche, über die wir oft so leichtfertig hinweggehen, oder sogar noch stolz auf sie sind. In seinen Augen ist jede Sünde etwas Furchtbares, denn sie trennt uns von ihm und zerstört unser Leben. Ich jedenfalls habe mir wieder vorgenommen, auch bei sogenannten »Kavaliersünden« daran zu denken, was Gott davon hält – damit ich meinen Mitmenschen eine Hilfe bin und ihnen nicht zu einer Gefahr werde. *sro*

? Wo haben Sie auf diesem Gebiet Ihre »Baustelle«?

! Man kann nur mit Gottes Hilfe rechnen, wenn man tun will, was recht ist.

Sprüche 8,1-21

Und in der sechsten Stunde kam eine Finsternis über das ganze Land bis zur neunten Stunde.
Markus 15,33

Wahrhaftig, dieser Mensch war Gottes Sohn!

In Scharen waren die Menschen dem jungen Prediger nachgelaufen. Er behauptete, Gottes Sohn zu sein, und war doch Mensch! Er hatte Erstaunliches getan: Kranke geheilt, sogar Tote lebendig gemacht. Kein Wunder, dass die Menschen ihm nachliefen. Den Angehörigen der herrschenden Elite war er darum ein Dorn im Auge. Sie ruhten nicht eher, bis sie es schafften, ihn zum Tode verurteilen zu lassen. Während er am Kreuz hing, verhöhnten und verspotteten sie ihn. Auch das Volk belustigte sich jetzt mit den Oberen an seinem Elend. Die Menschen zerrissen sich das Maul über den, der Mensch und Gott war.

Um die Mittagszeit wurde es plötzlich dunkel, tiefe Finsternis! Schlagartig verstummte aller Spott, alles Lästern, es wurde still. Als Gott das Gericht für die Schuld der Menschheit über den einzigen vollkommen gerechten Menschen, der je auf dieser Erde war, brachte, verstummte das vollmundige Höhnen. Kaltes Erschrecken ließ alle den Atem anhalten. Der einem Volksfest ähnelnde Tumult war zu Ende. Fast drei Stunden lang beklemmende Stille! Erst der Klageschrei des Gekreuzigten »Mein Gott, mein Gott, warum hast du mich verlassen?« löste die Erstarrung, und der Ruf »Es ist vollbracht« lichtete das Dunkel. Der Spott blieb stumm. Nur ein Soldat machte seinem Erstaunen über das Erlebte Luft: »Wahrhaftig, dieser Mensch war Gottes Sohn!«

Berührt uns all das noch? Was damals so bewegend und eindrucksvoll geschah, betrifft uns heute genauso. Denn es ging auch um unsere Sünde. Welche Gedanken kamen den Beteiligten wohl in den drei Stunden der Finsternis? Wäre es nicht dran, sich einmal Zeit zu nehmen und darüber nachzudenken, was damals geschah? Vielleicht kommt es dann auch zur heilsamen Erkenntnis: »Wahrhaftig, dieser Mensch war Gottes Sohn!« *kim*

? Wie viel Zeit müsste man sich nehmen, um einer Sache von so weitreichender Bedeutung gerecht zu werden?

! Lesen Sie nicht nur ein Kapitel, sondern das ganze Markus-Evangelium!

Markus 15

Es schlich sich aber der Gedanke bei ihnen ein, wer wohl der Größte unter ihnen sei.

Lukas 9,46

Was gibt mir Wert?

Wie sich ein starkes Selbstwertgefühl aufbauen lässt, dazu gibt es im Internet seitenweise Expertenmeinungen zu finden. All diese Angebote reagieren auf das starke Bedürfnis des Menschen nach Bedeutung und Wert. Bei den Jüngern Jesu kam das auch zum Vorschein. Sie wollten irgendwie wichtig sein und überlegten, wer in der Rangfolge am höchsten stand und warum.

Menschen versuchen, ihre Bedeutung oder ihren Wert von verschiedenen Dingen abzuleiten, die man besitzt, z. B. das Auto einer bestimmten Marke oder das neueste Smartphone. Andere finden ihren Wert darin, besonders viel zu leisten. Sie müssen immer beschäftigt sein, sonst fühlen sie sich nutzlos und bedeutungslos. Schwierig wird es für solche Menschen, wenn sie z. B. zu krank oder zu alt sind, um noch etwas zu leisten. Eine dritte Gruppe leitet ihren Wert von dem ab, was andere über sie sagen. Sie finden keinen Wert in sich selbst und suchen deshalb ständig nach Lob und Anerkennung. Wenn diese ausbleiben, sind sie enttäuscht, entmutigt und verunsichert.

Unsere wirkliche Bedeutung liegt aber nie in dem, was wir tun, was wir haben oder welchen Wert uns andere zuweisen. Sie kommt vielmehr von Gott. Wenn ich erkenne, dass Gott mich geschaffen und gewollt hat, dann gibt mir das einen Wert, der unabhängig ist von allem, was oben beschrieben ist. Außerdem bietet Gott mir Erlösung an von einem Leben der Selbstbezogenheit und Leere. Er zeigte seine Liebe zu mir, als Jesus für mich starb. Er gibt mir Wertschätzung, indem er mich unabhängig von meiner Leistung, meinen Fähigkeiten und anderen Leuten von meiner Sünde und Schuld rettet. Diese Wertschätzung hält er für immer aufrecht, und sie allein führt zu einem bleibenden Selbstwertgefühl. *ht*

Worin suchen Sie Ihren Wert?

Gottes Liebe gibt uns den wirklichen und bleibenden Wert.

1. Korinther 15,9-10

Und denke an deinen Schöpfer in den Tagen deiner Jugendzeit, bevor die Tage des Übels kommen und die Jahre herannahen, von denen du sagen wirst: Ich habe keinen Gefallen an ihnen. Prediger 12,1

Ein Wunsch fürs Leben

Wenn Sie einen Wunsch frei hätten, der Ihnen erfüllt würde, sobald Sie ihn äußern – was wäre Ihnen da das Wichtigste? Halt, nicht so schnell – es geht schließlich um einen Wunsch fürs Leben, nicht für den Augenblick ...

Solch ein »Blanko-Scheck« wurde einmal dem König Salomo ausgestellt. Gott sagte zu ihm: »Bitte mich, was ich dir geben soll!« – Und Salomo gab eine kluge Antwort darauf: »HERR, mein Gott, du selbst hast deinen Knecht zum König gemacht anstelle meines Vaters David. Ich aber bin ein kleiner Knabe, ich weiß nicht aus- noch einzugehen. So gib deinem Knecht ein gehorsames Herz, dein Volk zu richten, zu unterscheiden zwischen Gut und Böse.« Wäre das ein Wunsch, der Ihnen gefällt? Gott gefiel, worum Salomo ihn bat. Er versprach ihm: »Weil du um Verständnis gebeten hast, um dem Recht zu gehorchen, siehe, so tue ich nach deinen Worten! Siehe, ich gebe dir ein weises und verständiges Herz, sodass es vor dir keinen wie dich gegeben hat und nach dir keiner wie du aufstehen wird.« – Was wir daraus lernen können? Ob wir nun hoch oder niedrig gestellt sind, es ist immer klug, sich nach dem auszurichten, was Gott gefällt. Geld allein macht nicht glücklich, sagt der Volksmund. Aber Weisheit von oben befähigt uns dazu, in allen Situationen unseres Lebens die richtige Entscheidung zu treffen. Wer daran bis zum Ende festhält, wird auch am Ende zufrieden sein.

Der junge König Salomo ist unter optimalen Bedingungen gestartet; leider hat er Gottes Ordnungen und Gebote in seinem Leben nicht immer beachtet. Er begann demütig, aber als er älter wurde, wandte er schließlich sein Herz von Gott ab und hin zu falschen Göttern. Das gefiel Gott nicht mehr. Am Ende seines Lebens erschien ihm deshalb im Rückblick alles Erlebte als Nichtigkeit. *kr*

? Was wäre Ihre Bitte an Gott?

! Wenn man am Ende froh und zufrieden sein will, muss man schon früh im Leben die Weichen richtig stellen.

2. Chronik 1,7-12

**Rufe mich an am Tag der Bedrängnis:
Ich will dich erretten, und du wirst mich verherrlichen.**
Psalm 50,15

Bei Gott ist nichts unmöglich!

Stellen Sie sich einen riesigen Haufen zentnerschwerer Steine vor. Und dabei steht ein kleines Männchen mit einem noch kleineren Handwägelchen. Der kleine Mann soll den Steinhaufen fortschaffen. Das ist trotz aller Anstrengung einfach unmöglich! Missmutig setzt er sich an den Wegrand und beseufzt sein Schicksal. Da fällt ihm ein, dass sein freundlicher Vater eine ganze Menge riesiger Frontlader und Lastwagen hat, für die der große Steinhaufen eine Kleinigkeit wäre.

Sie werden sagen: »Das ist doch eine ganz blöde, furchtbar einfältige Geschichte, die zu schlecht ist, um in einem Kalender zu stehen, der ernst genommen werden will. Wie könnte ein Mann so dumm sein, und nicht als Erstes mit seinem Vater gesprochen haben, wenn der doch über alles Nötige verfügt und darüber hinaus auch noch als freundlich bezeichnet wird!«

In Wirklichkeit kommt diese Geschichte aber leider millionenfach vor, weil Menschen nämlich einen allmächtigen Gott im Himmel haben und doch immer wieder versuchen, allein mit Dingen fertigzuwerden, die viel zu schwierig für sie sind. Und wenn sie dann wegen Magenbeschwerden oder Burnout entmutigt aufgeben, kann auch kein Zuschauer mehr an den Vater mit dem Riesenfuhrpark glauben, was doch für alle das Beste gewesen wäre.

Ja, so ist das: Der kleine Mann, also der einzelne Mensch, soll durch sein Verhalten nicht allen vormachen, wie armselig schwach er ist, sondern was der große Gott im Himmel für ihn tun kann und tun will. Das würde auch die bis dahin noch Ungläubigen dazu bringen, ebenfalls ihr Vertrauen auf den Gott zu setzen, der uns in unserem Tagesvers auffordert, ihn um Hilfe zu bitten, und der dann verspricht, uns zu erretten.

gr

Was hindert Sie, Gott um Hilfe anzurufen?

5015 nennt man auch die Telefonnummer des Himmels.

2. Könige 6,8-17

Denn ich weiß wohl, was ich für Gedanken über euch habe, spricht der HERR: Gedanken des Friedens und nicht des Leides, dass ich euch gebe das Ende, des ihr wartet.

Jeremia 29,11

Gedanken des Friedens

»Wie bitte?« Hatte ich richtig gehört? Einer unserer Enkel erzählte mir beim Abendessen: »Meine Mama mag mich nicht.« Auf meine erstaunte Frage hin wiederholte er diesen Satz. – ›Das kann doch nicht stimmen‹, ging es mir durch den Kopf. ›Wie kommt der Junge auf diese befremdliche, aber doch sehr klare Aussage?‹ So fragte ich zurück: »Wie kommst du denn auf diesen Gedanken?« Da platzte er heraus: »Sie tut nicht, was ich will.« Natürlich, so kann man es auch sehen. Weil die Mutter nicht tut, was das Kind will, zieht es den Schluss: Sie mag mich nicht.

Der Gedanke ließ mich nicht los. Reagieren wir in unserem Leben nicht oft genauso? Gott tut nicht, was ich will. Er erhört meine Gebete nicht so, wie ich es ihm vorschlage. Mit meinem Problem lässt er mich scheinbar allein. Also liebt er mich auch nicht. – Und so wenden wir uns von Gott ab und ziehen uns enttäuscht in unser Schneckenhaus zurück. ›Wenn Gott mich lieb hätte, dann würde er mir doch helfen‹, ist der Gedanke, der uns dann beherrscht und uns auf Distanz hält zu Gott.

Aber hat die Mutter ihr Kind wirklich nicht lieb? Ist nicht vielmehr das Gegenteil der Fall? Weil sie ihr Kind liebt, gibt sie ihm nicht alles, was es will. Sie hat Besseres im Sinn. So wie Gott eben auch Besseres für mich im Sinn hat, »Gedanken des Friedens und nicht des Leides«, wie unser Tagesvers sagt. Ihm ist nicht gleichgültig, was aus meinem Leben wird. Er denkt sich mehr dabei, als ich im Moment empfinde oder vordergründig für mich erhoffe. Er hat das Bessere im Blick. Er will mich nicht einfach »zufriedenstellen«, nur um seine Ruhe zu haben. Wohltun will er, segnen! Auch für heute hat er Gedanken des Friedens für mich.

wu

? Worin beweist sich für Sie die Liebe Gottes?

! Gottes Pläne zielen immer auf das Ende.

Johannes 13,1-7

26. August 17

Samstag

**In dem Haus meines Vaters sind viele Wohnungen;
wenn es nicht so wäre, hätte ich es euch gesagt;
denn ich gehe hin, euch eine Stätte zu bereiten.**

Johannes 14,2

Luxuskreuzfahrt mit dem Traumschiff

Haben Sie schon mal von einer Kreuzfahrt auf einem Luxusliner geträumt? Es gibt italienische Disco-Schiffe mit 24 Stunden Unterhaltung am Tag oder klassisch-vornehme Schiffe – für die »feine Gesellschaft«.

Wir haben kürzlich die »Queen Elizabeth« besichtigt. Man zeigte uns die Kabinen, Suiten, Restaurants, Ladenstraßen, das Theater, die Schwimmbäder, den Kricketplatz, die Wellness-Bereiche und die Bibliothek. Die Reederei will, dass sich die Passagiere zu 100% wohlfühlen. Deshalb wirbt man für die Zielgruppe, die zum Schiff passt. Ab 18:00 Uhr wird in allen öffentlichen Bereichen der dunkle Anzug bzw. das vornehme Kleid erwartet. Man spielt klassische Musik, und in der Bibliothek findet man Klassiker der Weltliteratur. Die Kabinen sind für Menschen dieses Geschmacks bis ins letzte Detail bestens ausgestattet, vom Aussichtsbalkon bis zu vergoldeten Wasserhähnen.

Unser Tagesvers spricht davon, dass auch Gott bald für jeden Christen eine wunderbare, allerdings ewige Bleibe bereitstellen wird. Es wird jedes Detail so schön sein und uns so glücklich machen, wie wir uns dies gar nicht vorstellen können. Kein Träne, keine Krankheit, kein Leid oder Schmerz werden dort mehr sein, weder Trauer noch Tod. Wer aber darf dort die Ewigkeit zubringen? Glücklicherweise wird da nicht nach der gesellschaftlichen Stellung ausgesucht, sondern jeder, der seine Lebensschuld bei Jesus Christus abgeladen hat und so unverdienterweise zur Familie Gottes gehört, ist dort willkommen. Auf der »Queen Elizabeth« hängt das Porträt der Queen, die das Schiff persönlich getauft hat, in der Empfangshalle. Im Himmel wird Jesus Christus persönlich all denjenigen Licht und Freude sein, die sich hier auf dieser Erde schon zu ihm bekennen. *hu*

Wie sieht Ihr Zuhause aus, wenn Sie einmal von dieser Erde gehen?

Treffen Sie die Wahl, solange es noch Wahlmöglichkeit gibt!

Offenbarung 21,1-4

Heute, wenn ihr seine Stimme hört, verhärtet euer Herz nicht!
Psalm 95,7-8

Ein trauriger Lebenslauf!

Vor vielen Jahren las ich einen »Lebenslauf«, der etwa so verlief: Mit 7: Viel zu jung, um an Gott zu denken. Mit 14: Viel zu übermütig, um an Gott zu denken. Mit 18: Viel zu sportlich, um an Gott zu denken. Mit 24: Viel zu verliebt, um an Gott zu denken. Mit 35: Viel zu beschäftigt, um an Gott zu denken. Mit 50: Viel zu viele Sorgen, um an Gott zu denken. Mit 60: Viel zu müde, um an Gott zu denken. Mit 80: Viel zu spät, um an Gott zu denken.

Gott hat uns als Menschen für die große, unendlich lange Ewigkeit geschaffen. Unser Erdenleben ist davon nur ein winziges Teilchen. Allerdings hat uns Gott hier auf Erden die Aufgabe gestellt, uns zu entscheiden, wo wir diese lange Ewigkeit zubringen wollen. Wir können seit dem Sündenfall nicht mehr entscheiden, ob wir gut oder böse sein wollen; aber wir können entscheiden, ob wir zu unseren Schulden stehen und um Vergebung bitten, oder ob wir Gottes Ansprüche an uns Menschen ignorieren wollen. Im zweiten Fall könnte der obige »Lebenslauf« auf uns zutreffen.

Wann wäre denn die beste Zeit, sich auf Gottes Gnadenangebot einzulassen? Sollte man erst einmal ausprobieren, was die Welt um uns her zu bieten hat? Und sollte man die Sache mit Gott und der Ewigkeit auf eine Zeit verschieben, wenn man zu weltlichen Vergnügungen keine Lust mehr hat, weil die Knochen schmerzen und der Magen nur noch Schonkost verträgt? Erstens ist niemandem die Zusicherung gegeben worden, dass er so alt wird, und zweitens weiß niemand, ob sein Verstand dann noch ausreichend funktioniert, und außerdem werden unser Herz und unser Gewissen mit der Zeit immer härter und stumpfer, was das Mahnen Gottes angeht. Darum sollte man so früh wie möglich kommen und Gottes Angebot annehmen! *gr*

? Wie weit ist Ihr Lebenslauf schon fortgeschritten?

! Sehen Sie sich den Tagesvers noch einmal an!

Lukas 19,41-46

Er (Christus) kam in das Seine, und die Seinen nahmen ihn nicht an; so viele ihn aber aufnahmen, denen gab er das Recht, Kinder Gottes zu werden.

Johannes 1,11-12

Vom Luxus in die Gosse

Stellen Sie sich vor, Sie wären reich. Nun stellen Sie sich weiter vor, eines Ihrer Kinder geriete so richtig auf die schiefe Bahn. Drogensucht, Kriminalität und falsche Freunde würden Ihr Kind dazu bringen, sich immer weniger in seinem schönen Zuhause aufzuhalten und stattdessen in der Gosse rumzuhängen. Eines Tages kommt Ihr Kind gar nicht mehr nach Hause. Sie sind reich. Also beauftragen Sie einen Privatdetektiv, der Ihr Kind finden soll. Kurze Zeit später berichtet dieser Ihnen, dass er Ihr Kind gefunden hat. Im übelsten Viertel der Stadt treibt es sich rum. Was würden Sie tun? Ich würde mir ein paar olle Klamotten anziehen und würde mich umgehend auf den Weg machen, um mein Kind zu suchen. Ich würde mit ihm reden wollen und hätte den tiefen Wunsch, es nach Hause zu holen.

Können Sie sich vorstellen, dass das genau das ist, was Jesus getan hat? Jesus verließ den Himmel, den absoluten »Luxus«, und kam zu uns auf die Erde, die aus himmlischer Sicht wie die tiefste Gosse erscheint. Er wurde ein Mensch wie wir und begab sich in unser Elend, um arme Sünder zu suchen und sie nach Hause zu bringen. Wir alle sind Gottes Geschöpfe, die ihm weggelaufen sind, weil uns die Verlockungen dieser Welt, in der man nicht mit Gott rechnet, besser erscheinen als der »langweilige« Himmel.

Aber weil Christus uns Menschen trotz allem für sehr wertvoll hält, zwingt er niemanden, sondern will uns zwei Dinge klarmachen: 1. dass Gott uns immer noch liebt und 2. dass wir auf einem höchst gefährlichen Weg sind, der am Ende ins ewige Verderben führt. Wer beides versteht und Gott um Vergebung bittet, ist auf ewig gerettet und erkennt auch sehr bald, wie schön es zu Hause ist. *apa*

? Was tun wir mit diesem freundlichen Angebot?

! Gehen Sie mit Jesus. Er will Sie sicher heimbringen.

Markus 2,1-17

Freut euch an dem HERRN, und frohlockt, ihr Gerechten, und jubelt, alle ihr von Herzen Aufrichtigen!
Psalm 32,11

Jubeln im Chaos

Es fing damit an, dass meinem Wecker der Saft ausgegangen war. Meine innere Uhr hatte mich zwar später, aber noch rechtzeitig geweckt. Dass mir beim Aufhellen des schnellen Kaffees die Milchtüte aus der Hand fiel, war nur eine Folgeerscheinung der Gesamtsituation.

Unterwegs schienen es alle darauf abgesehen zu haben, dass ich zu spät kommen sollte. Auf der Arbeitsstelle angekommen, stolperte ich auf der Treppe und prellte mir das Schienbein. Ich humpelte zu meinem Arbeitsplatz und stellte beim Blick auf den Monitor fest, dass alle Programme, die in der Nacht automatisch laufen sollten, direkt beim ersten Programm hängen geblieben waren. Also zwei Stunden nutzlose Arbeit, um alles manuell neu zu starten. In meinem aktuellen Projekt trat ich auch auf der Stelle, und selbst meine Kollegen schienen sich abgesprochen zu haben und übten den übelsten Telefonterror mir gegenüber aus. Zum Glück konnte ich ihre Fragen und Probleme beantworten und beheben.

Ohne dass ich irgendwie bemerkt hatte, wie die Zeit verging, wurde es Mittag, und mein Kollege rief mir beim Gehen noch ein – in meinen Ohren – spöttisches «Mahlzeit« zu.

Jetzt kam ich langsam in die Realität zurück, und mein Puls normalisierte sich. Mein Blick fiel auf den Kalender mit dem Bibelvers des Tages. Ich riss das Blatt von gestern ab und las den heutigen Vers: »Freut euch an dem HERRN, und frohlockt, ihr Gerechten, und jubelt, alle ihr von Herzen Aufrichtigen!«

Ich stockte und begann von ganzem Herzen zu lachen. Ich war glücklich und wusste, mein Gott steht über den kleinen Nickelichkeiten des Lebens. Mit einer neuen Leichtigkeit bewegte ich mich durch den Nachmittag – und mit einem Schmunzeln auf den Lippen. *bgr*

? Gibt es bei Ihnen auch diese Tage mit einer endlosen Kette von kleinen Unglücken?

! Lassen Sie zu, dass Gott Sie aus den Stimmungslöchern Ihres Lebens wieder herausholt.

Psalm 32

**Käme doch aus Zion die Rettung für Israel!
Wenn der HERR die Gefangenschaft seines Volkes wendet,
wird Jakob jubeln, Israel sich freuen.**

Psalm 14,7

Ein Judenstaat? Ein aufregender Gedanke!

Als Sohn jüdischer Eltern wurde Theodor Herzl 1860 in Budapest geboren. Mit dem Abiturzeugnis in der Hand siedelte er mit der Familie 1878 nach Wien über. Dort studierte er Rechtswissenschaft und promovierte 1884 zum Dr. jur. Als ein antisemitischer Bürgermeister in Wien dafür sorgte, dass die studentische Verbindung, der er angehörte, den Beschluss fasste, fortan keine Juden mehr als Mitglieder aufzunehmen, trat er sofort aus. Er ließ sich als Korrespondent der Wiener Zeitung »Neue Freie Presse« nach Paris schicken und lebte einige Jahre dort. Dabei wurde er Zeuge, wie in einem Schauprozess am 5. Januar 1895 das Fehlurteil gegen den jüdischen Hauptmann Dreyfus wegen Landesverrats gefällt wurde. Unter dem Eindruck der spürbaren antisemitischen Stimmung in Frankreich und in vielen anderen Ländern reifte in ihm die Sicht, dass für Juden nur in einem eigenen Staatswesen ein sorgenfreies Leben möglich wäre. Als geeignetes Land bot sich Palästina an. Die Gedanken bewegten ihn immer mehr. Er fasste sie schließlich in dem Buch »Der Judenstaat« zusammen. Von führenden jüdischen Vertretern aus Politik, Wirtschaft und dem Finanzwesen erfuhr er zunächst nur wenig Zustimmung. Ein eigener Staat – und das in dem unterentwickelten Palästina – war unvorstellbar! Dieser Herzl ist meschugge! Doch ihm war bekannt, wie Juden traditionell den Pessach-Seder mit dem Wunsch beenden: »Nächstes Jahr in Jerusalem!« Sie sprachen es Jahr für Jahr wie eine Formel aus, konnten aber nicht glauben, dass das für sie jemals möglich sein würde.

Für Theodor Herzl hatte die Bibel keine große Bedeutung. Er wurde aber doch zu einem Werkzeug, das Gott zur Verwirklichung seiner Pläne und zur Erfüllung seiner Verheißungen gebrauchen konnte. *li*

Ist Ihnen bewusst, wie planvoll Gottes Verheißungen für Israel sind?

Jerusalem und das Land Israel haben für Gott eine große Bedeutung!

Römer 11,1-8.25-29

31. August 17

Donnerstag

**Bring sie in das Land zurück,
das du ihren Vätern gegeben hast!**
1. Könige 8,34

Der Judenstaat, das ersehnte Land

Das Buch »Der Judenstaat« von Theodor Herzl war erschienen. Herzl konnte zufrieden sein. Gesprächsstoff in den Cafés in Wien, in Deutschland, Frankreich und in vielen anderen Ländern war da. Es wurde debattiert und diskutiert, abgelehnt und zugestimmt. Aber bewegte sich wirklich etwas? Oder blieb alles nur Gerede? Ein großes Gesprächsforum weltweit für Juden musste organisiert werden. Wann wäre der richtige Zeitpunkt? Wo könnte es stattfinden? Wer könnte es veranlassen? Jemand musste die Initiative ergreifen! Herzl selbst war bereit, auf einem solchen Treffen seine Sicht für einen eigenen selbstständigen Judenstaat darzulegen. Bald war ihm klar: Er musste die Sache selbst in die Hand nehmen. In der neutralen Schweiz konnte ein weltweites Treffen aller Juden durchgeführt werden.

So rief Herzl für die Tage vom 29. bis 31. August 1897 alle Juden zu einem Zionistischen Weltkongress nach Basel. Es war die erste organisierte Zusammenkunft von Juden seit der Zerstörung des Tempels in Jerusalem durch römische Truppen im Jahre 70 n.Chr. Und es kamen viele! 196 Kongressteilnehmer waren anwesend, als Herzl zum Rednerpult trat und den Kongress mit den Worten eröffnete: »Wir wollen den Grundstein legen zu dem Haus, das dereinst die jüdische Nation beherbergen soll.« Heute vor 120 Jahren, am 31. August 1897, verabschiedete der Kongress diesen Beschluss im Baseler Programm. Zwei Jahre später kam es in London zur Gründung des »Jewish Colonial Trust«, einer Organisation, die sich um die Beschaffung und Bereitstellung von Geld zum Ankauf von Land in Palästina kümmerte.

Seitdem ist Gottes Wegbereitung für sein Volk Israel trotz größter Hindernisse unaufhaltsam vorangeschritten. Und so wird es auch in Zukunft sein. *li*

Ist es nicht erstaunlich, wie aus einem ausgelöschten und vergessenen Land ein moderner Staat aus dem Nichts wieder auferstanden ist?

Gottes Pläne und Verheißungen gehen immer in Erfüllung.

Zefanja 3,8-20

1. Sept. 17

Freitag **Antikriegstag**

Und ich will zu deiner Obrigkeit den Frieden machen und zu deinen Vögten die Gerechtigkeit.
Jesaja 60,17

Frieden auf Erden

Gerade lese ich Jesaja und heute das 60. Kapitel. Beim Lesen bleibe ich an dem heutigen Vers hängen. Was für eine fantastische Aussicht! ›Aber welche Utopie!‹, denke ich. Gestern um 20 Uhr in der Tagesschau sah die Welt ganz anders aus: Tausende von Syrern sind wieder auf der Flucht, denn in ihrem Heimatland regiert nur der Krieg. Bei DFB-Mitgliedern wurden Razzien durchgeführt, um herauszufinden, ob diese nicht den Staat betrogen haben. Dazwischen stritten sich die Koalitionäre über Begrifflichkeiten. VW gab zu, dass es weitere »Unstimmigkeiten« bei der Angabe von Abgaswerten gab. Und das war nur das, was man in die 15 Minuten Tagesschau packen konnte. Man könnte die Liste noch sehr lange fortführen ...

Aber dazwischen finde ich heute den Vers aus Jesaja: »Ich will den Frieden zu deiner Obrigkeit machen und die Gerechtigkeit zu deinen Vögten.« Die wohl beste Regierung, die man sich vorstellen kann: Der Frieden auf dem Thron und die Gerechtigkeit, verkörpert in regionalen Vertretern. Was wäre das für eine fantastische – ja, gerechte und friedvolle – Welt!

Je mehr ich darüber nachdenke, desto glücklicher schätze ich mich, dass ich eine solche Regierungsform erleben darf: in der Ewigkeit, bei Gott. Wo ER, der Friedefürst, selbst regieren und »alle Tränen abwischen« und »der Tod ... nicht mehr sein [wird], noch Leid, noch Geschrei noch Schmerz« (Offenbarung 21,4). Wie froh bin ich, dass ich daran glauben und mich darauf freuen kann. Und dass ich bereits jetzt, durch Gottes Geist, diesen Frieden in meinem Herzen erleben darf.

Ich wünsche Ihnen, dass auch Sie diesen Frieden entdecken und sich ebenso auf diese wunderbare Regierung freuen können! *jts*

Welche Hoffnung auf Frieden hier auf Erden haben Sie?

Machen Sie jetzt schon Frieden mit Gott!

Jesaja 65,17-25

Wilde Hunde werden heulen in seinen Palästen und Schakale in den Lustschlössern.

Jesaja 13,22

Und die Bibel hat doch recht!

Es war im Jahr 1991 während des Ersten Irakkriegs. Der Irak hatte Kuwait annektiert. Die USA und ihre Verbündeten befreiten Kuwait in dem bis dahin wohl schwersten Krieg seit dem Zweiten Weltkrieg. Erstmals kämpften arabische Staaten gegeneinander. Der Krieg verursachte immense Umweltschäden durch lange brennende Ölquellen. Für mich besonders beindruckend war aber, dass unser obiger Tagesvers an einem Abend Thema in der ARD-Tagesschau war, wohl ohne dass deren Redaktion an Jesaja 13 dachte. Das Kapitel fängt an mit »Ausspruch über Babel« und endet mit unserem heutigen Vers. Der ARD-Bericht zeigte mehrere zerbombte Paläste Saddam Husseins, die von Menschen verlassen waren und in denen wilde Hunde und Schakale umherstreunten.

»Babel« heißt auf Griechisch »Babylon«. Es war und ist die Hauptstadt des Babylonischen Reichs, des heutigen Irak. In der biblischen Prophetie ist es auch das Synonym für die »Weltregierung« der Zukunft, die von Gott abfällt und sich eigene Wertmaßstäbe setzt. Dieses Babylon wird Gott einmal durch schlimme Gerichte vernichten, sagt die Bibel. Heute glaubt das kaum noch ein Mensch. Der Wahrheitsgehalt der Bibel wird selbst im einstmals christlichen Abendland angezweifelt.

Spätestens nach dem Tod kommt für jeden die dann zu späte Einsicht, dass die Bibel doch recht hatte. Aber schon jetzt erfüllt sich immer wieder die biblische Prophetie. Die Beschreibung der Menschen in den »letzten Tagen«, die Gründung des Staates Israel (1948) und vieles mehr verkörpern unverkennbar die Erfüllung biblischer Vorhersagen, so auch das im heutigen Tagesvers angekündigte Geschehen. Wenn die Menschen nur wüssten, dass sich auch die vielen wunderbaren Versprechen Gottes an die, die ihm vertrauen, alle erfüllen werden! *hu*

? Ist die Bibel für Sie ein Buch voller Mythen und Widersprüche?

! Lesen und glauben Sie, was Gott uns Menschen zu sagen hat!

Offenbarung 19,1-10

**Zieht die ganze Waffenrüstung Gottes an,
damit ihr zu widerstehen vermögt
gegen die Listen des Teufels!**

Epheser 6,11

Sie glaubte an sich selbst

Die indonesische Sängerin Irma Bule lockte das Publikum mit Gift- und Würgeschlangen an. Sie wusste, wie gefährlich das werden konnte. Deshalb ließ sie gewöhnlich auch den Kobras die Giftzähne ziehen. Doch schließlich meinte sie, die Tiere so gut zu kennen, dass sie glaubte, darauf verzichten zu können. Das wurde ihr zum Verhängnis, nachdem sie aus Versehen einer Brillenschlange auf den Schwanz getreten hatte. Blitzschnell biss das Tier zu.

Noch immer in der Meinung, ihr könne nichts passieren, lehnte sie ein Gegengift ab und sang weiter, bis sie nach einer Dreiviertelstunde zusammenbrach. Danach kam alle Hilfe zu spät.

Irma Bule starb – recht besehen – nicht an Schlangengift, sondern an Überheblichkeit. Sie wusste um die Gefährlichkeit dieser Tiere, hatte auch immer ein Gegengift in der Nähe. Aber die Gewöhnung an das »Spiel mit dem Feuer« hatte sie übermütig gemacht, sodass sie ihre Macht über die Schlangen falsch einschätzte.

Der Teufel wird in der Bibel immer wieder als eine listige und darum höchst gefährliche Schlange beschrieben, und Christen wissen, wie sehr die Bibel ermahnt, sich nicht durch ihn verführen zu lassen, auch wenn er noch so schmeichlerisch auftritt. Sie wissen, dass sie sich an den halten sollen, von dem die Bibel sagt, er habe die »Schlange« besiegt, als er für die Menschen am Kreuz starb und danach auferstand.

Aber auch, wer nicht an die Wahrheit der Bibel glaubt, sollte wissen, dass man sich schnell an Gefahren gewöhnen kann, die man im Ernstfall überhaupt nicht beherrscht. Solche Leute laden wir ein, nicht so selbstherrlich wie Irma Bule zu handeln, sondern sich dem anzuvertrauen, der die böse Schlange besiegt hat. *gr*

Wo spielen Sie mit dem Feuer?

Der Teufel will immer noch Menschen zur Sünde verführen. Es ist gefährlich, ihn zu unterschätzen.

1. Mose 3

Siehe, jetzt ist die hochwillkommene Zeit,
siehe, jetzt ist der Tag des Heils.
2. Korinther 6,2

Wann ist die richtige Zeit?

Im September 2014 standen Patrick Pichette und seine Frau Tamara oben auf dem Kilimandscharo und bestaunten den Sonnenuntergang. Da fragte seine Frau, ob sie nicht von jetzt an Weltreisen machen sollten. Ihr Mann verweist als Finanzvorstand auf seine Aufgabe bei Google: Es sei noch nicht die richtige Zeit dafür. Dann stellt seine Frau die alles entscheidende Killer-Frage: »Wann ist denn bitteschön DANN die Zeit dafür gekommen? Unsere Zeit? Meine Zeit?« Laut Pichette gibt es schlicht keinen guten Grund, kein Argument, nicht JETZT das zu machen, wovon seine Frau träumt. Darauf wusste er keine Antwort, kündigte aber bald seine Stelle und ging mit ihr auf Reisen.

Zu so großen Entscheidungen gehört nicht nur eine mächtige Portion Mut, sondern auch das Bewusstsein, es könne für ein solches Ziel viel schneller zu spät sein, als man denkt. Die meisten Menschen vertrödeln vor dem Fernseher ihre besten Jahre, andere wieder arbeiten wie wild, um möglichst bald möglichst hoch auf der Karriereleiter voranzukommen.

Gott lädt uns währenddessen immer wieder ein, das allerwichtigste Ziel nicht zu versäumen. Wir sind nämlich nicht dafür erschaffen, ein paar Jahre möglichst reich oder mächtig zu werden, sondern damit wir in den Himmel kommen, nachdem wir hier auf Erden die Augen geschlossen haben. Gott hat für seine Menschen ein viel höheres, gewinnbringenderes und beglückenderes Ziel vorgesehen, als es uns die Erde jemals bieten könnte. Wir sollen nach seinem schon vor Beginn der Schöpfung gefassten Plan ewig in seinem himmlischen Reich leben. Und die Eintrittskarte ist für jeden schon bezahlt, wir brauchen sie nur im Glauben an die Vergebung unserer Schuld dankbar anzunehmen.

md

? Worauf sollte man noch warten, das Verhältnis zu dem Schöpfer zu klären?

! Gottes Widersacher, der Teufel, liebt als Möbelstück am meisten die lange Bank!

Sprüche 6,6-11

Dienstag **5. Sept. 17**

**Meine Urform sahen deine Augen.
Und in dein Buch waren sie alle eingeschrieben, die Tage,
die gebildet wurden, als noch keiner von ihnen da war.**

Psalm 139,16

Rabeneltern?!

Der Kampf war nur kurz, doch hatte ich einen anderen Sieger erwartet. Stattdessen flog der Milan von der Krähe geschlagen davon, und man konnte ihn den Rest des Tages in diesem Gebiet nicht mehr sehen.

Bei seinem Beutezug war der Raubvogel wahrscheinlich zu nah an das Nest der Krähen geflogen, und diese hatten unter Einsatz von Krallen und Schnabel ihre Brut verteidigt. Interessanterweise konnte ich einige Zeit vorher ein ähnliches Schauspiel beobachten, nur dass diesmal die Krähe von zwei Meiseneltern harsch vertrieben wurde.

Ich finde es immer wieder erstaunlich, wie sich die meisten Vogeleltern, oft unter Einsatz ihres Lebens, für ihren Nachwuchs einsetzen und ihre Brut beschützen. Dabei ist es für sie unwichtig, ob die kleinen Vögel schon geschlüpft sind oder sich vorerst »nur« Eier im Nest befinden. Für sie gilt nur, dass der Nachwuchs geschützt werden muss.

Wie anders ist das doch bei uns Menschen – wie die zwar sinkende, aber dennoch hohe Abtreibungsrate zeigt!

Als mein Mann und ich das erste Ultraschallbild von unserem Sohn sehen konnten, war er gerade mal 33 mm groß, und doch waren ganz klar Arme, Beine, Rumpf und Kopf zu erkennen. Und in diesem Stadium meiner Schwangerschaft hätte ich noch ohne Weiteres eine Abtreibung durchführen lassen können. Mir ist wieder neu bewusst geworden, dass ich diesen kleinen Menschen schützen musste und dass Gott mir damit eine große Verantwortung übertragen hat. Wir haben sie dankbar angenommen, und mit seiner Hilfe versuchen wir, dieser Verantwortung gerecht zu werden – bis unser Kind »flügge« geworden ist.

weu

Stehen Sie gerade vor einer Entscheidung für oder gegen die Verantwortung für ein (ungeborenes) Leben?

Nehmen Sie die von Gott gegebene Verantwortung an und lassen Sie sich dabei von ihm helfen!

Psalm 139

**Kinder, habt ihr nichts zu essen?
Sie antworteten ihm: Nein!**
Johannes 21,5

Gott fragt nach uns!

Eine merkwürdige Anrede: »Kinder!« Die Worte richtet der Sohn Gottes nicht an Kinder in einer Kindertagesstätte. Vom griechischen Grundtext her wird das Wort mit »Baby« oder wenigstens mit »Kindlein« übersetzt. Er redet raue, gefahren- und wettererprobte Fischer mit »Kindlein« an. Die Bezeichnung passt doch gar nicht; ist sie nicht lächerlich?

Die Männer kamen gerade von einer Nachtschicht. Kein Fisch war ihnen ins Netz gegangen. Sie waren enttäuscht und frustriert. Kein Fang, das bedeutete also: nichts zu essen. Ist es nicht erstaunlich: Die Männer lachen nicht über die Anrede. Natürlich, sie hatten nichts zu lachen, und außerdem konnten sie ja nicht leugnen, dass sie hilflos wie kleine Kinder waren und es wohl auch am liebsten gehabt hätten, dass niemand Zeuge ihres Versagens war.

Kinder sind auf Hilfe angewiesen. Die Jünger damals und auch wir heute sind oft hilflos. Wie wollen wir mit den vielen Problemen dieser Welt fertigwerden? Da sind Erdbeben, Kriege und andere Katastrophen. Und wohin sollen wir uns mit unseren persönlichen Nöten wenden – mit unseren Wünschen, Trieben und Sehnsüchten? Wenn wir anerkennen, hilflos zu sein, dann dürfen wir begreifen, dass Gott seinen Sohn auch für uns auf die Erde gesandt hat und uns Ratgeber und Helfer sein will. Jesus kümmert sich auch um unsere Alltagssorgen. So wie er damals den hungrigen Jüngern zu essen gab, nimmt er sich auch unserer Sorgen an. Er interessiert sich für unsere Schmerzen, Geldnöte, unsere Schwierigkeiten in der Ehe, mit Kollegen. Wir werden aufgefordert: »Schüttet euer Herz vor ihm aus!« Das nennt die Bibel beten. Wir reden mit Jesus Christus über unsere Lebenssituationen und rechnen mit seiner Hilfe. Wie ein Kind mit seinen Eltern. *kr*

Was hindert uns, Gott um Gelassenheit in Leiden und auch um konkrete Hilfen zu bitten?

Der Schreiber von Psalm 62,9 empfiehlt: »Schüttet euer Herz vor ihm aus!«

Johannes 21,1-14

Donnerstag

7. Sept. 17

Du aber suche dir aus dem ganzen Volk tüchtige, gottesfürchtige Männer aus, zuverlässige Männer, die ungerechten Gewinn hassen.

2. Mose 18,21

Zuverlässigkeit

Das Volk Israel war erst kürzlich aus der Sklaverei befreit worden, befand sich auf einem langen Fußmarsch durch die Wüste und verfügte bislang noch kaum über staatliche Strukturen. Darum erhielt Mose von seinem Schwiegervater den oben genannten Rat, um die Rechtsprechung in der Nation auf mehrere Schultern zu verteilen. Mose war nämlich drauf und dran, sich an dieser Arbeit aufzureiben, weil er sie alleine nicht bewältigen konnte. Also mussten Helfer her, aber nicht irgendwelche. Gefragt waren weder Charme noch Charisma, sondern Charakterfestigkeit. Nicht-käufliche, fleißige Männer, auf die man sich verlassen konnte, deren Jawort verbindlich war und die Gott über sich wussten. Sie mussten sorgfältig ausgewählt und getestet werden.

Zuverlässigkeit und Unbestechlichkeit sind aber nicht nur bei Richtern und Politikern gefragt, sondern überall, wo Verantwortung zu tragen ist. Wenn zum Beispiel Väter und Mütter wissen, was für ihre Kinder gut ist, müssen sie das mit aller Konsequenz durchsetzen, weil das zu echter Liebe gehört, die das wahre Wohl der Kinder im Auge behält. Jede schnelle Nachgiebigkeit lässt sich später nur unter großen Mühen »reparieren«, weil die Kinder dadurch in ihrem Eigenwillen bestärkt wurden.

Dasselbe gilt natürlich auch für Kinder selbst in dem Maß, wie sie vernünftigerweise Verantwortung übernehmen können, etwa für ihre Hausaufgaben und für häusliche Pflichten.

Gott sucht treue Leute, deren öffentliches und privates Leben von Gottesfurcht und Zuverlässigkeit geprägt ist – egal, auf welchen Posten sie gesetzt sind. Er sucht Menschen, die die Wahrheit lieben und auch dazu stehen, wenn der Wind ihnen ins Gesicht bläst. *ap*

? Wann wurden Sie zuletzt von unzuverlässigen Menschen enttäuscht? Wann haben Sie jemanden enttäuscht?

! Jesus Christus ist der Einzige, der vollkommen zuverlässig ist!

2. Mose 18

**Gott, schweige nicht!
Verstumme nicht, und sei nicht stille, o Gott!**
Psalm 83,2

Sprachlos?

Männer und Frauen reden unterschiedlich viel. Forscher sind sich über die genaue Zahl der gesprochenen Wörter uneinig. Männer reden im Schnitt 10 000 und Frauen 25 000 Wörter pro Tag. Aber auch dieser Durchschnitt ist nicht die Regel. Es gibt regelrechte Quasselstrippen, sowohl bei Männern als auch bei Frauen, und genauso Wenigredner auf beiden Seiten der Geschlechter. Das große Ziel des »Wortemachens« ist Kommunikation. Man will sich dem anderen mitteilen, mit ihm sprechen, Zeit zusammen verbringen und sich austauschen.

Gott hat zu allen Zeiten zu den Menschen gesprochen. Der Schöpfer sucht die Kommunikation mit seinen Geschöpfen. Es heißt: »Gott hat am Ende dieser Tage zu uns geredet im Sohn« (Hebräer 1,2). Diese Sprache war so klar und Nationen übergreifend, dass jeder Mensch sie verstehen kann. Gott sprach wie folgt: Jesus Christus kam auf die Erde, um am Kreuz unsere Vergehen zu bezahlen und unsere Strafe auf sich zu nehmen, um uns vergeben zu können, damit wir nicht in die Hölle müssen. Unser Leben ohne Gott bringt uns nämlich genau dorthin. Wir benötigen Rettung durch Gott. Diese Botschaft wird bereits seit Jahrhunderten verkündigt.

Wenn wir mal schweigen und statt 10 000 oder 25 000 Wörtern gar keines sprechen, ist dies nicht weiter tragisch. Doch wenn Gott aufhört zu reden, ist das eine Katastrophe! Dann ist er nicht einfach nur sprachlos, sondern schweigt bewusst und überlässt den Menschen sich selbst. Wenn Gott schweigt, sollte man schleunigst umkehren und um Vergebung zu bitten. Sonst ist der Zug endgültig abgefahren. Noch spricht er durch die Bibel zu uns. Deshalb heißt es: »Heute, wenn ihr seine Stimme hört, verhärtet eure Herzen nicht!« (Hebräer 3,15). *tl*

Haben Sie das Reden Gottes schon vernommen?

Wenn man hören will, was ein anderer sagt, muss man selbst still werden.

Hebräer 1,1-5; 12,25-29

Und rufe mich an am Tag der Not,
so will ich dich erretten, und du sollst mich ehren!
Psalm 50,15

Die Notrufnummer Gottes

Eigentlich sollte es ein schönes Fußballspiel werden. Doch nach gut 20 Minuten lag ich am Boden: Mein Knie war ausgerenkt. Mit großen Schmerzen lag ich da und konnte mein Bein nicht mehr bewegen. Mein Nachbar wählte die 110, und nach gut 15 Minuten hörte ich die Sirenen. Endlich kam der Rettungswagen. Später sollte sich herausstellen, dass ein doppelter Kreuzbandriss mich die nächsten Wochen außer Gefecht setzen würde.

Wie froh bin ich an diesem Abend gewesen, dass Hilfe kam und wir in Deutschland so ein gutes Gesundheitssystem haben, das gut für einen sorgt. Wir wissen in Deutschland: Wenn wir den Notruf wählen, ist innerhalb von kurzer Zeit Hilfe garantiert. Wie oft hören und sehen wir einen Rettungswagen, aber er bedeutet uns nicht viel, weil wir nicht betroffen sind und Rettung nicht brauchen. Uns geht es ja gut. An diesem Abend jedoch war ich selbst in einer echten Notsituation und absolut auf Hilfe angewiesen. Das werde ich nicht vergessen.

Ich wurde dadurch auch an den oben genannten Vers erinnert, der auch als die Rufnummer Gottes bekannt ist. Dort garantiert uns Gott seine Hilfe, wenn wir ihn anrufen. Dazu muss mir aber erst einmal bewusst werden, wie sehr ich Gott brauche. Die größte Not auf dieser Welt besteht nicht in Hunger, Kriegen oder Krankheiten. Die größte Not, die wir Menschen haben, ist, dass wir Sünder sind und es mit einem heiligen Gott zu tun haben, der die Sünde hasst. Das Großartige ist aber: Wenn uns dies bewusst ist und wir zu Gott rufen und ihm unsere Not sagen, hat er versprochen, einzugreifen und zu retten. Ich bin so froh und dankbar, dass wir es in der Bibel mit einem Gott zu tun haben, der sich in schwierigen Situationen nicht zurückzieht, sondern eingreift und erlebbar ist. *za*

? Haben Sie Gott schon einmal angerufen?

! Gott ist nur ein Gebet weit von uns entfernt!

Psalm 50

Dieses Buch des Gesetzes soll nicht von deinem Mund weichen, und du sollst Tag und Nacht darüber nachsinnen!
Josua 1,8

Fachliteratur sucht Interessenten

Hinter dem Haus des alten Ehepaares stehen noch die leeren Gewächshäuser. Überbleibsel einer ehemals blühenden Gärtnerei. Wir kommen ins Gespräch. Nach einer Weile stellt sich heraus, dass der Mann ein echter Spezialist auf seinem Gebiet zu sein scheint. Er hat sogar ein dickes Buch über den Gartenbau geschrieben und zeigt mir ein Exemplar. Die hochwertige Aufmachung, die vielen lateinischen Pflanzennamen, Skizzen und Fachwörter lassen eine gründliche wissenschaftliche Ausarbeitung erkennen. Doch dann berichtet mir der alte Gärtner traurig, dass von seinem Buch noch nie ein Exemplar verkauft worden sei. Kaum zu glauben! War das Konkurrenzangebot für diese Art von Werken zu groß? Lag es an einer schlechten Werbekampagne des herausgebenden Verlegers? Oder bestand bisher einfach kein Interesse an solch einem Wälzer?

Man stelle sich vor, man verfasst mit viel Hingabe und Herzblut hochkarätige Fachliteratur, und niemand zeigt Interesse daran!

Ebenso handhaben wir es oft mit der Bibel. Gott ist der Spezialist, der sie geschrieben hat, aber die meisten interessieren sich nicht die Bohne dafür. Andere wiederum halten den Inhalt für zu kompliziert. Dabei ist die Bibel gar nicht so schwer zu verstehen, sie enthält keine unverständliche Fachsimpelei, ja, selbst Kinder können viele Geschichten leicht begreifen. Manches in ihr geht sehr zu Herzen, anderes beschämt uns, vieles ist hoch spannend, einiges sogar humorvoll. In der Bibel redet Gott zu uns, und man muss nicht Theologie studiert haben, um ihm zuhören zu können. Wer ihn ernst nimmt und um Verständnis betet, der darf die Wahrheit finden. Der Glaube kommt aus dem Hören oder Lesen des Wortes Gottes. *ap*

? Welches Standardwerk war für Ihre eigene Berufsausbildung unverzichtbar?

! Eine Bibel kostet in Deutschland nicht viel. Es kostet aber Zeit und Willenskraft und vor allem Demut, sie zu studieren!

2. Petrus 1,12-21

Mit strenger Hand erzogen zu werden tut weh ... Später jedoch trägt eine solche Erziehung bei denen, die sich erziehen lassen, reiche Früchte: Ihr Leben wird von Frieden und Gerechtigkeit erfüllt sein. Hebräer 12,11

Marley

Im September 2015 erhielten wir Familienzuwachs durch eine 9 Wochen alten Labrador-Hündin, die wir Marley nannten. Die »Erziehung« der Hündin übernahm vorwiegend meine Frau. Sie besuchte zunächst eine Hundeschule. Von Anfang an war es wichtig, Marley bestimmte Verhaltensmuster anzutrainieren. Sie musste lernen, gehorsam zu sein. Es war für die junge Hündin etwas völlig Neuartiges, auf das zu hören, was andere sagen. Und man spürte, dass dies ganz gegen die Natur von Marley war. Meine Frau gab sich die größte Mühe, immer wieder dieselben Dinge mit ihr einzustudieren, immer wieder dieselben Rituale mit ihr durchzugehen, so lange, bis sie auf ein Wort oder ein Geste hin gehorsam war und das tat, was man von ihr wollte. Dies alles tat meine Frau, weil sie es gut mit Marley meinte und damit wir mit ihr besser zurechtkamen und sie es mit uns leichter haben sollte.

Was Gottes Gebote und seinen Willen für uns Menschen betrifft, so hat er sich unendlich viel Mühe gegeben, um ein Miteinander zu ermöglichen. Auch das ging und geht nicht ohne seine Erziehung, denn wir Menschen wollen lieber unseren Kopf durchsetzen und das tun, was uns gefällt. Wissen wir etwa nicht viel besser, was für unser Leben gut ist? Irgendwie ist es gegen unsere Natur, uns von anderen reinreden zu lassen. Wieso muss sich Gott einmischen?

Aber Gott meint es gut mit uns, er liebt uns und möchte für uns das Beste. Deshalb hat er uns »Richtlinien« gegeben, die wir in der Bibel finden. Wir sollten Gehorsam lernen und uns immer wieder von Gott »trainieren« lassen. Da müssen so manche Dinge immer wiederholt werden, bis wir sie verinnerlicht haben. So wie bei Marley. Und erst dann bereiten wir Gott Freude, und unser Leben wird lebenswerter.

schn

? Sind Sie bereit für Gottes Erziehungsprogramm?

! Wer durch die Schule Gottes geht, kommt auch mit Menschen bestens zurecht.

Hebräer 12,1-11

Denn was wird es einem Menschen nützen, wenn er die ganze Welt gewinnt, aber seine Seele einbüßt?

Matthäus 16,26

Zu kurz gedacht

Haben Sie sich schon mal gefragt wie frei lebende Affen gefangen werden können? Afrikanische Jäger haben folgende Methode: Sie stellen ein Gefäß mit einer kleinen Öffnung in Sichtweite der Affen auf und schütten Erdnüsse hinein. Die Affen greifen hinein und merken, dass die gefüllte Hand nicht mehr durch die Öffnung passt! Jetzt müssen sie sich entscheiden: Entweder sie halten die Nüsse fest oder geben sie auf und laufen davon. Leider entscheiden sich die meisten Affen für die Nüsse, für einen kurzen Genuss – und damit leider für die Gefangenschaft. Manchmal denke ich, dass wir ähnliche Entscheidungen treffen wie die Affen. Wir fixieren uns auf Dinge, die nur von kurzer Dauer sind. Manche Anerkennung ist nur temporär. Wie viele Künstler fühlen sich nach ihrem Auftritt leer und unglücklich! Auch die Freude an neu gekauften Dingen vergeht ganz schnell. Und keines von ihnen bringt wahre Freiheit.

Die Bibel wirft die berechtigte Frage auf, was es dem Menschen nützt, wenn er die ganze Welt gewinnt, aber seine Seele verliert? Ich persönlich habe die Erfahrung gemacht, dass nur der Glaube an Jesus auf Dauer erfüllt. Blaise Pascal hat zu diesem Thema gesagt: »Im Herzen eines jeden Menschen befindet sich ein von Gott geschaffenes Vakuum, das durch nichts Erschaffenes erfüllt werden kann, sondern allein durch Gott, der es erschaffen hat.« Und was das Beste an der Beziehung zu Gott und seinem Sohn Jesus Christus ist: Sie erfüllt nicht nur in der kurzen Erdenzeit, sondern sie wirkt sich auch auf die Ewigkeit aus.

Gott bringt jeden Menschen, der eine echte Beziehung zu ihm hat, in den Himmel hinein. Die Beziehung zu Gott muss aber schon hier anfangen!

sd

Womit versuchen Sie, die oft entstehende Leere Ihres Herzens zu füllen?

Der Teufel ist noch viel trickreicher als die afrikanischen Affenjäger.

Matthäus 16,24-28

Da wir aber sehr unter dem Sturm litten, warfen sie am folgenden Tag Ladung über Bord.
Apostelgeschichte 27,18

Seenot und Seelennot

Im Nordosten der Mittelmeerinsel Malta befindet sich die sogenannte Paulusbucht, wo eine hochdramatische Seefahrt der Antike der Überlieferung nach ein glückliches Ende fand. Nach biblischem Bericht sollte der Apostel Paulus als Gefangener von Palästina nach Rom transportiert werden. Auf der Überfahrt geriet das hochseetaugliche Frachtschiff in einen spätherbstlichen Sturm ungewöhnlicher Stärke. Die Seeleute waren chancenlos. Um sich doch irgendwie zu retten, überließ die Mannschaft dem aufgewühlten Meer, was eigentlich ihr maritimes Leben ausmachte. Zuerst gaben die Leute den Kurs und die Manövrierfähigkeit auf. Dann erleichterten sie das Schiff, indem sie die Ladung und schwere Ausrüstung über Bord warfen. Später gaben sie das Rettungsboot preis, dann noch die Nahrungsvorräte und den Anker; schlussendlich warf sich die gesamte Besatzung in die tosende Brandung, als der havarierte Frachter nach vielen Tagen Irrfahrt vor der Küste Maltas strandete. Erstaunlich ist, dass alle Mann unversehrt das Land erreichten.

Bei der Rettung der Seele ist es genauso:

Der bekannte Pfarrer Wilhelm Busch besuchte einmal einen erfolgreichen, aber betagten Geschäftsmann im Krankenhaus. Dieser wollte von Gott nichts wissen, denn er hatte sich im Leben sein eigenes Weltbild aufgebaut. Pfarrer Busch konnte ihn von der Eitelkeit dieser Einstellung überzeugen. Der Mann fragte daraufhin erschrocken, ob er denn nun alles, was er sein Leben lang geglaubt habe, über Bord werfen solle. »Aber gewiss!«, war die Antwort. »Nur fest über Bord mit all dem Kram, den Sie im Angesicht der Ewigkeit doch nicht brauchen können. Und dann werfen Sie sich selbst in die Arme des Sohnes Gottes, der für Sie starb und der Sie erkauft hat für Gott.« *ap*

Was müssten Sie dringend über Bord werfen?

Eigensinn und Schuld vor Gott belasten unser Leben.

Philipper 3,4-14

**Den HERRN der Heerscharen, den sollt ihr heiligen;
er sei eure Furcht und euer Schrecken!**
Jesaja 8,13

Fürchte Gott, nicht die Ereignisse!

In deutschen Großstädten gibt es Bezirke, in denen Banden bereits ganze Straßenzüge für sich beanspruchen. Anwohner und Geschäftsleute werden eingeschüchtert und schweigen aus Furcht. Menschen haben abends und nachts auf bestimmten Linien Angst in Straßenbahnen. Polizisten beklagen sich darüber, dass man ihnen zunehmend mit Respektlosigkeit und Aggressivität begegnet. Frauen trauen sich abends nicht allein auf die Straße aus Furcht, belästigt zu werden. Seit 2015 kommen sehr viele Flüchtlinge in unser Land. Viele fragen sich: ›Wie wird das alles unser Land verändern?‹ Es ist eine sehr bewegte Zeit, in der wir leben. Vieles kann uns Angst machen.

Den heutigen Bibelvers aus Jesaja 8 finde ich sehr ermutigend angesichts solcher Entwicklungen. Der Prophet Jesaja (ca. 700 v. Chr.) lebte selbst in einer bedrohlichen Zeit mit vielen Ungewissheiten. Sein Land war bedroht durch das riesige Heer Assyriens. Menschen wurden aus ihrer Heimat verschleppt und in andere Länder gebracht.

Gott möchte Jesaja und solchen, die auf ihn hören, Mut machen, indem er ihnen einen Blick für die größeren Zusammenhänge schenkt. Er fordert sie auf, sich nicht vor dem zu fürchten, was ihre Zeitgenossen fürchten. Sie sollten nicht auf die Zeitereignisse blicken und in Angst und Schrecken geraten, sondern sich auf ihn, den allmächtigen Gott, konzentrieren, der über allem steht und die Weltgeschicke lenkt und regiert. Die Völkerbewegungen sind unter seiner Kontrolle. Diese Sicht sollen auch wir gewinnen in den Wirren unserer Zeit. Was die Zukunft angeht, sollten wir auf Gott vertrauen und mit ihm rechnen. Seinen Frieden schenkt er ganz gewiss denen, die sein Versöhnungsangebot in Jesus Christus angenommen haben. *ht*

Was beunruhigt Sie?

Gott über allen Ereignissen zu sehen, ist die richtige Sicht!

Psalm 34

Oder wisst ihr nicht, dass euer Leib ein Tempel des Heiligen Geistes in euch ist, den ihr von Gott habt, und dass ihr nicht euch selbst gehört?

1. Korinther 6,19

Freiheit oder Unterdrückung?

Vor vielen Jahren sagte mir eine Bekannte, dass sie sich nicht vorstellen könnte, Christ zu werden. Dadurch wäre man völlig eingeschränkt, müsste regelmäßig beten oder Gottesdienste besuchen, könnte sich nicht mehr frei entfalten und das tun, was man gerade will.

Es liegt wohl im Trend der Zeit, dass Unterordnung und Gehorsam immer weniger gelten. In vielen Familien gibt es oft schon keine klaren Strukturen mehr. Im Beruf versucht man, sich an Anordnungen der Vorgesetzten vorbeizuschlängeln oder sie infrage zu stellen. Im privaten Bereich denken die meisten: Es gilt nur das, was ich meine und was ich denke, dass es für mich richtig ist. Es soll mir bloß keiner etwas vorschreiben oder mir irgendetwas aufdrücken. – Dass man damit aber nicht weiterkommt, wird man irgendwann ernüchtert feststellen.

Aber was hat es nun mit dem Christsein auf sich? Wird man hier wirklich unterdrückt? Oder ist das nur ein Missverständnis? Nehmen wir die Aussage unseres Tagesverses, so stellen wir fest, dass für einen Christen Folgendes gilt: Sein Wollen, seine Gedanken und auch sein Körper gehören ihm nicht mehr. Er ist ganz und gar Eigentum Gottes. Alle Selbstbestimmung ist aufgegeben, und dazu hat er sich freiwillig entschieden. Und es war die beste Entscheidung seines Lebens, denn unter der (An-)Leitung des Heiligen Geistes dient er nun eifrig den Zwecken, die im Einklang mit Gott stehen. Der will allen Menschen Gutes erweisen und setzt dazu gerne alle ein, die ihm bereitwillig folgen. Aus dieser Perspektive bekommt alles, was man tut, einen tieferen Sinn und Zweck. Es ist keine Einschränkung oder Begrenzung, sondern im Gegenteil eine Erweiterung in Bezug auf das, was ein Mensch tun kann, um Erfüllung zu finden. *schn*

Was verstehen Sie unter Freiheit?

Christliche Freiheit bedeutet: frei sein für Gott und den Nächsten.

Kolosser 3,12-17

Denn groß bist du und tust Wunder,
du bist Gott, du allein.
Psalm 86,10

Gerettet wie durch ein Wunder

»Oh Gott, da kommt ein Zug«, rief ein Schüler, und sechzig Sekunden später rammte der Regionalexpress einen liegen gebliebenen Schulbus. Doch was war geschehen? Wegen Bauarbeiten in Buxtehude fuhr am 16. Septembers 2015 ein Schulbus die Umleitung über einen Bahnübergang. Dabei musste die Fahrerin des Gelenkbusses sehr scharf einschlagen. Doch das ging schief. Auf dem Übergang knickte der Bus ein, blieb stehen und ließ sich nicht mehr starten. Gleichzeitig mit dem Ausruf des Schülers öffnete die Fahrerin die Türen. Sechzig Kinder konnten gerade noch rechtzeitig den Bus verlassen. Sie mussten dann mit ansehen, wie der Zug ihren Bus zerstörte. Es war wie ein Wunder, so hieß es später im Radio.

Der Ausruf des Schülers war wahrscheinlich nicht als Gebet gemeint und keine Bitte an Gott, nun einzugreifen. Aber er stimmt zumindest nachdenklich. Zeigt eine solche Situation nicht, wie schnell uns etwas passieren kann? Dass unser Leben von einem Moment zum anderen in Gefahr sein kann? Da brauchen wir alle mehr als nur einmal ein Wunder, damit wir ohne Schaden durchkommen.

Von Gott kann man jedenfalls wirklich Wunder erwarten. Und das immer wieder. Unser Tagesvers bestätigt das: Gott ist groß und tut Wunder. Viele haben das schon erlebt. Nicht nur die Menschen, von denen in der Bibel berichtet wird, dass sie solche Wunder erlebt haben. Das größte Wunder Gottes aber ist, dass er seinen Sohn Jesus Christus auf diese Erde gesandt hat, damit dieser am Kreuz von Golgatha für meine und Ihre Sünden starb. Damit wir Menschen wieder zu Gott zurückkommen können. Und ein weiteres Wunder ist, dass ich daran glauben kann. Ohne Gottes Eingreifen und Hilfe wäre das alles nicht möglich geworden. *hl*

? Haben Sie auch schon ein solches Wunder erlebt?

! Danken Sie Gott dafür, denn es steht allein in seiner Macht, alles zu tun, damit wir gerettet werden.

Markus 4,35-41

Sonntag

17. Sept. 17

Als nun Jesus den Essig genommen hatte,
sprach er: Es ist vollbracht!
Und er neigte das Haupt und übergab den Geist.
Johannes 19,30

Gott kommt zum Ziel!

Hätte es vor 2000 Jahren schon einen Verfolgungsindex gegeben, dann hätte Jesus Christus wohl darin ganz oben gestanden. Schon kurz nach seiner Geburt trachtete ihm Herodes nach dem Leben, sodass Joseph und Maria mit ihm nach Ägypten fliehen mussten. Seine Kindheit verbrachte er zwar ohne Zwischenfälle in Nazareth, aber als er dann mit 30 Jahren begann, an verschiedenen Orten zu predigen und Wunder zu tun, verärgerte er die damaligen Führer der Juden dermaßen, dass sie schon bald beschlossen, ihn zu töten. Fortan folgten sie ihm auf Schritt und Tritt, versuchten permanent, ihn mit heimtückischen Fragen zu überlisten, und zermarterten sich das Hirn darüber, wie sie ihn beseitigen könnten.

Aber nicht nur die Führer der Juden lehnten ihn ab, auch einfache Leute aus dem Volk. Wo immer Jesus auftrat, teilten sich die Menschen in zwei Lager. Einige wenige liebten ihn, die meisten hassten ihn, besonders solche, die sich um ihre Macht und ihren Einfluss sorgten. Wie groß muss ihre Erleichterung gewesen sein, als sie den verhassten Feind dann endlich am Kreuz hängen sahen. Sie verhöhnten ihn und fühlten sich ganz sicher als die großen Sieger.

Aber wenn ich den Tagesvers lese, frage ich mich, ob nicht einige von ihnen doch einen großen Schrecken bekamen, als Jesus sprach: »Es ist vollbracht!« Musste ihnen nicht klar werden, dass sie eigentlich nur Werkzeuge in Gottes Plan waren? So betonten es zumindest seine Jünger später, als sie Jesus, den Retter, verkündigten (Apostelgeschichte 2,22-24). Als Jesus diese Worte aussprach, bedeutete dies, dass etwas zu Ende geführt wurde, was von langer Hand geplant war. Die vermeintlichen Sieger waren also gar keine. Sie waren Verlierer, weil sie dem Sohn Gottes nicht geglaubt hatten. *apa*

? Gehören Sie zu denen, die Jesus ablehnen, oder zu denen, die ihn lieben?

! Überprüfen Sie Ihre Position!

Apostelgeschichte 4,23-31

**Denn meine Sünden wachsen mir über den Kopf,
wie eine schwere Last sind sie zu schwer für mich.**
Psalm 38,5

Zu schwere Lasten

Es ist bloß eine Kartoffel. Sie ist nun wirklich kein Problem, solange man sie nicht mit genug anderen Kartoffeln kombiniert und einen Sack mit ihnen füllt, der dann ungefähr 45 kg schwer ist. Das jahrelange Heben dieser Säcke hat bei den Arbeitern einer Kartoffel-Fabrik zu unzähligen Rückenbeschwerden geführt. Dafür gibt es nun in vielen Ländern eine Behörde, die sich mit Arbeitsschutz und -medizin beschäftigt. In den USA fasste man das Kartoffelproblem nach eingehender Untersuchung so zusammen: »Die Wirbelsäule ist ein sensibler Mechanismus. Über die Zeit können übermäßige Belastungen zu irreversiblen (nicht umkehrbaren) Schäden führen.« Nacken und Rücken sind eben nicht dafür bestimmt, unentwegt 45-kg-Säcke zu tragen. Unnatürliche, pausenlose Belastungen ziehen immer verheerende Folgen nach sich.

Unsere Seele ist wie unser Körper genau ausbalanciert. Sie kann bestimmte Lasten tragen, aber für eine Last war sie nicht bestimmt – die Schuld. Schuld ist das emotionale und geistliche Gewicht von unvergebener Sünde. Sie ist der Schmerz, den wir empfinden, wenn die Dinge zwischen uns und Gott oder uns und anderen Menschen ungeklärt sind. Wie auch physischer Schmerz den Körper warnt, so warnt das Gewissen uns. Anhaltendes Ignorieren dieser Warnung wird uns auf die Dauer schaden, sodass wir es irgendwann nicht mehr aushalten. Der Tagesvers zeigt: Einsicht ist der erste Schritt zur Besserung.

Anders als im Berufsleben können wir unsere Schuldenlast der Sünde, die uns auf Dauer schädigt, bei Gott sofort loswerden. Er sagt uns dies unmissverständlich zu: »Wenn wir unsere Sünden bekennen, ist er (Gott) treu und gerecht, dass er unsere Sünden vergibt und uns reinigt von jeder Ungerechtigkeit« (1. Johannes 1,9). *jb*

? Wie lange quälen Sie sich schon?

! Mit einem Gebet öffnet sich der Arzneischrank Gottes.

Psalm 38

**Lobt den HERRN!
Lobt ihn mit Posaunenschall;
lobt ihn mit Harfe und Laute!**
Psalm 150,1.3

Über Fleiß und musikalische Früherziehung

Ein eiliger Mann mit einem Geigenkasten unterm Arm erkundigt sich bei einem Passanten, wie er denn am schnellsten an die Oper komme. Der Passant schaut ihn nachdenklich an und antwortet: «Üben, üben, üben!« – Zweimal in der Woche blockiert ein Schwung Kinder im Vorschul- und Grundschulalter unser Wohnzimmer. Sie sitzen dann aufmerksam um unseren Esstisch, während meine Frau ihnen eifrig Flötentöne, Gitarrengriffe und Grundbegriffe der Musik beibringt. Manche Kinder können dabei kaum still sitzen und tun sich mit dem Begreifen schwer. Am Ende kommt dann beim Flötenspiel fast nur »heiße Luft« heraus. Anderen ist die Musikalität offenbar in die Wiege gelegt worden, und sie lernen mit Leichtigkeit ein Instrument.

Eins aber ist für alle diese Kinder gleichermaßen erforderlich: Sie müssen fleißig und regelmäßig üben. Das wird am Anfang von jedem neuen Kurs betont. Dennoch, immer wieder geben Kinder nach einigen Wochen auf – oder besser gesagt, die Eltern geben auf, weil sie ihre Kinder nicht dazu anhalten können, weiter zu proben, auch wenn es mal nicht so viel Spaß macht.

Da denke ich an unsere eigenen Kinder. Wie oft ließen sie die notwendige Lust und Disziplin beim Musikunterricht vermissen. Was gab es da manchmal für Tränen und Rebellion, aber auch strapazierte Nerven von Vater und Mutter. Doch sie machten weiter. Heute sind sie junge Erwachsene und freuen sich darüber, Gott mit der herrlichen Gabe der Musik ihren Dank ihm gegenüber ausdrücken zu können.

Die Bibel berichtet von einem Teenager namens David. Der war nicht nur für sein schönes Aussehen und für seinen Mut bekannt, sondern auch für sein gekonntes Spiel auf den Saiteninstrumenten – und Gott, der Herr, war mit ihm! *ap*

? Was können Sie nach vielen Übungsstunden heute besonders gut?

! Geben Sie Gott Ihre Zuneigung und später auch Ihr Können für seine Zwecke.

Psalm 150

Deutscher Kindertag

20. Sept. 17

Mittwoch

... denn das Sinnen des menschlichen Herzens ist böse von seiner Jugend an ...

1. Mose 8,21

Der Niedlichkeitsfaktor

Die niedlichen Kleinen? Von wegen, die Zeitschrift »Eltern« veröffentlichte auf ihrer Website einen Blog mit der knallharten Aussage einer Mutter: »Mein Kind ist böse!« Die Alltagsrealität brachte es immer wieder an den Tag.

Äußerlich betrachtet sind Kleinkinder zum Knuddeln süß, besonders in den Augen der Eltern. Sie sind unbeschwert und blicken mit großen Kulleraugen vertrauensvoll in die Welt. Das ist die eine Seite, die auch Gott an Kindern sehr schätzt. Doch leider machen auch alle Eltern und mit Kindererziehung beauftragte Menschen solche Erfahrungen: Kinder haben einen ausgeprägten Egoismus. Sie verteidigen sich und ihr Eigentum mit vollem Körpereinsatz (durch Beißen, Schlagen, Zwicken). Sie können, kaum dass sie das Sprechen erlernt haben, die Worte »Nein«, »Ich will nicht« oder sogar beleidigende Ausdrücke von sich geben. Schon Kinder unter 5 Jahren sind in der Lage, ihre Eltern, ohne rot zu werden, ins Gesicht zu belügen und jegliche Schuld auf andere zu schieben. Dabei können sie noch so gut behütet aufgewachsen sein.

Jeder Mensch ist fähig, böse zu handeln, und es gibt niemanden, der diese Fähigkeit noch nie genutzt hat. So gesehen braucht man kein schlimmer Verbrecher zu sein, um dem biblischen Urteil in unserem Tagesvers zuzustimmen. Es ist nicht leicht zu akzeptieren, was die Bibel über uns Menschen sagt. Wir sind alle abgewichen vom rechten Weg (nach Psalm 14,3), und es gibt keinen einzigen gerechten Menschen, alle sind verdorben (nach Römer 3,10).

Aus diesem Grund konnte auch kein normal sterblicher Mensch unsere Schuld vor Gott bereinigen. Es musste Gott selbst sein, der in der Person Jesus Christus die Möglichkeit geschaffen hat, Vergebung und Reinigung von der angeborenen Sündhaftigkeit zu erhalten. *dbe*

Warum sind bislang alle Erziehungsmethoden gescheitert, die nur das Gute im Menschen sehen wollen?

Lassen Sie sich vom (zugegebenermaßen oft sehr hohen) Niedlichkeitsfaktor Ihres Kindes nicht blenden!

Römer 3,9-26

21. Sept. 17

Donnerstag | **Tag des Friedens**

**Glückselig die Sanftmütigen;
denn sie werden das Land ererben.**
Matthäus 5,5

Wie erreicht man Frieden?

Jemand sagte einmal zu einem jungen Menschen: »Du schreibst *Peace* auf deine Jacke und machst Krieg mit deinen Eltern. Du schreibst *Frieden* auf deine Stirn und setzt zum Angriff auf das Establishment an. Du schreibst *Pax* auf deine Hosen und läufst Sturm gegen deine Lehrer. Du brennst *Peace* in deine Haut und zankst dich mit deinem Bruder ...«

Wie kann es sein, dass durchaus intelligente junge und auch ältere Menschen so anders reden, als sie tun? Nun, sie meinen alle, im Gegensatz zu denen, die anderer Ansicht sind, die richtigere Sicht der Dinge zu haben, und dass nur Frieden, Peace und Pax kommen können, wenn es nach ihrer Denkart geht. Vor hundert Jahren, als die meisten noch nicht so sehr um die Ecke dachten wie heute, da sagte man geradeheraus: »Willst du nicht mein Bruder sein, dann schlag ich dir den Schädel ein.« Das war genau dasselbe, nur deutlicher, und jeder wusste, woran er mit seinem Gegenüber war.

Ja, wir möchten alle gern Frieden haben – wenn nur die bösen anderen nicht wären! Aber so kommt niemals Frieden zustande. Frieden kann nur entstehen, wenn wir bereit sind, auf unser Recht zu verzichten, einerlei, ob das die anderen zu gleichem Verhalten anspornt oder nicht. So sagte einmal im Alten Testament Abraham zu seinem jüngeren Neffen: »Lass doch keinen Zank sein zwischen mir und dir. Trenn dich von mir und suche dir aus, wohin du gehen willst. Ich gehe dann in die andere Richtung.« Das sagte der Ältere, obwohl nur ihm Gott das ganze Land versprochen hatte. Wen wundert es, dass Gott ihn segnete.

So handeln kann man natürlich nur, wenn man weiß, dass am Ende Gott das letzte Wort in allen Streitsachen sprechen wird und dass man nur die nötige Geduld bis dahin aufbringen muss. *gr*

Wie versuchen Sie, Frieden zu stiften?

Man muss seinen Stolz (oftmals auch Materielles) opfern.

1. Mose 13,1-13

22. Sept. 17

Herbstanfang **Freitag**

Deshalb bist du nicht zu entschuldigen, o Mensch, jeder der da richtet; denn worin du den anderen richtest, verdammst du dich selbst; denn du, der du richtest, tust dasselbe. Römer 2,1

Der Abgas-Skandal

Im letzten Jahr startete die größte Rückrufaktion in der Geschichte des VW-Konzerns. Wegen manipulierter Software stießen etwa 11 Mio. Motoren der Baureihe VW EA189 mehr Schadstoffe aus als erlaubt. Sie überschritten die gesetzlichen Grenzen 15- bis 35-fach. Der finanzielle Schaden war so groß, dass bei Bekanntwerden der Vorwürfe eine Rückstellung von 6,5 Mrd. Euro gebildet wurde. Das war mehr als die Hälfte des Gewinns von 2014. Nicht mit Geld beziffern lässt sich allerdings der Imageschaden.

Was hatten sich die Macher von VW nur dabei gedacht? Früher oder später musste doch der Betrug ans Licht kommen. Es ist immer wieder erstaunlich, wie viel Risikobereitschaft der Mensch beweist, wenn es darum geht, etwas Unrechtes zu tun, um dadurch einen vermeintlichen Vorteil zu erreichen. Der nachher eintretende Schaden macht diesen Vorteil zunichte. Aber dies betrifft nicht nur die Großen in unserer Wirtschaft, es betrifft auch uns kleine Konsumenten. Wir neigen alle dazu, mal fünf gerade sein zu lassen um unseres persönlichen Vorteils willen. Aber auch hier gilt: Der Schaden ist immer größer als der vermeintliche Vorteil. Unsere Übertretungen und Sünden holen uns ein – spätestens dann, wenn wir vor unserem göttlichen Richter stehen und uns für alles verantworten müssen, was wir gedacht, getan und falsch gemacht haben. Dann können wir nichts mehr vertuschen und uns auch nicht mit der Sünde eines anderen entschuldigen, sondern sind selbst verantwortlich für das, was wir getan haben.

Einer allerdings kann unsere Schuld übernehmen – Jesus Christus –, weil er dafür von Gott autorisiert ist. Und an ihn können wir uns wenden, wenn wir Schaden von uns abwenden wollen. Denn durch ihn bekommen wir Vergebung bei Gott. *bo*

? Wie gehen Sie mit Ihren »Skandalen« um?

! Bekennen Sie Jesus Ihre Sünden, dann ist der Schaden für immer abgewendet!

Römer 2,1-16

**Und denke daran, dass ... der HERR, dein Gott,
dich mit starker Hand und mit ausgestrecktem Arm
von dort herausgeführt hat!**

5. Mose 5,15

Eine starke Hand (1)

Vor einiger Zeit lernte ich einen alten Mann kennen. Er war eine beeindruckend große und starke Erscheinung. Besonders seine Hände, die nach purer Kraft aussahen, faszinierten mich. Meine Vermutung wurde bestätigt: Der erste Händedruck war recht schmerzhaft. Während unserer Unterhaltung bemerkte ich auf seinem Handrücken und auf dem Unterarm eine große unförmige Narbe, verblasst, aber noch deutlich erkennbar.

Ich überlegte, was wohl diese Verletzung verursacht haben könnte. Irgendwann erzählte er mir, dass er sich dort vor einigen Jahrzehnten eine starke Verbrennung zugezogen hatte, als er seinen Sohn im letzten Moment vor einem Sturz in ein offenes Feuer gerettet hatte. Die Flammen, die beinahe seinen Sohn schwer verletzt hätten, hatten ihn getroffen. Er erzählte dies auf eine ganz schlichte Weise, ganz ohne Vorwürfe seinem Sohn gegenüber. Eher mit einer tiefen Dankbarkeit und Freude über die Tatsache, dass er seinen Sohn hatte retten können.

Die stärksten Hände dieses Universums, die Hände des Mensch gewordenen, einzig wahren Gottes, tragen eine furchtbare Verletzung. Wie ist sie entstanden? Sie entstand, als Jesus Christus, seine Hände ans Kreuz nageln ließ. Sie entstand, als er für meine und Ihre Sünden, für meine und Ihre Schuld am Kreuz auf Golgatha starb. Es war unsere Schuld, dass er sterben musste. Bei all dem furchtbaren Schmerz, den das für ihn bedeutete, begegnete er uns Menschen dennoch nicht vorwurfsvoll. Die Wundmale an seinen beiden Händen sind ein Zeichen seiner Liebe und ein Zeichen dafür, dass es Rettung gibt. Diese starken, gekreuzigten Hände Jesu zwingen den Teufel dazu, jeden loszulassen, der dieses Sterben Jesu am Kreuz ganz persönlich für sich annimmt.

sro

Warum sind sich so viele Menschen nicht bewusst, in welch großer Gefahr sie sich befinden?

Gottes Hände halten uns – aber wir müssen es auch wollen.

Markus 15,22-39

Und denke daran, dass … der HERR, dein Gott, dich mit starker Hand und mit ausgestrecktem Arm von dort herausgeführt hat!

5. Mose 5,15

Eine starke Hand (2)

Gestern habe ich von dem Mann mit den starken Händen berichtet. Kurz nachdem ich ihn traf, habe ich auch den Sohn des Mannes kennengelernt. Er kam ebenfalls auf die Situation zu sprechen, bei der sein Vater sich diese Verletzung zugezogen hatte. Er berichtete, dass er nicht nur unvorsichtig gewesen wäre, sondern sich trotz vorheriger Warnungen von der Hand seines Vaters losgerissen hätte und auf das Lagerfeuer zugerannt wäre, um etwas hineinzuwerfen. Kurz davor wäre er dann ins Stolpern geraten, und – ohne die Rettung seines Vaters – wäre er ins Feuer gefallen. In den folgenden Jahren habe ihm der Vater noch oft im übertragenen Sinn seine Hand ausgestreckt, z. B. um ihn zu korrigieren, zu führen und zu helfen. »Das hat mir nicht immer geschmeckt«, sagte er. »Wer wird schon gerne korrigiert? Aber immer, wenn ich diese Narbe auf seiner Hand sehe, erkenne ich seine Liebe und begreife, dass er es nur gut mir meint!«

Wenn wir ein neues Leben an der Seite des Herrn Jesus beginnen, bedeutet das auch, dass wir ihm das Steuer übergeben und uns von ihm führen lassen, d. h. er lehrt uns durch die Bibel, welches Verhalten wir ablegen müssen, um ihm zu gefallen, und wie wir ihm dienen können. Manche seiner Vorgaben erscheinen uns vielleicht zunächst einengend, aber wenn wir uns dann daran halten, merken wir bald, wie sehr sie uns nützen. Er sieht weiter als wir. Durch ihn bekommt unser Leben eine feste Grundlage. Wie gerne sollten wir also jeden Tag zugreifen, wenn er uns seine starke Hand ausstreckt und uns auf einen guten Weg führt. Und weil wir wissen, wer uns führt, können wir auch selbst andere zu ihm führen, der unser Vertrauen niemals enttäuscht und für noch viele weitere ein zuverlässiger Begleiter sein will. *sro*

Wem vertrauen Sie die Führung Ihres Lebens an?

Ergreifen Sie Jesu Hand – zu ihrer Rettung und guten sicheren Führung Ihres Lebens!

5. Mose 5,6-22

Ich preise dich darüber, dass ich auf eine erstaunliche, ausgezeichnete Weise gemacht bin. Wunderbar sind deine Werke, und meine Seele erkennt es sehr wohl

Psalm 139,14

Wunderbar gemacht

Manchmal muss ein Besuch bei einem Arzt einfach sein. Vielleicht aus akutem Anlass oder zur Vorsorge. Irgendwann bittet dann die nette Arzthelferin ins Behandlungszimmer. »Der Doktor kommt gleich«, sagt sie freundlich und lässt mich allein. Ich schaue mir in dieser Zeit gerne die vielen Schautafeln an. Zum Beispiel beim Hals-Nasen-Ohren-Arzt. Dann bewundere ich, wie erstaunlich gut die einzelnen Organe zusammenarbeiten. Ich denke dann immer wieder: ›Das alles kann doch kein Zufall sein. Das kann sich doch nur Gott als unser Schöpfer ausgedacht haben.‹ Auch der große König David dachte über den Menschen nach. Und ohne Computertomografie und Ultraschall kommt er zu dem Schluss, dass der Mensch auf erstaunliche, ausgezeichnete Weise gemacht ist (siehe Tagesvers).

Wenn man erkennt, wie viel der Schöpfer in seine Geschöpfe investiert hat, dann begreift man auch, warum Gott sich nicht damit zufriedengegeben hat, dass der Mensch sündigte und auf Distanz zu ihm ging. Die Sünde brachte uns den Tod und die Erkenntnis, dass alles an uns, auch wenn es eine Zeit lang so perfekt zusammenspielt, schließlich vergeht.

Doch die gute Nachricht ist: Gott plant eine neue Schöpfung und lässt all jene daran teilnehmen, die seiner Rettungsaktion zustimmen und sie für sich in Anspruch nehmen: »Glaube an den Herrn Jesus und du wirst gerettet werden« (Apostelgeschichte 16,31). Jesus kam auf die Erde, um am Kreuz auf Golgatha unsere Strafe zu übernehmen. So kann jetzt durch den Glauben an ihn jedem seine Schuld vergeben werden. – Vielleicht denken Sie beim nächsten Arztbesuch mal daran, wenn Sie sich zum Beispiel die Funktion der Ohren ansehen. Vielleicht erinnern Sie sich dann: Gott ruft mich. Und er freut sich, wenn Sie ihm Gehör schenken. *hl*

Worüber denken Sie nach, wenn Sie im Wartezimmer sitzen?

Nehmen Sie sich doch mal eine Bibel mit und lesen Sie darin!

Matthäus 13,1-9.16-23

**Eins habe ich vom HERRN erbeten, danach trachte ich:
zu wohnen im Haus des HERRN alle Tage meines Lebens …**

Psalm 27,4

Näher zu Gott

Das Lied »Näher, mein Gott, zu dir« (von Sarah Flower Adams) ist sicher manch einem von uns bekannt. Spätestens durch den Film »Titanic«, der im Jahr 1997 die Kinocharts stürmte und elf Oscars gewann, ist es vielen (wieder) ins Bewusstsein gerufen worden. Interessant ist, dass dieses Lied nicht nur beim tragischen Untergang dieses stolzen Schiffes gespielt wurde, bei dem so viele Menschen in den Tod gerissen wurden. Auch bei unzähligen anderen Unglücken oder Beerdigungen, ob privat oder öffentlich, wird das Lied gesungen und dadurch der Wunsch nach der Nähe Gottes ausgedrückt. Aber weitaus häufiger wird der Text dieses Liedes wohl von Einzelnen gelesen, wenn sie merken, dass Kummer sie drückt oder dass sie irgendeiner Drohung ausgesetzt sind oder die Zukunft völlig im Dunkeln liegt.

Damit wird aber auch deutlich, dass wir nicht erst angesichts des Todes Gottes Nähe suchen, sondern schon sehr viel früher. David schreibt im obigen Bibelvers von seinem Wunsch, »alle Tage seines Lebens« im Haus Gottes, also in seiner unmittelbaren Nähe, zu sein. Weiter heißt es, dass es ihm ein Bedürfnis ist, dort über Gott nachzudenken, und dass er mit seiner Not zu ihm kommt und auf seine Hilfe vertraut.

Wir sind oft so sehr mit uns selbst und unserem Alltag beschäftigt, dass wir uns keine oder kaum Zeit nehmen, einmal wirklich Gott in seiner Größe zu bewundern und uns mit der Bibel zu beschäftigen, um ihn besser kennenzulernen und unsere Anliegen mit ihm zu besprechen. Dabei lohnt es sich so sehr, gerade in einer hektischen und stressigen Zeit, bei Gott zur Ruhe zu kommen, Kraft zu tanken und seine Liebe zu erkennen, die er zu uns Menschen hat. *sib*

? Wie nah sind Sie Gott?

! David hat den Wert von Gottes Gegenwart erkannt.

Psalm 27

Mittwoch **27. Sept. 17** **Welt-tourismustag**

Wir aber, mit aufgedecktem Angesicht die Herrlichkeit des Herrn anschauend, werden verwandelt werden nach demselben Bild.

2. Korinther 3,18

Der Schein kann trügen

Es war in einem Urlaub in Asien. Wir hatten einen längeren Transport vom Flughafen an unser Ziel gebucht. Wie abgemacht, wurden wir abgeholt. Der Fahrer nahm sich unseres Koffers an und rollte ihn zu unserem großen Erstaunen in die Tiefgarage des Flughafens. Als wir dann das Auto sahen, trauten wir unseren Augen nicht. Es war ein 6-türiger Mercedes mit verdunkelten Scheiben. In der mittleren Reihe befand sich ein großes Orchideengesteck. Die Fahrt ging los. Wo andere anhalten mussten, konnten wir einfach durchfahren. Die Leute auf der Straße schauten uns nach, und beim Aussteigen wurden wir fotografiert. Mein Mann und ich haben uns sehr amüsiert. Später erhielten wir die Erklärung: Der Fahrer wäre sonst nicht ausgelastet gewesen.

Bei dieser Gelegenheit habe ich gedacht: Der Schein kann trügen! – Die Menschen hatten sich von einer Äußerlichkeit blenden lassen und dann ihrer Fantasie freien Lauf gelassen. Wie oft täuschen wir uns über andere; aber viel häufiger machen wir uns selbst etwas vor. Das führt zu manchen Fehleinschätzungen und sehr oft zu großen Ungerechtigkeiten.

Da bin ich froh, dass Gott anders ist. Er kennt zum einen alle Situationen genau, und zum anderen weiß er um die Menschen, die betroffen sind. Er verlässt sich eben nicht auf den Augenschein, sondern sieht alles so, wie es wirklich ist. Und weil Gott auch uns ins Licht der Wahrheit bringen will, hat er uns seinen Sohn gesandt. Der hat uns gezeigt, wie lieb Gott uns Menschen hat, damit wir Mut fassen, nun auch ehrlich gegen uns sein zu können. Es wäre doch jammerschade, wenn wir wegen falscher Vorspiegelungen das wahre Ziel unseres Daseins verpassen würden.

bw

Woran messen Sie die Bedeutung eines Menschen oder einer Zeiterscheinung?

Weder die rosarote noch die schwarze Brille taugt, wenn man die Wahrheit wissen will.

Matthäus 13,10-17

28. Sept. 17

Donnerstag

Da antwortete mir der HERR und sprach: Schreibe die Offenbarung nieder und grabe sie in Tafeln ein, damit man sie geläufig lesen kann! … Der Gerechte aber wird durch seinen Glauben leben. Habakuk 2,2.4

Wie gut, wenn man lesen kann!

Als vor einigen Jahrzehnten ein Schweizer Missionar das Neue Testament in die Sprache eines afrikanischen Stammes übersetzt hatte, veranstaltete der Staatspräsident einen Feiertag für das ganze Land. Damit machte er allen Bürgern deutlich, wie großartig es ist, wenn ein Volk eine schriftlich fixierte Sprache hat. Was besonders wichtig war: Die Gesetze, die jeder Staat braucht, um zu funktionieren, konnten jetzt aufgeschrieben werden. Dadurch war es nicht mehr so leicht möglich, sie zu verdrehen.

Die Einsicht, wie wichtig Lesen und Schreiben ist, prägte auch die Beamtenschaft des preußischen Staats. Preußen war arm, »des lieben Herrgotts Streusandbüchse«, wie es damals hieß. Wenn es mit Preußen aufwärtsgehen sollte, dann nur durch Klugheit und Fleiß. Und die Schranke des Analphabetismus musste beiseitegeräumt werden. Als der damalige König sich also entschloss, heute vor 300 Jahren die allgemeine Schulpflicht in Preußen einzuführen, war das für ihn zwar teuer, aber eine Entscheidung, die den Staat zu einem der führenden Staaten Europas machen sollte.

Wie wir aus der Bibel wissen, konnten die Israeliten schon vor 3500 Jahren lesen; damals hatte Gott ihnen die Zehn Gebote auf Steintafeln geschrieben. Und in unserem Tagesvers sollte der Prophet Habakuk etwas so Wichtiges in Steintafeln meißeln, dass es im Neuen Testament noch dreimal wiederholt wird: Der Gerechte aber wird durch seinen Glauben leben! Durch diesen Satz kam Martin Luther zu der Erkenntnis, dass nur der Glaube an Jesus Christus uns gerecht machen kann. Gott wusste wohl, dass dies menschlichem Denken völlig zuwiderläuft, denn unser Stolz will ja unbedingt selbst etwas zum ewigen Leben beitragen. *koh*

Was halten Sie für den wichtigsten Satz, den man sich aufschreiben sollte?

Er muss etwas ewig Gültiges enthalten!

5. Mose 17,14-20

Von der Stätte seines Thrones schaut er auf alle Bewohner der Erde: er, der ihnen allesamt das Herz gebildet hat.

Psalm 33,14-15

Das Herz des Menschen

Das Herz in unserer Brust ist ein Wunderwerk. Permanent schlägt es und versorgt unseren Körper mit Blut. Das wieder transportiert Sauerstoff und alle anderen, zum Leben notwendigen Dinge zu allen Organen. Und auf dem Rückweg nimmt es Kohlendioxid und Schlacken und bringt alles dahin, wohin es gehört. Mehr als fünf Liter Blut pumpt das faustgroße Organ eines normalen Erwachsenen pro Minute. Das heißt bis zu 8000 Liter pro Tag. Das Herz könnte binnen einer Stunde drei Badewannen füllen. Im Laufe eines 70-jährigen Menschenlebens schießt eine Blutmenge durch das Herz, die mindestens 55 Schwimmbecken olympischer Ausmaße füllen würde.

Unser heutiger Bibelvers sagt uns, dass dieses perfekt funktionierende Organ nicht das Produkt eines Zufalls ist, wie es uns die Evolutionstheorie weismachen will, sondern dass es ein geniales Meisterstück des Schöpfers ist. Er hat es gebildet. Und er hat jedem Menschen eins davon gegeben.

Ohne ein funktionierendes Herz kann ein Mensch nicht leben. Ein gesundes Herz bedeutet Leben. Das sagt uns im Grunde nichts anderes, als dass Gott selbst der Geber allen Lebens ist. Er lässt unser Herz schlagen. Er lässt unser Blut fließen. In der Regel merken wir unseren Herzschlag nicht. Wir vergessen also sehr schnell, dass in unserer Brust etwas geschieht, was für unser Leben absolut notwendig ist. Es ist für uns selbstverständlich. Erst wenn unser Herz krank wird, erkennen wir den Wert eines solchen gesunden Organs.

Vielleicht denken wir das nächste Mal, wenn infolge von erhöhter körperlicher Anstrengung, Aufgeregtheit oder Verliebtheit unser Herz etwas schneller pocht, daran, dass Gott es ist, der uns das große Geschenk des Lebens gemacht hat.

tl

? Wovon hängt also unser Leben, unsere irdische Existenz ab?

! Seien Sie Gott dankbar, wenn Ihr Herz gesund ist!

Markus 7,17-23

Ich bin dazu geboren und dazu in die Welt gekommen, dass ich für die Wahrheit Zeugnis gebe. Jeder, der aus der Wahrheit ist, hört meine Stimme!

Johannes 18,37

»Was ist Wahrheit?«

Nach dem ersten Semester ruft mich der Professor für Grafik in sein Büro. »Platte«, sagt er, »ich habe von Ihren Kommilitonen gehört, dass Sie Christ seien. Stimmt das?« – »Ja«, antworte ich ihm. »Dann«, so fährt er fort, »werden Sie sich entscheiden müssen. Entweder Sie werfen Ihren Glauben über Bord oder den Weg in die Werbung. Beides miteinander wird nicht gehen!« – »Und warum nicht?«, will ich wissen. – »In der Werbung werden Sie lügen müssen, wenn Sie Karriere machen wollen. Ich habe meinen katholischen Glauben an den Nagel gehängt.« – »Ich denke«, widerspreche ich, »dass man auch ehrliche Werbung machen kann ...« – Spöttisch lacht er: »Ich gebe Ihnen eine Pflichtlektüre mit. In der nächsten Woche sprechen wir uns wieder!«

Ich vertiefe mich in das Buch, das er mir gegeben hat. Es enthält einen heftigen Disput zwischen einem Priester und einem Atheisten, bei dem der Atheist die überzeugenderen Argumente hat.

Eine Woche später stehe ich erneut vor meinem Professor. »Nun?«, will er wissen, »Was sagen sie zu dem Buch?« – »Mit Verlaub, Herr Professor«, antworte ich ihm, »ich hätte andere Argumente vorgebracht als der Priester. Für mich ist die Bibel das Wort Gottes und damit die absolute Wahrheit!« – »Pah! Was ist Wahrheit?« – »Herr Professor, diese Frage hat schon ein anderer gestellt.« – »Ja, Nietzsche.« – »Entschuldigung, aber Nietzsche hat sie einem anderen nur nachgesprochen.« – »Wem?« Der Professor schaut mich verdutzt an. – »Diese Frage stellte der römische Statthalter Pilatus an Jesus Christus, als er diesen verhörte. Aber leider hat er die Antwort Jesu nicht abgewartet.« – »Ich gebe mich geschlagen. Studieren Sie weiter. Wir bleiben im Gespräch.« *pt*

Was ist der Glaube für Sie? Könnten Sie ihn bekennen und verteidigen?

Vertrauen Sie dem Gebet Jesu: »Heilige sie durch die Wahrheit! Dein Wort ist Wahrheit« (Johannes 17,7).

Johannes 18, 28-40

**Gott aber sprach zu ihm: Du Tor!
In dieser Nacht wird man deine Seele von dir fordern;
was du aber bereitet hast, für wen wird es sein?**

Lukas 12,20

Siemens – ein Weltunternehmen feiert den 170. Geburtstag

Wenn wir zehn Männer benennen sollten, die für die Entwicklung Deutschlands zum Industrieland besonders wichtig waren, würde Werner von Siemens ganz sicher dazugehören. Gerade die sogenannte »zweite industrielle Revolution«, deren Basis die Elektrotechnik wurde, hat dieser Mann entscheidend geprägt. Am Ende seines Lebens stand er einem riesigen Konzern vor, dessen geschäftliche Verbindungen in alle Welt reichten und dessen technische Geräte das Leben der Menschen in vielfältigster Weise beeinflussten.

Wir alle sind schon mit dem Namen Siemens in Kontakt gekommen. Möchte jemand sich den Errungenschaften, die Elektrik und Elektronik gebracht haben etwa entziehen? Wohl kaum! Trotzdem überfällt uns manchmal das Gefühl, Opfer zu sein. Das ist ja der Fluch aller modernen Technik. Sie gibt reichlich, aber sie nimmt auch. Sie nimmt uns Zeit, sie zwingt uns z. B. an den Bildschirm, sie verpflichtet uns, so zu handeln, wie es die Technik eben will, sie macht uns unfrei, gibt uns das Gefühl, ein kleines, ganz unscheinbares Rädchen im Getriebe des großen Weltlaufs zu sein. Das ist nicht immer gut auszuhalten, dieses Gefühl, nicht mehr Herr unserer selbst zu sein.

Aber technischer Fortschritt hat ja auch etwas Positives. Er bedeutet Zeitersparnis. Aufwendige Arbeiten können viel schneller erledigt werden. So könnte man mehr Zeit für das »Eigentliche« gewinnen und sich z. B. mehr um die Kinder kümmern, die einem anvertraut sind. Noch wichtiger wäre es, sich auf die Ewigkeit vorzubereiten und mit Gott ins Reine zu kommen, um einmal im Himmel aufgenommen zu werden. So ist es auch wichtiger, dort Schätze zu sammeln als hier auf der Erde, wovon man letztlich nichts behalten kann. *koh*

? Worin investieren Sie Ihre Zeit, Ihr Leben?

! So sehr der technische Fortschritt in vieler Hinsicht ein Segen ist, er nützt uns wenig, wenn wir am Ende den himmlischen Segen versäumen.

Psalm 73,1-6.12-17.25-28

**Dankt dem Herrn, denn er ist gütig,
seine Gnade währet ewiglich!**
Psalm 106,1

Dankbarkeit

Vielleicht sind sie Ihnen heute oder in den letzten Tagen aufgefallen: missmutige Zeitgenossen, die nur überall herumgenörgelt und kritisiert haben und das in Ihrer unmittelbaren Nähe. Sie haben gemerkt, dass so etwas ansteckend wirken kann. Wenn Sie es lange genug hören, werden Sie ebenfalls bald diese Melodie singen.

Und jetzt gibt es etwas, was diese Tendenz durchbricht: »Danke!« Dieses Wort macht den ganz kleinen, großen Unterschied. Es entkräftet diese negativen Erscheinungen und Statements. Danken heißt, dass ich Respekt vor der anderen Person und deren Tun habe. Es ist ebenfalls ein sozialer Sprengstoff, denn es durchbricht Automatismen, die uns immer weiter herunterziehen. Dieses Wort steht jedem Menschen gratis und frei zur Verfügung. Danken stellt das Gleichgewicht her zwischen Geben und Nehmen. Mit Dank zeigt man, dass man einander braucht.

In der Bibel lesen wir viel von danken, Dankbarkeit usw. Es gibt so vieles, für das ich danken kann, nicht nur meinen Mitmenschen gegenüber, sondern auch Gott gegenüber. Wir haben einen freundlichen und gütigen Gott, der uns seine Liebe und Gnade erweisen will. Dies hat er insbesondere bewiesen, indem er uns seinen Sohn sandte, um uns von unseren Sünden zu retten. Und dazu auch von einem trostlosen Leben, verstrickt in Missmut und Überheblichkeit.

Weil Gott mir so ein großes Geschenkt anbietet, darf ich Dankbarkeit ihm gegenüber lernen. Ich bin dann auch froh über andere Menschen, die sich ihm anvertraut haben und geprägt sind von den Spuren seiner Liebe, die sich auch bei ihnen in ihrer Dankbarkeit zeigen. Solche Dankbarkeit führt dann auch zur Freundlichkeit untereinander. *bw*

Was schätzen Sie mehr: dankbare Menschen oder nörgelnde und missmutige Zeitgenossen?

Werden Sie dankbar!

Psalm 106

**So wahr ich lebe, spricht der Herr,
mir wird sich jedes Knie beugen,
und jede Zunge wird Gott bekennen.**
Römer 14,11

30 Jahre Haft für Majestätsbeleidigung

Ein thailändisches Militärgericht hat im August 2015 den 48 Jahre alten Thailänder Pongsak Sriboonpeng zu einer Rekordstrafe von 30 Jahren Haft verurteilt. Was war passiert? Der Mann hat sich in sechs versandten Text- und Bildnachrichten im Netzwerk Facebook abfällig über König Bhumibol geäußert. Für jede einzelne dieser Äußerungen bekam er nach Angaben seiner Anwältin zehn Jahre Haft. Weil er sich als schuldig bekannte, wurde das Strafmaß um die Hälfte reduziert. Seine Anwältin sagte daraufhin, dass das Militär »den Rekord gebrochen« habe. Da Sriboonpeng verurteilt wurde, als in Thailand noch das Kriegsrecht herrschte, kann der Verurteilte gegen das Urteil auch nicht Berufung einlegen. In Deutschland wäre so eine Verurteilung undenkbar; denn in unserem Land herrscht zum Glück kein »gottgleicher« Monarch.

Doch diese Nachricht brachte mich ins Nachdenken. Ich glaube, dass wir in einer Welt leben, wo Majestätsbeleidigung Alltag ist. Den Schöpfer und Erhalter des Universums mit Missachtung und Undankbarkeit zu strafen, ist eine große Majestätsbeleidigung. Wir leugnen sogar seine Existenz. Andererseits halten wir es für selbstverständlich, dass wir jeden Tag genug zu essen und zu trinken haben. Wir danken ihm auch nicht dafür, dass er seinen Sohn Jesus Christus für uns auf diese Welt geschickt hat, um uns zu erretten. Im Gegenteil. Wir können mit Jesus und seinem Opfer gar nichts anfangen – wir brauchen ihn doch nicht?!

Wir Menschen verweigern Gott, unserem Schöpfer und Erlöser, jegliche Ehre. Stattdessen verehren wir uns selbst, indem wir uns Tag für Tag um uns selbst drehen. Doch es wird einen Tag geben, da wird Gott seine Ehre einfordern. *za*

? Haben Sie schon einmal darüber nachgedacht, ob Sie der Majestätsbeleidigung schuldig sind?

! Geben Sie Gott die Ehre, die ihm gebührt!

Psalm 145

Das von Gott Erkennbare ist unter ihnen offenbar, denn Gott hat es ihnen offenbart.

Römer 1,19

Ameisen optimieren

Der Fleiß der Ameisen sprichwörtlich und vorbildlich. Ein einzigartiges Volk. Scheinbar total chaotisch, aber bei näherem Hinsehen hochentwickelt, systematisch, geordnet. Nicht nur ihr Fleiß, auch ihre Effektivität ist bahnbrechend. »Ameisen optimieren bei der Nahrungssuche ihre Laufwege. Vereinzelte Tiere einer Kolonie suchen Futter zunächst chaotisch nach dem Zufallsprinzip und bringen es ins Nest zurück. Dabei hinterlassen sie eine Spur aus flüchtigen Duftstoffen (Pheromonen), die nach und nach umso stärker wird, je kürzer der Weg ist. […] Andere Ameisen folgen […] schließlich der stärksten Spur und vermeiden dadurch Umwege. […] Im Kollektiv bilden die Ameisen ein hocheffizientes komplexes Netzwerk«, war in der Tageszeitung im Mai 2014 zu lesen. In Ameisen ist angelegt, auf ihre Königin »zu hören«. Durch die Strukturen im Ameisenvolk hat jeder seine Funktion auszufüllen. Es geht dabei »drüber und drunter«, aber es ist nie ungeordnet.

So wie die Ameisen auf ihre Königin fokussiert sind, sind auch wir darauf angelegt, auf unseren Schöpfer zu hören. Gott hat uns auch »Duftnoten« für den schnellsten Weg zum Ziel gesetzt. Die Bibel erklärt uns den Weg zum Ziel. Es ist optimal, was Gott für das Ameisenvolk erschaffen hat; noch faszinierender aber ist das, was er in Jesus für die Menschen »neu geschaffen« hat – ein Volk, das auf ihn hört. Denn auch für uns galt: »Wir alle irrten umher …, wir wandten uns jeder auf seinen Weg; und der HERR hat ihn (Jesus) treffen lassen unser aller Ungerechtigkeit« (Jesaja 53,6).

Über dem Kreuz Jesu hing die Anklage: »König der Juden«! Der König starb, der Herr aller Herren, damit das Volk leben kann. Verdrehte Welt, aber Gottes Weg der »Optimierung«! *lü*

Was lernen Sie aus den Wunderwerken der göttlichen Schöpfung?

Es ist klug, sich dem Schöpfer und seiner »Optimierung« unterzuordnen!

1. Korinther 1,19-31

**Wie eng ist die Pforte und wie schmal der Weg,
der zum Leben führt, und wenige sind's, die ihn finden!**
Matthäus 7,14

Dann kommen ja fast alle in die Hölle

Während einer Vortragsveranstaltung saß an meinem Tisch ein emeritierter Biologie-Professor. Er kannte sich recht gut in der Bibel aus, aber er lehnte fast alles ab, was ich vorgetragen hatte, und hielt mir vor: »Sie lassen ja kaum noch jemanden in den Himmel – es sei denn, er hat sich bekehrt. Bei solcher Enge bleibt ja kaum noch jemand übrig: keine Moslems, keine Buddhisten, und bei den Christen machen Sie auch noch allerlei Einschränkungen. Dann kommen ja fast alle in die Hölle.«

Meine Antwort darauf lautete wie folgt: »Ich bin es nicht, der in den Himmel lässt oder vom Himmel ausschließt. Das liegt allein in der Hand Jesu, und ich habe nur berichtet, was er gesagt hat: ›Niemand kommt zum Vater denn durch mich‹ (Johannes 14,6). – Weiterhin lesen wir in der Bibel: ›In keinem andern ist das Heil, ist auch kein anderer Name unter dem Himmel den Menschen gegeben, durch den wir sollen selig werden‹ (Apostelgeschichte 4,12).«

Nun erregte er sich noch mehr: »Nein, nein, das kann doch so nicht gemeint sein! Buddhisten und Moslems und viele andere glauben doch auch.«

Meine Entgegnung war: »Jesus hat nicht gesagt: ›Wenn ihr nur irgendetwas glaubt, dann kommt ihr in den Himmel.‹ Er hat gesagt: ›Ich gebe ihnen das ewige Leben‹ (Johannes 10,28). Und in Johannes 3,36 heißt es: ›Wer an den Sohn (Gottes) glaubt, der hat das ewige Leben. Wer aber dem Sohn nicht gehorsam ist, der wird das Leben nicht sehen.‹« Das wollte er nicht akzeptieren, und wir kamen auf keinen gemeinsamen Nenner.

Keinem Menschen steht es zu, über einen anderen zu richten, aber wir haben Gottes Wort, das uns Richtschnur ist. *gi*

? Wann wollen Sie sich für den von der Bibel vorgezeichneten Weg entscheiden?

! Bleiben Sie bei so grundlegenden Fragen wie Himmel und Hölle ausschließlich bei den Aussagen Bibel!

1. Johannes 5,10-13

Denn worin er selber gelitten hat und versucht worden ist, kann er denen helfen, die versucht werden.

Hebräer 2,18

Die Migräne der Migräneexperten

Nach den Ergebnissen einer US-Studie leiden 70% aller Kopfschmerz- und Migränespezialisten selber an episodischer und 14% an chronischer Migräne. Dieser Anteil ist weit höher als in der übrigen Bevölkerung; die Experten leiden also selber unter dem, wovon sie ihre Patienten zu heilen versuchen.

Ist das nicht in anderen Bereichen ähnlich? Wie viele Stresstherapeuten haben selber Stress? Wie viele Psychologen selber Probleme? Wie viele Pädagogen haben Schwierigkeiten mit den eigenen Kindern? Wie viele religiöse Führer sind selber noch auf der Suche? Wie viele Ratgeber sind selber hilflos? Wir Menschen wünschen uns natürlich Hilfe von jemandem, der unsere Probleme nachvollziehen kann. Wer noch nie Migräne gehabt hat, kann sich wohl kaum vorstellen, wie sehr man durch diese Kopfschmerzen aus der Bahn geworfen wird. Aber andererseits ist es sehr ernüchternd, wenn man merkt, dass der, der einem helfen will, selber noch keine dauerhafte Lösung gefunden hat und letztlich dasselbe Schicksal teilt wie man selbst.

An Jesus Christus begeistert mich, dass er beides ist: Sowohl der mitfühlende Freund, der weiß, wovon ich spreche, als auch der große Helfer, der über meinen Problemen steht. Er lebte als Mensch auf dieser Erde und kennt Schmerzen, Enttäuschung, Müdigkeit. Aber mit dieser Erfahrung allein könnte er nur mitfühlen, nicht helfen. Doch die Bibel lehrt, dass Jesus Christus auch Gott ist und alle Macht im Himmel und auf Erden hat. Er kann verstehen und helfen! Vor allem bei dem größten Problem, das jeder Mensch hat: schuldig zu sein in Gottes Augen. Jeder Mensch, der einem anderen Menschen vergibt, ist selber sündig. Nur Jesus Christus, vollkommener Mensch und Gott, kann völlig erretten, die zu ihm kommen.

eli

? In welchen Lebensbereichen spüren Sie Ihre eigene Hilflosigkeit?

! Jesus Christus kann verstehen und helfen!

Markus 2,1-12

Ich habe euch geliebt, spricht der HERR.
Aber ihr fragt: Worin hast du uns geliebt?
Maleachi 1,2

Ist das Liebe?

Als Jugendliche hatte ich einmal einen fürchterlichen Streit mit meinem Vater. Ich war sehr wütend, weil er mir etwas verboten hatte, und fragte ihn: »Warum?« Seine Antwort darauf war: »Weil ich dich lieb habe.« Ich schrie zurück, dass ich von Liebe aber nicht viel merken könnte, und verließ das Zimmer.

Heute habe ich selbst Kinder und weiß, dass ich genauso handle wie mein Vater. Wir Eltern stellen Regeln auf, weil wir unsere Kinder lieben und uns um sie sorgen. Als Jugendliche sah ich die Sorge meines Vaters nicht. Ich sah nur das Verbot und konnte mir nicht vorstellen, dass er mich liebte, wenn er mir Dinge verbot, die ich toll fand.

Als ich heute den Tagesvers in meiner Bibel las, musste ich an diesen Streit denken und daran, dass es doch vielen Menschen mit Gott genauso geht. Ich höre oft: »Gott ist langweilig. Er verbietet doch alles, was Spaß macht.« Ist das so? Nehmen wir als Beispiel eine Betriebsfeier. Es wird gefeiert und getrunken. Das Geschäftsjahr war erfolgreich, und jetzt lassen wir es uns gut gehen. Herr Schmidt und Frau Müller, die sich sonst nicht wirklich mögen, stellen nach ein paar Gläschen fest, dass man doch ganz gut miteinander reden kann, und nach noch mehr Gläschen kann man auch mehr als reden. Am nächsten Morgen gibt's dann Katerstimmung und Erklärungsnot.

Was meinen Sie? Liebt Gott Sie, wenn er Ihnen sagt, dass Sie sich nicht am Alkohol übermäßig berauschen sollen? Liebt Gott Sie, wenn er Ihnen verbietet, eine außereheliche Beziehung einzugehen? Kommen diese Verbote von einem Spielverderber oder von einem, der sich ernsthaft Sorgen um Sie macht? Ich weiß heute, dass mein Vater mich immer geliebt hat. Und Gott tut das auch. *apa*

? Was bedeuten Gottes Gebote für Sie – Hilfe oder Einengung?

! Gott gibt Gebote, weil er Sie liebt!

Hosea 14

Und das Wort des HERRN geschah zu Hesekiel.
Hesekiel 1,3

Ein wirksames Wort

Menschliche Worte sind eine Einheit von Silben und Lautfolgen, die in ihrer Zusammensetzung eine bestimmte sprachliche Bedeutung ergeben. Ein Wort von Gott ist weitaus mehr. Es ist nicht nur eine Aufeinanderfolge von Buchstaben, sondern auch ein Geschehen. Das Wort des HERRN geschah zu Hesekiel, insgesamt 49-mal im gesamten Buch. Wo Gott redet, ereignet sich etwas, geschieht etwas. Schon auf dem ersten Blatt der Bibel zeigt sich, dass Gottes Reden Geschehen auslöst. Gott spricht, und es entsteht ein ganzes Universum.

Im Licht des Neuen Testamentes erweitert sich die Erkenntnis über das lebendige Geschehen des göttlichen Wortes entscheidend. Gottes Wort gewinnt in Jesus Christus sichtbare Gestalt. Gott und sein Wort werden im Sohn zur handelnden Einheit. Die daraus resultierende Wirksamkeit ist unbeschreiblich und unbegrenzt. Die Evangelien sind voll von Berichten über das, was durch den Sohn Gottes, als das personifizierte Wort Gottes, geschieht. »Sprich nur ein Wort, Herr!«, fleht glaubend der römische Hauptmann in Matthäus 8 für seinen gelähmten und von unsagbaren Schmerzen geplagten Diener. Jesus spricht das Wort, und in kilometerweiter Entfernung wird der Knecht gesund. Auf des Herrn Wort hin werden Tote lebendig, kommen Stürme zum Erliegen, werden Sünden vergeben.

Bis zum heutigen Tag ist jeder Mensch, der durch die Bibel Veränderung in seinem Leben erfahren hat, der erlebt hat, dass Verse nicht bloße Wortfolgen sind, sondern wirksames und lebendiges Geschehen auslösen können, ein schlagender Beweis für die Umgestaltungskraft, die hinter der Heiligen Schrift steht. Lassen wir das Wort des Herrn zu uns geschehen, damit etwas mit und durch uns geschieht. *vdm*

? Wie sieht es aktuell mit Ihrer Lesezeit in der Bibel aus?

! »Und das ganze Volk kam frühmorgens im Tempel zu Jesus, ihn zu hören« (Lukas 21,38).

Jesaja 55,7-11

9. Okt. 17

Montag

Und sie beobachteten ihn und sandten Auflauerer aus, die sich stellten, als ob sie fromm seien, um ihn in der Rede zu fangen, damit sie ihn der Obrigkeit und der Macht des Statthalters überliefern könnten. Lukas 20,20

Suggestivfragen

»Du bist doch sicher auch Pazifist!?«, fragte mich eine Nachbarin kurz nach unserem Umzug. Ich antwortete, erst einmal nachdenken zu wollen, ob ich den Hintergrund dieses Begriffs wohl richtig verstehen würde. Schließlich hatte ich bewusst beim Bundesgrenzschutz gedient, um Menschen im Konfliktfall zu schützen.

In Alltagsgesprächen fragt man uns suggestiv: »Du würdest doch diese Partei nicht etwa wählen!?« Oder: »Sie meinen doch sicher auch, dass diese politische Entscheidung ›alternativlos‹ ist!?« Meist formuliert der Fragesteller seine Fragen so, als wolle er nur eine Information abfragen. Er verknüpft seine Frage aber oft mit einer unangebrachten und unangenehmen Festlegung. – Welche Art von Fragen stellen wir? Stellen wir unserem Gegenüber vielleicht sogar eine Art Falle, durch die er später in Schwierigkeiten geraten könnte? Oder interessieren wir uns ehrlich für seine Gedanken?

Im Lukasevangelium begegnet uns eine der besonders hinterhältigen Fragen der religiösen Elite damaliger Zeit. Sie fragten Jesus: »Ist es uns erlaubt, dem Kaiser in Rom Steuern zu zahlen oder nicht?« Das war eine doppelte Falle, denn hätte Jesus die Zahlungspflicht der Juden in ihrem damals durch die Römer besetzten Land abgelehnt, so hätten sie ihn als Aufrührer angezeigt. Würde er aber einfach diese Steuerzahlung bejahen, könnten sie ihn als Verräter an den jüdischen Interessen bezeichnen. Jesus aber ließ sich eine Münze geben und fragte zurück: »Wessen Bild zeigt die Münze?« Sie antworteten: »Das Bild des römischen Kaisers.« Also entschied Jesus: »Gebt dem Staat, was des Staates ist und Gott, was Gottes ist!« Vorbildlich! Natürlich wusste der Sohn Gottes um ihre schlechten Motive für ihre Fragen. Dennoch reagierte er – besonnen und klug. *sp*

Wie reagiere ich auf unangenehme Fragen? Welche Art von Fragen stelle ich anderen?

Lernen Sie heute von Jesus Christus, auch auf unangenehme Fragen besonnen zu reagieren.

Lukas 10,20-26

Ich bin der Herr, dein Arzt!

2. Mose 15,26

Nichts Ernstes?

Zum Arzt geht man nur, wenn man ihn braucht. Mich plagen manchmal Rückenschmerzen, aber weil ich vermute, dass dahinter nichts Ernstes steckt, suche ich keinen Arzt auf. So ähnlich geht es wohl vielen Menschen mit Gott. Wenn sie hören, dass Gott sich als Arzt vorstellt (siehe Tagesvers), denken sie zunächst, dass sie den nicht brauchen. Wahrscheinlich sind sie weitestgehend gesund, haben eine Arbeit und sind so weit ganz zufrieden mit ihrem Leben.

Viele kennen die Zehn Gebote. Wenn man die ernsthaft liest, könnte es sein, dass sich so kleine »Wehwehchen« einstellen. »Ja, ich habe schon mal gelogen, aber ist das denn so schlimm?« Aber »Ehebruch? Nein, würde ich niemals tun. Klar, der neue Kollege/die Kollegin gefällt mir mehr, als es meinem Ehepartner recht wäre, aber so richtig ernst ist das ja nicht.« Warum sollte ich mir darum ein schlechtes Gewissen machen? So was erlebt doch jeder mal! Leider ist es so, dass hinter solchen Gedanken doch etwas Ernstes steckt. Die unheilbare Erkrankung, die sich dahinter verbirgt, ist unsere sündige Natur. Die ist wie ein angeborener Gendefekt. Damit verstoßen wir fortwährend gegen Gottes Gebote, ohne groß darüber nachzudenken. Aber Gott nimmt das ernst.

Wenn Sie manchmal ein schlechtes Gewissen haben, dann ist das ein Ruf Gottes. Dann sagt er: »Du bist ernsthaft krank. Aber ich kann dich heilen.« Doch Gott kann und will erst heilen, wenn wir einsehen, dass wir ihn brauchen.

Manchmal gehen wir auch zu einer Vorsorgeuntersuchung. Sie ist nützlich, um Krankheiten rechtzeitig zu erkennen. Es wäre gut, wenn wir das auch mal bei Gott machten. Zu ihm in die »Vorsorge« zu gehen, heißt beten, damit er uns zeigt, wie krank wir wirklich sind. *apa*

? Auf wessen Diagnose kommt es an, auf Ihre oder auf Gottes?

! Gott kennt Sie in- und auswendig. Er kann echte Heilung schenken.

Matthäus 8,14-17

Mittwoch

11. Okt. 17

Als dann Petrus nach Jerusalem kam,
stritten die Verfechter der Beschneidung mit ihm ...
Da setzte Petrus es ihnen der Reihe nach auseinander.
Apostelgeschichte 11,2.4

Konflikte entschärfen

Vorwürfe oder spitze Bemerkungen begegnen uns überall. Oft werden wir damit völlig unerwartet am Arbeitsplatz, in der Familie oder in anderen Alltagssituationen konfrontiert. Leicht lasse ich mich dann dazu hinreißen, eine scharfe Antwort zu geben. Ich werte die Aussage des anderen als Angriff und schalte in den Verteidigungmodus. Doch ein hartes Wort, eventuell begleitet von einer geringschätzenden Gestik und Mimik, ärgert den anderen noch mehr. In kürzester Zeit wird aus einer sachlichen Differenz ein persönlicher Streit.

In vielen Situationen hilft es, wie Petrus in dem oben genannten Vers zu reagieren. Trotz einer durchaus emotional vorgebrachten Kritik blieb er ruhig und überhörte den persönlichen Vorwurf. Inhaltlich ging es darum, dass Petrus jüdische Traditionen verletzt hatte, als er nichtjüdische Menschen besuchte und ihnen das Evangelium von Jesus Christus gepredigt hatte. Petrus erklärte der Reihe nach, wie er erkannt hatte, dass Gottes Rettungsangebot allen Menschen gilt und nicht nur dem Volk Israel vorbehalten ist. Dabei konnte er sich in die Lage der Kritiker versetzen, weil er selbst früher ähnlich dachte. Er wusste, er darf nicht voraussetzen, dass andere ihn ohne Weiteres verstehen. Schließlich hatte Gott auch mit ihm viel Geduld gehabt, bis Petrus verstand, was Gott ihm immer wieder zeigen wollte. Darum antwortete er nicht mit einem Gegenangriff, warum sie die vielfältigen Hinweise der alttestamentlichen Schriften auf Gottes Liebe zu den Völkern dieser Welt nicht beachteten. Stattdessen blieb er geduldig und erklärte ausführlich, wie Gott ihm seinen Plan für diese Welt gezeigt hatte. Seine weise Reaktion half ihnen, Gottes Wege zu verstehen. *dr*

? Um welche Eigenschaft müsste man Gott bitten, damit der Frieden erhalten bleibt?

! Eine Provokation zu überhören und eine geduldige Erklärung zu geben, fördert den Frieden und hilft allen Beteiligten.

Richter 8,1-3

**Ich, ich selbst habe geredet, ja, ich habe ihn gerufen.
Ich habe ihn kommen lassen, und sein Weg wird gelingen.**

Jesaja 48,15

Rettungsgasse

Als ich kürzlich wieder einmal auf der Autobahn A45 unterwegs war, fiel mir zum ersten Mal auf, dass an fast jeder Brücke über der mittleren der drei Spuren ein großes Plakat befestigt war. Darauf stand in riesigen Lettern: »Rettungsgasse«. Offenbar ein weiterer Versuch, den Autofahrern noch intensiver ins Bewusstsein zu holen, dass bei Staus die mittlere Fahrspur geräumt werden soll, damit darüber die herbeigerufenen Rettungsfahrzeuge so schnell wie möglich an die Unfallstelle gelangen können. Wie tragisch, wenn aufgrund einer blockierten Autobahn die Helfer nicht rechtzeitig bei den Verletzten sind.

Im Gegensatz zu den Autofahrern, die für das Zustandekommen einer Rettungsgasse sorgen müssen, hat Gott selbst einen Rettungsweg zu uns verlorenen Menschen gebahnt, bei dem ihm keiner im Weg stehen konnte. Er schickte seinen Sohn als Mensch auf diese Erde, um zu zeigen, dass er die Menschen liebt und ihnen ewiges Leben schenken will. Bis zu jedem Einzelnen reicht Gottes »Rettungsweg« – egal, wann und wo er auf der Erde lebt. Und das Besondere dabei: Man kann zu jeder Zeit den göttlichen Rettungsdienst erreichen und ist dabei unabhängig von technischen Hilfsmitteln wie Funkgerät oder Telefon. Ein Notruf per Gebet findet bei Gott sofort Gehör. Und wie funktioniert die Rettung? Jesus hat versprochen, dass er für immer – bis an der Welt Ende – bei denen sein will, die sich klar sind, dass sie »sündenkrank« dem sicheren Tod geweiht und deshalb bereit sind, sich von ihm »heilen« zu lassen. Er schickt sie nicht in ein »Krankenhaus«, sondern nimmt sich ihrer persönlich an und schenkt ihnen schließlich einen Auferstehungsleib und ein ewig sicheres Zuhause im Himmel. *pj*

Haben Sie schon einmal bedacht, was Gott für Ihre Rettung alles in Gang gesetzt hat?

Es wäre töricht, die zugedachte Hilfe zurückzuweisen.

Lukas 10,25-37

13. Okt. 17

Freitag

Ihr wart ja auch tot in eurer Schuld und eurer unbeschnittenen Natur. Doch nun hat Gott euch mit ihm lebendig gemacht und hat uns alle unsere Schuld vergeben.

Kolosser 2,13

Lebendig tot? (1)

Nach einer schweren Gehirnblutung ist mein lieber Schwiegervater in einem Zustand, den man als »Wachkoma« bezeichnet. Genau genommen ist er bei »minimalem Bewusstsein«. Unseren Kindern fällt es besonders schwer, ihren Opa so zu erleben. Sie würden so gerne wie früher mit ihm lachen, ihm etwas erzählen, ihm ihre neuesten Entdeckungen zeigen. Unsere kleine Esther meint: »Du Mama, ich wünsche mir so sehr, dass der Opa wieder lebendig wird. Früher, als der Opa noch nicht tot war, war alles noch viel schöner!« Ich will schon erwidern: »Opa ist doch gar nicht tot, er ist doch noch am Leben!« Doch da wird mir bewusst, was für sie Lebendig-Sein bedeutet: Eine lebendige Beziehung zu jemandem haben, mit jemandem auf irgendeine Art kommunizieren können, jemandem zeigen können, dass man ihn liebt, das bedeutet Leben für sie.

Mir fällt ein, dass sie damit gar nicht so unrecht hat. Auch in der Bibel ist von Menschen die Rede, die zwar körperlich noch am Leben, doch in geistlicher Hinsicht tot sind. Die Bibel spricht von Menschen, die »tot in ihrer Schuld« sind und deshalb keine Verbindung zu Gott haben. Die Sünde im Leben eines Menschen macht eine Beziehung zu Gott unmöglich. Sehen wir als Sünde alles Böse, was wir tun, und alles Gute, was wir nicht tun, an, dann bedeutet dies, dass alle Menschen »lebendig tot« sind!

Gott möchte diesen Zustand ändern und uns dazu gerne all unsere Schuld vergeben. Er wünscht sich nichts sehnlicher, als dass wir lebendig werden und eine Beziehung zu ihm aufnehmen! Er hat alles Nötige dazu getan und seinen makellosen Sohn für unsere Schuld bezahlen lassen. Wer diese Bezahlung für sich in Anspruch nimmt, zu Gott umkehrt und ihn um Vergebung bittet, der wird von ihm zum Leben erweckt. *se*

? Sind Sie noch lebendig tot?

! Lassen Sie sich doch von Gott neues, ewiges Leben schenken!

Epheser 2,1-10

Wir wissen aber, dass denen, die Gott lieben, alle Dinge zum Guten mitwirken.

Römer 8,28

Lebendig tot? (2)

Gestern habe ich von meinem Schwiegervater erzählt, der seit einigen Monaten im Wachkoma liegt. Er öffnet zwar seine Augen, aber man weiß nicht, ob er sieht und hört. Auch die Ärzte können nicht mit Gewissheit sagen, wie viel er von seiner Außenwelt wahrnehmen kann. Man könnte meinen, der Zustand meines Schwiegervaters sei bemitleidenswert. Wie hat das jemand verdient, so zu leiden?

Mein Schwiegervater ist seit vielen Jahren ein Kind Gottes. Seit seiner Hinwendung zu Jesus war es ihm wichtig, von seinem Glauben zu erzählen, anderen den Herrn Jesus – seinen Retter – näherzubringen. Manche seiner alten Bekannten, die ihn besuchten und nicht an Jesus Christus glauben, meinten zynisch: »Was hat er jetzt davon, dass er seit Jahrzehnten Jesus predigt? Warum lässt Gott ihn jetzt so hängen?«

Mich erinnern diese Stimmen an die Spötter, die unter Jesu Kreuz standen: »Er vertraute auf Gott, der rette ihn jetzt, wenn er ihn begehrt; denn er sagte: Ich bin Gottes Sohn« (Matthäus 27,43). Tatsächlich ist aber der Zustand derer, die so spotten, viel bemitleidenswerter! Sie sind ohne Jesus lebendig tot und werden es ewig bleiben. Mein Schwiegervater hingegen mag zwar fast tot erscheinen, doch hat er jetzt schon ewiges Leben!

Die Tatsache, dass Jesus am Kreuz hing und dort starb, war kein Fehler Gottes. Vielmehr entsprach es seiner liebenden Vorsehung und ganz seinem Plan. Als Kinder Gottes haben wir die feste Zusage, dass alles, was uns widerfährt, von Gott zum Guten verwendet wird. Und wenn nur ein einziger Mensch durch die Geschichte meines Schwiegervaters zum echten Glauben an den Sohn Gottes kommt, war sein Leiden nicht umsonst.

se

? Was bedeutet für Sie die im Text erscheinende Formulierung, lebendig tot zu sein?

! Nur wer zu Christus gehört, hat wahres Leben.

Johannes 11,1-44

Denn er hat mich bekleidet mit Kleidern des Heils, den Mantel der Gerechtigkeit mir umgetan.
Jesaja 61,10

Der Hauptmann von Köpenick

Vor 111 Jahren gelang einem ehemaligen Häftling eine außergewöhnliche Aktion. Verkleidet mit einer Hauptmannsuniform besetzte Friedrich Wilhelm Voigt mit einem Trupp gutgläubiger Soldaten das Rathaus der Stadt Köpenick bei Berlin, verhaftete den Bürgermeister und beschlagnahmte die Stadtkasse. Die ursprüngliche Absicht des »Hauptmanns von Köpenick« war es, sich einen Pass zu besorgen, da er sonst keine Aufenthaltsgenehmigung in seiner Heimat bekam. Die Uniform hatte er sich in einem Trödelladen gekauft, und die militärischen Kenntnisse hatte er während seines Gefängnisaufenthaltes erworben. Kleidung und Auftreten verschaffte ihm kurzzeitig den Eingang in die Welt der Mächtigen und Befehlshaber.

Es gibt ein Gleichnis in der Bibel, wo auch jemand versucht, in einen hoheitlichen Bereich vorzudringen. Aber anders als beim oben beschriebenen Hauptmann verzichtete er darauf, sich passend einzukleiden. In diesem Gleichnis richtete ein König seinem Sohn die Hochzeit aus. Als er die vielen Gäste im Hochzeitssaal musterte, entdeckte er sofort eine unpassend gekleidete Person und fragte diese, wie sie denn ohne Hochzeitskleid hereingekommen sei. Der ungeladene Gast wusste darauf nichts zu antworten. Daraufhin sagte der König zu seinen Dienern: »Werft ihn in die äußerste Finsternis.«

Wer zu Gott in den Himmel will, kann ihm nichts vormachen. Ohne die von ihm geschenkte Errettung (Heil) und Gerechtigkeit bekommt er keine »Aufenthaltsgenehmigung« und »Teilnahmeberechtigung« für Gottes himmlische Herrlichkeit. Wer weiter nur den Schmutz und die Schuld seines Lebens mit sich herumtragen will und meint, darüber würde Gott schon hinwegsehen, wird an einem ganz anderen Ort landen, in der Finsternis, das heißt fern von Gott. *ls*

Wie gedenken Sie, vor Gott zu erscheinen?

Bekennen Sie heute noch im Gebet Ihre Schuld vor Gott! Dann stattet er Sie mit den notwendigen »Kleidern des Heils« aus.

Matthäus 22,1-14

Unser tägliches Brot gib uns heute.
Matthäus 6,11

Hungrig oder übersättigt?

In der Zeit, die Sie ungefähr brauchen, um diesen Beitrag zu lesen, werden auf der Erde 10 Kinder an den Folgen des Hungers sterben. Um auf diese Missstände hinzuweisen, haben die Vereinten Nationen den 16. Oktober zum Welternährungstag ausgerufen. Weltweit sind 840 Millionen Menschen von Unterernährung betroffen. Ein Drittel der weltweiten Getreideernte sowie zwei Drittel der Sojaernte werden an Nutztiere verfüttert. (Quelle: Welthungerhilfe)

Neben der Forderung nach drastischer Reduzierung des Fleischkonsums in den westlichen Industrieländern wird deshalb auch die Verschwendung von Lebensmitteln angeprangert. Allein in Deutschland landen jährlich 11 Millionen Tonnen Lebensmittel im Wert von ca. 25 Milliarden Euro von der Herstellung bis zum Privathaushalt im Müll. Dies ergäbe 275 000 Sattelschlepper, die hintereinander gereiht eine Schlange von Düsseldorf bis Lissabon bildeten. Dazu kommen noch 1–2 Millionen Tonnen Lebensmittelverluste in der Landwirtschaft bereits bei der Ernte. (Quelle: Verbraucherzentrale NRW)

Wenn Sie also heute an Ihrem gedeckten Tisch vor einer vielleicht sogar warmen Mahlzeit sitzen, ja, womöglich Ihre wohlgemeinte Portion gar nicht ganz aufessen können, ist zur gleichen Zeit etwa jeder 8. Mensch am Hungern. Es ist keineswegs selbstverständlich, genug Nahrungsmittel zur Verfügung zu haben. Deshalb weist uns Jesus Christus darauf hin, für unser tägliches Essen zu bitten. Unsere Lebensmittel wertzuschätzen und sie sich als Gaben Gottes bewusst zu machen, ist in seinem Sinne, ebenso natürlich auch bewusster Genuss und Dankbarkeit. Hinter allem steht schließlich unser Schöpfer, der Leben gibt, Wachstum und Segen schenkt und uns Menschen die Schöpfung anvertraut hat, damit wir verantwortungsvoll damit umgehen. *dbe*

Haben Sie Gott schon mal für die Vielfalt unserer Speisen gedankt? Es gibt allein unzählige Obst- und Gemüsearten.

Ob man nun vegetarisch oder vegan lebt und sich bewusst ernährt, entscheidend ist, ob man Gott für die Speise dankbar ist.

Psalm 136,1-9.25-26

Diese und alle anderen Gebote sind in dem einen Satz zusammengefasst: »Liebe deinen Nächsten wie dich selbst!«

Römer 13,9

Werte, die alle wollen und keiner hat

Schriftsteller und Politiker sind sich einig darüber, dass eine Gesellschaft Werte braucht. Wir brauchen Werte, die das Zusammenleben der Menschen prägen und leiten. Wir wünschen uns Werte. Wir sehnen uns besonders nach Wahrheit, Gerechtigkeit und Liebe.

Was verbinden wir mit diesen Schlagworten? Die Wahrheit soll ans Licht kommen. Wir wollen uns auf Aussagen verlassen können. Wenn man niemandem mehr trauen kann, wo kämen wir denn hin? Gerechtigkeit ist einerseits die angemessene, wertschätzende Behandlung von Menschen und andererseits die Verurteilung von hinterhältigem, kriminellem Verhalten. Bei dem Stichwort Liebe geht es darum, dass wir geachtet und wertgeschätzt werden wollen. Wir erwarten, dass andere uns ihre wohlwollende Aufmerksamkeit schenken. Wenn diese Werte unser Miteinander im Alltag prägen würden, so ließe es sich wirklich gut leben.

Die Realität sieht allerdings anders aus. Es gibt wenig Wahrheit, es wird gerne geschönt oder vertuscht. Die Gerechtigkeit bleibt oft schon beim Streit um Kleinigkeiten auf der Strecke. Wo Liebe draufsteht, ist oft nur Selbstsucht drin. Wir sehnen uns nach Werten und stellen fest, es gibt sie kaum. Zudem muss ich zugeben, dass ich selbst nicht danach lebe. Ich erwarte sie von anderen, aber bin selbst nicht bereit oder in der Lage, mich danach zu richten.

Bei Gott ist das ganz anders, bei ihm sind diese Werte Standard. Gott ist wahrhaftig, er ist wirklich gerecht, und er ist voller Liebe. Das ist sein Wesen. Bei ihm können wir Erfüllung unseres Sehnens finden. Gott möchte uns verändern und prägen. Er möchte sein Wesen in uns hineinlegen. Dazu müssen wir uns allerdings ihm öffnen, ihm vertrauen und ihm freie Hand in unserem Leben geben. *vb*

Ist Ihnen auch schon aufgefallen, dass Sie das, was Sie von anderen erwarten, selbst nicht erfüllen?

Gott bietet uns eine Veränderung unseres Lebens an, eine Prägung mit seinen Werten.

Philipper 4,4-9

Erforsche mich, Gott, und erkenne mein Herz. Prüfe mich und erkenne meine Gedanken.
Psalm 139,23

Nichts zu verbergen?

Stellen Sie sich einmal vor, an Ihrem Haus oder an Ihrem Arbeitsplatz oder sonst einem öffentlichen Ort gäbe es eine Anzeigetafel, an der Ihre Gedanken für alle sichtbar wären. Es gäbe quasi eine Direktübertragung, durch die jeder, der möchte, ständig lesen könnte, was Ihnen so durch den Kopf geht. Das wäre ganz bestimmt keinem von uns recht, denn wir hätten doch vieles zu verbergen oder mindestens zu filtern, bevor wir andere daran teilnehmen lassen wollten. Obwohl es immer mehr Menschen gibt, die mithilfe der modernen Kommunikationsmittel möglichst viele Menschen an allem teilhaben lassen möchten, was sie bewegt.

Andererseits wäre es für viele eine große Hilfe, wenn sie einen hätten, dem sie ungeschminkt sagen könnten, was sie quält, auch wenn es eigene Schuld und Sünde wäre.

David kannte eine solche vertrauenswürdige Person, mit der er alles besprechen konnte. Das war sein Gott. Er wünscht sich sogar, dass seine Gedanken- und Gefühlswelt von Gott komplett durchleuchtet und überprüft wird. Im nächsten Vers heißt es dann: »Und sieh, ob ein Weg der Mühsal bei mir ist, und leite mich auf dem ewigen Weg.« David erkannte, dass er in seinem Inneren nicht völlig rein und gut war und dass er so nicht zu einem vollkommenen Gott passte. Ihm war aber auch klar, dass er sich diesem Gott öffnen konnte, und war bereit, sich von ihm prüfen zu lassen, damit er Böses aufdecken und ausräumen konnte, weil Gott auch schon im Alten Testament als ein vergebender Gott bekannt war.

Ob wir es gerne zugeben oder nicht, nötig haben wir diese Reinigung unter Gottes Augen alle. Und er will uns um seines Sohnes willen alles von Herzen vergeben und nie wieder darauf zurückkommen. *sib*

Scheuen Sie sich davor, sich Gott zu öffnen?

Lassen Sie ihn Ihr Herz reinigen und seien Sie bereit, sich vom Schlechten zu trennen.

Psalm 139

Gott aber, der reich ist an Barmherzigkeit, hat ... uns, als auch wir in den Vergehungen tot waren, ... mit dem Christus lebendig gemacht.

Epheser 2,4-5

Lebt er noch?

Zwei Wanderer fanden auf ihrem Weg einen Salamander, der von einem Auto überfahren war. Sein Kopf war platt; aber seine Beine und sein Schwanz zuckten noch. War der nun tot, oder lebte er noch? Sie konnten sich darüber nicht einig werden, bis ein dritter Wanderer sie einholte. Den fragten sie nach seiner Meinung. Nach einigem Nachdenken sagte der: »Der ist tot; er weiß es nur noch nicht!«

Der heutige Tagesvers sagt uns, dass Menschen ohne Vergebung ihrer Vergehungen, also ohne Frieden mit Gott, für Tote zu rechnen sind, weil man erst durch die Verbindung mit Christus zu dem Leben erweckt wird, zu dem wir eigentlich berufen sind. Das ist eine harte Aussage, gegen die sich viele Menschen energisch wehren werden, die sich ja häufig ihrer körperlichen und geistigen Kräfte sehr bewusst sind. Aber genau betrachtet sind es doch nur ein paar Jahre, bis auch das letzte Zucken aufgehört hat. Und die Bibel spricht dann von einem »zweiten Tod«, der aber in alle Ewigkeit als solcher empfunden wird, also kein Erlöschen unserer Existenz bedeutet.

Zum Glück hat unser Tagesvers noch eine Fortsetzung: Wir können zum Leben, zum ewigen Leben bei Gott erweckt werden, wenn wir unser Vertrauen auf das errettende Werk Jesu Christi setzen. Weil er sein sündloses Leben für uns eingesetzt hat, haben alle, die ihm dafür glaubend danken können, ewiges Leben bekommen. Sie werden einmal zu Gott in den Himmel kommen, der wegen seiner großen Barmherzigkeit diese wunderbare Lösung des Problems geschaffen hat.

Und wer diesen Weg schon gegangen ist, der sollte täglich seine Dankbarkeit dafür zeigen, indem er das Licht dieses neuen Lebens in seinem Umfeld leuchten lässt.

gr

Woran kann Ihre Familie sehen, dass Sie wirklich leben?

Dieses Leben leuchtet nur, wenn es wirklich an Christus »angeschlossen« ist.

Hesekiel 37

Vielmehr sei es so:
Gott ist wahrhaftig, jeder Mensch aber Lügner.
Römer 3,4

Lüge, Betrug und Korruption

Fußball bewegt wie kein zweiter Sport die Menschen auf unserer Erde. Im Jahr 2015 wurde dieser Sport von Bestechlichkeit und Korruption in der Führungsspitze des Deutschen Fußballbundes, der Europäischen Fußballunion (UEFA) und des Weltfußballverbandes FIFA heftig erschüttert. Spitzenfunktionäre standen im Fokus der Ermittler. § 332 des Strafgesetzbuches formuliert: »Ein Amtsträger, der einen Vorteil für sich als Gegenleistung dafür annimmt, dass er eine Diensthandlung vorgenommen hat, und dadurch seine Dienstpflichten verletzt hat, wird mit Freiheitsstrafe oder Geldstrafe bestraft.«

Selbst bei der »schönsten Nebensache der Welt« kann man sich auf Ehrlichkeit und »Fair Play« nicht mehr verlassen! Auf was und wen kann man sich überhaupt noch verlassen? Wird unsere Welt nicht immer unglaubwürdiger? Was ist los mit den Aussagen und Versprechen unserer Politiker? Mit den Menschen, die uns umgeben?

Unser Tagesvers sagt ziemlich direkt, dass *jeder* Mensch ein Lügner ist. Damit wird ein vernichtendes Urteil über Sie und mich gesprochen. Mancher meint vielleicht, dass dies nicht stimmt und Notlügen oder kleine unscheinbare Lügen erlaubt seien. Das habe ich auch mal gedacht und bin eines Besseren belehrt worden. Gottes Maßstab gilt, nicht der meine. Und Gott ist vollkommen wahrhaftig. Da reicht nur ein Einziger heran: Jesus Christus. Und das Erstaunliche ist: Gott spricht mir seine Gerechtigkeit zu, wenn ich mich im Glauben diesem Jesus übergeben habe.

So können sogar aus Lügnern, Korrupten und Bestechlichen vollkommen gerechtfertigte Menschen werden, die sich dann aus Dankbarkeit in ihrem Leben ganz neu ausrichten lassen und zu Wahrhaftigen werden.

schn

Wie wahrhaftig sind Sie wirklich?

Statt andere an den Pranger zu stellen, sollten wir danach fragen, wie Gott über uns denkt.

Epheser 4,25-32

Denn das Wort vom Kreuz
ist denen, die verloren gehen, Torheit;
uns aber, die wir gerettet werden, ist es Gottes Kraft.
1. Korinther 1,18

»Ich klammere mich an das Kreuz«

An einem Sonntagmorgen im Oktober 2015 kam es in Columbia, South Carolina, zu Überflutungen. Als die 71-jährige Clara Gantt von den Fluten ereilt wurde, befand sie sich gerade auf dem Weg zum Gottesdienst. Während sie noch mit ihrer Familie telefonierte, schoben die Fluten ihr Auto auf einen Kirchenvorplatz. Das Wasser stand ihr bis zum Hals und sie betete unablässig. Plötzlich sah sie ihren Enkel Travis. Gesichert durch ein Seil, ließ er sich zu ihr hintreiben und zog sie aus dem Auto. Um zu verhindern, dass sie beide fortgeschwemmt wurden, hielt sich Travis an einem großen Kreuz fest, das vor der Kirche errichtet worden war. Auf diese Weise harrten die Großmutter und ihr Enkelkind lange aus.

Später sagte Clara zu diesem Erlebnis: »Ich klammere mich jeden Tag an das Kreuz, an dem Jesus starb, das heißt, dass ich meine ganze Hoffnung für Zeit und Ewigkeit auf die Errettung durch Jesus Christus setze. Und an jenem Sonntag habe ich es im wahrsten Sinne des Wortes getan.« – Sie verdankte also ihre Errettung in zweifacher Hinsicht einem Kreuz. Zum einen dem Kreuz vor der Kirche in Columbia, das sie vor dem Tod durch Ertrinken gerettet hat; zum anderen dem Kreuz, an dem Jesus hing, durch das sie dem ewigen Verderben entgangen ist.

»Das Wort vom Kreuz« ist die zentrale Botschaft des Neuen Testaments. Dort hat Jesus »unsere Sünden an seinem Leib selbst an dem Holz getragen«. Der Sohn Gottes bezahlte stellvertretend für unsere Schuld – er, »der Gerechte für die Ungerechten, damit er uns zu Gott führe«. – »Klammern« auch Sie sich im Glauben an diese Verheißung, wie Clara Gantt es getan hat. Denn wer das tut, geht nicht verloren, sondern hat ewiges Leben!

pg

?
An wen oder was halten Sie sich, wenn's schwierig wird?

!
Wer seine Hoffnung auf Christus setzt, wird am Ende am Leben bleiben.

1. Petrus 2,21-25

Siehe, ich sende euch wie Schafe mitten unter Wölfe.
Matthäus 10,16

Wenn Christen auf die Straße gehen

An einem Frühlingstag besuchen wir eine Stadt in Süddeutschland. Bei milden Temperaturen tummeln sich viele Menschen im Zentrum, und in der Fußgängerzone herrscht reges Treiben.

An einer Ecke versammelt sich um eine fremdländische Musikgruppe eine große Traube Zuschauer. Hier wird Kultur, Kunst und Unterhaltung geboten, hier wird der Geschmack der Passanten getroffen. Entsprechend fällt der Beifall aus, und immer wieder klingeln Münzen im Gitarrenkasten.

Keine hundert Meter weiter entfernt erregt etwas anderes meine Aufmerksamkeit. Einige junge Männer halten große Schilder in die Höhe. Bereits von Weitem ist der Name »Jesus Christus« zu erkennen, dazu einige groß gedruckte Bibelsprüche. Ein Mann steht auf einer kleinen Erhöhung und redet auf die Vorübergehenden ein, er predigt davon, dass wir Menschen Gott brauchen. Sein Thema passt aber gar nicht so recht zu dem, was moderne Menschen, noch dazu an einem angenehmen Frühlingstag, hören wollen. Hier wird Unpopuläres, ja, auch Unbequemes geboten und zudem zu einer Entscheidung aufgefordert. Die meisten Leute gehen darum desinteressiert oder spöttisch lächelnd an den »Spinnern« vorbei. Nur wenige sind es, die stehen bleiben und zuhören. Ein Passant provoziert, der Redner solle ihm lieber fünfzig Euro geben, die könne er jetzt besser gebrauchen. Der Straßenprediger setzt seine schwierige Aufgabe trotz solchem »Gegenwind« fort.

Ich betrachte das Geschehen mit großem Interesse. Warum ist den Leuten ihr ewiges Schicksal so gleichgültig? Die Bibel sagt, dass der Teufel den Menschen den Blick vernebelt, damit sie nicht zu Gott umkehren. Darum kostet es auch viel Mut, für Jesus Christus auf die Straße zu gehen. *ap*

? Bei welcher der beiden Gruppen wären Sie vermutlich interessiert stehen geblieben?

! Halten Sie beim nächsten Stadtbummel mal Ausschau, ob Gott Ihnen durch Christen auf der Straße begegnen will!

Apostelgeschichte 17,16-34

Denn mein Volk hat eine zweifache Sünde begangen: Mich, die Quelle des lebendigen Wassers, haben sie verlassen, um sich Zisternen zu graben, löchrige Zisternen, die kein Wasser halten! Jeremia 2,13

Schon an der Quelle angekommen?

Wir Menschen sind ständig auf der Suche nach etwas, was uns erfüllt. Viele suchen ihre Sehnsucht zu stillen in der »wahren Liebe«. Doch wie oft werden sie enttäuscht. Andere suchen ihren Durst nach Leben im Konsum zu stillen. Immer die neuesten Klamotten, das neueste Handy etc. Doch wie vieles ist schnell wieder »out« und landet später im Müll. Zurück bleibt eine innere Leere.

In einem alten Lied schrieb die Dichterin Eleonore Fürstin von Reuß (1835–1903) folgende Zeilen: »Ich habe die Menschen gesehen, / und sie suchen spät und früh, / sie schaffen, sie kommen und gehen, / und ihr Leben ist Arbeit und Müh. / Sie suchen, was sie nicht finden / in Liebe und Ehre und Glück, / und sie kommen belastet mit Sünden / und unbefriedigt zurück.« Genau das beschreibt, was Gott durch seinen Propheten Jeremia in dem obigen Vers beklagt. Wir Menschen haben die Quelle des Lebens verlassen (Gott) und versucht, den Durst unseres Lebens mit Dingen zu stillen, die wie löchrige Zisternen (Wasserbehälter) sind, die nur für kurze Zeit den Durst nach Leben stillen können. Der Kirchenvater Augustinus schreibt treffend; »Zu deinem Eigentum hast du uns geschaffen, o Herr, und ruhelos ist unser Herz, bis es ruht in dir.« Also echte Erfüllung, echtes Leben, echte Ruhe findet unser Herz nur dann, wenn es von Gott zur Ruhe gebracht wird. Doch wie geht das?

Der Weg zu einem erfüllten Leben ist nicht weit von uns weg. Jesus sagt dazu in Matthäus 11,28: »Kommt her zu mir alle, die ihr mühselig und beladen seid, so will ich euch erquicken!«, und in Johannes 6,35: »Ich bin das Brot des Lebens. Wer zu mir kommt, den wird nicht hungern, und wer an mich glaubt, den wird niemals dürsten.« *za*

? Ist Ihr Herz schon zur Ruhe gebracht? Sind Sie erfüllt oder noch auf der Suche?

! Suchen Sie das Leben da, wo es ist. Bei Jesus!

Johannes 4,1-14

Aber von dem Baum der Erkenntnis des Guten und Bösen sollst du nicht essen; denn an dem Tage, da du von ihm issest, musst du des Todes sterben.

1. Mose 2,17

Warum ließ Gott den Sündenfall zu?

Eine Studentin stellte die Frage: »Warum hat Gott den Menschen so unvollkommen gemacht, dass er in Sünde fallen konnte? Er hat doch schon vorher gewusst, dass es dazu kommen würde.«

Gott hatte die gesamte Schöpfung sehr gut gemacht, und davon war auch der Mensch nicht ausgenommen. Als besondere Zutat erhielt er vollständige Freiheit, und das schließt ein, auch von Gott weggehen zu können. Eingeschränkte Freiheit kennen wir von diktatorischen Systemen, aber auch in der Tierwelt. In der Nestbauart ist eine Amsel genauso festgelegt wie ein Webervogel. Nur in der Platzsuche sind sie frei.

»Aber hätte Gott den Freiheitsradius nicht dahin gehend begrenzen können, dass ein In-Sünde-Fallen unmöglich wäre?«

Gott hat unsere Freiheit an die Liebe und den Gehorsam zu ihm gekoppelt. Er schuf den Menschen nicht als Ameise oder Amsel, sondern nach seinem Bilde und damit in der Wesensart Jesu. Wir haben die besonders hohe Berufung, in der Ewigkeit dem Herrn Jesus gleich zu sein (1. Johannes 3,2). Er hatte auf unserer Erde alle Freiheit und hätte auch Gott ungehorsam sein können, aber er tat es nicht. So hat Jesus uns vorgelebt, dass man auch bei aller Freiheit Gott gehorsam sein kann. Und genau dasselbe Maß an Freiheit hat uns Gott seit der Schöpfung auch zugestanden.

Wir Menschen haben uns leichtsinnigerweise für den Ungehorsam entschieden und uns damit die ewige Trennung von Gott eingehandelt. Aber Gott wollte uns in seiner Güte nicht für immer verlorengehen lassen. Der Kreuzestod Jesu war der hohe Preis für unsere Sünde. Durch Jesus sind wir zur Rückkehr zu Gott eingeladen. *gi*

? Wissen Sie um Ihre Verfehlungen vor Gott?

! Wer dem Herrn Jesus seine Sünde bekennt, erhält Vergebung!

1. Johannes 1,5-10

**Und vergib uns unsere Sünden,
denn auch wir selbst vergeben jedem,
der uns schuldig ist.**

Lukas 11,4

Vom Feind zum Bruder

Sergej Kourdakov ist überzeugter Kommunist und hat den Auftrag, zusammen mit einem Trupp gewaltbereiter Männer heimliche Treffen von Christen zu zerschlagen. Bei einer dieser Razzien trifft er Natascha. Die junge hübsche Christin hat sich über das Verbot der kommunistischen Partei hinweggesetzt und sich mit anderen zum Beten und Bibellesen getroffen. Die Männer schlagen und misshandeln die Christen. Nur drei Tage später wird wieder ein heimliches Treffen aufgespürt. Sergej ist überrascht, dass er Natascha wieder trifft. Wie kann sich ein Mensch wider besseres Wissen in eine solche Gefahr begeben? Voller Zorn schlägt er auf Natascha ein.

Später liest er in ihren Akten, dass sie früher eine überzeugte Kommunistin war. Fragen kommen hoch. Was hat Natascha gefunden, dass sie dem Kommunismus den Rücken gekehrt hat und sich dafür freiwillig solcher Gefahr aussetzt? Als er sie bei einer weiteren Razzia wieder trifft, schützt er sie. Und beginnt, in einem beschlagnahmten Lukas-Evangelium zu lesen, um mehr über den Glauben der Christen zu erfahren.

1971 ist Sergej Kourdakov Funkoffizier auf einem Schiff, das sich in der Nähe der kanadischen Küste aufhält. Er riskiert sein Leben, springt über Bord und versucht schwimmend, kanadisches Land zu erreichen. Halb tot wird er geborgen. Nach seiner Genesung lernt er Christen und die Botschaft der Bibel kennen. Nun weiß er, was Natascha gefunden hat! Sergej wird selber Christ und bezeugt öffentlich seinen Glauben. Doch bereits 1973 wird er von einem russischen Agenten – wie man vermutet – ermordet. Sein Buch »Vergib mir, Natascha« wird weit verbreitet und in mehrere Sprachen übersetzt. *sa*

Warum sind Christen weltweit bereit, Verfolgung für ihren Glauben zu erleiden?

Auch der größte Sünder kann zu Gott umkehren.

Matthäus 6,5-15

**Fürchtet den,
der nach dem Töten Macht hat, in die Hölle zu werfen;
ja, sage ich euch, diesen fürchtet.**

Lukas 12,5

Existenzängste

In meinem Leben habe ich schon viele Höhen und Tiefen mitgemacht, wie wohl jeder von uns. Es gab eine Zeit, da hatte ich Ängste, wie es finanziell weitergehen sollte. Wir hatten unser Haus fertiggestellt, und die Zinsen stiegen unerwartet »ins Unermessliche«. Das hat uns so manche schlaflose Nacht gekostet.

Mittlerweile bin ich vielen Menschen begegnet, die Existenzängste haben. Da wird ein über 50-Jähriger von seinem Arbeitgeber entlassen und steht vor dem Nichts. Bei anderen reicht vorne und hinten das Geld nicht. Die Angst, dass die Firma schließt und man arbeitslos wird, ist bei manchem permanent vorhanden und zehrt an Körper und Seele. Finanzielle Sorgen können einen erdrücken, der Streit zwischen Eheleuten ist oft vorprogrammiert. Krankheiten können die Luft zum Atmen rauben.

Wir alle fürchten uns vor solchen Situationen und Zeiten. Jeder führt am liebsten ein beschauliches Leben, ohne existenzielle Sorgen. Das alte Sprichwort »Not lehrt beten« wird bei vielen Menschen dann wieder wahr, wenn es bedrohlich wird, und scheinbar kein Ausweg da ist.

Doch unser Tagesvers mahnt, dass es Schlimmeres gibt als existenzielle Nöte. Der Tod ist dann keine Erlösung, wie es manchmal gesagt wird, denn es gibt nach unserem Ableben jemanden, der uns bewerten wird und die Macht hat, in die Hölle zu werfen. Vor dem sollten wir uns fürchten, das sollte uns unruhig machen. Doch gerade vor dem Schöpfergott haben wir in der Regel unseren Respekt verloren. Tragisch!

Aufrütteln, gründlich aufrütteln, nachdenklich werden, innehalten – das wäre geboten. Wenn der Tagesvers stimmt, haben wir keine Zeit zu verlieren. Denn die Todesstunde haben wir nicht in der Hand. Das »Danach« können wir heute festlegen! *schn*

Welches Ereignis würde Sie zu einer radikalen Lebensveränderung führen?

Treffen Sie heute die richtige (Lebens-)Entscheidung!

Lukas 12,4-9

… sondern in Demut einer den anderen höher achtend als sich selbst; ein jeder nicht auf das Seine sehend, sondern ein jeder auch auf das der anderen.

Philipper 2,3-4

»Jeder ist sich selbst der Nächste«

Sicher ist Ihnen oben genanntes Zitat bekannt. Vielleicht leben Sie sogar nach diesem Motto.

Eines Abends ging ich zur Busstation. Es war bereits dunkel. Von der anderen Seite kam ein älterer Mann, der auch die Busstation zum Ziel hatte. Er war mit einem Gehstock unterwegs. Als der Bus kam, war es für mich selbstverständlich, dass der Mann mit seiner Gehhilfe den Vortritt hatte. Aber da kam ich an den Richtigen! Als er meine Absicht erkannte, meinte er: »So weit kommt es noch, dass ich vor einer Frau einsteige!« Diesem Argument hatte ich nichts entgegenzusetzen.

Das ist so ein kleines Beispiel, das Sie und ich immer wieder im Alltag erleben können, wenn man bei der Arbeit, in der Freizeit oder in Ehe und Familie nicht das Eigeninteresse in den Vordergrund stellt.

Es gab in meinem Leben auch eine Zeit, in der ich vor allem meinen Vorteil suchte. Als ich dann durch die Bekehrung mein Leben Gott anvertraut habe, hat ER angefangen mich zu verändern. Auch habe ich in der Bibel, ganz speziell im Alten Testament, Begebenheiten gefunden, bei denen ich einen wichtigen Grundsatz Gottes entdecken durfte: Ich muss nicht meinen Egoismus durchsetzen. Wenn ich anderen Menschen den Vortritt lasse, entsteht mir dadurch kein Nachteil; denn Gott ist um mich besorgt. Und so komme ich immer wieder mit Menschen in Kontakt, denen ich diesen Grundsatz mit Wort und Tat bezeugen kann. Und wenn das nicht der Fall sein sollte, dann weiß ich: Mein himmlischer Vater freut sich darüber, weil ich diesen Grundsatz in meinem Alltagsleben bereits ein Stück weit gelernt habe. Von daher ist es ein entspanntes Leben, dass ich mich nicht vordrängen und auf meinen eigenen Vorteil bedacht sein muss! *bw*

Was meinen Sie zu so einer Einstellung?

Wenn wir tun, was Gott gefällt, steht er auf unserer Seite.

1. Mose 13

**Gerechtigkeit erhöht eine Nation,
aber Sünde ist der Völker Schande.**
Sprüche 14,34

Ein Kaiser, wie man ihn sich wünscht!?

Als Halbwüchsiger hörte ich im Geschichtsunterricht der Mittelstufe zum ersten Mal von Heinrich III., der heute vor 1000 Jahren geboren wurde. Er stammte aus dem Geschlecht der Salier, das um Speyer herum seinen Hauptbesitz hatte. Was mir so gefiel: Heinrichs Herrschaft war unbestritten. Er führte das Reich zu hoher Machtentfaltung und großem Ansehen in Europa. Dabei war er auch noch ein stattlicher Mann und ein frommer Christ. Er war so, wie ich mir vorstellte, dass ein Kaiser sein sollte. Tatsächlich vermittelt er bis heute etwas von dem kaiserlichen Glanz, von dem in Gedichten und Romanen die Rede ist. Und dieser Mann starb im jugendlichen Alter von 38 Jahren. Er liegt in der Krypta des Doms zu Speyer begraben.

Ich war damals wirklich traurig über diesen frühen Tod. Und es war tatsächlich auch für das Reich damals ein Unglück. Sein Sohn war noch ein Kind. Die Fürsten und Bischöfe lauerten darauf, ihre eigene Macht zu vergrößern, und es begann eine Zeit vieler Kämpfe, die genau betrachtet nie so richtig aufhörten und bis in die Neuzeit andauerten. Die Autorität der Kaiser erreichte nie wieder die Höhe, wie sie zu Zeiten Heinrichs bestand. Das wurde besonders deutlich auf der Synode von Sutri 1046, wo der Kaiser drei Päpste absetzte und einen Mann seiner Wahl einsetzte. Das gab es nicht noch einmal in Rom und beweist die enorme Autorität des Herrschers.

Es ist ein Segen, wenn gottesfürchtige Menschen mit Klugheit und Umsicht in eine einflussreiche Stellung gelangen. Aber auch wir selbst können mit solchen Qualitäten für mehr Ordnung und Zusammenhalt in unserer Umgebung sorgen. Auch hier gilt, was der Tagesvers sagt: Gerechtigkeit zieht nach oben, Sünde (z. B. in Form von Eigennutz) nach unten. Erkennen wir unsere Verantwortung? *koh*

?

Wo und für wen tragen Sie Verantwortung?

!

In der Glaubensbindung an Gott kann man ihr am ehesten gerecht werden.

1. Petrus 3,12-18

**Lass dich nicht vom Bösen überwinden,
sondern überwinde das Böse mit dem Guten.**
Römer 12,21

Die Werkstatt der Ehrlichkeit

Donald Dunn erzählte von seinem Vater, der eine Reparaturwerkstatt für LKW besaß, folgende Begebenheit:

Ein Mann betrat die Werkstatt meines Vaters und sagte, er sei Fahrer bei einer Spedition und habe einen Vorschlag. Er käme mit seinem LKW sehr oft durch die Gegend, und wann immer eine Reparatur oder Wartung anstünde, solle mein Vater auf der Rechnung einige Teile aufschreiben, die in Wirklichkeit aber nicht verwendet worden wären. Der Mann fuhr fort: »Wir lassen dann meinen Chef dafür bezahlen und wir beide teilen uns die Differenz.«

Mein Vater lehnte ab, aber der Mann war hartnäckig: »Ich komme wirklich oft hier durch, und wir beide könnten ein hübsches Sümmchen nebenher einstreichen.« Noch einmal erklärte ihm mein Vater, dass dies nicht seine Art sei, das Geschäft zu führen.

Schließlich wurde der Mann ungehalten und laut: »Das macht doch jeder! Seien Sie doch kein Dummkopf.« Nun hatte mein Vater genug und bat den Besucher, die Werkstatt zu verlassen und sich einen anderen Geschäftspartner zu suchen. Im gleichen Augenblick kam ein Lächeln über das Gesicht des Mannes, und er streckte meinem Vater seine Hand entgegen: »Ich bin der Besitzer der Spedition und war auf der Suche nach einer Werkstatt, der ich vertrauen kann. Ich werde meinen Fuhrpark nirgendwo sonst hinfahren als nur zu Ihnen.«

Albert Einstein bemerkte einmal: »Wer mit der Wahrheit bei den kleinen Dingen achtlos umgeht, dem kann man bei den wichtigen Dingen nicht vertrauen.« Und Petrus bringt es auf den Punkt, wenn er schreibt: »Führt euren Wandel unter den Nationen gut, damit sie … aus den guten Werken, die sie anschauen, Gott verherrlichen …« (1. Petrus 2,12).

vdm

Wie können Sie sich und anderen helfen, aufrichtig und wahrhaftig zu bleiben?

»Wenn Lügen kurze Beine haben, hat die Wahrheit lange Beine, auf denen sie weit kommt.« (M. McKey)

Hiob 8,3-7

Und führe uns nicht in Versuchung, sondern errette uns von dem Bösen. Denn dein ist das Reich und die Kraft und die Herrlichkeit in Ewigkeit! Amen.

Matthäus 6,13

Das kaputte Leben

Meine Freundin musste unerwartet mit einem angebrochenen Wirbel ins Krankenhaus. Zwei Tage später wurde nachts eine neue Zimmerkollegin eingeliefert: Natascha. Die junge Frau hatte sich im Rausch den Arm gebrochen, war noch betrunken und lallte vor sich hin. Erschrocken hörte meine Freundin, wie verzweifelt hier ein Mensch sein kaputtes Leben beklagte. Natascha jammerte, dass sie immer wieder zum Trinken eingeladen worden war und einfach keine Kraft gehabt hatte, der Versuchung zu widerstehen – obwohl sie wusste, dass der Alkohol sie kaputt machte. Es war ihr klar, dass ihr Leben ins Verderben ging.

Als es Natascha besser ging, konnten die beiden Frauen viel miteinander reden und auch beten. Meine Freundin versuchte Natascha klarzumachen, dass nur Jesus ihr helfen konnte, ihr Leben zu ordnen und von der Sucht frei zu werden. Würde die junge Frau das einsehen? Nach ihrer Entlassung versuchte meine Freundin immer wieder, Kontakt zu ihr aufzunehmen, aber vergebens. Dann hörte sie nur noch, dass Natascha ein halbes Jahr später so massiv getrunken hatte, dass sie an den Folgen des Rauschs gestorben war.

Wie schrecklich, wenn ein junges Leben so kaputt ist! Hier spürt man, dass es »das Böse« tatsächlich gibt und dass es eine schreckliche Macht hat. Im Vaterunser beten Christen um die Errettung von dem Bösen. Gott ist der Einzige, der wirklich von der Macht des Bösen erretten kann – in welcher Gestalt es uns auch immer begegnet. Wir können uns nicht an unseren eigenen Haaren aus dem Sumpf ziehen. Wir sind angewiesen auf die Hand Gottes, die sich uns in Jesus entgegenstreckt. Wollen wir sie ergreifen? *sa*

? Gibt es einen Lebensbereich, in dem Sie die Macht des Bösen unterschätzen?

! Jesus ist mächtig zu retten!

Markus 5,1-20

Dienstag | **31. Okt. 17** | **Reformationstag**

**Denn durch die Gnade seid ihr gerettet worden aufgrund des Glaubens.
Ihr selbst habt nichts dazu getan, es ist Gottes Geschenk.**

Epheser 2,8

Martin Luther blickt durch

Am heutigen Reformationstag jährt es sich zum 500. Mal, dass Martin Luther seine 95 Thesen an der Schlosskirche zu Wittenberg angeschlagen hat. Vermutlich ist es eine Legende, dass er sie persönlich an die Kirchentür genagelt hat. Er hat sie in Briefen an geistliche und weltliche Würdenträger des Reiches gesandt, und bald schon erschienen sie mehrfach in gedruckter Form.

Was hat Martin Luther dazu bewegt? Er wollte keine Revolution anzetteln und schon gar nicht eine neue Kirche gründen. Ihm war ein Widerspruch zwischen der Lehre der Kirche und den Aussagen der Bibel aufgefallen, den er richtigstellen wollte. In seinen Thesen geht es um den Ablasshandel. Die Kirche propagierte, dass man sich Ablassbriefe kaufen kann und einem dann die Strafe für seine Sünden erlassen wird. Diese Strafe war die Zeit im Fegefeuer. Der berühmteste Ablassverkäufer, Johann Tetzel, warb mit dem Slogan: »Die Seele aus dem Feuer springt, sobald das Geld im Kasten klingt.« Luther zitiert diesen Satz in seiner 27. These: »Menschenlehre verkündigen die, die sagen, dass die Seele (aus dem Fegefeuer) emporfliege, sobald das Geld im Kasten klingt.«

Martin Luther war sich völlig im Klaren darüber, dass Errettung allein aus Gnade geschieht. Niemand kann sich seine Errettung vom Gericht Gottes erkaufen. Nur wer sich in Buße und Glauben an Jesus Christus wendet, erfährt völlige Vergebung seiner Schuld und damit Befreiung vom Gericht Gottes. In seiner 62. These bringt es Luther auf den Punkt: »Der wahre Schatz der Kirche ist das allerheiligste Evangelium von der Herrlichkeit und Gnade Gottes.«

Es ist gut, sich an diesem Reformationstag daran zu erinnern und sich diese Chance, die Gott uns bietet, bewusst zu machen. *vb*

? Haben Sie sich auch schon mal gewünscht, sich von Schuld einfach freikaufen zu können?

! Gott hat einen Weg gefunden, dass wir aus Gnade gerechtfertigt werden können.

Apostelgeschichte 10,34-43

Mit dem Tod eines gottlosen Menschen geht seine Hoffnung verloren.
Sprüche 11,7

Zu spät!

Ich erinnere mich noch daran, dass meine Eltern eines Tages zum Flughafen fuhren, um in den Urlaub zu fliegen. Als sie in der Abflughalle standen und auf die große Infotafel blickten, wunderten sie sich, dass ihr Flug nicht aufgelistet war. Am Check-in-Schalter erfuhren sie dann, dass ihr Flug bereits am Vortag erfolgte. Ganz erschrocken blickten sie auf ihre Flugtickets und mussten feststellen, dass sie sich im Datum geirrt hatten. Die freundliche Mitarbeiterin der Fluggesellschaft bot ihnen an, am nächsten Tag die Reise anzutreten, damit sie doch noch ihren Urlaub genießen konnten. So war doch nicht alles verloren.

Nun, solche Erfahrungen sind sicher ärgerlich, aber sie sind im Vergleich zu dem, was unser heutiger Bibelvers sagt, nicht der Rede wert.

Dieser Ausspruch des Königs Salomo teilt uns mit, dass es für einen Menschen, solange er lebt, Hoffnung gibt. Jede Hoffnung aber hört mit dem Sterben auf. Der Gottlose aus unserem Tagesvers hat natürlich auf irdisches Glück gehofft. Die Ewigkeit hat in seinem Denken keine Rolle gespielt. Und doch ist unser ewiges Schicksal das Wichtigste, was wir zu bedenken haben; denn dort bringen wir den weitaus längsten Teil unserer Existenz zu. Aber wohin die Reise einmal gehen wird, das entscheidet sich in unserem relativ kurzen Erdenleben. Da muss man vor Gott seine Schuld bekennen und seine Vergebung annehmen. Wenn wir gestorben sind, ist diese Möglichkeit für immer verloren. Da gibt es niemanden mehr, der eine Nachbuchung vornehmen würde, sodass man – wenn auch etwas verspätet – doch noch in den Himmel kommt. Für ihn bleibt dann nur noch das ewige Getrenntsein von dem Schöpfer, das die Bibel die Hölle nennt. *tl*

? Haben Sie Ihr Ticket in den Himmel schon gebucht?

! Denken Sie daran, dass es jeden Tag zu spät sein kann.

Lukas 16,19-31

**So lehre uns denn zählen unsere Tage,
damit wir ein weises Herz erlangen!**
Psalm 90,12

Herbstgedanken

Jetzt im Herbst erinnern die fallenden Blätter an das Ende alles Irdischen. Da geht auch manch einer zum Friedhof und besucht die Gräber seiner Lieben. Auf den Steinen stehen die Namen und meistens auch die Geburts- und Sterbedaten. Den Raum zwischen diesen Angaben füllt meist ein kurzer Strich aus, der sozusagen das ganze Leben symbolisiert. Alles, was sich in einem langen Leben ereignet hat an Liebe und Hass, Krankheit und Glück, Erfolg und Niederlagen, reduziert sich am Ende auf diesen kleinen Strich zwischen Geburt und Sterben, einerlei, wie bedeutsam uns alles vorkommt. Und es ist immer nur ein Strich. Wir haben nur *ein* Leben, keins zum Üben, keins zum Wegwerfen, nur eins, in dem es darum geht, ob wir dem Willen des Gebers allen Lebens entsprochen haben oder nicht. Bei solchen stillen Betrachtungen fallen uns mitunter Szenen ein, die wir lieber aus unserem Leben gestrichen hätten, um das Ganze noch einmal von vorn, dann aber besser anzufangen. Aber das geht leider nicht; denn für das kostbarste Gut in diesem Leben, für unsere Zeit, kann man keinen Ersatz schaffen, und wollte man auch noch so viel Geld dafür bieten.

Wenn wir denen, die da begraben liegen, Unrecht getan haben, kommen Einsicht und Reue zu spät. Umso wichtiger ist es, jene um Vergebung zu bitten, die noch leben. Hatten wir nicht selbst manchmal den Eindruck, dass sie mehr Liebe und Zuwendung, mehr Zuhören und Mitfühlen von uns erwartet haben?

Wer beten kann, sollte Gott bitten, von nun an vorsichtiger und rücksichtsvoller zu leben. Aber auch alles Versagen will Gott uns um Christi willen vergeben. Er wartet bei uns allen darauf, weil er uns segnen möchte.

gr

? An wem haben Sie sich in letzter Zeit schuldig gemacht?

! Am besten, man bittet gleich um Verzeihung!

Psalm 90

Ich bin, der da ist, ich der Erste, ich auch der Letzte.

Jesaja 48,12

Keine Mehrheit für den Heiligen Geist

»Sechs von zehn glauben an Gott«, war am 3. November 2015 in der Allgäuer Zeitung zu lesen. »Die meisten Deutschen glauben einer Umfrage zufolge an Gott, aber deutlich weniger an das ewige Leben. Wie das Meinungsforschungsinstitut Emnid für das evangelische Magazin Chrismon ermittelte, waren es 62 Prozent, die an Gott glauben. […] Keine Mehrheit gab es demnach für den Heiligen Geist (39 Prozent), die Auferstehung Jesu (36), die Jungfräulichkeit (34) und das ewige Leben (30). Besonders skeptisch zeigten sich den Angaben zufolge die unter 30-Jährigen, von denen nur 28 Prozent an die Auferstehung glauben.«

Der französische Schriftsteller Jean Cocteau (1889–1963) warnte einst: »Man darf die Mehrheit nicht mit der Wahrheit verwechseln.« Die Frage, ob es Gott, den Heiligen Geist oder das ewige Leben gibt und ob die Jungfrauengeburt und die Auferstehung historische Tatsachen sind, lässt sich nicht anhand von Umfrageergebnissen beantworten. Denn völlig unbeeindruckt von den aktuellen »Mehrheitsverhältnissen« in Deutschland bezeugt der lebendige Gott in seinem Wort, dass er in Ewigkeit Gott ist (siehe Tagesvers), dass er der Heilige Geist ist (Johannes 4,24), dass der Sohn Gottes von einer Jungfrau geboren wurde (Matthäus 1,23), dass man durch den Glauben an Jesus Christus ewiges Leben gewinnen kann (Johannes 3,36) und dass Jesus Christus vom Tod auferstanden ist (1. Korinther 15,3-4).

»Selbst wenn alle einer Meinung sind, können alle unrecht haben.« Eine Wahrheit bleibt auch dann noch Wahrheit, wenn die Mehrheit sie als Lüge ansieht. Orientieren Sie sich daher nicht an der Meinung anderer, sondern an »dem lebendigen Wort Gottes, das da ewig bleibt« (1. Petrus 1,23)! *pg*

Folgen Sie in entscheidenden Dingen der Mehrheit, oder bilden Sie sich selbst ein Urteil?

Man sollte in den wichtigen Lebensfragen Gottes Wort ernst nehmen und nicht die Meinungsforscher.

1. Thessalonicher 2,1-4.13

Weil ich lebe, werdet auch ihr leben.
Johannes 14,19

Ich dachte, …

Wem erging es nicht schon einmal ähnlich, irgendwo an der Kasse, auf dem Bahnsteig oder im Hinblick auf einen verpassten Termin vielleicht? Darüber hinaus sind die Situationen des »Ich dachte, …« ungezählt, und doch haben sie alle miteinander eines gemeinsam, und zwar die vorausgegangene falsche Annahme.

Dabei ist der Irrtum weniger das Problem als seine Folge. An der Kasse fehlt peinlicherweise das nötige Bare, in den falschen Zug eingestiegen, hat der Schaffner kein Verständnis für die fehlende Fahrkarte. Da hilft nichts, der Beamte bleibt den allgemeinen Statuten treu und glaubt kein Wort des »Ich dachte, …« – Regeln sind Regeln, und Tatsachen bleiben nun einmal Tatsachen; und das Ergebnis am Ende eines Irrtums ist in der Regel bitter für uns, wir kommen nicht ans Ziel.

Der angekündigte Weggang Jesu durch sein Sterben am Kreuz löste bei den Jüngern Angst aus. Was sollte aus ihnen werden? War dann nicht alles aus, wenn ihr Herr und Meister nun starb? Sie dachten …, doch ihr Denken beruhte auf einer falschen Annahme – nämlich darauf, dass der Tod auch für ihren Meister das letzte Wort haben würde. Doch Jesus musste keineswegs vor diesem kapitulieren, man denke nur an die Menschen, die er auferweckt hatte. So korrigierte er die Jünger nun mit den tröstenden Worten unseres Tagesverses und sprach ihnen Mut zu: »Euer Herz werde nicht bestürzt. Ihr glaubt an Gott, glaubt auch an mich!« (Johannes 14,1).

Christus Jesus, gekreuzigt und auferstanden, hat den ewigen Tod für uns besiegt; und so lautet seine Botschaft in göttlicher Vollmacht an einen jeden, der heute dementsprechend an ihn glaubt: »Weil ich lebe, wirst auch du leben.« – Kann es etwas Größeres geben? *aqu*

? Was bewirkt bei Ihnen die Tatsache der Auferstehung Christi?

! Sie ist die Garantie dafür, dass es nach dem Tod für den, der glaubt, herrlich und ewig weitergeht!

Johannes 14

Freut euch nicht, dass euch die Geister untertan sind, freut euch vielmehr, dass eure Namen in den Himmeln angeschrieben sind.

Lukas 10,20

Unvergessen sein!

Was machen die Leute alles, um ins Guinness-Buch der Rekorde zu kommen! Gesundheitliche Schäden spielen da oft genauso wenig eine Rolle wie lebensgefährliche Experimente oder der Einsatz der letzten Geldreserven. Und wem nichts Rekordverdächtiges einfällt, der mischt sich immer häufiger in die diversen Netzwerke und Foren ein, um doch ebenfalls irgendwie bekannt zu werden und unvergessen zu sein. Johann Wolfgang von Goethe, der berühmte Dichter, schuf vieles, damit er unvergessen blieb. Er hoffte: »Es kann die Spur von meinen Erdentagen nicht in Äonen untergehn.« Darauf hoffen heute ebenfalls viele.

Aber einmal ehrlich: Ist es wirklich den Einsatz aller Kräfte wert, von möglichst vielen Menschen gekannt zu sein? Heute muss man dazu auch noch mit der überwältigenden Respektlosigkeit der Leute rechnen. Man kann nämlich viel leichter einen »Shitstorm« als eine Begeisterungswelle auslösen. Außerdem braucht man nicht zu hoffen, auf solche Weise wirkliche Freunde zu finden, denen an unserem Glück etwas liegt.

Der Sohn Gottes, Jesus Christus, mahnte seine Jünger in unserem Tagesvers, nicht auf zeitlichen Ruhm oder auf einen hohen Bekanntheitsgrad zu setzen. Sie sollten sich vielmehr freuen, von Gott beschenkt zu sein, als Jesu Jünger einen Platz im Himmel sicher zu haben, der dort bereits eingetragen wurde. Jeder, der seine Hoffnung für die Ewigkeit auf das Versöhnungswerk des Sohnes Gottes setzt, darf sich dieser Hoffnung freuen. Und das ist die einzige Garantie, »in Äonen« nicht vergessen zu werden; denn dort, im Himmel, werden wir für alle Ewigkeit sein dürfen, falls unser Name jetzt schon dort vermerkt ist. Und darum sollte man sich vor allen anderen Dingen kümmern. *gr*

? Was tun Sie, um »unsterblich« zu werden?

! Ewiges Leben gibt es nur bei dem Schöpfer des Lebens.

Lukas 10,16-24

Die Augen des HERRN sind an jedem Ort.
Sprüche 15,3

Ungeteilte Aufmerksamkeit

Wir haben zwei kleine Kinder; der Ältere ist gerade zwei Jahre alt geworden, und unsere kleine Tochter ist gut drei Monate alt. Beide Kinder sind also noch in einem Alter, in dem sie sehr viel Aufmerksamkeit brauchen und einfordern – wenn auch auf ganz unterschiedliche Art und Weise. Wenn ich mit beiden allein bin, gibt es oft Situationen, in denen ich entscheiden muss, ob eines der Kinder meine volle Aufmerksamkeit bekommt oder ob sich beide Kinder die Mama teilen müssen – fest steht jedenfalls, dass ich mich nicht beiden gleichzeitig mit meiner ganzen Konzentration widmen kann. Da komme ich einfach an meine Grenzen.

Mancher fragt sich vielleicht, ob Gott es schaffen kann, allen Menschen gleichzeitig gerecht zu werden. Darf ich mit kleinen Sorgen zu Gott kommen, wo er sich doch um so viele »große Dinge« kümmern muss? Nein, der große, unendlich weise Gott kennt unsere menschlichen Probleme der Begrenztheit und Überforderung nicht; er freut sich über jeden, der sich an ihn wendet. Jeden einzelnen der über sieben Milliarden Menschen dieser Erde, alles Große und Kleine hat er im Blick – gleichzeitig und ohne Einschränkung. Wenn die Bibel uns an vielen Stellen dazu auffordert, im Gebet zu Gott zu kommen, dann dürfen wir das mit der Gewissheit tun, dass er uns sieht und auch hört.

In Psalm 4,4 heißt es: »Der HERR hört, wenn ich zu ihm rufe.« Diese Zusage gilt für jeden, der sich an Gott wendet: Er hört! Dabei spielt es keine Rolle, wann und von wo aus wir Gott anrufen und wie viele andere Menschen dies zur gleichen Zeit tun. Gott ist niemals überfordert mit der Fülle der Anliegen, die vor ihn gebracht werden. Er hat auch Ihr kleines Leben genau im Blick und wartet darauf, dass Sie sich im Gebet an ihn wenden.

sib

? Sind Sie sich der großartigen Möglichkeit bewusst, die uns Gottes Allgegenwart bietet?

! Zögern Sie nicht, seine Zuwendung in Anspruch zu nehmen!

Psalm 139,1-12

**Nehmt auf euch mein Joch, und lernt von mir!
Denn ich bin sanftmütig und von Herzen demütig,
und »ihr werdet Ruhe finden für eure Seelen«.**

Matthäus 11,29

Sturm auf das Winterpalais

Viele Intellektuelle fühlten sich durch die Ideen des Karl Marx angezogen. Marx wurde für sie zum Erlöser der Menschheit, der Sieger über den kapitalistischen Drachen, der Wegbereiter ins Reich der Freiheit, in den kommunistischen Himmel auf Erden. Als der Erste Weltkrieg ausbrach, war es vor allem Lenin, der die Möglichkeit sah, in Russland eine Revolution zu machen, in einem Land, an das Marx gar nicht gedacht hatte. Lenin wurde 1917 von den Deutschen nach St. Petersburg gebracht, um das Durcheinander zu verstärken und die Siegchancen Deutschlands im Weltkrieg zu verbessern.

Im Zarenreich hatte im Februar 1917 schon ein Umsturz stattgefunden. Doch die neue Regierung saß nicht fest im Sattel. So entschloss sich Lenin zum Handeln. Sein Freund Trotzki organisierte den »Sturm auf das Winterpalais«, den Sitz der Regierung, heute vor 100 Jahren. Die Machtübernahme der Bolschewiki erfolgte derart reibungslos, dass viele Bürger die Geschehnisse erst aus der Zeitung erfuhren. Ein weltbewegendes Ereignis war geschehen, mit gewaltigen Folgen für die ganze Menschheit. Kaum jemand war sich seiner Bedeutung bewusst. Aber seit 30 Jahren ist dieses Experiment nun schon vorbei. Wie ein Gebäude, dessen Statik falsch berechnet wurde, stürzte die Sowjetunion in sich zusammen. Was mit List und Tücke, Gewalt und Revolution begann, konnte kaum in die Wege leiten, was der Menschheit Segen bringt. Wieder nur eine Ideologie, die sich als Lug, Trug und Unheil erwies.

Jesus aber hat für uns alle sein Leben gegeben, damit wir sündigen Menschen erneuert werden und Ruhe für unsere Seelen finden. Darüber hinaus befähigt er uns, nach dem Vorbild seiner Liebe und Barmherzigkeit zu leben, um das Leid in dieser Welt ein wenig zu mindern, statt es zu vermehren. *koh*

? Wen halten Sie für die wichtigste Person der Weltgeschichte?

! Wer auf Jesus sein Vertrauen setzte, wurde noch niemals enttäuscht!

Lukas 1,68-79

Wenn aber der Sklave erklärt: Ich liebe meinen Herrn, ... ich will nicht freigelassen werden!, so soll ihn sein Herr vor Gott bringen ..., und er soll ihm seine Ohren mit einem Pfriem durchbohren, damit er ihm diene für alle Zeiten. 2. Mose 21,5-6

Herzensentscheidung

Hannes liebt es, mit seiner Schwester Karten zu spielen, und geduldig spielt sie mit ihm Runde um Runde. Ziel der Partie ist es, als Erster alle Karten auf der Hand abzulegen, Farbe auf Farbe oder Zahl auf Zahl. Mit einer der Aktionskarten entscheidet der Spieler, welche Farbe der Gegner legen muss – taktisch wählt er meist eine, die er selbst beim nächsten Ablegen loswerden möchte. – »Ich wünsche mir Gelb«, sagt Hannes. »Du wünschst dir immer Gelb«, platzt es aus der Schwester heraus, »du hast doch gar kein Gelb!« Der Bruder entgegnet ganz selbstverständlich: »Aber das ist meine Lieblingsfarbe!«

Diese kindliche Logik veranlasst einen zum Schmunzeln. Doch wer sich im Leben für seine »Lieblingsfarbe« entscheidet, den kostet es oft mehr als nur den Sieg bei einem Kartenspiel. Es bedeutet, aus Liebe um des anderen willen ganz bewusst echte oder gefühlte Nachteile in Kauf zu nehmen: Auf Karrierechancen, finanzielle Vorteile oder ein geliebtes Hobby zu verzichten, um mehr Zeit für die Familie zu haben. Seine knapp bemessene Freizeit zu investieren, um einen Freund oder Angehörigen tatkräftig zu unterstützen. Oder dem Partner nach langen Jahren noch treu zu bleiben, auch wenn sich im Alltag so manche Versuchung bietet.

In einer Zeit, in der Selbstverwirklichung großgeschrieben und Egoismus immer mehr als legitimes Mittel zum persönlichen Erfolg angesehen wird, fällt es nicht leicht, eigene Chancen oder Wünsche zurückzustellen. Wer jedoch die Liebe (zu Gott) zum Antrieb seines Handelns setzt, trifft die kleinen und großen Entscheidungen seines Lebens stets auch mit Blick auf den anderen. Wie schön, wenn dann freiwillig und ohne Zwang echte Herzensentscheidungen getroffen werden.

sna

? Wann haben Sie zuletzt eine solche Herzensentscheidung getroffen?

! Nur Mut zur »Lieblingsfarbe« – es lohnt sich!

Philipper 2,1-11

Denn keiner von uns lebt sich selbst.

Römer 14,7

Frei sein

»Ich will endlich frei sein. Raus aus dem Gewöhnlichen, dem Zwang, der Moral. Das ist meine Wahrheit! Und wenn sie dir nicht passt – du hast doch deine eigene Wahrheit. Werde damit glücklich, und lass mich mit ihr in Ruhe.«

Diese Grundhaltung haben heute viele von uns. Jeder ist seines Glückes Schmied. Nur keine Konventionen. Bitte nichts Absolutes. Wahrheit ist, was ich für richtig halte! Alles, was irgendwie nach Endgültigkeit schmeckt, hat ein Geschmäckle von Fundamentalismus.

Doch könnte es nicht sein, dass die Relativierung der Wahrheit die größte Bedrohung der Freiheit ist? Der Mensch strebt nach Erkenntnis der Wirklichkeit, in der er lebt. Ohne das Gefühl, dass er sich auf Wahrheit stützen kann, fehlen ihm innerer Halt und Lebenssicherheit. Der französische Schriftsteller Michel Houellebecq stellte fest, dass der Mensch »es satt hat, frei zu sein: Es ist ihm zu mühselig.«

Ob es Freiheit ist, ohne Rücksicht auf andere zu leben, bleibt zweifelhaft. Aber wer liebt, lebt für den anderen. Die Freiheit des Liebenden besteht darin, das Gegenüber glücklich zu machen. Wer nur sich selbst lebt und an sich denkt, ist nicht frei, sondern egoistisch. Und wahrscheinlich ein Knecht seiner eigenen Fantasien und Lüste.

Nur innerhalb von Grenzen gibt es Freiheit, die sicher ist. Die »Zehn Gebote« sind solche Grenzen! »Du sollst nicht stehlen« bedeutet, dass ich mein Geld offen liegen lassen kann, weil ich weiß, meine Kinder halten sich an dieses Gebot, diese Einschränkung. Und das ist meine Freiheit! Nur diese »begrenzte Freiheit« macht das Leben lebenswert, und glücklich. Es ist wichtig, Gottes ewige Gebote gut zu kennen, die uns zur wahren Freiheit führen. *lü*

? Was ist Ihre Definition von Freiheit?

! Wen der Sohn Gottes frei macht, der ist wahrhaft frei.

Johannes 8,30-36

Der im Himmel thront, lacht, der Herr spottet über sie.

Psalm 2,4

Ein Smiley im Weltall

Hat der gute, alte Zollstock bald ausgedient? Heute misst man Abstände mittels Laser-Entfernungsmesser. Ehrlich gesagt, stand ich diesem Gerät sehr skeptisch gegenüber – bis ich mir eins anschaffte. Dann habe zuerst einmal die angezeigten Werte auf herkömmliche Weise nachgemessen und war erstaunt, wie genau die Messungen mit dem Laser sind. Das funktioniert allerdings nur bei überschaubaren Entfernungen – wenn es ein teures Gerät ist, bis 150 Meter.

In der Astronomie geht es um viel größere Distanzen zu weit entfernten Sternen und Galaxien. Dabei kommt z. B. auch das »Hertzsprung-Russell-Diagramm« zum Einsatz. Hier wird anhand der Spektralklasse eines Sterns die absolute Helligkeit ermittelt und aus der Differenz zur scheinbaren Helligkeit die Entfernung berechnet. – Es ist schon erstaunlich, welche Anstrengungen die Menschen unternehmen, um von unserem kleinen Planeten Erde aus das unendliche Universum zu vermessen – und dann seine Entstehung ohne einen Schöpfer erklären.

Im Internet entdeckte ich kürzlich das Bild eines Smileys im Weltall, hervorgerufen von einer sogenannten »Gravitationslinse«. Die Lichtstrahlen von zwei Galaxien wurden hier so abgelenkt, dass sie von der Erde aus wie ein lächelndes Gesicht erschienen. Da musste ich spontan an den oben stehenden Tagesvers denken. Was wird wohl Gott von den ganzen Bemühungen der Menschen halten, das Weltall zu vermessen? Wie töricht muss es aus seiner »Perspektive« sein, dass sich die Menschen so viel Gedanken darüber machen und ihn »übersehen«. Glücklicherweise hat Gott sich nicht darauf beschränkt zu lachen. Er hat seine Barmherzigkeit mit uns selbstgefälligen Menschen bewiesen, indem er uns seinen Sohn Jesus Christus sandte, um uns seine Liebe zu zeigen und uns zu retten.

sg

Was würde es für Sie bedeuten, wenn es tatsächlich keinen Gott gäbe?

Der Atheismus hat noch niemanden in wirklicher Not helfen können, Gott hat es viele Tausend Male getan.

Psalm 2

Denn ihr wisst, dass ihr erlöst worden seid …
mit dem kostbaren Blut Christi
als eines Lammes ohne Fehler und ohne Flecken.

1. Petrus 1,18-19

Der Erlöser

»Pizarro, der Erlöser«, das stand vor einiger Zeit auf der Titelseite meiner Zeitung. Da ging es natürlich um Fußball. Der Fußballer Claudio Pizarro hatte gerade seine Mannschaft vor dem Abstieg gerettet. – Fußball ist der Sport Nummer eins in Europa. Am Fußball kommt keiner vorbei. Fußball wird zur Ersatzreligion. Fanklub statt Kirchengemeinde. Anpfiff statt Anbetung Gottes. Fans pilgern in die Stadien, die Fußballtempel. Und gute Spieler werden als »Fußballgott« oder eben als »Erlöser« verehrt. Sicher, ein Fußballprofi kann seinen Verein vor dem Abstieg bewahren. Aber das gilt manchmal nur für eine Saison.

In der Sprache des Neuen Testaments hat das Wort »erlösen« auch mit dem antiken Sklavenmarkt zu tun. Da konnte man einen Mensch kaufen, um ihn dann im eigenen Haus als Sklave zu beschäftigen. Aber man konnte einen Sklaven auch freikaufen, um ihm die Freiheit zu schenken und ihn damit aus der Abhängigkeit von seinem Herrn zu befreien. Aber das konnte er nicht selbst tun. Ein anderer musste kommen, um ihn freizukaufen und um das Lösegeld zu bezahlen. Deshalb heißt Erlösung auch: Befreiung durch Bezahlen eines Preises.

In der Bibel wird der Zustand des Menschen mit der Sklaverei verglichen. Durch die Sünde ist der Mensch in die Abhängigkeit des Satans geraten. Er kann sich daraus nicht selbst befreien. Ein anderer muss kommen, um den Menschen zu befreien und das Lösegeld zu bezahlen.

Dieser andere ist Jesus Christus. Er will und kann die Menschen erlösen. Und durch sein Sterben am Kreuz hat er auch das Lösegeld bezahlt. Jesus lädt dazu ein, diese Erlösung im Glauben anzunehmen. Heute noch möchte er auch Ihr Erlöser werden. *hl*

? Von wem erwarten Sie die Lösung der augenblicklichen Weltprobleme?

! Ein Erlöser muss zahlungsfähig und zahlungswillig sein.

Hesekiel 34,23-31

12. Nov. 17

Sonntag

Ich sage euch, so ist auch Freude vor den Engeln Gottes über einen Sünder, der Buße tut.

Lukas 15,10

Rapunzel ist weg!

Unsere Tochter ist untröstlich. Ihre geliebte Spielfigur ist verschwunden. Nun nervt sie mich jeden Tag, damit ich mich endlich mit ihr gemeinsam auf die Suche mache. Ich muss zugeben, ich habe keine große Lust dazu. Die Figur ist ungefähr 5 cm groß und irgendwo im Spielzimmer verschwunden. Aber das Kind bleibt hartnäckig, und so machen wir uns endlich auf die Suche. Nachdem wir beim ersten Aufräumen nichts gefunden haben, müssen wir jede der fünf Kisten mit Legosteinen ausschütten, um die Steine dann einzeln wieder einzuräumen. Und tatsächlich – als wir die letzte Kiste ausgeschüttet haben, hält unsere Vierjährige strahlend ihre Figur in den Händen. Sofort rennt sie durch die ganze Wohnung, um allen zu erzählen, dass Rapunzel wieder da ist. Und als die große Schwester aus der Schule kommt, rennt sie ihr schon im Hausflur entgegen, um ihr die Nachricht des Tages mitzuteilen. Danach wird Rapunzel sorgfältig in der Schachtel mit den anderen Figuren verstaut, damit sie nicht mehr verloren geht.

In der Bibel erzählt Jesus eine ähnliche Geschichte. Dort geht es um eine Frau, die ein verloren gegangenes Geldstück sucht und voller Freude ist, als sie es gefunden hat. Jesus erzählt diese Geschichte als Vergleich. Sie soll zeigen, wie sehr Gott sich um jeden einzelnen Menschen bemüht und ihn unermüdlich sucht. Wenn dieser Mensch, und sei er in den Augen der anderen auch noch so klein und unbedeutend, dann von seinem gottlosen Leben umkehrt und sich Gott zuwendet, können die Engel erleben, wie Gott sich freut.

Ich habe das Strahlen in den Augen meiner Tochter gesehen, als sie ihre kleine Spielfigur gefunden hat. Wie viel größer muss doch Gottes Freude sein, wenn er einen Menschen findet! *apa*

Was bedeutet es Ihnen, dass Gott Sie jeden Tag sucht?

Wenden Sie sich ihm zu! Dann lernen Sie etwas von der Freude kennen, gefunden und für immer geborgen zu sein.

Lukas 15,1-10

Küsst den Sohn, dass er nicht zürne und ihr umkommt auf dem Weg; denn leicht entbrennt sein Zorn. Glücklich alle, die sich in ihm bergen.

Psalm 2,12

Flucht vor der Katastrophe

Am 13. November 2015 gab es beim Fußball-Länderspiel Frankreich-Deutschland vor dem »Stade de France« und fast zeitgleich an 4 anderen Orten in Paris die schlimmen Anschläge islamistischer Terroristen. Um 21:40 Uhr stürmten 3 Terroristen in das voll besetzte Bataclan-Theater, in dem gerade die Band »Eagles of Death Metal« ihren 6. Song an dem Abend spielte. Der Songtitel lautete: »Kiss the Devil« (»Küss den Teufel«). In dem entsetzlichen Lied wird die Liebe zum Teufel frivol ausgedrückt, und es wird im Refrain des Liedes immer wieder gefragt, wer den Teufel küssen möchte. Wie schlimm muss es doch sein, mit einem solchen Lied auf den Lippen in die Ewigkeit zu gehen!

Unser Tagesvers sagt aus, dass wir Jesus Christus »küssen«, also lieben sollen, und nicht den Teufel – und dass wir bei dem Sohn Gottes Schutz vor dem Bösen suchen sollen. Jedem, der vor Satan weg zu ihm flieht und sich so retten lässt, sagt er: »Willkommen zu Hause bei mir im Himmel.« Satan dagegen möchte einmal jedem Menschen zurufen können: »Willkommen in der Hölle.« Das wird er allerdings nicht tun können, weil er in dieser grausamen Finsternis selbst der allererbärmlichste Gefangene sein wird, wie die Bibel uns sagt.

Durch die Terroranschläge und andere Katastrophen zeigt Gott uns sehr deutlich, wie schnell wir unser irdisches Leben verlieren können – und dann stehen wir vor ihm! Und wenn wir uns bis dahin nicht in ihm geborgen haben, wie der Tagesvers es ausdrückt, stehen wir noch unter dem Zorn dessen, der doch gekommen war, um uns alle Schuld zu vergeben und uns für den Himmel vorzubereiten. Von ganzem Herzen wünschen wir allen Lesern, dass sie das nicht erleben müssen! *hu*

? Was gibt es in Ihrem Leben, das Gottes nicht gutheißen kann?

! Fliehen Sie vor dem Bösen hin zu Jesus Christus, der Ihnen Ruhe und Geborgenheit schenken möchte.

1. Mose 19,12-26

Denn Gott hat seinen Sohn nicht in die Welt gesandt, dass er die Welt richte, sondern dass die Welt durch ihn gerettet werde.

Johannes 3,17

Ist Gott Polizist und Richter?

Polizisten und Richter üben eine wichtige Funktion in unserem Staat aus. Sie sorgen dafür, dass Gesetze eingehalten werden und dass diejenigen, die sich nicht an die Gesetze halten, bestraft werden. Ich glaube, das ist auch genau das Bild, das viele Menschen von Gott haben. Wenn sie an Gott denken, dann kommt ihnen schnell das Bild eines Richters in den Sinn: Er beobachtet alles, was wir tun, führt vielleicht sogar Buch darüber, und wenn wir sterben, werden wir vor ihm stehen, und dann wird Gott uns vorhalten, was wir alles falsch gemacht haben. Kennen Sie das Sprichwort: »Kleine Sünden bestraft der liebe Gott sofort«? Das impliziert auch, dass es einen allwissenden Gott gibt, der darauf aus ist, uns für unsere Fehler büßen zu lassen. Aber wie passt in dieses Bild der Tagesvers?

Die Bibel sagt, dass Gott Jesus zu uns geschickt hat, um uns zu retten und nicht, um uns zu richten. Ich glaube, diese Aussage ist gut dazu geeignet, unser Gottesbild geradezurücken. Denn nicht nur diese Aussage, sondern auch viele andere in der Bibel zeigen uns, wie Gott wirklich ist: In erster Linie möchte Gott mit uns Menschen Gemeinschaft haben. Er liebt uns und wünscht sich, dass wir ihn auch lieben. Aber ein falsches Gottesbild und das Desinteresse an ihm verhindern das.

Ich möchte Sie heute ermutigen, sich ganz neu auf die Suche nach dem wahren Wesen Gottes zu machen. Falls Sie irgendwo im Schrank eine Bibel haben, sollten Sie diese heute hervorholen und darin lesen. Denn in der Bibel finden Sie alle Eigenschaften Gottes. Und je mehr Sie lesen, desto mehr werden Sie feststellen, dass es Gott nicht darum geht, uns für jede Kleinigkeit zu bestrafen, sondern dass er echte, tiefe Gemeinschaft mit uns haben möchte. *apa*

? Woher haben Sie Ihr Gottesbild?

! Lesen Sie die Bibel und lernen Sie Gott kennen, wie er wirklich ist.

Römer 2,1-11

Größere Liebe hat niemand als diese, dass er sein Leben lässt für seine Freunde.
Johannes 15,13

Nächstenliebe

Im Zweiten Weltkrieg wurde die Verbindung zwischen zwei Militäreinheiten noch oft durch »Kradmelder« hergestellt. Die mussten mit dem Motorrad das von Granaten zerwühlte Gelände bis zur nächsten Befehlsstelle überwinden. Einmal sollte wieder eine Meldung überbracht werden; aber die Luft war äußerst »bleihaltig«, wie man sagte, wenn viel geschossen wurde. Der junge Melder machte ein ängstliches Gesicht. Da schnallte sich unser späterer Hochschuldirektor den Stahlhelm fest, nahm die Tasche mit der Meldung und fuhr mit dem Motorrad los, obwohl er als Oberstleutnant, also als höherer Offizier, keinesfalls dazu verpflichtet war. So weit die Geschichte, die ein anderer ehemaliger Offizier uns erzählte.

Ich lernte diesen tapferen Menschen später als Direktor und als gläubigen Christen kennen, dem sein Gottvertrauen erlaubte, dem jungen Kradmelder den gefährlichen Job abzunehmen. Das tat er nicht, weil er damit rechnen konnte, dass ihm in diesem schrecklichsten aller Kriege wegen seines Glaubens nichts passieren konnte. Er tat es aber, weil er sich tot oder lebendig in Gottes Händen wusste; vielleicht auch in der Hoffnung, der junge Soldat werde daraus lernen, ebenfalls sein Vertrauen auf Gott zu setzen.

Versetzen Sie sich einmal in die Lage des jungen Kradmelders. Der durfte nun im sicheren Bunker sitzen bleiben, während sein Vorgesetzter die Meldung durch den Kugelhagel zum Generalstab brachte. Müsste er ihm nicht ewig dankbar bleiben? So geht es gläubigen Christen. Christus selbst hat sich für sie in das Gericht des gerechten Gottes über unsere Sünden begeben, damit sie frei ausgehen können. Und ohne diesen Stellvertreter wären wir alle verlorene Leute. *gr*

Was gehört dazu, sich für jemanden so einzusetzen?

Sehen Sie sich noch einmal den Tagesvers an! Christus brachte nicht nur sein Leben in Gefahr. Er setzte es völlig ein.

Johannes 15,9-17

Als man es aber den Männern zum Essen vorsetzte und sie von dem Gemüse aßen, schrien sie und sprachen: Der Tod ist im Topf, Mann Gottes!

2. Könige 4,40

Der Tod ist im Topf

Was für ein heilsamer Aufschrei zur rechten Zeit! Die Schüler des Propheten Elisa hatten den Auftrag bekommen, für alle einen großen Topf voll Essen zu kochen – in einer Zeit der Hungersnot. Einer von ihnen war losgezogen – auf eigene Faust – und fand eine üppig tragende wilde Kürbispflanze, von deren Früchten er eine große Menge abschnitt und nach Hause brachte. Der Auftrag war erfüllt, ein großer Topf mit duftendem Gemüse lockte die hungrigen Prophetenschüler an den Tisch, man probierte und – stellte eine unangenehme Bitterkeit fest, die von allen völlig zu Recht als Warnsignal gedeutet wurde.

Am zweiten August letzten Jahres saß ein Rentnerehepaar in einem Dorf in der Nähe von Heidenheim vor einem großen Topf mit duftendem Gemüse; viele Früchte der Kürbisart Zucchini waren die leckere Grundlage, und auch hier wurde ein bitterer Beigeschmack festgestellt, der aber in diesem Fall hingenommen wurde, mit fatalen Folgen: Übelkeit, Erbrechen Durchfall und ein dramatischer Kraftverlust, besonders bei dem 79-jährigen Mann. Die alte Frau wurde nach einigen Tagen wieder aus dem Krankenhaus entlassen, der Mann aber starb. Was war geschehen? Die Leute hatten ihre Zucchinis immer wieder von selbst getrockneten Samen nachgezogen und dabei unbemerkt die wilde Urform dieser Pflanze zurückgezüchtet, die das giftige, bitter schmeckende Cucurbitacin enthält.

Wie viele Gurus, Philosophen, Religionsstifter und selbst ernannte Heilsbringer dieser Welt haben schon – manches Mal vielleicht in bester Absicht – den Leuten einen geistlichen Essenstopf vorgesetzt, der letztendlich doch nur ins Verderben führt. Wenn es um unser ewiges Heil geht, sollte man sich besser auf das verlassen, was Gott in seinem Wort, der Bibel, sagt. *ek*

? Wovon ernähren Sie sich?

! Ob für Körper, Seele oder Geist, man sollte stets das Beste dafür vorsehen.

2. Könige 4,38-44

**Ich bin das Licht der Welt,
wer mir nachfolgt, wird nicht in der Finsternis wandeln,
sondern wird das Licht des Lebens haben.**
Johannes 8,12

Stromausfall – und dann?

Ein jeder kennt ihn, wir alle haben ihn schon erlebt. Bei uns gab das Radio damals keinen Mucks mehr von sich, der Flur blieb dunkel, und an der Haustür verhielt sich die Klingel trotz kräftigen Daumendrucks stumm. Dafür kamen die Nachbarn aus ihren Häusern und sie versammelten sich sorgenvoll in Menschentrauben. »Was ist passiert?«, lautete die eine Frage, in der sich alle einig waren. Immerhin, nichts ging mehr, alles blieb – fürs Erste – aus. Die Verbindung musste irgendwo unterbrochen worden sein, so viel stand fest, aber wir waren zu hilflos, um etwas dagegen zu tun, und das machte ratlos.

Dabei ist diese Situation für den Menschen nichts Neues, verfolgt sie ihn doch seit jeher. So ging bereits im Garten Eden für den Menschen sprichwörtlich das Licht aus. Er hatte den folgenschweren Fehler begangen und Gottes Weisung bewusst missachtet. Als Konsequenz für diesen Eigenwillen verwies Gott den Menschen für immer seines Gartens, und er, der Schöpfer, brach – fürs Erste – die Verbindung zum Menschen ab. Der schuldige Mensch war unwürdig geworden zur Gemeinschaft mit Gott; und so blieben Adam und Eva vor dem Garten Eden ratlos zurück.

Das Tragische daran ist die Folge. Seitdem beginnt jeder Mensch sein Leben mit dieser unterbrochenen Verbindung zu seinem Schöpfer. »Dunkelheit« und »Finsternis« machen ihm zu schaffen. Was ist passiert?, wäre auch hier die richtige Frage. Aber bei der Unterbrechung muss es nicht bleiben, denn sie ist längst behoben worden. Gott hat dies am Kreuz von Golgatha persönlich bewerkstelligt und in der Auferstehung Christi vollendet. Sein Verbindungsangebot der Liebe an einen jeden Menschen steht! Das Annehmen jedoch ist und bleibt eine Frage des Willens. *aqu*

Wie steht es um Ihren »Anschluss«?

Nehmen Sie Gottes Verbindungsangebot an!

1. Johannes 1,1–2,1

Und er tat dort nicht viele Wunder wegen ihres Unglaubens.
Matthäus 13,58

Beraubt durch Voreingenommenheit

Manchmal sind wir voreingenommen gegenüber einem bestimmten Menschen. Wir machen uns nicht die Mühe, ihn genauer kennen zu lernen. Wir haben bereits ein Bild von ihm, das dann unseren Umgang mit diesem Menschen und unsere Erwartung an ihn bestimmt. So werden wir nie erfahren, wer er wirklich ist und welche Qualitäten er hat.

Jesus ging es ähnlich in seiner Heimatstadt Nazareth und unter seinen Verwandten. Sie dachten: ›Das ist doch der Sohn des Zimmermanns. Seine Mutter heißt Maria. Seine Brüder sind doch alle bei uns. Was soll der schon besonderes sein? Den kennen wir doch schon von klein an.‹ Durch ihre Voreingenommenheit brachten sie sich selbst um die Möglichkeit, mehr zu erleben.

Mir scheint, dass es heute genauso ist. Gott? Ich kam bisher ohne ihn gut zurecht. Jesus? Was soll der uns schon geben können? Christentum? Das hat schon längst keine Bedeutung mehr. – Diese Haltung hindert Menschen daran, mehr zu sehen, mehr zu erleben. Weil sie Gott nichts zutrauen und von ihm nichts erwarten, erleben sie genau das von ihm: nichts. Sie werden nie herausfinden, dass Jesus die Antwort auf ihre tiefsten Fragen hat. Sie werden nie schmecken und sehen, dass Gott gütig ist. Jesus möchte Leben in Überfluss geben für die, die ein leeres Herz haben. Er will denen Ruhe geben, die von ihren Lasten erdrückt werden. Selbst jemand, der glaubt, kann durch Voreingenommenheit gehindert sein, mehr zu erkennen und mehr zu erleben: Wenn wir beim Bibellesen denken: ›Das kenne ich schon‹, dann erfahren wir gar nichts von ihm.

Jesus, der Sohn Gottes, lebt! In ihm ist eine unglaubliche Fülle. Es gibt immer noch mehr, als wir schon erlebt haben – wenn wir nur wirklich hinschauen.

ht

? Welche Einstellung hindert Sie, Jesus besser kennenzulernen?

! Die Bibel zeigt, wer Jesus Christus ist und was er uns schenken will.

Matthäus 16,13-20

Größere Liebe hat niemand als die, dass er sein Leben hingibt für seine Freunde.

Johannes 15,13

Andreas Hofer – der Freiheitskämpfer

Im Gerümpel auf unserem Speicher zu Hause fand ich einmal ein altes, verschlissenes Volksliederbuch. Darin standen Lieder, die aus längst vergangenen Zeiten stammten, zum Beispiel »Die Wacht am Rhein« oder »Der Gott, der Eisen wachsen ließ«, aber auch »Der rote Sarafan«. Manches Lied kannte ich, die meisten aber nicht. Auch das Lied »Zu Mantua in Banden der treue Hofer war« hatte ich noch nie gehört. Doch so nach und nach fand ich heraus, wer da besungen wurde. Es war Andreas Hofer, der »Sandwirt« aus dem Passeiertal, heute vor 250 Jahren geboren. In ganz Tirol ist er heute noch hoch verehrt, seine Denkmäler zieren Städte und Dörfer. Er war ein echter Volksheld.

Im Kampf gegen Napoleon Bonaparte gewannen seine Scharen sogar Schlachten gegen die verhassten Franzosen und Bayern. Doch war sein Aufstand nicht von Erfolg gekrönt, sondern brach zusammen, und Andreas Hofer musste fliehen. Dann wurde er auch noch verraten, von Truppen Napoleons verhaftet, nach Mantua gebracht und auf ausdrücklichen Befehl Napoleons erschossen. – Andreas Hofer wusste, was er tat, als er den Aufstand anführte. Er wusste, dass es sich manchmal lohnt, das Leben einzusetzen, für die Freiheit, für die Schutzbefohlenen. Wenn auch diese Freiheit zunächst nicht erreicht wurde, so hat er ihr doch zumindest ein Zeichen gesetzt.

Unser Tagesvers kommt aus dem Mund von Jesus Christus, der aus Liebe sein Leben für seine Freunde gegeben hat, aber das sind nicht die Angehörigen nur eines bestimmten Volkes, sondern alle Menschen auf dieser Erde. Er hatte das entscheidende Problem, die grundsätzliche Misere aller Menschen im Blick, die ohne Ausnahme unter der Sünde und ihren Auswirkungen leiden. Er starb, damit wir Hoffnung schöpfen, Befreiung erleben und eine Perspektive für die Zukunft gewinnen. *koh*

Was bedeutet Ihnen Jesus Christus?

Im Gegensatz zu Andreas Hofer ist er auferstanden und lebt. Er wird sein Versprechen erfüllen und zu den Seinen zurückkehren, um sie alle unter seiner Herrschaft zu vereinen.

Johannes 5,21-29

**Erziehe den Knaben seinem Weg gemäß,
er wird nicht davon weichen, auch wenn er älter wird.**
Sprüche 22,6

Tikva – Hoffnung für Kinder

Seit Beginn des Schulhalbjahres arbeitet meine Frau als Schulbegleiterin. Schulbegleiter unterstützen Kinder mit besonderem Förderbedarf, die an einer allgemeinen Schule unterrichtet werden. Das Ziel der Integrationshilfe ist, die Selbstständigkeit des Kindes ohne Assistenz zu erreichen. Die Art des Förderbedarfes kann sehr unterschiedlich sein. Sie reicht von der Aufmerksamkeitsdefizitstörung, Sprachstörung, Legasthenie, Dyskalkulie, Autismus bis hin zur Körperbehinderung. Meine Frau unterstützt »ihre« Schüler durch strukturelle Hilfen bei der Umsetzung von Übungen, bietet Unterstützung im sozialen und emotionalen Bereich und hilft bei der Kommunikation.

Erziehungsberechtigte können z. B. beim Jugendamt einen Schulbegleiter für ihr Kind beantragen, und so kann gewährleistet werden, dass das Kind in einer Regelschule in den normalen Klassenverband integriert wird. Die Kinder und Eltern sind meistens sehr dankbar für die Hilfe, vor allem, wenn es Erfolgserlebnisse gibt. Die Schule hat jetzt eine eigene Gesellschaft mit dem Namen Tikva gegründet, damit sie solche Schulbegleiter selbst einstellen und weiterbilden kann. Der Name leitet sich aus dem Hebräischen ab und bedeutet »Hoffnung«.

Bei Gott gibt es für jedes Kind Hoffnung. Jedes Kind ist von Gott geliebt und wertgeschätzt. Er hat jedes einzelne von ihnen geschaffen und hat einen wunderbaren Plan für jedes Mädchen und jeden Jungen mit oder ohne Behinderung. Wenn die Kinder erkennen, dass sie geliebt und nicht abgelehnt werden, ist das ein wesentlicher Schritt dahin, das Ziel zu erreichen. Wir können lernen, jedes Kind aus der Sicht unseres Schöpfers und Erretters Jesus Christus zu sehen. *uhb*

? Kennen Sie Kinder mit Förderbedarf?

! Bitten Sie Gott um Hilfe dafür!

5. Mose 6,4-9

Der Glaube aber ist eine Wirklichkeit dessen, was man hofft, ein Überführtsein von Dingen, die man nicht sieht.

Hebräer 11,1

Fantasie oder Wirklichkeit?

Area 51 ist ein militärisches Sperrgebiet im US-Staat Nevada. Die Basis ist Gegenstand vieler Verschwörungstheorien, hauptsächlich rund um die Existenz von Außerirdischen. In dem von dem deutschen Regisseur Roland Emmerich 1996 veröffentlichten Film »Independence Day« wird das aufgegriffen. Dort geht es um den Angriff von Außerirdischen auf unsere Erde, wobei in der Basis Area 51 ein solches Alien gefangen gehalten wird. Dies ist natürlich nur Fantasie, geschickt und klug zusammengeschnürt und in einen Film gepackt, zur Unterhaltung der Zuschauer. In Wirklichkeit glaubt das aber keiner.

Vielleicht verleiten solche Filme auf Dauer dazu, sich eine Scheinwelt zusammenzubasteln und sich darin als Held oder zentrale Person vorzustellen. Mit der eigentlichen Lebenswirklichkeit hat das wenig zu tun. Wenn man es Christen auch manchmal abspricht, in der Realität zu leben, eigentlich sind sie die wahren Realisten, denn sie setzen sich mit einem Problem auseinander, das der wahre Grund für alles Durcheinander und Unrecht auf dieser Erde ist: die Sünde.

Als Gott Jesus auf die Erde sandte, ging es ihm nicht darum, uns Unterhaltung zu bieten, es ging ihm um unsere wirkliche Not und um das, was uns alle kaputt macht. Er will uns aus den Zwängen der Sünde befreien. Deshalb ist das ganz und gar nicht »verrückt« oder reine Fantasie, was Christen glauben. Unwahrscheinlich ist es allemal nicht. Die Frage ist, ob wir Gottes Hilfe in seinem Sohn annehmen wollen oder nicht. Falls nicht, bleibt uns wohl nur möglichst viel Unterhaltung z. B. nach Art von Roland Emmerich, um nicht ins Nachdenken zu kommen. Aber die Entscheidung (wenn auch nur zeitweise) in einer Scheinwelt zu leben, bringt letztlich wohl keinen weiter. *schn*

Glauben Sie schon, oder lassen Sie sich lieber weiter einfach nur unterhalten?

Entscheiden Sie: Fantasie oder Wirklichkeit?

Titus 2,11-15

Im Gebet haltet an.
Römer 12,12

»Lieber Gott« – Gebetseinträge in Hamburger Kirchen

In den Kirchen Hamburgs sind Fürbittbücher ausgelegt, in die die Besucher ihre Gebete hineinschreiben können.

In St. Ansgar schrieb ein Gast: »Wir sind in deiner Hand, führe uns, Herr Jesus, vom traditionell anerzogenen Glauben zum lebendig machenden Glauben in dir.« In St. Petri war zu lesen: »Ohne es verdient zu haben, habe ich deine Gnade empfangen.« In St. Michaelis stand: »Ich bin kein gläubiger Mensch, dennoch bete ich um Schutz meiner Lieben.«

Ein Kind schrieb: »Lieber Gott, beschütze meine Pferde, meine Katzen und meine Eltern. Grüße bitte Oma von mir und sag ihr, ich habe sie ganz doll lieb.« Besorgte Eltern fügten hinzu: »Unsere Tochter hat sich heute bei der Bank vorgestellt. Hoffentlich klappt es mit der Stelle, dann kommen wir sicher öfters hierher.« Die große Schwester bittet für den Bruder: »Ich bitte dich, Gott, meinem liebevollen Bruder zu helfen, einen Ausbildungsplatz zu bekommen.«

Ein Teenager flehte: »Lieber Gott im Himmel, hilf mir bitte und mach, dass Benni sich in mich verliebt!« Eine Trauernde, die beide Eltern verloren hatte, bat: »Erhalte mir meinen Glauben. Ich irre ziellos umher. Ich brauche dich.«

Ein Besucher machte sich Gedanken zu den Regierungen: »Ich bete für die Erhaltung des Weltfriedens, für die bevorstehende Bundestagswahl, für die Weltpolitik, für die Hungernden und den Islam, Israel und Palästina.«

Und im Kleinen Michel war der Eintrag zu finden: »Gott, du bist der Beste. Das werde ich nie vergessen.«

Gott hat sie alle gelesen. Gott hat sie alle gehört. *vdm*

? Welches persönliche Gebet würden Sie in eines der Fürbittbücher eingetragen haben?

! »Zu einem König kommst du hin, große Bitten mit dir bring« (John Newton). Bei Gott darf man sein Herz ausschütten und Großes erwarten!

Psalm 4

... und so werden wir allezeit beim HERRN sein.
So ermuntert nun einander mit diesen Worten.

1. Thessalonicher 4,17-18

Gute Aussichten

Unsere kleine Tochter ist jetzt dreieinhalb Monate alt. Mittlerweile ist sie ein recht zufriedenes Baby, doch bis vor etwa vier Wochen sah das ganz anders aus: Tagsüber schlief sie wenig, und wenn sie wach war, schrie oder quengelte sie die meiste Zeit. Das war für mich als Mutter ziemlich nervenaufreibend und anstrengend, zumal der zweijährige Bruder auch nicht zu kurz kommen sollte. In dieser Zeit hat es mir oft geholfen, mein Baby zu beobachten und mir vorzustellen, wie unser kleiner Schreihals wohl in zwei Jahren sein wird. Statt zu schreien, wird sie vermutlich neugierig ihre Umgebung erkunden, munter plappern und viel Freude in unsere Familie bringen. Mit dieser positiven Aussicht im Kopf konnte ich mit der schwierigen ersten Lebensphase besser umgehen.

Paulus ermutigt in seinem Brief die Christen in Thessalonich, die auch mit vielen Schwierigkeiten zu kämpfen hatten, mit einer positiven Zukunftsaussicht. Die von ihm angeführte Hoffnung bezieht sich allerdings auf etwas viel Größeres als nur die Gewissheit, dass jede Baby-Schreiphase irgendwann ein Ende hat. Es geht um eine ewige Zukunft bei Gott selbst in seiner Herrlichkeit. Was für eine unvergleichlich gute Aussicht! Wie sehr kann diese Hoffnung den trösten und ermutigen, der Jesus als seinen Retter angenommen hat und der daher sicher weiß, dass er nach dem Leben auf der Erde bei Gott im Himmel sein wird!

Jeder Mensch sucht in schwierigen Zeiten nach Ermutigung und Hoffnung. Wer an Jesus Christus glaubt, weiß, dass alle Enttäuschungen, Hindernisse und Schwierigkeiten dieses Lebens nicht das letzte Wort haben, sondern dass das Schönste noch kommt. Ich finde, dass mit dieser himmlischen Hoffnung keine noch so gute irdische Aussicht mithalten kann!

sib

? Was hält Sie in schwierigen Zeiten aufrecht?

! Nichts gibt so sichere Hoffnung wie die Ausrichtung auf Gott und seine ewige Herrlichkeit!

1. Thessalonicher 4,13-18

Bis in euer Greisenalter bin ich es, der euch trägt. Bis ihr alt und grau geworden seid, schleppe ich euch. Ich habe es bis hierher getan und werde es auch künftig tun.

Jesaja 46,4

Wem vertrauen wir uns an?

Dieser Ausspruch ist die Überschrift eines Liedes der Julie von Hausmann aus Riga (1826–1901), das allerdings besser unter dem Titel »So nimm denn meine Hände und führe mich« bekannt ist.

Der Adressat ist Gott. Sich von ihm führen zu lassen in Freude und Schmerz, das entsprach dem Wunsch und Wesen von Julie von Hausmann. Sie selbst litt von Kindheit an unter Kopfschmerzen und Migräne, die sie oft tagelang lahmlegten. Das Lied eroberte viele Herzen in Deutschland und gehört heute noch zu den bekanntesten Liedern in den Kirchen. Von vielen Menschen wurde es in Notzeiten gebetet und gesungen.

Beim Aufräumen fand ich eine vergilbte Karte mit einer etwas abgewandelten Textvariante dieses Liedes. Offensichtlich handelt es sich bei dem unbekannten Verfasser um einen schon älter geworden Menschen, der auf der letzten Wegstrecke folgendes Gebet formulierte:

»So nimm denn meine Hände und führe mich, / ich werde immer älter, ich brauche Dich! / Die Haare werden bleicher, mein Gang wird schwer! / Herr stütze meine Knie, ich kann nicht mehr!

So nimm denn meine Hände, sei Du mein Licht, / ich kann allein nicht gehen, verlass mich nicht! / Ich brauche Dich als Stütze, fass meine Hand, / führ« mich durch Nacht und Dunkel ins Vaterland!

So nimm denn meine Hände, erhöre mich, / schau doch, die Hände zittern, so schwach bin ich. / Verlass mich nicht im Alter, gedenke mein / und führe mich in Gnaden zum Himmel ein.

Und wenn ich einst soll sterben, Herr bleib bei mir / und schenke mir die Gnade, dass ich in Dir / und Deinen heil'gen Wunden sanft schlafe ein; / dann soll es ewig heißen: Du mein, ich Dein!« *kr*

?

Wem vertrauen wir uns an, insbesondere, wenn wir im Alter zunehmend schwächer werden?

!

Vertrauen Sie sich Gott an, der uns bis zum Ziel in den Himmel führen wird!

Psalm 71,18-24

Er hat alles vortrefflich gemacht zu seiner Zeit, auch die Ewigkeit hat er ihnen ins Herz gelegt — nur daß der Mensch das Werk, das Gott getan hat, nicht von Anfang bis zu Ende ergründen kann. Prediger 3,11

Unendlichkeit

Familie Kramer geht mit ihren Kindern am Abend spazieren. Es beginnt dunkel zu werden. Bald darauf ist es Nacht. Die Kinder sehen begeistert zum Himmel hinauf. Was ist das für ein Anblick! Diese funkelnden Sterne, die einen weiter weg und die anderen näher. Und dazu der Mond. »Du, Papa, schau mal den Mond an. Der hat teilweise hellere und dunklere Farben. Warum?« Der Vater beginnt zu erklären. Nicht nur die Kinder sind begeistert, sondern auch die Eltern. Sie sprechen darüber, dass sie sich anhand dieses großen Universums einerseits so klein empfinden und sich andererseits in der Hand eines noch Größeren geborgen wissen. Gott ist in ihrem Leben Realität, kein Trugbild.

Wenn Sie einen Sternenhimmel betrachten, was geht Ihnen dabei durch den Kopf? Ich bin fasziniert über diese unendliche Größe des Weltalls. Diese Sterne und Planeten sind nicht einfach nur da, sondern werden auf eine für uns nicht völlig durchschaubare Weise zusammengehalten. Unsere Sonne hat genau den richtigen Abstand zur Erde. Wäre sie näher dran, würde auf der Erde alles verbrennen. Wäre sie weiter weg, würde alles erfrieren.

Ich weiß nicht, was für eine Begebenheit Albert Einstein zu dem unten stehenden Zitat veranlasst hat. Dass das Universum unendlich ist, ist unstrittig. Und unsere Dummheit? Sie zeigt sich vielleicht gerade in der Behauptung, das Universum und alles darin seien zufällig entstanden. Ob Einstein es so gemeint hat? Wie auch immer, es wäre doch erfreulich, wenn der Mensch weiterforschen, aber dabei den Gedanken an Gott nicht ausblenden würde. Denn dieser große Gott interessiert sich für uns Menschen; er will uns nicht »ausblenden«, sondern möchte gerne unser Vater sein. Ist das nicht erstaunlich? *bw*

Was wäre nach der Aussage im Tagesvers »klug«, und was wäre »dumm«?

»Zwei Dinge sind unendlich: das Universum und die menschliche Dummheit.« (Albert Einstein)

Psalm 8

Es ist den Menschen gesetzt, einmal zu sterben, danach aber das Gericht.
Hebräer 9,27

Das Testament

Neulich wollten meine Frau und ich für ein Wochenende in den Urlaub fahren. Ohne die Kinder. Diese durften mal ein paar Tage zu Opa und Oma. Kurz vor der Abfahrt meinte meine Frau auf einmal: »Wer soll sich eigentlich um die Kinder kümmern, wenn uns etwas zustoßen sollte?« Puh, darüber hatte ich mir, ehrlich gesagt, noch gar keine Gedanken gemacht. Wir sind beide noch nicht mal dreißig! Aber je länger ich darüber nachdachte, umso sinnvoller fand ich die Idee, irgendetwas zu hinterlassen, auf dem unser Letzter Wille deutlich würde. Also schrieben wir ein kurzes Testament auf ein DIN-A4-Blatt, um es später an einem sicheren Ort zu hinterlegen.

Vielleicht haben Sie schon längst ein Testament gemacht und sich damit gedanklich mit dem eigenen Tod auseinandergesetzt. Aber vielleicht geht es Ihnen auch wie uns, dass das Thema so weit weg ist, dass man sich einfach nicht damit beschäftigt. Wieso eigentlich? Zu jung? Zu beschäftigt? Zu glücklich? Der heutige Tagesvers erinnert uns daran, dass für jeden der Tag X einmal kommen wird. Und dann ist es gut, wenn man sich darauf vorbereitet hat.

Und viel wichtiger als das Aufsetzen eines Testamentes ist dann die Beantwortung der Frage: Wo verbringe ich die Ewigkeit? Muss ich mit meiner Schuld vor das göttliche Gericht treten, oder hat schon jemand für mich bezahlt? Der Einzige, der dieses Opfer bringen konnte, war Jesus Christus. Und er hat es gebracht! Am Kreuz von Golgatha erlitt Jesus buchstäblich die Hölle und bekam die volle Strafe Gottes für die Sünden der Menschen auferlegt. Er bezahlte mit seinem Leben! Wer dieses Werk im Glauben annimmt, erfährt die Vergebung seiner Schuld und ist bestens auf das Leben nach dem Tod vorbereitet. *tcb*

? Wie bereiten Sie sich auf den Tag vor, an dem Sie diese Erde verlassen?

! Auf »zu jung«, »zu beschäftigt«, »zu glücklich« folgt irgendwann »zu spät«!

Matthäus 25,1-13

**Und ich werde euch aus den Nationen holen
und euch aus allen Ländern sammeln
und euch in euer Land bringen.**

Hesekiel 36,24

Die Weichen für den Staat Israel werden gestellt

Für die Juden weltweit ist der 27. November 1947 ein denkwürdiger Tag. An diesem Tag, heute vor 70 Jahren, wurde in der Generalversammlung der Vereinten Nationen in New York über die Teilung Palästinas in einen jüdischen und einen arabischen Staat abgestimmt. Die jüdischen Zionisten hofften auf Unterstützung durch die US-Amerikaner und bangten gleichzeitig, dass die ihnen nicht wohlgesonnene Sowjetunion die Zustimmung verweigern könnte. Es war keine geheime Abstimmung. Die Sitzung wurde weltweit im Radio übertragen; so musste jeder Delegierte für alle Welt sichtbar mit Ja, Nein oder Enthaltung stimmen.

56 Stimmen wurden abgegeben. 33 Staaten einschließlich der Sowjetunion stimmten für die Teilung und damit für die Entstehung eines selbstständigen jüdischen Staates, 13 stimmten dagegen, 10 enthielten sich. Im großen Saal in New York brach ein unbeschreiblicher Jubel aus. Und auch in allen Teilen der Welt unter den dort lebenden Juden. Jetzt endlich konnte der jüdische Staat entstehen! Das britische Mandat über Palästina endete am 14. Mai 1948. Am Nachmittag desselben Tages proklamierte David Ben Gurion im Stadtmuseum von Tel Aviv den neuen Staat und seinen Namen: Israel.

Der Glaube daran, dass Gott seine Zusagen erfüllt, ist die eine Sache. Die Geduld und das Wartenkönnen auf den Zeitpunkt, wann Gott das Versprochene Wirklichkeit werden lässt, ist eine Herausforderung für uns. Gott verspricht nichts, was er nicht auch erfüllt! Das Beispiel Israels sollte uns zu denken geben, dass er auch zu allem anderen steht, was er uns in seinem Wort sagt. So bietet er in Jesus Christus jedem Menschen seine Gnade zur ewigen Rettung an. Nicht nur die Zukunft Israels liegt ihm am Herzen, sondern auch die eines jeden Menschen! *li*

Staunen Sie nicht auch über das »Wunder Israel«?

Die Bibel gibt Auskunft darüber, wie Gott unsere Zukunft geplant hat. Informieren Sie sich!

2. Thessalonicher 1,3-12

28. Nov. 17

Dienstag

**Wirf auf den Herrn, was dir auferlegt ist,
und er wird dich erhalten;
er wird niemals zulassen, dass der Gerechte wankt!**
Psalm 55,23

Leichtes Gepäck

Ende 2015 kam das Lied »Leichtes Gepäck« der Band Silbermond heraus und lief mehrfach täglich im Radio. Der Song enthält mehrfach den Satz: »Also nimmst du den Ballast und schmeißt ihn weg, denn es reist sich besser mit leichtem Gepäck.« Als Ballast werden unter anderem Dinge bezeichnet, die man in der Meinung kaufte, man würde sie irgendwann brauchen, sowie Narben, offene Rechnungen oder auch psychische Lasten, die auf der Seele liegen.

Vielleicht haben Sie auch verschiedene Lasten in Ihrem Leben. Bei dem einen sind es finanzielle Nöte, bei einem anderen Krankheiten, einen dritten konfrontieren familiäre Konflikte, und ein vierter weiß nicht, wie seine Zukunft weitergehen soll. Vielleicht stimmen Sie der Band in der Aussage zu, wie gut es wäre, »das alles loszuwerden. Alles auf einen Haufen mit Brennpaste und Zunder und es lodert und brennt so schön. Ein Feuer in Kilometern noch zu seh'n.« Aber würden sich diese Probleme durch ein Verbrennen überhaupt beheben lassen?

Wäre es nicht schön, wenn wir unsere Lasten nicht alleine tragen müssten? Ist das nicht eine tolle Vorstellung, dass jemand da ist und und unsere Last abnimmt bzw. sich darum kümmert? Das Geniale daran ist: Das ist keine Vorstellung, sondern eine Tatsache! Dieser Jemand ist Gott. Er will unsere Lasten mit uns bzw. für uns tragen, und das geht ganz einfach, indem wir sie ihm nennen und ihm vertrauen, dass er sich darum kümmert. Ich möchte Sie ermutigen, das zu tun. Sie werden merken, dass es sich viel besser leben lässt, wenn ein großer Gott unser »Gepäck« trägt, das uns viel zu schwer geworden ist. Und die Last unserer Sünde und Schuld, die will er sogar vollständig entfernen, sodass sie uns niemals mehr zu schaffen macht. *vj*

? Wie gehen Sie mit Ihren Lasten um?

! Geben Sie sie an Gott ab und leben Sie mit »leichtem Gepäck«.

1. Petrus 5,6-11

... heute stürmisches Wetter, denn der Himmel ist feuerrot und trübe. Das Aussehen des Himmels wisst ihr zwar zu beurteilen, aber die Zeichen der Zeit könnt ihr nicht beurteilen. Matthäus 16,3

Wie wird das Wetter?

Jeder kennt sie und wird ab und an welche führen: oberflächliche Gespräche. Man trifft den Nachbarn oder einen anderen flüchtigen Bekannten und um nicht in Verlegenheit zu geraten, fängt man an, über das Wetter zu sprechen. Regen, Sonnenschein und die Aussichten. *Small Talk* halt. Worte ohne wichtigen Inhalt.

In unserem heutigen Bibelvers macht Jesus deutlich, dass es für einen Menschen unklug ist, wenn er sich nur mit zweitrangigen Dingen befasst und die großen Fragen des Lebens außer Acht lässt. Aufschlussreich ist, was er dem »Wetterbericht« hinzufügt: »Das Aussehen des Himmels wisst ihr zwar zu beurteilen, aber die Zeichen der Zeit könnt ihr nicht beurteilen.« Er sagte das zu Leuten, die ignorierten, dass er ihnen als Retter von Gott gesandt worden war, stattdessen verlangten sie immer und immer wieder »Beweise« für seinen Anspruch.

Schauen wir einmal ganz nüchtern in unsere Welt und die Gesellschaft, dann erkennen wir, dass die Zeichen der Zeit gar nicht gut aussehen. Da gibt es enorm vieles, worüber man sich Sorgen und Gedanken machen muss. Die Bibel sagt uns, dass wir an den Zeichen der Zeit erkennen können, wie weit die Weltenuhr vorangeschritten ist. Kriege, Hungersnöte, Naturkatastrophen, Krankheiten etc. füllen die Nachrichten von heute. All diese Dinge sollen uns veranlassen, über die wirklich wichtigen Dinge nachzudenken. Habe ich Frieden mit Gott? Habe ich Vergebung meiner Schuld? Ist Jesus mein persönlicher Retter und Herr? Werde ich in den Himmel kommen, wenn ich heute sterbe? Entscheidende Fragen, die sich jeder von uns ehrlich beantworten sollte. Wie das Wetter wird, ist dagegen ziemlich unwichtig. *tl*

? Welche Antworten können Sie auf die zuletzt genannten Fragen geben?

! Fragen Sie nicht nach dem Wetter, sondern nach Jesus und dem, was er für Sie getan hat!

Titus 2,11-14

Und so besitzen wir das prophetische Wort um so fester, und ihr tut gut, darauf zu achten als auf eine Lampe, die an einem dunklen Ort leuchtet, bis der Tag anbricht und der Morgenstern in euren Herzen aufgeht. 2. Petrus 1,19

Vom Paradies zur Hölle

Der strahlend helle Morgenstern, unser Nachbarplanet Venus, tritt auf seiner Bahn um die Sonne auch als Abendstern in Erscheinung. Noch bis in die 1950er-Jahre rankten sich um unsere beiden Nachbarplaneten Venus und Mars viele Spekulationen, weil man auf ihnen Leben vermutete. Man sprach sogar schon von »Venusianern« oder Marsmännchen.

Da eine helle Wolkendecke die Oberfläche der Venus verhüllte, glaubten viele, dass sich darunter wegen der größeren Nähe zur Sonne eine paradiesähnliche Tier- und Pflanzenwelt verbergen würde. Aber je mehr Details über unseren Nachbarplaneten bekannt wurden, umso mehr schwand die Hoffnung, dort einen schönen warmen und bewohnbaren Planeten vorzufinden. Nach der ersten weichen Landung der russischen Sonde Venera 7 im Jahr 1970 zerplatzten sämtliche Träume von einem Paradies auf unserem Nachbarplaneten. Ganze 23 Minuten schaffte es die Sonde, aus der höllischen Umgebung Daten zur Erde zu funken, bevor sie kaputtging. Der Grund: 475°C Hitze in einer Atmosphäre, bestehend zu 96,5% aus Kohlendioxid und 3,5% aus Stickstoff. Absolut lebensfeindlich!

Die Bibel hat nie Anlass zu derartigen Spekulationen gegeben. Aber sie sagt im Tagesvers und in der Offenbarung trotzdem etwas über den Morgenstern. Hier ist er ein Symbol für den wiederkommenden Herrn Jesus Christus (2. Petrus 1,19; Offenbarung 2,28; 22,16).

So wie der Morgenstern erscheint, kurz bevor die Sonne aufgeht, so deuten auch viele Zeichen auf das baldige Kommen Jesu Christi hin. Darum hat Jesus selbst uns geraten: »Wenn aber diese Dinge anfangen zu geschehen, so blickt auf und hebt eure Häupter empor, weil eure Erlösung naht« (Lukas 21,28).

sg

Was ist für Sie das prophetische Wort der Bibel?

Ein großer Teil davon ist nachweislich bereits in Erfüllung gegangen!

Lukas 21,25-36

1. Dez. 17

Freitag

Und ihr werdet mich suchen und finden,
denn ihr werdet nach mir fragen mit eurem ganzen Herzen.
Jeremia 29,13

Lebt Jesus?

Knapp Vierjährige stellen viele schwierige Fragen. In einer Zeitschrift berichtet die Kolumnistin (Brigitte 13/2014, S. 168, Julia Karnick), dass ihre Tochter sie beim Anschauen einer Jesus-Skulptur in der Kirche fragte: »Ist das Jesus?« Sie bejahte. »Und ist er tot?« Sie bekam ein »Ja« nicht über die Lippen, denn aus der Kindheit schlummerte noch kindlicher Restglaube in ihr. Weiter schreibt sie, sie wünschte sich in einem solchem Moment, aus vollem Herzen »Nein, er lebt!« sagen zu können und von Gottes Liebe zu erzählen. Sie würde so gern glauben, aber kann es nicht. Leider. Wie soll sie sich auf jemanden einlassen, von dem sie nicht sicher weiß, dass es ihn gibt?

Diese Offenheit der Kolumnistin und Mutter, die bei ihrer Suche nach der Wahrheit auf diese Frage und die ihres Kindes noch keine befriedigende Antwort gefunden hat, hat mich nicht losgelassen. Kinder möchten immer die Wahrheit wissen, und sie vertrauen uns grundsätzlich, wenn wir ihnen Antworten auf ihre Fragen geben. Diese Mutter litt zutiefst darunter, dass sie ihrem Kind keine Antwort geben konnte, die ihrem früheren kindlichen Glauben entsprach.

Doch Gott will nicht nur dieser Frau, sondern jedem von uns Antwort auf unsere drängenden Fragen geben – unser Suchen und Fragen aus unserem Herzen heraus kann uns direkt zu ihm führen, wie unser Tagesvers sagt. Jesus Christus stellte seinen Jüngern gerade Kinder, deren ungetrübtes Vertrauen und deren natürlichen Glauben als Beispiel vor Augen. In solcher vorbehaltlosen Haltung dürfen wir zu Gott kommen. Haben wir – wie die oben erwähnte Frau – große Sehnsucht im Herzen, wie ein Kind zu glauben? Welche Antwort würden Sie gerne auf die Frage »Lebt Jesus?« geben? *ls*

Was hindert Sie daran, sich vertrauensvoll wie ein Kind an Gott zu wenden?

Wir sind unseren Kindern nicht weniger als die besten Antworten auf ihre Fragen schuldig.

Matthäus 19,13-15

Es ist dem Menschen bestimmt, einmal zu sterben, danach aber das Gericht, …

Hebräer 9,27

Vergangenheit, Gegenwart, Zukunft …

In Düsseldorf boomt ein Kleiderladen, der sich als Motto die einstige Lebensmaxime der US-Sängerin Janis Joplin (1943–1970) auf die »Fahnen« geschrieben hat. In der Rubrik »About« ihres Internet-Auftritts erklären die Inhaber, »Live Fast Die Young« sei eine Einstellung, die bedeute, Chancen zu nutzen, Regeln zu verletzen und dabei eine maximale Wirkung zu erzielen. Damit treffen sie offenbar den Nerv einer ganzen Generation. Ihr Verkaufserfolg lässt jedenfalls darauf schließen.

Ohne Zweifel, solange wir leben, sind wir unterwegs und können manches ausschöpfen, aber dabei fällt das Woher und Wozu weniger ins Gewicht als das Wohin; denn wir gehen, ob wir nun wollen oder nicht, auf die Ewigkeit zu. Einerlei auch, ob wir nun schlafen oder wach sind, auf dem Sofa liegen oder zwei Dinge zur selben Zeit tun, wir nähern uns kontinuierlich dem Zeitpunkt, an dem für einen jeden Reisenden die Uhr einmal stehen bleibt. – Doch unser Dasein wird weitergehen, und in der ganzen Schöpfung haben wir allein das Vorrecht zu entscheiden: Ob wir die dann anstehende Ewigkeit bei Gott im Licht und in Herrlichkeit verbringen werden, so wie er es denen zugesagt hat, die sich nur an ihn halten, oder ob die totale Gottesferne und eine unvorstellbare Trübsal das endgültige Ziel sind.

Die gute Nachricht aber ist: Die von Golgatha her ausgestreckte Hand Gottes voller Gnade reicht er uns in seiner ganzen Güte entgegen, und mit der Entscheidung für ihn beginnt das neue Leben schon heute, in dem wir dann auch all die kleinen und großen Sorgen für morgen getrost ihm überlassen dürfen, um voller Freude ganz neu aufzuleben. Gott schenkt einem jeden, der sich ihm zuwendet, das Wunder dieses neuen, befreiten Lebens. *aqu*

Wie stellen Sie sich Ihre Zukunft vor?

Es gibt nur zwei Möglichkeiten!

Lukas 12,13-21

Denn sie werden sehen, was ihnen nicht erzählt worden war, und was sie nicht gehört hatten, werden sie wahrnehmen.

Jesaja 52,15

Halleluja beim Mittagessen

Durch die neuen Medien wie Handy und Internet lassen sich in kurzer Zeit viele Menschen auf einmal erreichen. Eine besondere Idee ist es, dadurch spontan eine Menschenansammlung zu organisieren, die – zur Überraschung von den anderen Personen in ihrer Umgebung – zu einer gemeinsamen Aktion auftreten. Einer der erfolgreichsten sogenannten »Flashmobs« fand in der US-amerikanischen Stadt Detroit statt, in einem großen Sitzbereich von verschiedenen Gastronomiebetrieben. Auf einmal hörten die Einkäufer bei ihrem Mittagessen den majestätisch erklingenden Halleluja-Choral aus dem Messias-Oratorium von Georg Friedrich Händel. Über 100 teilweise professionelle Sängerinnen und Sänger nahmen daran teil. Schon nach fünf Wochen hatte das Video seinerzeit den Rekord für die am häufigsten angesehenen Flashmobs auf der Internetplattform YouTube gebrochen.

Das »Halleluja« ist großartig – gerade weil dieses »Preist den HERRN!« nicht in einer Kirche mit fahlem Licht oder einem edel ausgeschmückten Konzertsaal, sondern in einer alltäglichen Umgebung gesungen wurde. Gott zu loben, nicht nur am Sonntag in der Kirche, sondern im Alltag – das ist ein wichtiger Aspekt von Weihnachten: Gott wurde Mensch, um uns in unserer Welt zu begegnen, nicht abgehoben isoliert in besonderen Stunden. Damals erklang der Lobpreis Gottes auf dem Feld für die Hirten durch den gewaltigen Engelchor. Ich denke, dass Gott es sich gleichermaßen wünscht, dass wir im Alltag mit ihm leben und unser ganzes Leben ein Halleluja für ihn ist – durch Worte und Taten. Hierbei zählen aber viel mehr die kleinen, unscheinbaren Taten und Worte, nicht nur ein schön gesungener und außergewöhnlich vorgetragener Choral wie der in Detroit. *tp*

? Wo kann ich heute im Alltag Gott durch meine Worte und Taten ehren?

! Gott wurde Mensch, um uns in unserem Alltag zu begegnen.

Matthäus 7,16-17.21-27

Montag

4. Dez. 17

Seid guten Mutes! Ich bin es. Fürchtet euch nicht!
Matthäus 14,27

Mutlos?

Neulich besuchte ich eine ältere Frau. Durch eine Krankheit kann sie seit mehreren Jahren nur noch in Ausnahmefällen ihre Wohnung verlassen. Einsamkeit ist ihr Los. Eine Familie hat sie nicht mehr. Ihre beiden Kinder sind an schweren Krankheiten gestorben. Ihre Enkel wohnen zu weit weg, als dass ein schneller Besuch möglich wäre. Als ich ihr zuhörte, senkte sie mutlos den Kopf, und Tränen liefen über ihre Wangen ...

Als die zwölf Jünger Jesu eines Abends mit ihrem Fischerboot über den See Genezareth fuhren, braute sich ein heftiger Sturm zusammen, der das Boot beinahe zum Kentern brachte. Seit Stunden schon kämpften sie dagegen an, mittlerweile war es etwa 4 Uhr, also tiefste Nacht, und sie waren ziemlich erschöpft. Angsterfüllt blickte das Dutzend Bootsinsassen in die Dunkelheit, und jeglicher Mut verließ sie. In dieser Situation, als alle eigenen Kräfte vergeblich und noch dazu aufgebraucht waren, trat Jesus auf dem Wasser zu ihnen. Das, was er ihnen dann sagte, klang wie ein tröstendes Wort eines liebenden Vaters zu seinen verängstigten Kindern. »Habt keine Angst. Ich bin da. Bei mir seid ihr sicher.« Sind solche Worte nicht Balsam für die Seele?

Gleicht Ihr Leben auch manchmal so einer aufgewühlten See? Hat Sie auch jeglicher Mut verlassen, weil der Wind so stark gegen Sie bläst? Sind Sie traurig und weinen sogar, weil Sie es einfach nicht mehr aushalten? Dann möchte ich Sie ermutigen, Geborgenheit bei dem einen zu suchen, der damals auf dem See Genezareth den Sturm zum Schweigen brachte. Jesus Christus ist der sichere Hafen. Wenden Sie sich im Gebet an ihn und sagen Sie ihm Ihre Not! Er wird helfen. *tl*

? Wenn man keinen Menschen mehr hat, wer kann einem dann noch helfen?

! Eine Glaubensbeziehung zu Jesus gibt uns den nötigen Rückhalt für alle Lebenslagen.

Matthäus 14,22-33

Heute Nacht ist in der Stadt Davids (Bethlehem) euer Retter geboren.

Lukas 2,11

Der Retter

Ein Engel Gottes kam nachts zu den Hirten auf dem Felde mit einer frohen Nachricht. Das Licht der Herrlichkeit Gottes umstrahlte die Hirten. Sie erschraken sehr und hatten Angst. Aber der Engel sagte zu ihnen: »Ihr müsst euch nicht fürchten, denn ich bringe euch eine gute Nachricht, über die sich das ganze Volk freuen wird. Heute Nacht ist in der Stadt Davids euer Retter Jesus geboren worden. Er wird sein Volk von seinen Süden retten.«

Beim Wort »Retter« denke ich eher an einen Rettungssanitäter oder Notarzt, weniger an einen »holden Knaben im lockigen Haar« – nach einem sentimentalen, etwas süßlichen Liedtext. Die Geschichte von der Geburt Jesu und erst recht die von seinem Lebensweg ist keineswegs romantisch. Schon seine Geburt im Stall war eher rustikal, und im späteren Leben hat er überwiegend mit Menschen zu tun gehabt, die nichts oder nur wenig galten in den Augen ihrer Zeitgenossen. Er sagte dazu: »Nicht die Gesunden brauchen einen Arzt, sondern die Kranken« (Lukas 5,31). Mit ca. 33 Jahren endete sein Leben gewaltsam am Kreuz.

Dem Sohn Gottes ging es nicht um ein bequemes Leben hier auf der Erde. Ihm ging es auch nicht darum, von allen geehrt zu werden. Er wollte sein Volk und darüber hinaus alle übrigen Menschen von ihren Sünden erretten, denn er als Einziger konnte dieses Grundproblem der Menschheit nachhaltig anpacken und lösen. Jeder, der an ihn glaubt, erlangt Vergebung und wird von seinen Sünden erlöst zu einem neuen Leben unter ganz neuen Bedingungen.

Gott hat seinen Sohn aus dem Tod auferweckt und ihn damit als Retter bestätigt. Gott hat ihn stellvertretend für uns gerichtet, damit wir – auch Weihnachten 2017 – jubelnd und voller Dankbarkeit singen können: »Christ, der Retter, ist da!« *kr*

? Sind Sie auch für diesen Retter dankbar?

! Man muss erst begreifen, dass man ihn auch braucht.

Lukas 5,27-32

6. Dez. 17

Mittwoch **Nikolaustag**

Und Herodes sprach:
Wer ist aber der, von welchem ich dies höre?
Und er wünschte ihn zu sehen.
Lukas 9,9

Manche Menschen sind zu »groß« für Gott

Herodes war der König, der über Galiläa herrschte, als Jesus auf der Erde lebte. Dieser König hörte über Jesus, dass dieser Wunder tat und dadurch zeigte, dass Gott zu uns Menschen gekommen war. Diese Neuigkeiten erreichten auch den königlichen Hof. Der König wünschte sich nun, er könnte Jesus einmal sehen und kennenlernen. Seltsam! Es wäre doch leicht gewesen, Jesus zu treffen. Herodes hätte überall hingehen können. Seine Diener hätten ihn sogar in seiner Sänfte an jeden Ort getragen. Aber er hätte dorthin gehen müssen, wo Jesus war. Unter das einfache Volk. Das war für den König eine Herausforderung. Die Orte, wo Jesus sich aufhielt, waren nicht gerade Herodes« Lieblingsorte.

Jesus selbst ist auch ein König. Der König des Himmels. Er wäre für immer unerreichbar geblieben, hätte er den Himmel nicht verlassen. So erniedrigte er sich und wurde Mensch. Er kam den Menschen ganz nah, um bei ihnen zu sein. Er kam nicht in Pracht und königlicher Ausstattung. Manchen Menschen fiel es schwer, ihm zu begegnen, weil sie zu »groß« für Jesus waren. Das ist bis heute so. Stolze Menschen sind sich zu schade, sich zu dem Menschen Jesus herabzulassen. Sie sind, wie Herodes, nicht bereit, sich zu ihm hinunterzubeugen.

Wollen Sie dem König des Himmels begegnen, dann dürfen Sie nicht zu »groß« sein oder »groß« bleiben wollen. Er hat sich bis an das Kreuz erniedrigt. Dort ist der Ort der Begegnung zwischen Gott und Mensch. Dort wird unsere Schuld ausgelöscht und die Beziehung zu Gott geheilt. Der Wunsch, Jesus zu sehen und ihm zu begegnen, muss auch heute nicht unerfüllt bleiben. Er lebt, er ist da. Er ist bereit, sich uns zu zeigen. Aber vielleicht sind wir zu »groß« für Jesus, den König des Himmels?

ht

? Was hindert Sie, Jesus zu begegnen?

! Um Jesus zu begegnen, muss man seinen Stolz ablegen.

Lukas 7,1-10

7. Dez. 17

Donnerstag

**Dein Wort ist meines Fußes Leuchte
und Licht auf meinem Wege.**

Psalm 119,105

Das größte Bibelstudium der Welt

Israels Regierung rief im Dezember 2015 eine Initiative ins Leben, die zum Ziel hat, alle Bürger des Landes dazu zu bringen, gemeinschaftlich oder auch einzeln die Bibel zu studieren, mindestens aber zu lesen. Es handelt sich dabei praktisch um eine Art größte Bibelschule der Welt. Die Initiative »Projekt 929« wurde nach der Anzahl der Kapitel der hebräischen Bibel benannt.

Vollendet werden soll das Bibelstudium zum 70. Unabhängigkeitstag Israels, also in ungefähr drei Jahren. Eine Website informiert Teilnehmer über das aktuelle Kapitel des Tages. Es ist möglich, dort das Kapitel zu lesen oder sich eine hebräische Audioversion anzuhören. Zusätzlich gibt es Kommentare israelischer Autoren, Journalisten, Akademiker, Dichter und anderer Persönlichkeiten des kulturellen Lebens.

Rabbi Avidan Freedman, Erzieher an der Hartman-Schule für Jungen in Jerusalem, schrieb: »Das Projekt 929 ist eine groß angelegte Investition des Staates Israel für die Förderung der Thora, sie formt den jüdischen Staat nicht durch Zwang oder Gesetz, sondern dadurch, dass das Studium der Bibel zugänglich und angenehm gemacht wird.«

So ein staatlich organisiertes Projekt wie in Israel wird es in Deutschland wohl nie geben. Aber auch bei uns gibt es für jeden Bürger die Möglichkeit, die Bibel zu studieren, sei es allein oder gemeinschaftlich mit anderen Christen. Die Bibel ist ja nicht nur für Juden geschrieben. Und die Christen haben nicht nur das Alte Testament, sondern auch das Neue Testament. Ich weiß aus eigener Erfahrung, dass es sich lohnt, die ganze Bibel zu studieren. Und erst im Licht des Evangeliums wird das Alte Testament wirklich verständlich. *ls*

? Was halten Sie von dieser israelischen Initiative?

! Fangen Sie heute an, die Bibel selbst zu studieren.

Psalm 19,8-15

**Vergib uns unsere Sünden,
wie auch wir unseren Schuldnern vergeben.**
Matthäus 6,12

Wegweiser oder Hindernis?

Im 19. Jahrhundert hörte einmal John Stuart Blackie, bekennender Christ und Professor an der Universität von Edingburgh, seinen Schülern zu, die während eines Kurses aus klassischen Werken rezitieren sollten. Als ein junger Mann sich zum Rezitieren erhob, hielt er sein Buch in der falschen Hand. Der Professor fuhr ihn an: »Nehmen Sie Ihr Buch in die rechte Hand und setzen Sie sich wieder.« Nach diesem scharfen Verweis hielt der Student seinen rechten Arm hoch. Er hatte keine rechte Hand! Die anderen Studenten rutschten unruhig auf ihren Stühlen hin und her.

Der Professor zögerte einen Moment. Dann ging er zu dem Studenten, legte seinen Arm um ihn und sagte mit Tränen in den Augen: »Das wusste ich nicht. Können Sie mir vergeben?«

Diese demütige Entschuldigung beeindruckte den jungen Mann sehr stark. Die Geschichte wurde einige Zeit später vor einer großen Versammlung von Christen erzählt. Am Ende der Zusammenkunft kam ein Mann nach vorne, drehte sich den Menschen zu und hob seinen rechten Arm. Er endete am Handgelenk. Er sagte: »Ich war dieser Student. Professor Blackie hat mich zu Christus geführt. Aber er hätte das niemals tun können, wenn er damals die peinliche Angelegenheit nicht in Ordnung gebracht hätte.«

Wenn etwas ungeklärt zwischen Ihnen und jemand anderem steht, dann kann das Zeugnis scheitern, das Gott durch Sie geben möchte. Wer weiß, wie viele dadurch schon daran gehindert wurden, ihr Leben dem Herrn Jesus anzuvertrauen – verursacht durch den kleinen Unwillen, den anderen um Vergebung zu bitten.

»Seid aber zueinander gütig, mitleidig, und vergebt einander, so wie auch Gott in Christus euch vergeben hat!« (Epheser 4,32). *jb*

Womit müssen wir heute anfangen?

Eine neue Beziehung zu Gott und anderen Menschen kann beginnen, wenn wir anfangen, trennende Mauern einzureißen.

Matthäus 18,21-35

Jesus antwortete und sprach zu ihr: Jeden, der von diesem Wasser trinkt, wird wieder dürsten; wer aber von dem Wasser trinken wird, das ich ihm geben werde, den wird nicht dürsten in Ewigkeit. Johannes 4,13-14

Überzeugt!

Ich schlendere über den Weihnachtsmarkt und bleibe neugierig an einem Haushaltswarenstand stehen. Dort sehe ich Topfdeckel, wie ich sie schon seit Langem vergeblich gesucht habe. Die Vorführung des Verkäufers ist schlicht, aber effektvoll. Er ist so überzeugt von seinem Produkt, dass er keinerlei Überredungsversuche unternimmt. Nach meinem Kauf verabschiedet er sich von mir mit den Worten »Ich wünsche Ihnen kein frohes Fest, denn ich bin sicher, Sie werden vorher noch mal wiederkommen!« Ich gehe schmunzelnd, aber nachdenklich weiter. Von einem Marktverkäufer kenne ich eher leeres Geschwätz und aufdringliche Beeinflussungsversuche. Dieser Mann muss wirklich von der Qualität seiner Produkte überzeugt sein, dass er so etwas nicht nötig hat! Und tatsächlich – die Deckel begeistern mich zu Hause so sehr, dass ich noch vor Weihnachten zu dem Stand zurückkehre, um auch für ein paar Freunde einige zu kaufen!

Jesus begegnete einmal einer Frau, die auch schon lange auf der Suche war. Sie sehnte sich nach innerem Frieden inmitten ihrer chaotischen Beziehungen. Jesus lud sie mit einfachen, aber überzeugenden Worten ein, ihm zu vertrauen. Er versprach, den Durst ihrer Seele mit »lebendigem Wasser« zu löschen und ihr echte, dauerhafte Erfüllung zu geben. Ob sie auch zuerst skeptisch war, dass dieser Mann sein Versprechen würde einhalten können? Wie konnte er nur so von seinem Angebot überzeugt sein? Aber sie wagte es, glaubte seinem Wort und wurde nicht enttäuscht. Jesus brauchte keine Überredungskünste, sondern überzeugte mit seiner Person und seinem Wort. Jesu Angebot, den Lebensdurst zu stillen, gilt bis heute. Und eins ist sicher – wer sich darauf einlässt, bereut es nicht und wird auch anderen davon weitersagen wollen.

hk

Was könnte Jesus mit dem gestilltem Lebensdurst in Ewigkeit gemeint haben?

Lesen Sie den ganzen Bericht über die Begegnung zwischen Jesus und der durstigen Frau in Johannes 4.

Johannes 4,1-30

Folge mir! Und er stand auf und folgte ihm.
Matthäus 9,9

Die erforderliche Initialzündung

»Freu dich auf den Himmel!«, so lautete das Thema an einem Gästeabend in Spetzerfehn, Ostfriesland. Ein Freund von mir hatte einen Mitarbeiter mitgebracht, der erstmals mit seiner Frau eine solche Veranstaltung besuchte. Sie hörten staunend von der Einladung Gottes zu einem ewigen Freudenfest im Himmel.

André und seine Frau Sandra kamen zum Gespräch nach dem Vortrag. Ich fragte, ob sie beide auch einmal im Himmel sein wollten. André war aufgrund gelegentlicher Gespräche mit unserem gemeinsamen Freund schon gut vorinformiert und bejahte die Frage. Seine Frau dagegen war noch etwas skeptisch und begründete ihre Unentschlossenheit damit, dass sie vom Glauben noch nichts gehört habe. Der Glaube müsse erst einmal wachsen, und dann könne sie ja später noch einmal darüber nachdenken. Sandra war hochschwanger. Auf ihr Argument des erst wachsenden Glaubens wandte ich ein: »Sie werden in Kürze ein Kind bekommen. Im Augenblick wächst es noch in Ihrem Leib heran. Hierfür war eine Initialzündung erforderlich, und erst dann begann das Wachstum. So ist es auch mit dem Glauben. Ohne Initialzündung wächst gar nichts. Im Glauben heißt diese Zündung: Bekehrung zu Jesus Christus.« Diese gleichnishafte Erklärung war ihr sofort einsichtig. Bei beiden kam es während dieses Gesprächs zu der »Initialzündung«, die das ewige Leben bewirkt.

Später traf ich André mit seinem inzwischen 15 Monate alten Sohn bei einer Geburtstagsfeier wieder. Voller Freude berichtete er mir, dass er und Sandra im Glauben gewachsen seien und gerne in der Gemeinde mitarbeiteten. Mit einer »Initialzündung« hatte einmal alles angefangen.

gi

Haben Sie die »Initialzündung« zum Glauben schon erlebt?

Wer Jesus hat, der hat das ewige Leben!

Johannes 10,27-28

11. Dez. 17

Tag der Berge **Montag**

… der euch aus der Finsternis
zu seinem wunderbaren Licht berufen hat.

1. Petrus 2,9

Der Sonnenaufgang

Wir haben extra hier oben in einer Almhütte übernachtet, um möglichst nahe an der Stelle zu sein, von der man die schönste Aussicht hat. Als wir uns von dort aus auf den Weg machen, ist es noch so dunkel, dass wir uns förmlich vorwärtstasten müssen. Langsam beginnt der Tag zu dämmern, und wir beeilen uns, um das uns verheißene wunderbare Schauspiel nicht zu verpassen.

Und dann sind wir da! Wir stehen am Abgrund. Vor uns liegt eine schwarze, nicht zu durchdringende Welt. Nichts ist zu erkennen, und einige von uns sagen schon enttäuscht: Ist das alles? Dafür sind wir jetzt so früh aus den Federn gekrabbelt! Es ist doch nichts zu sehen!

Doch plötzlich kommt die Sonne über den Horizont und durchflutet mit ihren hellen Strahlen das gesamte weite Tal, das sich unter uns in den schönsten Farben und Formen präsentiert. Niemals hätten wir uns diesen faszinierenden Anblick, der von vielem Oh und Ah begleitet wird, vorstellen können, als es noch dunkel war. Jetzt kommen wir aus dem Staunen über diese wunderschöne Bergwelt gar nicht mehr heraus.

Genauso wie wir in der Dunkelheit die Schönheit der Natur und ihre endlose Weite nicht erkennen können, sehen wir auch in unserem Leben oft nur die beklemmende Enge, die uns einschnürt und Angst macht. Erst wenn Gott in unser Leben tritt und wir unsere Augen vor seinem hellen wunderbaren Licht nicht verschließen, lässt er uns einen Blick in das herrliche, überfließende Leben tun, das er für uns vorgesehen hat.

Und er lässt uns nicht nur schauen, sondern nimmt uns an die Hand und geht mit uns durch unser Leben. Ein Leben voller Vertrauen. Ein Leben in Gottes wunderbarem Licht. *bgr*

Leben Sie schon im Licht Gottes?

Lassen Sie Gott durch sein Wort in Ihr Leben leuchten.

Psalm 45

Dienstag

12. Dez. 17

Denn bei dir ist die Quelle des Lebens,
in deinem Licht schauen wir das Licht!
Psalm 36,10

»Im Dunkeln ist gut munkeln«

Anke arbeitete im Krankenhaus. Die Arbeit machte ihr Freude und erfüllte sie. Aber letztens ist ihr ein dummer Fehler passiert. Sie wurde damit vor ihren Arbeitskolleginnen bloßgestellt. Immer wieder einmal kam sie überraschend dazu, wenn einige beieinanderstanden und über sie tuschelten. Das machte der sonst so positiv eingestellten Anke sehr zu schaffen.

Vielleicht kennen Sie so eine Situation auch aus Ihrem eigenen Leben. Wenn man so etwas erfahren muss, kann das sehr wehtun. Irgendwann ist dann die Grenze zum Mobbing erreicht, und wenn es nicht aufhört, kann es zur inneren oder/und äußeren Kündigung kommen. Es gibt gute Fachstellen, die einem beratend zur Seite stehen und sich wirklich bemühen, das Beste aus so einer Angelegenheit zu machen. Aber es gibt einen Punkt, der bleibt. Was ist mit dem eigenen Selbstwertgefühl?

Was machen Sie, wenn Sie dieses Selbstwertgefühl teilweise oder ganz verloren haben, und Ihr Umfeld lässt Sie das deutlich spüren? Was, wenn Sie immer wieder mit übler Nachrede konfrontiert sind? »Im Dunkeln ist gut munkeln« bedeutet genau das. Böse Absichten und schändliche Reden können nur auf diese Art »gepflegt« werden. David hat das erlebt und seinen Trost, den er diesbezüglich fand, aufgeschrieben. Er war ein Mensch, der die Kraft und die Hilfe Gottes kannte und darauf vertraute. Auch wusste er, dass nichts und niemand ihm sein Selbstwertgefühl nehmen konnte. David wusste sich von Gott in jeder Situation getragen. In seinem Glauben an den einen Gott ruhte sein Selbstwertgefühl. Das machte ihn ruhig und stark, denn er vertraute auf seinen Gott. Und dies ist auch der Weg, den Menschen in der heutigen Zeit gehen können!

bw

An wen wenden Sie sich, wenn Sie ungerecht behandelt werden?

Gott kennt Sie in- und auswendig. Er kann echte Heilung schenken.

4. Mose 12

Denn es ist kein Unterschied, denn alle haben gesündigt und erreichen nicht die Herrlichkeit Gottes.

Römer 3,22-23

»... da habe ich auch mal gesündigt«

In der Ernährungsberatung hört man immer wieder »... Ich habe wieder mal gesündigt«. Das gilt besonders nach den Feiertagen wie Weihnachten und Silvester. Wie kommen aber die Leute darauf, ihre Taten selbst als »Sünde« zu bezeichnen? Die Antwort liegt dem Berater schriftlich in seinen Unterlagen vor: Die ärztliche Verordnung kommt nämlich daher, weil der Patient sich nicht an die ärztlichen Vorschriften gehalten hat.

Sünde ist ein Verstoß gegen Maßstäbe oder Normen, besonders gegen Gottes Maßstäbe. Der Tagesvers zeigt, dass Gottes Maßstäbe an seiner Herrlichkeit, das heißt seiner Vollkommenheit, gemessen werden, die jedoch kein Mensch halten oder erreichen kann. Wieso? Beispielsweise ist Gott Wahrheit. Wenn ich seiner Herrlichkeit entsprechen will, muss auch ich immer und überall die Wahrheit sagen und tun. Und er ist Liebe. Begegne ich wirklich jedem Menschen in meinem Umfeld mit Liebe? Wenn ich in mein Leben schaue, muss ich doch gestehen »... da habe ich auch *oft* gesündigt«. Ich bin also ein Sünder, der Gottes Maßstäben immer wieder nicht genügt hat.

Sind wir Menschen nun hoffnungslos verloren? Nein, denn der Vers im Römerbrief geht noch weiter: »... und werden umsonst gerechtfertigt durch seine Gnade, durch die Erlösung, die in Christus Jesus ist; ... durch den Glauben an sein Blut.« Das heißt, Gott hat mit der Diagnose bereits auch einen Ausweg geschaffen! Jesus Christus hat hier auf Erden alle göttlichen Maßstäbe eingehalten und hat dann für mich, den Sünder, die Konsequenzen für meine Sünden getragen und den Tod erduldet. Dies darf ich einfach annehmen und glauben. Dadurch stehe ich als Gerechtfertigter vor dem heiligen Gott. *vj*

Wo müssen Sie ehrlich eingestehen: »... da habe ich auch mal gesündigt«?

Bleiben Sie nicht bei der Bestätigung der Diagnose, sondern nehmen Sie den Ausweg an.

Römer 3,9-26

14. Dez. 17

Donnerstag **Weltaffentag**

**Und herrscht über die Fische im Meer
und über die Vögel des Himmels und über alles Lebendige,
das sich regt auf der Erde!**

1. Mose 1,28

Primatenforschung

Anthropologen und Evolutionsforscher sind sich weitgehend einig, dass Menschenaffen die nächsten Verwandten des Menschen seien. Große Übereinstimmung im Genpool, erstaunliche Ähnlichkeiten im Sozialverhalten u.v.m. rechtfertigten es, Menschen und Affen als »Primaten« auf eine Stufe zu stellen. Als Konsequenz dieser Gleichartigkeit sollten Affen als oft besonders bedrohte Art dem Menschen vergleichbare Grundrechte erhalten. Zudem könne man aus dem Verhalten dieser Tiere Rückschlüsse auf evolutionär verankerte Verhaltensmuster des Menschen ziehen. Beispielsweise sei angesichts des bei manchen Affenarten zu findenden häufigen Wechsels von Sexualpartnern zu erkennen, dass auch bei dem Menschen ein ähnliches Verhalten angelegt, natürlich und evolutionär »richtig« sei. Die Folge ist, dass Beobachtungen aus dem tierischen Umfeld auf menschliche moralische Regeln übertragen werden. Tierisches Verhalten wird zum Maßstab menschlichen Verhaltens.

Ich denke, dass dieser Ansatz falsch ist: Er verkennt, dass Parallelen im Genpool und Verhalten von Tieren und Menschen zwanglos auf einen einheitlichen Urheber (Gott) zurückgeführt werden können, ohne Verwandtschaft oder gar Gleichrangigkeit vorauszusetzen. Er verkennt weiter, dass Gott in der Schöpfungsordnung sehr wohl einen Unterschied zwischen Mensch und Tier (hierzu gehört auch der Affe) gemacht hat. Denn nur der Mensch wird von Gott zur Verantwortung gezogen. Zu dieser Verantwortung des Menschen vor Gott gehört schließlich ausdrücklich auch die Fürsorge für die Tier- und Pflanzenwelt, sodass deren Schutz keine Gleichsetzung von Mensch und Tier erfordert, sondern vielmehr eine konsequente Einhaltung von Gottes Geboten.

mm

Mit welchen Moralvorstellungen können wir wohl noch rechnen, wenn man Menschen mit Affen gleichsetzt?

Wenn ein Löwe einen Missionar frisst, ist er nur satt. Tut das ein Kannibale, so ist er obendrein ein Mörder.

Hesekiel 34,1-10

... der Mensch sieht auf das, was vor Augen ist,
aber der HERR sieht auf das Herz.

1. Samuel 16,7

Outfit

Statistiken belegen immer wieder, wie beträchtlich der Anteil der Konsumausgaben in Deutschland ist, der für den Kauf neuer Anziehsachen verwendet wird. Aber nicht nur hierdurch ist die Bedeutung des äußeren Erscheinungsbildes ersichtlich. So zeigen z. B. Umfragen, dass viele Menschen zusammengerechnet ein komplettes Jahr ihres Lebens im Badezimmer zur Pflege ihres Äußeren verbringen. Und schon längst geben auch Männer Geld dafür aus, um körperliche Alterserscheinungen zu kompensieren, indem sie sich z. B. kahl werdende Stellen auf dem Kopf neu »bepflanzen« lassen, usw.

Und dies hat ja auch alles seinen Grund! Schließlich wird man ja in erster Linie durch sein äußeres Erscheinungsbild in entsprechende »Schubladen« einsortiert. Instinktiv stufen wir den Herrn im adretten Anzug als »seriös« ein ... und wer mit einem jugendlichen Aussehen punkten kann, der wirkt womöglich auf uns automatisch lebens- und unternehmungslustig.

Gottes Blick dagegen bleibt gar nicht erst an der äußeren Fassade hängen. Für ihn spielt es auch keine Rolle, ob wir die aktuellste Mode im Kleiderschrank haben oder nicht. Stattdessen sucht er nach inneren Qualitäten. Gott interessiert sich z. B. dafür, ob wir ein Herz haben, das die Nöte und Probleme unserer Mitmenschen bemerkt. Er schaut danach aus, ob wir bereit sind, Lasten mitzutragen, oder ob wir eher die Nöte unserer Mitmenschen an uns abprallen lassen, um unsere eigene Bequemlichkeit nicht zu gefährden.

Da wir Menschen aber von Natur aus auf uns selbst ausgerichtet sind, ist es nötig, dass wir uns in der Gemeinschaft mit Gott von ihm selbst verändern lassen, um in dieser Hinsicht ein »Herz« zu bekommen, an dem er Wohlgefallen haben kann. *sn*

Wie wichtig ist Ihnen Ihr »inneres« Erscheinungsbild?

Nicht in jeder Haut steckt ein schöner Mensch!

1. Samuel 16,1-13

16. Dez. 17

Samstag

Die Liebe neidet nicht.

1. Korinther 13,4

Dauernd Zank – und (fast) um nichts!

Aus dem Garten nebenan ertönt ein so schreckliches Kindergeschrei, dass der Nachbar eiligst angelaufen kommt, um womöglich ein großes Unheil zu verhüten. Aber da sieht er den Vater der drei Kinder lachend zwischen seinen aufgeregten, schreienden Sprösslingen stehen – so, als sei alles eitel Frieden und Wohlgefallen. Als der Nachbar über den Zaun guckt, ruft ihm der Vater zu: »Wissen Sie, die Ursache für den Lärm hier ist eigentlich lächerlich. Ich habe nur fünf Luftballons, und jeder will zwei haben.«

Das Habenwollen und die Missgunst sind zwei üble Geschwister, die meistens gemeinsam auftreten und nicht nur Familien, sondern ganze Völker in erbitterten Streit versetzen können.

Natürlich hätte der Vater für sechs Luftballons sorgen können; dann wäre es ruhig geblieben. Das hätte das Habenwollen und die Missgunst jedoch nur überdecken, aber nicht beseitigen können. Was kann man aber machen, dass es stattdessen zu Bereitschaft zum Verzicht, zu Gelassenheit, ja, zur Freude am Glück des Nächsten kommt?

Unser Tagesvers verrät uns diese wunderbare Arznei. Es ist die Liebe. Damit ist natürlich nicht die Eigenliebe gemeint, die ja die Wurzel allen Streites ist, sondern die gebende Liebe, die in dieser Welt wohl am deutlichsten bei Müttern mit kranken Kindern sichtbar wird.

Wer in sich also dauernd Neid und Missgunst entdeckt, der sollte doch zu Gott kommen, ihm den Mangel an Liebe bekennen und ihn demütig um ein Herz bitten, das den anderen höher achtet als sich selbst. Denn dies ist wahrhaftig eine Gabe, die aus einer anderen Welt, aus dem Himmel selbst, kommen muss. *gr*

? Wie gehen Sie mit dem Gefühl um, zu kurz gekommen zu sein?

! Gott will uns wahre Nächstenliebe schenken.

1. Samuel 20,1-17

17. Dez. 17

3. Advent **Sonntag**

So wähle das Leben, damit du lebst, ...,
indem du den HERRN, deinen Gott, liebst.
5. Mose 30,19-20

Erdrückende Liebe

Geschwisterliebe ist etwas sehr Schönes. Unsere zwei Kleinen lieben sich sehr. Schon vor der Geburt war unsere »Große« sehr gespannt auf ihren Bruder und wollte ihn, als er endlich da war, so oft wie möglich halten, ihm den Schnuller in den Mund stecken oder ihm beim An- und Ausziehen helfen. Allerdings war das in den ersten Monaten etwas schwierig. Denn ihre Liebe war sehr bestimmend und wenig einfühlsam. Wenn unser kleines Mädchen ihrem Bruder zeigen wollte, wie lieb sie ihn hatte, umarmte sie ihn, so fest sie konnte, oder legte sich sogar auf ihn. Sie wollte immer bestimmen, womit er jetzt spielen sollte. Dem Kleinen wurde keinerlei Mitspracherecht eingeräumt. Wenn sie ihn fast erdrückte, beteuerte sie immer wieder: »Ich hab dich so lieb!« Es war manchmal wirklich eine erdrückende Liebe.

Zum Glück ist Gottes Liebe anders! Manche Menschen meinen vielleicht, Gott wolle uns alles verbieten, was Spaß macht. Oder das Leben mit Gott ließe uns keine Entscheidungsfreiheit mehr. Aber so ist Gottes Liebe ganz und gar nicht! Sie erdrückt nicht. Sie bietet sich zwar an, aber sie lässt uns auch die Freiheit, sie abzulehnen. Ja, wir haben tatsächlich die Möglichkeit, zu Gottes Liebe »Nein« zu sagen! Unser Schöpfer hat uns einen freien Willen gegeben, obwohl er wusste, dass viele Menschen seine Liebe ablehnen würden. Aber Gott wollte uns nicht zwingen. Er wollte, dass die Menschen ihn freiwillig lieben und ehren. Das ist das Wesen wahrer Liebe: Sie lässt dem Gegenüber die Freiheit, sie abzulehnen.

Diese Liebe Gottes, die mich nicht zwingt und nicht erdrückt, habe ich angenommen. Damit habe ich das Leben gewählt, wie der Tagesvers sagt. Durch Gottes Liebe bin ich wirklich glücklich und frei.

frm

Wie reagieren Sie auf Gottes Liebe?

Liebe lässt dem Gegenüber eine Wahl.

1. Korinther 13,1-8

18. Dez. 17

Montag

Im Übrigen sucht man hier an den Verwaltern, dass einer für treu befunden werde.
1. Korinther 4,2

Wir sind nur Verwalter, nicht Besitzer

Jeremias Gotthelf erzählt von einem kranken geldgierigen Geizhals, dem der Arzt nur noch einen Tag Lebenszeit zubilligte. Daraufhin verbrannte dieser alle seine Wertpapiere, damit niemand etwas erben konnte, wenn er selbst schon nichts mehr davon haben sollte. Am nächsten Tag ging es ihm auf wundersame Weise besser. Doch weil er nun ganz arm war, erhängte er sich, anstatt sich seines Lebens zu freuen.

Auch wenn die Geschichte nur erfunden sein sollte, so berührt sie doch einen sehr empfindlichen Punkt unseres Lebens. Wie sehr hängen wir an unserem Besitz, und wie schwer fällt es den meisten, ihn loszulassen. Und wenn wir ihn schon selbst nicht festhalten können, dann gönnen wir anderen erst recht nichts davon. Unser Besitz ist tatsächlich ein Stück von uns selbst.

Das wird erst anders, wenn wir begreifen, dass alle Güter nur Leihgaben Gottes und wir die Verwalter sind, die einmal Rechenschaft ablegen müssen, was wir damit gemacht und wie wir sie verwendet haben. Nach den wenigen Erdenjahren unseres Daseins zählt dann nur noch, was Gott von unserer Verwaltung hält und ob er uns als treue oder als ungetreue Verwalter betrachtet.

Wer die Sache mit Geld und Gut so ansieht, bekommt eine völlig andere Einstellung dazu. Er weiß, dass sein Herr ihm wohl erlaubt, befriedigend von dem Anvertrauten zu leben; aber er sieht alles als Gut seines Herrn im Himmel an und fragt sich immer, ob und wie er eine Maßnahme rechtfertigen kann. Aber weil er seinen Herrn als einen gnädigen und barmherzigen und liebenden Gott kennt, erfüllt ihn sein Auftrag nicht mit Angst und Schrecken, sondern mit Freude, damit Gutes tun zu können und seinem Herrn zu gefallen. *gr*

Welche Einstellung haben Sie dem Geld gegenüber?

Am Ende zählt, was Gott denkt!

Lukas 12,41-48

19. Dez. 17

Dienstag

Und der Engel sprach zu ihnen: Fürchtet euch nicht! Denn siehe, ich verkündige euch große Freude, die dem ganzen Volk widerfahren soll. Denn euch ist heute ein Retter geboren, welcher ist Christus, der Herr. Lukas 2,10-11

Weihnachten – bloß ein Familienfest?

Kurz vor Weihnachten erzählt eine Nachbarin der anderen: »Ich bin jetzt schon ganz fertig, wenn ich an all den kommenden Stress denke. Glücklicherweise habe ich schon im August angefangen, Geschenke für meine Familie einzukaufen; aber ob sich die Kinder darüber freuen werden, ist eine ganz andere Geschichte. Ich weiß jetzt schon, dass ich sogar beim Heilig-Abend-Gottesdienst nur immer überlege, was ich alles noch schaffen muss, damit hinterher Weihnachtsstimmung aufkommt. Und am ersten Feiertag rückt die ganze Verwandtschaft an und will verwöhnt werden. Es ist einfach zum Weglaufen!«

So oder ähnlich geht es vielen Müttern. Dabei sollte doch an die Menschwerdung Christi gedacht werden und an das große Heil, das damit der Menschheit gebracht worden ist, so wie es im Tagestext der Engel verkündet hat. Weil sich nun die meisten in unserem Land nicht mehr über dieses göttliche Geschenk freuen können, versuchen sie, sich mit irdischen Geschenken Freude zu bereiten, was aber meistens nur funktioniert, wenn sie großartiger, origineller und teurer sind als beim letzten Mal.

Kommt das Kind in der Krippe, das doch der menschgewordene Sohn Gottes ist, denn zu seinem Recht, wenn wir nur allen Weihnachtstrubel weglassen? Ich meine nicht. Dazu brauchen wir ein umgewandeltes Herz, und das kann nur Gott bewirken; aber wir können ihn darum bitten, und nichts tut er lieber, als uns das zu gewähren.

Dann können wir mit Gerhard Tersteegen, dem Liederdichter (1697–1769), sagen: »Sehet dies Wunder, wie tief sich der Höchste hier neiget, sehet die Liebe, die endlich als Liebe sich zeiget! Gott wird ein Kind, träget und hebet die Sünd; alles anbete und schweige!« *bw*

? Was machen Sie mit diesem göttlichen Geschenk?

! Gott will uns nicht alleinlassen. Darum ist Weihnachten.

Lukas 2,1-20

Nie mehr wird Nation gegen Nation das Schwert erheben, und sie werden das Kriegführen nicht mehr lernen.

Micha 4,3

Kalaschnikow

Wenige Monate vor seinem Tod am 23. Dezember 2013 schrieb der legendäre russische Waffenkonstrukteur Michail Kalaschnikow an das Oberhaupt der russisch-orthodoxen Kirche. Gewissensbisse plagten ihn: »Der Schmerz in meiner Seele ist unerträglich. Ich frage mich immer wieder dieselbe unlösbare Frage: Falls mein Sturmgewehr Menschen das Leben nahm, bedeutet das, dass ich, Michail Kalaschnikow, Sohn eines Bauern und orthodoxer Christen, verantwortlich für den Tod von all diesen Menschen bin?«

Das Sturmgewehr AK-47 und seine Nachfolger wurde bis heute ca. 100 Millionen Mal auf der ganzen Welt verbreitet. Wie viel Menschen durch diese Waffe starben, ist nicht nachweisbar. Entsprechend tief saß der Schmerz in Kalaschnikows Seele. Doch wohin mit Gewissensbissen? Wer konnte der Seele Ruhe geben? – Viele suchen heute Erleichterung auf der Couch von Psychologen und Therapeuten. Sie hoffen auf Hilfe und Vergebung und werden oft enttäuscht. Wäre es nicht sinnvoll, den um Hilfe zu bitten, der uns die Seele gab? Wenn sich einer damit auskennt, dann er. »Kommt her zu mir, alle ihr Mühseligen und Beladenen, und ich werde euch Ruhe geben. Nehmt auf euch mein Joch und lernt von mir, denn ich bin sanftmütig und von Herzen demütig, und ihr werdet Ruhe finden für eure Seelen, denn mein Joch ist sanft, und meine Last ist leicht« (Matthäus 11,28-30).

In diesen Versen bietet uns Jesus eine »Jochgemeinschaft« an. Er will uns beim Tragen unserer Lasten helfen. Jesus passt seine Geschwindigkeit der unseren an, damit wir Schritt halten können. Bei ihm lernen wir Sanftmut und Demut. Er reinigt unsere Seelen, weil er unsere Schuld auf sich nahm und am Kreuz dafür bezahlte. So sieht seine Seelsorge aus!

bo

Bei wem suchen Sie Ruhe für Ihre aufgewühlte Seele?

Allen Glaubenden ist am Ende ein Reich völligen Friedens verheißen.

Jeremia 33,1-22

21. Dez. 17

Donnerstag

Jesus sprach zu ihr: Ich bin die Auferstehung und das Leben; wer an mich glaubt, wird leben, auch wenn er gestorben ist.

Johannes 11,25

Heinrich Böll, ein Meister im Schreiben

Heute vor 100 Jahren wurde der Schriftsteller Heinrich Böll in Köln geboren. Er war ein Meister im Schreiben von Kurzgeschichten und Romanen. Einige seiner Werke werden als Trümmerliteratur bezeichnet. Und ein anderer Teil ist ein schockierendes Plädoyer gegen den Krieg.

Heinrich Böll war selbst Soldat gewesen und hat viel über das sinnlose Sterben im Zweiten Weltkrieg geschrieben. Allerdings ist der Tod bei ihm am Ende einiger Geschichten mehr ein schöner Übergang: Die Hauptfigur tritt in ein sanftes, goldenes Licht, sie wird von einer lächelnden Frau abgeholt, oder sie hört eine gewaltige und liebevolle Stimme. Und in dem Buch »Der Zug war pünktlich« lässt Böll eine Partisanin zu einem Soldaten voller Todesahnung sagen: »Wohin ich dich auch führen werde, es wird das Leben sein. Glaubst du mir?«

In der Bibel erfahren wir in dem Bericht über den armen Lazarus und den reichen Mann (Lukas 16,19-31) etwas über die Zeit nach dem Tod. Und nach diesem Bericht gibt es im Totenreich zwei Bereiche. In dem ersehnten Teil befinden sich alle Gläubigen, in dem anderen die Menschen, die nicht geglaubt haben. Für sie ist dieser Teil ein Ort der Qual.

Lazarus wird in dem ersehnten Teil gesehen, sitzend im Schoß Abrahams. Jesus knüpft damit an den Glauben der Juden an. Denn für sie befindet sich Abraham am Ort höchsten Glücks. So ist für sie der Begriff »im Schoß Abrahams sein« ein Ausdruck höchster Geborgenheit und höchsten Glücks. Für Christen bestätigt dieser Bericht die Hoffnung auf eine herrliche Zukunft – zusammen mit Jesus. Doch der Bericht ist auch eine Warnung. Denn er zeigt deutlich, dass sich die Menschen hier auf der Erde entscheiden müssen, auf welcher Seite es nach dem Tod für sie weitergeht. *hl*

? Was ist der Tod für Sie? Das Ende oder ein Anfang?

! Nicht schöne Fantasien, sondern die Wahrheit ist hier entscheidend. Nach ihr sollte man sich richten.

Lukas 16,19-31

**Jesus kam in sein Eigentum,
aber sein Volk wollte nichts von ihm wissen.**
Johannes 1,11

»Draußen vor der Tür!«

»Draußen vor der Tür« hat der Hamburger Schriftsteller Wolfgang Borchert sein Stück genannt. Borchert schildert darin die dramatische Situation eines 25-jährigen Soldaten, der 1946 aus der Gefangenschaft heimkehrt. Jahrelang hat er auf diesen Augenblick gewartet. Endlich steht er vor seinem Heim und klopft mit zitterndem Herzen an die Haustür. Er steht vor seinem Eigentum und sieht durch das Fenster des Hauses seine Frau. Er ist gespannt auf den Augenblick der ersten Begegnung nach so langer Zeit. Als die Frau die Tür öffnet, erkennt er schlagartig: Sie hat nicht mehr auf mich gewartet; es ist ihr zu lange geworden. Ein anderer Mann hat seine Stelle eingenommen. Die Person, für die er sein Leben eingesetzt hat, hat sich von ihm abgewandt. Er steht draußen vor der Tür seines Eigentums.

Ein solch unbegreifliches, tief trauriges Ereignis hat vor 2000 Jahren der Sohn Gottes auch schmerzhaft erlebt. Vielfach war er als Messias seines Volkes angekündigt, aber so, wie er dann kam, wurde er nicht erwartet. Kein roter Teppich. Kein Staatsempfang. Kein Raum in der Herberge. Der Stall als »Entbindungsstation«. Der Futtertrog als Bett. Und schließlich Flucht, weil der amtierende König Herodes dem Kind nach dem Leben trachtete. Verfolgt und als Asylant in Ägypten. Und am Ende seines Lebens ans Kreuz genagelt. »Draußen« – vor der Stadt Jerusalem – starb der Sohn Gottes für die Sünden, die Schuld der Welt.

Gott gab seinen Sohn in den Tod, damit wir nicht »draußen« bleiben müssen, sondern – wenn wir an Jesus glauben – ewiges Leben haben. Durch ihn gibt es ein ewiges Heimatrecht im Vaterhaus bei Gott; da muss dann niemand draußen vor der Tür stehen, der hier sein Vertrauen auf Jesus gesetzt hat. *kr*

? Steht der Sohn Gottes noch draußen vor Ihrer Herzenstür?

! Bitten Sie ihn doch hereinzukommen! Dann wird sich auch für Sie einmal die Tür zum Himmel öffnen.

Offenbarung 3,20

Bereitet den Weg des Herrn, macht seine Pfade gerade!
Lukas 3,4

Hoher Besuch

Wenn ich weiß, dass wir Besuch bekommen, ist es mir immer wichtig, dass die Wohnung aufgeräumt und sauber ist und alles gut aussieht. Das gilt besonders, wenn jemand kommt, dessen Meinung mir sehr wichtig ist oder den ich beeindrucken will. Dank meinem Perfektionismus kann das manchmal recht stressig werden.

Zu biblischen Zeiten war es auch üblich, hohen Besuch angemessen zu empfangen. Wenn ein König die Stadt besuchte, wurde erst mal die Straße begradigt, damit der Wagen und seine Insassen nicht so unter den Schlaglöchern zu leiden hatten. Die Löcher wurden gefüllt und alle Unebenheiten ausgeglichen. Schließlich breiteten die Menschen Palmzweige und Kleider oder Teppiche auf dem Weg aus, um den hohen Besuch würdevoll zu empfangen. Heute noch wird bei besonderen Anlässen der »Rote Teppich« ausgerollt.

Johannes predigte in der Wüste, um den großen König anzukündigen: »Bereitet den Weg des Herrn, macht gerade seine Pfade!« Er wollte, dass die Menschen sich auf Jesus vorbereiteten, ihm den Weg bereiteten, um ihn würdig zu empfangen. Doch wie konnten sich die Menschen auf Jesus vorbereiten? Sie sollten die Unebenheiten im Weg ausgleichen, die Schlaglöcher beseitigen und die Bereitschaft haben, Jesus aufzunehmen. Dazu predigte Johannes die Buße zur Vergebung der Sünden.

Viele Menschen verstehen unter Buße das Abarbeiten schlechter Taten. Aber Johannes meinte damit etwas anderes: Die Menschen sollten ihr böses Leben bereuen und bereit sein, sich zu ändern. Sie sollten eine Kehrtwende in ihrem Leben vollziehen. Das war die Voraussetzung, um Jesus zu empfangen. So ist es auch heute noch: Wir müssen Buße tun, um Jesus wirklich aufnehmen zu können. *frm*

? Wie würden Sie Jesus den Weg bereiten, um ihn zu empfangen?

! Zweifel und Unglaube sind einer Begegnung mit Jesus hinderlich.

Lukas 3,1-17

24. Dez. 17

Sonntag **4. Advent**
Heiligabend

Und der Engel sprach zu ihnen (den Hirten): Fürchtet euch nicht! Denn siehe, ich verkündige euch große Freude, die für das ganze Volk sein wird. Denn euch ist heute in der Stadt Davids ein Retter geboren. Lukas 2,10-11

Das perfekte Weihnachtsgeschenk

Vor einem Jahr erhielten wir von einer lieben Familie die Anzeige, dass ihr kleiner Dan Joel am Heiligen Abend um 5:18 Uhr geboren war. Gegen Mittag schauten seine älteren Geschwister im Krankenhaus vorbei, und die Ärzte erlaubten der Familie, Mutter und Baby gleich mit nach Hause nehmen zu dürfen. Das winzig kleine Brüderchen war natürlich in diesem Jahr das großartigste Weihnachtsgeschenk für alle, und es herrschte große Freude.

Machen wir einen Sprung von knapp 2000 Jahren zurück in die Vergangenheit und denken wir an unseren Tagesvers: Da verkündigte der Engel den Hirten auch eine große Freude, die sogar alle Menschen erfahren sollten; denn in Bethlehem war der Retter der Welt geboren worden! Dass es genau der 24. Dezember war, ist höchst unwahrscheinlich; denn das Datum für das Geburtsfest Christi wurde erst viel später festgelegt. Wichtig war damals und ist es noch heute, dass der Retter auf die Erde kam, dass Gott selbst seinen Sohn zu uns sandte, weil wir uns selbst nicht retten konnten. Darüber freuten sich alle Engel im Himmel, aber leider nur wenige Menschen, obwohl sie doch den meisten Grund dazu hatten.

Die armen Hirten jedenfalls kamen und fanden Maria und Joseph, dazu das Kind in der Krippe liegend. Sie freuten sich so sehr, dass sie die Geschichte überall herumerzählten. Und alle, die sie hörten, verwunderten sich. Leider steht nicht in der Bibel, dass sie nun auch kamen, das Kind anzustaunen. Wir aber dürfen heute noch kommen und Gott danken, dass er seinen Sohn in diese böse Welt gesandt hat, um uns zu retten; denn das haben auch heute noch alle Menschen nötig: Wir müssen gerettet werden, weil wir sonst verloren sind! *st*

Warum redet kaum noch jemand von dem großen und so nötigen Geschenk, das Gott den Menschen machte?

Gottes Angebot steht. Es gilt noch heute und bis ans Ende dieser Weltzeit!

Lukas 2,1-20

**Er, der sogar seinen eigenen Sohn nicht verschont hat,
sondern ihn für uns alle dahingegeben hat,
wie sollte er uns mit ihm nicht auch alles schenken?**
Römer 8,32

Warum feiern Sie Weihnachten?

Ein Mann kam abends wie gewöhnlich nach Hause. In seiner Post fand er ein Päckchen. Sein Gesicht verfinsterte sich. Wie alle Jahre hatte Tante Gisela zum Weihnachtsfest eine Schachtel Pralinen geschickt. Seiner Frau war das Ganze nicht entgangen, und sie meinte humorvoll: »Wenn du sie nicht möchtest, kannst du sie ja den Asylbewerbern gegenüber schenken.« Gesagt, getan! Einige Tage später stand die komplette ausländische Familie an der Haustür: »Wir wollen uns für dieses wertvolle Geschenk bedanken!« Der Mann entgegnete: »Ach, das ist doch nichts Großartiges, diese Pralinen.« Die Familie meinte: »Ja, aber da lagen noch 2000 Euro dabei.«

Haben Sie schon einmal ein Geschenk bekommen, dessen Wert Sie unterschätzt oder auf den ersten Blick gar nicht gesehen haben? Da will ihnen jemand mit einem Geschenk eine Freude machen, und Sie legen dieses Geschenk einfach achtlos beiseite. Vielleicht ist es Ihnen sogar peinlich, und Sie überlassen es lieber anderen, so wie in der oben erzählten Geschichte. Nun, es wird nicht immer der Fall sein, dass man damit etwas Wertvolles verpasst, aber in Bezug auf Weihnachten – und was damit zusamenhängt – geht es vielen Menschen so. Sie übersehen Jahr für Jahr, was Gott uns damals geschenkt hat.

Gott hat uns vor rund 2000 Jahren sein »Weihnachtsgeschenk« auf diese Welt gesandt. Sein Sohn Jesus Christus lebte hier, und durch ihn wollte Gott die Menschen retten und ihnen ewiges Leben geben. Die Reaktion fiel verschieden aus: Etliche standen diesem Jesus ratlos und überfordert gegenüber, und andere wollten mit seiner Person überhaupt nichts zu tun haben. Aber wer sich auf ihn einließ, der durfte entdecken, welch einen Reichtum man durch ihn bekommen und in Besitz nehmen konnte. *bw*

? Was bedeutet Ihnen dieses göttliche Weihnachtsgeschenk?

! Im Neuen Testament erfahren Sie mehr darüber. Nehmen Sie sich an Weihnachten doch einmal Zeit, darin zu lesen.

Kolosser 1,1–2,7

26. Dez. 17

Dienstag **Weihnachten**

Siehe, Kinder sind eine Gabe des HERRN,
und Leibesfrucht (Schwangerschaft) ist ein Geschenk.
Psalm 127,3

Geschenke (1)

Alle Jahre wieder: Kaum sind nach den Weihnachtsfeiertagen die Geschäfte wieder geöffnet, beginnt das große Umtauschen und Zurückgeben. Viele Weihnachtsgeschenke waren unpassend, einfach unerwünscht.

Gott, der sich an Weihnachten durch seine Menschwerdung uns sich selbst schenkte, beschenkt uns auch immer wieder unabhängig von Feiertagen, oft unverhofft und überraschend. Auch Kinder sind Geschenke Gottes. So wird es in Psalm 127 ausgedrückt, doch leider wollen viele Paare so ein Geschenk nicht annehmen. Sie versuchen dann, möglichst schnell dieses Geschenk wieder loszuwerden, was man leider an den hohen Abtreibungszahlen erkennen kann. In Deutschland wird jedes 8. Kind abgetrieben; weltweit sind es jährlich über 40 Millionen Menschen, denen es verwehrt wird, das Licht der Welt zu erblicken (Quelle: WHO).

Eigentlich sollte jedem klar sein, dass menschliches Leben, das laut dem europäischen Gerichtshof mit der Befruchtung der Eizelle beginnt, unantastbare Würde besitzt. Doch diese Tatsache wird allzu oft ausgeblendet. Dabei haben Mutter und Vater bei eingetretener Schwangerschaft bereits Verantwortung für das Wertvollste, was Gott erschaffen hat, übernommen. Für ein neues Menschenleben. In diesem Bewusstsein dürfen wir diesem Schöpfergott vertrauen, dass er hinderliche Umstände, gesellschaftlichen Druck, schlechte Finanzlagen und alle sonstigen Bedenken tragen hilft, damit wir sie der neuen, veränderten Situation unterordnen. Wir alle haben unser Erdendasein einem vertrauensvollen »Ja« unserer Eltern zum Kind zu verdanken. Der unfehlbare Gott, der es gut mit uns meint, wird uns auch die »Extras« dazu schenken, die wir brauchen, um das Kind großzuziehen. *dbe*

? Was sagt wohl Gott zu der jährlichen Abtreibungsziffer?

! Auch Sie sind ein Geschenk des Herrn, einzigartig und wertvoll!

Jesaja 1,2-9.14-17

27. Dez. 17

Mittwoch

Siehe, Kinder sind eine Gabe des HERRN,
und Leibesfrucht (Schwangerschaft) ist ein Geschenk.
Psalm 127,3

Geschenke (2)

Das soll ein Geschenk sein?, mag sich so manche Frau fragen, die ungewollt schwanger geworden ist und deren Umstände so gar nicht einladend für ein Kind sind. Was würden Sie zum Beispiel Ihrer 16-jährigen Tochter raten, die seit Kurzem einen Freund hat und noch ohne Schulabschluss Ihnen offenbart, dass sie ein Kind erwartet? Was würden Sie einem Paar empfehlen, dem die Ärzte eine Behinderung des ungeborenen Kindes vorausgesagt haben? Wie gäben Sie einer vierfachen Mutter Anfang vierzig Beistand, die ein »Fünftes« erwartet, sich aber kräftemäßig und finanziell nicht in der Lage sieht, dieses großzuziehen?

Menschlich gesehen ist es oft schwierig, so ein »Gottesgeschenk« anzunehmen. Dann fahren die Gefühle oft Achterbahn. Eine Betroffene berichtete, dass der Wunsch, es wäre nie passiert, alle ihre Gedanken bestimmte und eine Abtreibung als einziger Ausweg erschien. Leider befeuert der gesellschaftliche Druck, der zusätzlich auf den Frauen und Paaren lastet, die Entscheidung gegen das Leben. Ein erhobener moralischer Zeigefinger ist hier genauso unangebracht wie unüberlegte Ratschläge in die eine oder andere Richtung.

Gehen wir doch zum Geber des Lebens, zu dem Gott, der von Anfang an »Ja« zu dem neuen Menschen sagt, der ihn liebt und annimmt wie sein eigenes Kind. Und begegnen wir den Verzweifelten, wie Jesus ihnen begegnen möchte, mit Annahme und Zuspruch (Matthäus 11,28). Wenn wir bereit sind, deren Last mitzutragen (Galater 6,2), erfüllen wir nicht nur Christi Gebot, sondern tragen entscheidend dazu bei, auch eine nicht geplante oder unerwünschte Schwangerschaft als Geschenk Gottes anzunehmen und das Kind mit Freude und Zuversicht zu erwarten. *dbe*

Wer von uns kann mit Sicherheit sagen, dass er bei seiner Geburt gewollt war?

Sie sind ein Wunsch, den sich Gott selbst erfüllt hat. Sie sind ein Geschenk, das sich Gott selbst gemacht hat!

Matthäus 7,7-11

Donnerstag **28. Dez. 17**

Nahet euch Gott! Und er wird sich euch nahen.

Jakobus 4,8

Das Wichtigere

Ich werkelte im letzten Tageslicht der untergehenden Wintersonne an irgendetwas herum, da suchte mich meine dreijährige Tochter gleich neben dem Haus unter dem Abdach auf, um mir eine Frage zu stellen.

Dabei weiß ich längst nicht mehr, woran ich unter Druck bastelte, noch, was das Anliegen meiner Tochter war, doch ihre Frage auf meine vertröstende Haltung, die hat sich in mein Gedächtnis eingebrannt. »Ist das wichtiger als ich?«, wollte sie damals enttäuscht von mir wissen, und noch heute stimmt mich die Frage von einst nachdenklich.

Auch mein Tag hat nur 24 Stunden, und »Nur die Ruhe bewahren!« lautet seit jeher eine oft genutzte Weisheit, um die vielen Anforderungen des Lebens in eine gewichtete Reihenfolge zu sortieren. Und es funktioniert sogar, solange der Überblick bestehen bleibt. Aber wehe, die Ereignisse überschlagen sich, was dann? Und wohin kann man sich noch wenden?

Die vier Evangelisten berichten eindrücklich, wie souverän Jesus mit Situationen höchster Beanspruchung umgegangen ist, und auch, warum er dies so bravourös konnte. Jesus zog sich zurück und suchte im Gebet Gott auf, der ihm von da aus die nötige Ruhe für alles Weitere gab. Das gelang ihm sogar vor seinem schweren Leiden, als er im Garten Gethsemane sagen konnte: Dein Wille geschehe!

Die Frage meiner damals noch kleinen Tochter ist ja sehr grundsätzlicher Art: Sind uns tote Dinge wichtiger als die Bedürfnisse unserer Lieben? Gott geht es immer zuerst um uns, seine Menschen.

Mögen auch wir daher den Mut aufbringen, uns herauszunehmen, um trotz allem zuerst das Gespräch mit Gott zu führen. Er wird dann unseren Blick auf unsere Lieben richten. *aqu*

Was ist in Ihrem Leben das Wichtigste?

Gott erwartet Sie bereits, um Ihnen zu zeigen, was eigentlich das Wichtigste ist.

Psalm 145,1-18

**Eine Zuflucht ist der Gott der Urzeit,
und unter dir sind ewige Arme.**
5. Mose 33,27

Ewige Geborgenheit

Im vergangenen Jahr gab es in unserer Firma eine besondere Feier. Unser Kellermeister wurde in den wohlverdienten Ruhestand verabschiedet. Über 40 Jahre hatte er den technischen Bereich unserer Firma geleitet, hatte Weine probiert, Sekte kreiert und für deren Reinheit und guten Geschmack gesorgt. Jetzt stand er noch einmal im Mittelpunkt. Ein wenig stolz und auch ein bisschen wehmütig genoss er diesen besonderen Augenblick. – Als ich nach der Feier zurück in mein Büro ging, kam ich an einem Spiegel vorbei. Beim Hineinsehen wurde mir klar: In 8 Jahren bin *ich* derjenige, der in den Ruhestand verabschiedet wird. Gedanken stiegen in mir hoch: ›Während meines Arbeitslebens habe ich schon oft von der Zeit danach geträumt. Wenn ich in Rente bin, dann werde ich …‹

Pläne zu machen und von der Zeit zu träumen, wenn kein Terminplan den Tagesablauf mehr bestimmt, ist etwas Herrliches. Wenn alles nach Plan läuft, werde ich noch einige Jahre Ruhestand genießen. Und dann ist es vorbei – dieses Leben hier. War's das dann? Aus – Schluss – vorbei? Muss ich nicht versuchen, noch so viel wie möglich in dieses Leben reinzupacken, weil … Ja, weil! Es ist noch nie jemand zurückgekommen, höre ich oft. Das sehe ich, Gott sei Dank, anders! Denn einer kam zurück! Jesus, der Sohn Gottes, starb für uns. Er hat durch seinen Tod unsere Schuld vor Gott bezahlt. Damit wir Menschen wissen können, dass die Schuld wirklich getilgt ist, kam er wieder. Am dritten Tag stand er nach seiner Auferstehung wieder vor seinen Nachfolgern und begrüßte sie mit einem »Friede euch!«

Ich brauche mir keine Sorgen um meine Zukunft zu machen, weder vor noch nach meiner Rente, denn ich darf mich durch Jesus geborgen in Gott wissen, der mich hält – bis in alle Ewigkeit! *bgr*

? Sehnen Sie sich auch nach Gewissheit und Geborgenheit?

! Nehmen Sie Zuflucht bei Gott!

Psalm 27

Wenn doch auch du (Jerusalem) erkannt hättest, wenigstens noch an diesem deinen Tag, was zu deinem Frieden dient! Nun aber ist es vor deinen Augen verborgen.

Lukas 19,42

Pack die Gelegenheit beim Schopf!

Er läuft stets auf den Zehenspitzen, hat beflügelte Füße, eine Haarlocke, die ihm in die Stirn fällt und einen vollkommen kahlen Hinterkopf – trotz dieses markanten Äußeren fristet Kairos ein Schattendasein unter den griechischen Gottheiten. Für die Griechen personifizierte er den passenden Zeitpunkt oder die gute Gelegenheit. Der Dichter Poseidippos von Pella verfasste ein imaginäres Interview mit dem Unbekannten, in dem Kairos sein Aussehen dem Betrachter erläutert. »Ich, die gute Gelegenheit, laufe unablässig und fliege wie der Wind, an meiner Haarlocke kann mich jeder ergreifen, der mir begegnet. Wenn ich aber vorbeigeglitten bin, wird mich wegen meines kahlen Hinterkopfes keiner mehr erwischen, so sehr er sich auch bemüht!« So können seine Aussagen zusammengefasst werden, und so erklärt sich auch das Sprichwort, das wir heute noch benutzen.

Die Bibel verwendet den Begriff »Kairos« ebenfalls. Inmitten der dahinfließenden Zeit, hat auch Gott gelegene und besondere Zeitpunkte festgesetzt. Der entscheidende Zeitpunkt war das Senden seines Sohnes Jesus Christus, der als Mensch auf der Erde lebte, starb und wiederauferstand, um Umkehr und Rettung anzubieten. In dem Moment, in dem er scheinbar an einem Höhepunkt angekommen ist und in Jerusalem wegen seiner Wundertaten als König verehrt wird, weint Jesus über die Stadt. Er sieht hinter die Fassade und weiß, dass die Menschen den Grund seines Kommens nicht erkannt haben und von ihrem bösen Tun nicht umkehren werden. Die Gelegenheit der Rettung war an ihnen vorbeigezogen.

Auch für uns setzt Gott eine Zeit fest, in der wir durch seine Vergebung Rettung erleben können, aber diese Zeit ist nicht unbegrenzt.

jpo

? Haben Sie schon die Gelegenheit ergriffen, um mit Ihrer Schuld zu Gott zu kommen und Ihr Leben mit ihm zu leben?

! Lassen Sie die Gelegenheit nicht vorbeiziehen!

Galater 4,3-7

Und seid wie neugeborene Kinder begierig nach der vernünftigen, unverfälschten Milch – damit ihr durch sie wachset zur Errettung –, wenn ihr wirklich geschmeckt habt, dass der Herr gütig ist. 1. Petrus 2,2-3

Ein Blick zurück

Wie war das Jahr 2017 für Sie? Haben Sie regelmäßig in diesem Kalender gelesen? Haben Sie vielleicht auch die Bibelstellen nachgeschlagen und sich über die Fragen und Tipps Gedanken gemacht? Keine Angst, ich will Ihnen kein schlechtes Gewissen einreden, wenn Sie mal »geschwänzt« haben. Welchen Eindruck haben Sie mitgenommen? Werden Sie auch im neuen Jahr den Kalender lesen?

Lieber Leser, wir möchten Sie zum Weitermachen ermutigen. Vielleicht haben Sie im Laufe des Jahres schon den Eindruck gewonnen, dass die unterschiedlichen Autoren nur eines im Sinn haben: Sie wollten Ihnen das Wort Gottes und die Hauptperson der Bibel, unseren Herrn Jesus Christus, vorstellen und näherbringen. Überprüfen Sie das von ihnen Geschriebene anhand der Bibel. Es ist ihnen ein wichtiges Anliegen, dass Sie sich intensiver mit der Bibel beschäftigen. Sie werden sehen, dass viele entscheidende Informationen darin enthalten sind. Ich kann Ihnen aus Erfahrung sagen: die Beschäftigung mit Gottes Wort wird sich nicht erschöpfen.

Auf vielen Seiten der Bibel kann man Jesus Christus entdecken. Gott ist es, der uns durch seinen Sohn Frieden geben will, den Frieden, den diese Welt niemals geben kann. Sie können ihn persönlich kennenlernen und sich im Gebet an ihn wenden.

In einer schnelllebigen Welt voller Unwägbarkeiten, Unsicherheiten und Unfrieden ist auf das Wort Gottes, das ewig bleibt, absolut Verlass. Lassen Sie sich daher auf dieses Wort ein, lesen und studieren Sie die Bibel, lernen Sie unseren Herrn Jesus Christus besser kennen, in dem alle Schätze der Weisheit und Erkenntnis verborgen sind. Sie werden sehen, es lohnt sich. Und es ist so wichtig wie Milch für ein Neugeborenes. *schn*

? Hat Sie der Kalender angesprochen und Ihnen Mut gemacht?

! Gott möge Sie auch im Jahr 2018 segnen und Sie in Ihrer Beziehung zu ihm weiterbringen. Dieser Kalender hilft Ihnen dabei.

Epheser 4,11-16

5 Schritte

Wenn Sie wissen wollen, wie man ein Leben mit Jesus Christus beginnt, nennen wir Ihnen hier:

Fünf Schritte zu einem neuen Leben

1 Wenden Sie sich an Jesus Christus und sagen Sie ihm alles im Gebet. Er versteht und liebt Sie.

»Kommt her zu mir, alle ihr Mühseligen und Beladenen, und ich werde euch Ruhe geben.« (Matthäus 11,28)

2 Sagen Sie ihm, dass Sie bisher in der Trennung von Gott gelebt haben und ein Sünder sind. Bekennen Sie ihm Ihre Schuld. Nennen Sie alles, was Ihnen an konkreten Sünden bewusst ist.

»Wenn wir unsere Sünden bekennen, ist er treu und gerecht, dass er uns die Sünden vergibt und uns reinigt von jeder Ungerechtigkeit.« (1. Johannes 1,9)

3 Bitten Sie den Herrn Jesus Christus, in Ihr Leben einzukehren. Vertrauen und glauben Sie ihm von ganzem Herzen. Wenn Sie sich dem Herrn Jesus Christus so anvertrauen, macht er Sie zu einem Kind Gottes.

»So viele ihn aber aufnahmen, denen gab er das Recht, Kinder Gottes zu werden, denen, die an seinen Namen glauben.« (Johannes 1,12)

4 Danken Sie Jesus Christus, dem Sohn Gottes, dass er für Ihre Sünde am Kreuz gestorben ist. Danken Sie ihm, dass er Sie aus dem sündigen Zustand erlöst und Ihre einzelnen Sünden vergeben hat. Danken Sie ihm täglich für die Gotteskindschaft.

»In ihm haben wir die Erlösung und die Vergebung der Sünden.« (Kolosser 1,14)

5 Bitten Sie Jesus Christus, die Führung in Ihrem Leben zu übernehmen. Suchen Sie den täglichen Kontakt mit ihm durch Bibellesen und Gebet. Der Kontakt mit anderen Christen hilft, als Christ zu wachsen. Jesus Christus wird Ihnen Kraft und Mut für die Nachfolge schenken.

»Wenn jemand mir dient, so folge er mir nach! Und wo ich bin, da wird auch mein Diener sein. Wenn mir jemand dient, so wird der Vater ihn ehren.« (Johannes 12,26)

Wenn Sie weitere Fragen haben, dann schicken Sie uns einfach eine E-Mail: **info@lebenistmehr.de** oder schreiben Sie uns:
Redaktion »Leben ist mehr«, Moltkestr. 1, 35683 Dillenburg

Themenindex

Alltag

Alter

Beruf

Bibel

Bibelpaket

Christsein

Themenindex

Themenindex

Gott

Israel

Jesus Christus

Kirche/Gemeinde

Krankheit

Krisen/ Katastrophen

Themenindex

Themenindex

Tod/Sterben

Wirtschaft

Wissenschaft/ Technik

Zeitzeichen

Zukunft

Leitverse

Altes Testament

1. Mose 1,1	SLT	9.02.
1. Mose 1,26	ELB CSV	11.05.
1. Mose 1,28	SLT	14.12.
1. Mose 1,31	SLT	4.03.
1. Mose 2,17	LUT	24.10.
1. Mose 2,18	ELB CSV	16.08.
1. Mose 8,21	ELB	20.09.
1. Mose 8,22	NEÜ	3.02.
1. Mose 11,4	SLT	30.04.
1. Mose 13,3-4	ELB	22.04.
1. Mose 39,12	NEÜ	12.08.
1. Mose 41,39	SLT	22.06.
2. Mose 14,31	ELB	5.08.
2. Mose 15,26	SLT	10.10.
2. Mose 18,21	ELB	7.09.
2. Mose 20,12	ELB CSV	1.06.
2. Mose 20,2-3	SLT	14.07.
2. Mose 21,5-6	SLT	8.11.
3. Mose 18,22	ELB	23.02.
5. Mose 4,24	SLT	17.02.
5. Mose 4,29	SLT	9.08.
5. Mose 4,31	SLT	18.02.
5. Mose 4,39	SLT	19.02.
5. Mose 5,15	ELB	23.09.
5. Mose 5,15	ELB	24.09.
5. Mose 30,19-20	ELB CSV	17.12.
5. Mose 33,27	ELB	29.12.
Josua 1,8	ELB	10.09.
1. Samuel 16,7	SLT	15.06.
1. Samuel 16,7	SLT	15.12.
1. Samuel 22,23	ELB	12.04.
1. Könige 3,5	SLT	17.08.
1. Könige 8,34	SLT	31.08.
1. Könige 12,16	ELB	15.03.
2. Könige 4,40	SLT	16.11.
1. Chronik 4,9	ELB	25.03.
1. Chronik 4,10	ELB	26.03.
2. Chronik 29,1	ELB	13.05.
Hiob 3,25	LUT	25.07.
Hiob 10,9	SLT	28.07.
Hiob 38,4	LUT	5.05.

Psalm 2,4	ELB	10.11.
Psalm 2,12	ELB CSV	13.11.
Psalm 6,10	ELB	4.02.
Psalm 14,7	SLT	30.08.
Psalm 18,7	ELB	6.03.
Psalm 23,1	SLT	4.08.
Psalm 27,4	ELB	26.09.
Psalm 32,11	ELB	29.08.
Psalm 33,14-15	ELB	29.09.
Psalm 34,5	LUT	21.03.
Psalm 36,10	SLT	10.02.
Psalm 36,10	SLT	12.12.
Psalm 38,5	ELB	18.09.
Psalm 46,2	SLT	7.08.
Psalm 50,12	SLT	8.03.
Psalm 50,15	SLT	12.05.
Psalm 50,15	SLT	14.05.
Psalm 50,15	ELB CSV	10.08.
Psalm 50,15	ELB CSV	24.08.
Psalm 50,15	SLT	9.09.
Psalm 50,21	ELB CSV	18.04.
Psalm 51,19	SLT	16.06.
Psalm 55,23	ELB CSV	28.11.
Psalm 57,3-4	NGÜ	21.04.
Psalm 71,7	SLT	6.02.
Psalm 83,2	ELB	8.09.
Psalm 84,4	ELB CSV	20.02.
Psalm 84,13	ELB	28.06.
Psalm 86,10	ELB	16.09.
Psalm 89,48-49	LUT	29.06.
Psalm 90,12	ELB CSV	2.11.
Psalm 90,16	ELB	11.03.
Psalm 91,11	ELB	4.05.
Psalm 95,7	ELB	16.01.
Psalm 95,7-8	ELB	27.08.
Psalm 97,9	SLT	22.02.
Psalm 105,4	ELB	26.01.
Psalm 106,1	SLT	2.10.
Psalm 119,68	ELB	25.06.
Psalm 119,98-99	SLT	3.01.
Psalm 119,105	LUT	7.12.
Psalm 127,3	LUT	26.12.
Psalm 127,3	SLT	27.12.
Psalm 139,1-3	ELB	18.05.
Psalm 139,3	SLT	6.04.
Psalm 139,14	ELB CSV	24.03.
Psalm 139,14	ELB	25.09.
Psalm 139,14-15	ELB CSV	30.03.
Psalm 139,16	ELB	5.09.
Psalm 139,17	ELB CSV	25.04.
Psalm 139,23	ELB	18.10.
Psalm 150,1.3	ELB CSV	19.09.
Psalm 150,6	SLT	4.07.

Leitverse

Neues Testament

Leitverse

Lukas 9,9	SLT	6.12.
Lukas 9,46	ELB	29.04.
Lukas 9,46	SLT	22.08.
Lukas 10,20	ELB CSV	5.11.
Lukas 11,1	ELB	8.01.
Lukas 11,4	SLT	25.10.
Lukas 12,5	ELB	26.10.
Lukas 12,20	ELB	1.10.
Lukas 12,50	ELB CSV	11.04.
Lukas 14,17	ELB CSV	1.05.
Lukas 15,10	SLT	12.11.
Lukas 19,42	ELB CSV	30.12.
Lukas 20,20	ELB	9.10.
Lukas 22,48	ELB	23.03.
Lukas 24,5	ELB	10.04.
Lukas 24,5	NGÜ	19.04.
Lukas 24,5-6	NEÜ	16.04.
Johannes 1,11	NEÜ	22.12.
Johannes 1,11-12	ELB CSV	28.08.
Johannes 1,29	ELB	14.06.
Johannes 1,29	ELB CSV	27.07.
Johannes 3,16	SLT	13.02.
Johannes 3,16	SLT	18.03.
Johannes 3,17	NEÜ	17.07.
Johannes 3,17	SLT	14.11.
Johannes 3,36	ELB	1.04.
Johannes 4,13-14	ELB	9.12.
Johannes 6,9	ELB	8.02.
Johannes 6,68-69	SLT	8.07.
Johannes 8,12	ELB	16.03.
Johannes 8,12	ELB	17.11.
Johannes 8,36	SLT	13.03.
Johannes 10,12	ELB CSV	18.01.
Johannes 10,14	ELB	27.03.
Johannes 10,15	ELB	16.07.
Johannes 10,27-28	ELB CSV	15.02.
Johannes 11,25	NGÜ	18.08.
Johannes 11,25	ELB	21.12.
Johannes 14,19	ELB	4.11.
Johannes 14,2	ELB	26.08.
Johannes 14,6	SLT	15.01.
Johannes 14,9	SLT	10.05.
Johannes 14,27	ELB	29.05.
Johannes 14,27	SLT	14.08.
Johannes 15,11	LUT	25.05.
Johannes 15,13	ELB CSV	15.11.
Johannes 15,13	ELB	19.11.
Johannes 15,16	ELB	3.04.
Johannes 16,28	ELB	23.06.
Johannes 16,30	NGÜ	28.03.
Johannes 17,17	ELB	29.07.
Johannes 18,11	ELB	11.06.
Johannes 18,37	ELB	30.09.

Johannes 19,30	LUT	23.07.
Johannes 19,30	ELB CSV	17.09.
Johannes 19,35	SLT	7.02.
Johannes 21,5	SLT	6.09.
Apostelgeschichte 2,38	NEÜ	4.06.
Apostelgeschichte 2,38	ELB CSV	19.05.
Apostelgeschichte 11,2.4	NEÜ	11.10.
Apostelgeschichte 16,31	SLT	17.06.
Apostelgeschichte 20,24	ELB	21.05.
Apostelgeschichte 27,18	ELB	13.09.
Apostelgeschichte 28,15	ELB CSV	26.07.
Römer 1,16	ELB	13.01.
Römer 1,19	ELB CSV	4.10.
Römer 1,20-21	NGÜ	31.05.
Römer 2,1	ELB	22.09.
Römer 3,4	ELB	20.10.
Römer 3,22-23	ELB	29.01.
Römer 3,22-23	ELB CSV	13.12.
Römer 3,23-24	SLT	21.07.
Römer 3,24	ELB	17.03.
Römer 3,28	LUT	24.05.
Römer 4,25	ELB	5.07.
Römer 5,20	ELB	24.04.
Römer 6,23	ELB	23.04.
Römer 8,22	LUT	25.01.
Römer 8,28	ELB CSV	17.01.
Römer 8,28	ELB	14.10.
Römer 8,32	SLT	25.12.
Römer 11,36	LUT	27.05.
Römer 12,12	SLT	22.11.
Römer 12,21	ELB	29.10.
Römer 13,9	NEÜ	17.10.
Römer 14,7	ELB CSV	9.11.
Römer 14,11	ELB CSV	3.10.
Römer 15,13	ELB	6.01.
1. Korinther 1,18	ELB CSV	21.10.
1. Korinther 4,2	ELB CSV	18.12.
1. Korinther 6,19	ELB	15.09.
1. Korinther 10,24	ELB	11.08.
1. Korinther 11,3	ELB	4.01.
1. Korinther 13,3	ELB	9.06.
1. Korinther 13,4	ELB CSV	16.12.
1. Korinther 13,13	ELB	20.06.
1. Korinther 15,17	LUT	17.04.
1. Korinther 15,25	ELB	11.07.
1. Korinther 15,55	SLT	1.02.
2. Korinther 1,19	ELB	3.07.
2. Korinther 3,18	ELB CSV	27.09.
2. Korinther 4,16	ELB CSV	3.08.
2. Korinther 5,17	ELB	7.05.

2. Korinther 5,17	ELB	30.06.
2. Korinther 5,20	ELB CSV	5.03.
2. Korinther 5,20-21	NEÜ	31.07.
2. Korinther 6,2	ELB	4.09.
2. Korinther 6,2	SLT	13.07.
Galater 2,20	ELB	14.02.
Galater 2,21	ELB	10.07.
Galater 3,3	LUT	28.05.
Galater 5,13	ELB CSV	8.06.
Galater 6,7	ELB	12.06.
Epheser 2,4-5	ELB CSV	19.10.
Epheser 2,8	LUT	22.05.
Epheser 2,8	NEÜ	31.10.
Epheser 5,8	ELB	10.01.
Epheser 5,16	ELB	1.01.
Epheser 5,20	SLT	13.08.
Epheser 6,9	ELB	28.04.
Epheser 6,11	ELB CSV	3.09.
Philipper 1,21	ELB	14.01.
Philipper 2,4	SLT	16.02.
Philipper 2,4	ELB CSV	27.10.
Philipper 4,5	ELB	11.01.
Philipper 4,8	SLT	8.08.
Kolosser 1,15	ELB	15.07.
Kolosser 2,13	NEÜ	13.10.
Kolosser 3,15	ELB CSV	21.02.
Kolosser 3,15	SLT	9.03.
1. Thessalonicher 4,17-18	ELB	23.11.
1. Thessalonicher 5,18	ELB	16.05.
2. Thessalonicher 2,14	NEÜ	6.08.
1. Timotheus 1,5	SLT	19.08.
1. Timotheus 2,3-4	ELB CSV	24.02.
1. Timotheus 2,4	SLT	7.07.
1. Timotheus 2,5	ELB	31.03.
1. Timotheus 2,5-6	ELB	23.05.
1. Timotheus 4,9	ELB	12.03.

2. Timotheus 1,9	LUT	31.01.
2. Timotheus 3,16	ELB	18.06.
2. Timotheus 3,16-17	LUT	26.05.
Hebräer 2,18	ELB	6.10.
Hebräer 3,15	SLT	27.01.
Hebräer 3,15	SLT	2.04.
Hebräer 9,27	ELB CSV	26.11.
Hebräer 9,27	ELB	2.12.
Hebräer 11,1	ELB	21.11.
Hebräer 11,1-3	SLT	26.04.
Hebräer 11,6	SLT	10.06.
Hebräer 12,2	SLT	6.07.
Hebräer 12,11	NGÜ	11.09.
Jakobus 1,10	ELB	5.04.
Jakobus 1,14	ELB CSV	26.06.
Jakobus 2,1	ELB	6.06.
Jakobus 2,18	SLT	24.06.
Jakobus 2,23	NEÜ	22.03.
Jakobus 3,7-8	NEÜ	3.06.
Jakobus 4,1	SLT	24.01.
Jakobus 4,1	NEÜ	1.08.
Jakobus 4,8	ELB	28.12.
1. Petrus 1,18-19	NEÜ	2.08.
1. Petrus 1,18-19	ELB	11.11.
1. Petrus 2,2-3	ELB	31.12.
1. Petrus 2,3	ELB	2.06.
1. Petrus 2,9	ELB	11.12.
1. Petrus 5,7	SLT	2.05.
1. Petrus 5,7	SLT	12.07.
2. Petrus 1,19	SLT	30.11.
2. Petrus 3,13	ELB CSV	21.06.
Offenbarung 1,7	LUT	5.01.
Offenbarung 2,10	SLT	7.03.
Offenbarung 3,20	ELB	6.05.
Offenbarung 12,12	ELB	12.02.
Offenbarung 22,5	NGÜ	19.03.

Erläuterung zu den Abkürzungen der Bibelübersetzungen

ELB	Elberfelder Bibel. Wuppertal/Dillenburg: R. Brockhaus/Christliche Verlagsgesellschaft.
ELB CSV	Die Heilige Schrift. Aus dem Grundtext übersetzt. Hückeswagen: Christliche Schriftenverbreitung (CSV).
LUT	Lutherbibel. 1999. Deutsche Bibelgesellschaft, Stuttgart.
NEÜ	bibel.heute. Neue Evangelistische Übersetzung 2010. Karl-Heinz Vanheiden.
NGÜ	Neue Genfer Übersetzung 2009. Genfer Bibelgesellschaft.
SLT	Schlachterbibel (Franz Eugen Schlachter). Revision 2000. Genfer Bibelgesellschaft.

Für Textvergleiche siehe www.bibleserver.com.

Einmal im Jahr das ganze Neue Testament lesen! (Bereits gelesene Abschnitte können zur besseren Übersicht jeweils in dem Kästchen abgehakt werden.)

Januar

☐ Matth.1
☐ Matth.2
☐ Matth.3
☐ Matth.4
☐ Matth.5,1-26
☐ Matth.5,27-48
☐ Matth.6
☐ Matth.7
☐ Matth.8
☐ Matth.9,1-17
☐ Matth.9,18-38
☐ Matth.10,1-23
☐ Matth.10,24-42
☐ Matth.11
☐ Matth.12,1-21
☐ Matth.12,22-50
☐ Matth.13,1-32
☐ Matth.13,33-58
☐ Matth.14,1-21
☐ Matth.14,22-36
☐ Matth.15,1-20
☐ Matth.15,21-39
☐ Matth.16
☐ Matth.17
☐ Matth.18,1-20
☐ Matth.18,21-35
☐ Matth.19,1-15
☐ Matth.19,16-30
☐ Matth.20,1-16
☐ Matth.20,17-34
☐ Matth.21,1-22

Februar

☐ Matth.21,23-46
☐ Matth.22,1-22
☐ Matth.22,23-46
☐ Matth.23,1-22
☐ Matth.23,23-39
☐ Matth.24,1-22
☐ Matth.24,23-51
☐ Matth.25,1-30
☐ Matth.25,31-46
☐ Matth.26,1-19
☐ Matth.26,20-54
☐ Matth.26,55-75
☐ Matth.27,1-31
☐ Matth.27,32-66
☐ Matth.28
☐ Mark.1,1-22
☐ Mark.1,23-45
☐ Mark.2
☐ Mark.3,1-21
☐ Mark.3,22-35
☐ Mark.4,1-20
☐ Mark.4,21-41
☐ Mark.5,1-20
☐ Mark.5,21-43
☐ Mark.6,1-32
☐ Mark.6,33-56
☐ Mark.7,1-13
☐ Mark.7,14-37
☐ Mark.8,1-21

März

☐ Mark.8,22-38
☐ Mark.9,1-29
☐ Mark.9,30-50
☐ Mark.10,1-31
☐ Mark.10,32-52
☐ Mark.11,1-19
☐ Mark.11,20-33
☐ Mark.12,1-27
☐ Mark.12,28-44
☐ Mark.13,1-13
☐ Mark.13,14-37
☐ Mark.14,1-26
☐ Mark.14,27-52
☐ Mark.14,53-72
☐ Mark.15,1-26
☐ Mark.15,27-47
☐ Mark.16
☐ Luk.1,1-23
☐ Luk.1,24-56
☐ Luk.1,57-80
☐ Luk.2,1-24
☐ Luk.2,25-52
☐ Luk.3
☐ Luk.4,1-30
☐ Luk.4,31-44
☐ Luk.5,1-16
☐ Luk.5,17-39
☐ Luk.6,1-26
☐ Luk.6,27-49
☐ Luk.7,1-30
☐ Luk.7,31-50

April

☐ Luk.8,1-21
☐ Luk.8,22-56
☐ Luk.9,1-36
☐ Luk.9,37-62
☐ Luk.10,1-24
☐ Luk.10,25-42
☐ Luk.11,1-28
☐ Luk.11,29-54
☐ Luk.12,1-34
☐ Luk.12,35-59
☐ Luk.13,1-21
☐ Luk.13,22-35
☐ Luk.14,1-24
☐ Luk.14,25-35
☐ Luk.15,1-10
☐ Luk.15,11-32
☐ Luk.16,1-18
☐ Luk.16,19-31
☐ Luk.17,1-19
☐ Luk.17,20-37
☐ Luk.18,1-17
☐ Luk.18,18-43
☐ Luk.19,1-27
☐ Luk.19,28-48
☐ Luk.20,1-26
☐ Luk.20,27-47
☐ Luk.21,1-19
☐ Luk.21,20-38
☐ Luk.22,1-30
☐ Luk.22,31-53

Mai

☐ Luk.22,54-71
☐ Luk.23,1-26
☐ Luk.23,27-38
☐ Luk.23,39-56
☐ Luk.24,1-35
☐ Luk.24,36-53
☐ Joh.1,1-28
☐ Joh.1,29-51
☐ Joh.2
☐ Joh.3,1-21
☐ Joh.3,22-36
☐ Joh.4,1-30
☐ Joh.4,31-54
☐ Joh.5,1-24
☐ Joh.5,25-47
☐ Joh.6,1-21
☐ Joh.6,22-44
☐ Joh.6,45-71
☐ Joh.7,1-31
☐ Joh.7,32-53
☐ Joh.8,1-20
☐ Joh.8,21-36
☐ Joh.8,37-59
☐ Joh.9,1-23
☐ Joh.9,24-41
☐ Joh.10,1-21
☐ Joh.10,22-42
☐ Joh.11,1-17
☐ Joh.11,18-46
☐ Joh.11,47-57
☐ Joh.12,1-19

Juni

☐ Joh.12,20-50
☐ Joh.13,1-17
☐ Joh.13,18-38
☐ Joh.14
☐ Joh.15
☐ Joh.16,1-15
☐ Joh.16,16-33
☐ Joh.17
☐ Joh.18,1-23
☐ Joh.18,24-40
☐ Joh.19,1-22
☐ Joh.19,23-42
☐ Joh.20
☐ Joh.21
☐ Apg.1
☐ Apg.2,1-13
☐ Apg.2,14-47
☐ Apg.3
☐ Apg.4,1-22
☐ Apg.4,23-37
☐ Apg.5,1-16
☐ Apg.5,17-42

Bibellese

- ☐ Apg.6
- ☐ Apg.7,1-19
- ☐ Apg.7,20-43
- ☐ Apg.7,44-60
- ☐ Apg.8,1-25
- ☐ Apg.8,26-40
- ☐ Apg.9,1-22
- ☐ Apg.9,23-43

Juli

- ☐ Apg.10,1-23
- ☐ Apg.10,24-48
- ☐ Apg.11
- ☐ Apg.12
- ☐ Apg.13,1-24
- ☐ Apg.13,25-52
- ☐ Apg.14
- ☐ Apg.15,1-21
- ☐ Apg.15,22-41
- ☐ Apg.16,1-15
- ☐ Apg.16,16-40
- ☐ Apg.17,1-15
- ☐ Apg.17,16-34
- ☐ Apg.18
- ☐ Apg.19,1-22
- ☐ Apg.19,23-41
- ☐ Apg.20,1-16
- ☐ Apg.20,17-38
- ☐ Apg.21,1-14
- ☐ Apg.21,15-40
- ☐ Apg.22
- ☐ Apg.23,1-11
- ☐ Apg.23,12-35
- ☐ Apg.24
- ☐ Apg.25
- ☐ Apg.26
- ☐ Apg.27,1-26
- ☐ Apg.27,27-44
- ☐ Apg.28,1-15
- ☐ Apg.28,16-31
- ☐ Röm.1

August

- ☐ Röm.2
- ☐ Röm.3
- ☐ Röm.4
- ☐ Röm.5
- ☐ Röm.6
- ☐ Röm.7
- ☐ Röm.8,1-18
- ☐ Röm.8,19-39
- ☐ Röm.9
- ☐ Röm.10
- ☐ Röm.11,1-24
- ☐ Röm.11,25-36
- ☐ Röm.12
- ☐ Röm.13
- ☐ Röm.14
- ☐ Röm.15,1-21
- ☐ Röm.15,22-33
- ☐ Röm.16
- ☐ 1.Kor.1
- ☐ 1.Kor.2
- ☐ 1.Kor.3
- ☐ 1.Kor.4
- ☐ 1.Kor.5
- ☐ 1.Kor.6
- ☐ 1.Kor.7,1-24
- ☐ 1.Kor.7,25-40
- ☐ 1.Kor.8
- ☐ 1.Kor.9
- ☐ 1.Kor.10,1-13
- ☐ 1.Kor.10,14-33
- ☐ 1.Kor.11,1-15

September

- ☐ 1.Kor.11,16-34
- ☐ 1.Kor.12
- ☐ 1.Kor.13
- ☐ 1.Kor.14,1-20
- ☐ 1.Kor.14,21-40
- ☐ 1.Kor.15,1-32
- ☐ 1.Kor.15,33-58
- ☐ 1.Kor.16
- ☐ 2.Kor.1
- ☐ 2.Kor.2
- ☐ 2.Kor.3
- ☐ 2.Kor.4
- ☐ 2.Kor.5
- ☐ 2.Kor.6
- ☐ 2.Kor.7
- ☐ 2.Kor.8
- ☐ 2.Kor.9
- ☐ 2.Kor.10
- ☐ 2.Kor.11,1-15
- ☐ 2.Kor.11,16-33
- ☐ 2.Kor.12
- ☐ 2.Kor.13
- ☐ Gal.1
- ☐ Gal.2
- ☐ Gal.3
- ☐ Gal.4
- ☐ Gal.5
- ☐ Gal.6
- ☐ Eph.1
- ☐ Eph.2

Oktober

- ☐ Eph.3
- ☐ Eph.4
- ☐ Eph.5
- ☐ Eph.6
- ☐ Phil.1
- ☐ Phil.2
- ☐ Phil.3
- ☐ Phil.4
- ☐ Kol.1
- ☐ Kol.2
- ☐ Kol.3
- ☐ Kol.4
- ☐ 1.Thess.1
- ☐ 1.Thess.2
- ☐ 1.Thess.3
- ☐ 1.Thess.4
- ☐ 1.Thess.5
- ☐ 2.Thess.1
- ☐ 2.Thess.2
- ☐ 2.Thess.3
- ☐ 1.Tim.1
- ☐ 1.Tim.2
- ☐ 1.Tim.3
- ☐ 1.Tim.4
- ☐ 1.Tim.5
- ☐ 1.Tim.6
- ☐ 2.Tim.1
- ☐ 2.Tim.2
- ☐ 2.Tim.3
- ☐ 2.Tim.4
- ☐ Titus1

November

- ☐ Titus2
- ☐ Titus3
- ☐ Philemon
- ☐ Hebr.1
- ☐ Hebr.2
- ☐ Hebr.3
- ☐ Hebr.4
- ☐ Hebr.5
- ☐ Hebr.6
- ☐ Hebr.7
- ☐ Hebr.8
- ☐ Hebr.9
- ☐ Hebr.10,1-23
- ☐ Hebr.10,24-39
- ☐ Hebr.11,1-19
- ☐ Hebr.11,20-40
- ☐ Hebr.12
- ☐ Hebr.13
- ☐ Jak.1
- ☐ Jak.2
- ☐ Jak.3
- ☐ Jak.4
- ☐ Jak.5
- ☐ 1.Petr.1
- ☐ 1.Petr.2
- ☐ 1.Petr.3
- ☐ 1.Petr.4
- ☐ 1.Petr.5
- ☐ 2.Petr.1
- ☐ 2.Petr.2

Dezember

- ☐ 2.Petr.3
- ☐ 1.Joh.1
- ☐ 1.Joh.2
- ☐ 1.Joh.3
- ☐ 1.Joh.4
- ☐ 1.Joh.5
- ☐ 2.Joh.
- ☐ 3.Joh.
- ☐ Judas
- ☐ Offb.1
- ☐ Offb.2
- ☐ Offb.3
- ☐ Offb.4
- ☐ Offb.5
- ☐ Offb.6
- ☐ Offb.7
- ☐ Offb.8
- ☐ Offb.9
- ☐ Offb.10
- ☐ Offb.11
- ☐ Offb.12
- ☐ Offb.13
- ☐ Offb.14
- ☐ Offb.15
- ☐ Offb.16
- ☐ Offb.17
- ☐ Offb.18
- ☐ Offb.19
- ☐ Offb.20
- ☐ Offb.21
- ☐ Offb.22

Mitarbeiter

ap	Arndt Plock	mm	Markus Majonica
apa	Anne Paschke	pg	Peter Güthler
aqu	Artur Quindt	pj	Joachim Pletsch
bgr	Bernd Grünewald	pt	Eberhard Platte
bo	Gerald Bott	rr	Robert Rusitschka
bu	Andreas Burghardt	sa	Anna Schulz
bw	Waltraud Baumann	schn	Axel Schneider
dbe	Daniela Bernhard	sd	Dina Seel
dr	Andreas Droese	se	Susanne Eisl
ebr	Erika Breul	sew	Sebastian Weißbacher
ek	Erwin Kramer	sg	Günter Seibert
eli	Elisabeth Weise	sib	Simona Brand
fe	Andreas Fett	sn	Stefan Nietzke
fr	Joschi Frühstück	sna	Sabrina Nagel
frm	Michaja Franz	sp	Klaus Spieker
gi	Werner Gitt	spa	Antonia Spagnolo
gr	Hermann Grabe	sro	Steffen Rosenkranz
har	Stephen Harding	sst	Sabine Stabrey
HK	Hanna Kaal	st	Stefan Taube
hl	Herbert Laupichler	str	Alexander Strunk
ht	Manfred Herbst	tcb	Thomas Bühne
hu	Hartmut Ulrich	tk	Thomas Kröckertskothen
jb	Joachim Boshard	tl	Thomas Lange
jpo	Janina Porten	toe	Tobias Egeler
jts	Jonathan Stöbener	tp	Thomas Pommer
kaa	William Kaal	ty	Tony Keller
kim	Gerhard Kimmich	uhb	Uwe Harald Böhm
koh	Karl-Otto Herhaus	vb	Bernhard Volkmann
kr	Detlef Kranzmann	vdm	Martin von der Mühlen
kts	Kathrin Stöbener	vj	Verena John
kü	Rudolf Kühnlein	weu	Stephanie Weuste
li	Eberhard Liebald	wj	Joel Wjst
ls	Silvia Lammers	wu	Walter Ulmer
lü	Peter Lüling	wä	Markus Wäsch
md	Markus Ditthardt	za	Daniel Zach